Carl Mørck,
Sonderdezernat Q, Kopenhagen,
ermittelt

Erbarmen
Der erste Fall für Carl Mørck
dtv premium 24751
dtv 21262
Titel der dänischen Originalausgabe:
Kvinden i buret (Die Frau im Käfig), Kopenhagen 2008

Schändung
Der zweite Fall für Carl Mørck
dtv premium 24787
Titel der dänischen Originalausgabe:
Fasandræberne (Die Fasanentöter), Kopenhagen 2008

Erlösung
Der dritte Fall für Carl Mørck
dtv premium 24852
Titel der dänischen Originalausgabe:
Flaskepost fra P (Flaschenpost von P), Kopenhagen 2009

Jussi Adler-Olsen

Erlösung

Der dritte Fall für Carl Mørck,
Sonderdezernat Q

Thriller

Aus dem Dänischen
von Hannes Thiess

Deutscher Taschenbuch Verlag

Deutsche Erstausgabe 2011
7. Auflage 2011
Deutscher Taschenbuch Verlag GmbH & Co. KG,
München

Titel der dänischen Originalausgabe: ›Flaskepost fra P‹

Umschlagkonzept: Balk & Brumshagen
Umschlaggestaltung: Wildes Blut, Atelier für Gestaltung, Stephanie Weischer
unter Verwendung eines Fotos von plainpicture/Arcangel
Satz: Greiner & Reichel, Köln
Gesetzt aus der Aldus 11/14·
Druck und Bindung: CPI – Ebner & Spiegel, Ulm
Gedruckt auf säurefreiem, chlorfrei gebleichtem Papier
Printed in Germany · ISBN 978-3-423-24852-5

Gewidmet Kes,
meinem Sohn.

AUGMENTED REALITY

EXKLUSIV FÜR LESER:
Die interaktive Landkarte
zu ›Erlösung‹.

In exklusiven Videointerviews gibt Jussi Adler-Olsen spannende Einblicke in seine Arbeit und liefert interessante Hintergrundinformationen zu den Schauplätzen von ›Erlösung‹.

Sie benötigen dazu:
· eine Internetverbindung
· eine Webcam

Surfen Sie auf
dtv.de/ar/erloesung
und folgen Sie der Anleitung.

Prolog

Der dritte Morgen war angebrochen, und inzwischen hing der Geruch von Teer und Tang schon in der Kleidung. Er hörte das grießige Eis, das unter den Planken des Bootshauses schwerfällig gegen die Pfähle schwappte. Erinnerungen an Tage wurden wach, als alles noch gut war.

Er hob seinen Oberkörper von dem Lager aus Papierabfällen und zog sich so weit nach vorn, dass er das Gesicht seines kleinen Bruders erkennen konnte. Noch im Schlaf wirkte er verfroren und gequält.

Bald würde er aufwachen und sich verwirrt umschauen. Dann würde er die straffen Lederriemen an den Handgelenken und um den Leib spüren und das Klirren der Kette hören, die ihn festhielt. Durch die Ritzen zwischen den geteerten Brettern würde er sehen, wie das Tageslicht und der Schnee darum kämpften, zu ihnen vorzudringen. Und dann würde er anfangen zu beten.

Unzählige Male schon hatte er die Verzweiflung in den Augen seines Bruders aufflackern sehen. Halb erstickt hinter dem Klebeband über seinem Mund hatte er immer wieder um Jehovas Gnade gewinselt.

Aber Jehova würdigte sie keines Blickes, das wussten sie beide, denn sie hatten von dem Blut getrunken. Von dem Blut, das der Wärter in ihre Wassergläser getröpfelt hatte. Und dann hatte er sie gezwungen, daraus zu trinken. Erst danach hatte er ihnen gesagt, was sie da getrunken hatten: Wasser mit dem verbotenen Blut. Jetzt waren sie auf ewig verdammt. Seither brannte die Scham in ihnen noch stärker als der Durst.

Was wird er mit uns machen? Was glaubst du?, hatten die

ängstlichen Augen seines Bruders gefragt. Aber woher sollte er das wissen? Instinktiv fühlte er, dass bald alles vorbei sein würde.

Er lehnte sich zurück, und seine Augen suchten in dem schwachen Licht noch einmal den ganzen Raum ab. Er ließ den Blick an den Dachsparren und den vielen Spinnweben entlangwandern. Prägte sich alle Ecken und Kanten und Astvorsprünge ein. Registrierte die morschen Paddel und die Ruder, die hinter den Verstrebungen steckten, das verrottete Fischernetz, das schon vor langer Zeit seinen letzten Fang eingeholt hatte.

Dann fiel sein Blick auf die Flasche hinter ihm. Ein Sonnenstrahl war über das bläuliche Glas geglitten und hatte es aufblinken lassen.

Die Flasche war so nahe, und doch war es so schwer, an sie heranzukommen. Sie steckte eingekeilt zwischen den groben Planken, aus denen der Boden gezimmert war.

Er steckte die Finger zwischen die Bretter und versuchte, den Flaschenhals zu erreichen. Seine Hände waren steif gefroren vor Kälte. Wenn er die Flasche losbekam, würde er sie zerschlagen und mit den Scherben die Lederriemen an ihren Handgelenken aufscheuern. Sobald sie nachgaben, könnte er mit seinen tauben Händen die Schnalle im Rücken öffnen, das Klebeband vom Mund reißen und die Riemen vom Oberkörper und den Schenkeln abstreifen. Und sobald die Kette, die an den Lederriemen hing, ihn nicht länger festhielt, würde er losstürzen und seinen kleinen Bruder befreien. Ihn an sich ziehen und so lange im Arm halten, bis ihre Körper nicht mehr zitterten.

Anschließend würde er alle Kraft zusammennehmen und mit der Glasscherbe das Holz rings um die Tür bearbeiten. Versuchen, die Bretter auszuhöhlen, an denen die Scharniere saßen. Und sollte das Entsetzliche geschehen und das Auto kommen, bevor er fertig war, dann würde er den Mann erwarten. Hinter der Tür würde er ihm auflauern, in der Hand den zerbrochenen Flaschenhals. Ja, er würde es tun.

Er lehnte sich vor, faltete seine eiskalten Hände auf dem Rücken und bat um Vergebung für seine bösen Gedanken.

Aber dann kratzte und scharrte er weiter, um die Flasche freizubekommen. Kratzte und scharrte, bis sie sich schließlich so weit lockerte, dass er den Hals zu fassen bekam.

Er spitzte die Ohren.

War das ein Motor? Ja, eindeutig. Es klang wie der starke Motor eines großen Wagens. Aber kam das Auto näher oder fuhr es nur irgendwo da oben vorbei?

Das Brummen nahm zu, und er begann so fieberhaft an dem Flaschenhals zu zerren, dass seine Fingergelenke knackten. Dann wurde das Geräusch leiser. Waren das Windräder, die dort draußen rauschten und rumpelten?

Seine warme Atemluft bildete Dampfwolken vor seinem Gesicht. Im Moment fürchtete er sich eigentlich nicht. Der Gedanke an Jehova und seine Gnadengeschenke gab ihm Kraft.

Er biss die Zähne zusammen und machte weiter.

Als er die Flasche endlich losbekommen hatte, schlug er sie so fest auf die Bohlen, dass sein Bruder mit einem Ruck den Kopf hob und sich erschrocken umsah.

Immer wieder schlug er die Flasche auf die Bodenplanken. Aber mit den Händen auf dem Rücken konnte er einfach nicht weit genug ausholen. Und als seine Finger nicht mehr festzuhalten vermochten, ließ er die Flasche los, drehte seinen Kopf so weit er konnte nach hinten und starrte mit leerem Blick darauf.

Er sah zu, wie der Staub von den Dachbalken rieselte. Er schaffte es einfach nicht, diese verdammte Flasche zu zerbrechen. Diese lächerliche kleine Flasche. Aber es ging einfach nicht. Warum nur? Weil er von dem verbotenen Blut getrunken hatte? Hatte Jehova sie deshalb verlassen?

Er sah zu seinem Bruder hinüber, der sich in die Decke einrollte und langsam auf das Lager zurücksank. Sein Bruder sagte kein Wort. Versuchte nicht einmal, hinter dem Klebeband etwas zu murmeln.

Es dauerte lange, bis er alles eingesammelt hatte, was er brauchte. Am schwierigsten war es, sich angekettet so weit zu strecken, dass er mit den Fingerspitzen an den Teer zwischen den Dachbalken herankam. Alles andere hatte er in Reichweite: die Flasche, die Holzsplitter von den Bodenplanken und das Papier. Auf dem saß er.

Er streifte einen Schuh ab, hielt eine Hand über das Leder und stach sich mit dem Holzsplitter tief in die Handwurzel. Tränen schossen ihm in die Augen. Er ließ das Blut auf seinen Schuh tropfen, eine oder zwei Minuten lang. Dann riss er ein großes Stück Papier von der Unterlage, tauchte den Splitter in das Blut, drehte seinen Körper und zog so an der Kette, dass er gerade noch sehen konnte, was er hinter seinem Rücken schrieb. Es war schwer, in dieser Position zu schreiben, aber er versuchte, so gut wie möglich von ihrer Not zu berichten. Am Schluss unterschrieb er, rollte das Papier zusammen und schob es in die Flasche.

Er nahm sich Zeit, den Teerklumpen tief in den Flaschenhals zu stopfen. Ruckelte ihn hin und her und kontrollierte mehrmals, ob alles ordentlich verschlossen war.

Als er gerade fertig war, hörte er erneut Motorengeräusch. Diesmal gab es keinen Zweifel. Eine schmerzlich lange Sekunde sah er seinen Bruder an, dann streckte er sich mit aller Kraft zum Licht, das durch einen breiten Spalt in der Wand fiel – und damit zu der einzigen Öffnung, durch die er die Flasche pressen konnte.

Die Tür ging auf und in einer Wolke weißer Schneeflocken erschien ein riesiger Schatten.

Stille.

Dann ein Klatschen.

Die Flasche war frei.

1

Carl war schon unter besseren Bedingungen aufgewacht.

Als Erstes registrierte er den Säurespringbrunnen in seiner Speiseröhre. Er schlug die Augen auf, um nach etwas zu suchen, das dieses unangenehme Gefühl besänftigen könnte. Da entdeckte er auf dem Kissen neben sich das Gesicht einer Frau, mit Speichelfäden am Mund und verschmierter Wimperntusche.

Ach du Scheiße, dachte er, das ist ja Sysser. Krampfhaft versuchte er sich zu erinnern, was er sich wohl am vergangenen Abend geleistet haben mochte. Ausgerechnet Sysser. Seine wie ein Schlot rauchende Nachbarin. Die schnell sprechende und bald pensionierte »Frau für alle Fälle« aus dem Rathaus Allerød.

Ein entsetzlicher Gedanke kam ihm, und er hob ganz langsam die Bettdecke hoch. Erleichtert stellte er fest, dass er immerhin seine Unterhose anhatte.

»Verdammt«, stöhnte er und schob Syssers sehnige Hand von seinem Brustkorb. Solche Kopfschmerzen hatte er nicht mehr gehabt, seit Vigga ausgezogen war.

»Bitte keine Details«, sagte er zu Morten und Jesper unten in der Küche. »Erzählt mir einfach nur, was die Frau dort oben auf meinem Kopfkissen zu suchen hat.«

»Hey, die Alte wiegt 'ne Tonne«, unterbrach ihn sein Pflegesohn, öffnete einen Karton Orangensaft und hob ihn an den Mund. Den Tag, an dem Jesper lernte, aus einem Glas zu trinken, konnte nicht mal Nostradamus vorhersagen.

»Ja, also entschuldige, Carl«, sagte Morten. »Aber sie konnte ihre Schlüssel nicht finden, und du warst ja sowieso schon weg vom Fenster, und da hab ich gedacht …«

Das war das letzte Mal, dass ich bei einer von Mortens Grillpartys mitgemacht hab, schwor sich Carl und warf einen Blick ins Wohnzimmer zu Hardys Bett.

Als gemütliches Zuhause empfand er das hier nicht mehr, seit sie vor vierzehn Tagen seinen ehemaligen Kollegen in den häuslichen Gemächern installiert hatten. Nicht, weil das Krankenbett ein Viertel der Grundfläche des Wohnzimmers einnahm und die Aussicht zum Garten verdeckte, auch nicht, weil die Gestelle mit den diversen Tüten daran Carl unangenehm waren oder weil Hardys gelähmter Körper permanent übel riechende Gase verströmte – das alles war nicht der Grund. Nein, es war dieses konstant schlechte Gewissen, das alles veränderte. Dass Carls Beine ihre Funktion erfüllten und er, wann immer ihm der Sinn danach stand, abhauen konnte. Und zu diesem schlechten Gewissen gesellte sich das Gefühl, etwas wiedergutmachen zu müssen. Für Hardy da sein zu müssen. Etwas für diesen gelähmten Mann tun zu müssen.

»Nun mal ganz ruhig«, war ihm Hardy zuvorgekommen, als sie vor ein paar Monaten hin und her überlegt hatten, welche Vor- und Nachteile es hätte, wenn sie ihn aus der Klinik für Wirbelsäulenverletzungen in Hornbæk zu Carl nach Hause holten. »Hier oben vergeht durchaus mal 'ne ganze Woche, ohne dass ich dich sehe. Glaubst du nicht, dass ich da deine Aufmerksamkeit ein paar Stunden entbehren kann, wenn ich zu dir nach Hause ziehe?«

Aber die Sache war doch die: Hardy war trotzdem immer da, selbst wenn er so still vor sich hinschlummerte wie gerade jetzt. Physisch. In Gedanken. Bei der Alltagsplanung. In allen Worten, die plötzlich viel sorgfältiger überlegt sein wollten. Das war anstrengend. Dabei sollte Zuhausesein doch eigentlich nicht anstrengend sein, verdammt noch mal.

Hinzu kamen all die praktischen Details. Wäsche waschen,

Bettzeug wechseln, sich mit Hardys gewaltigem Körper herumplagen. Der Einkauf, der Kontakt mit den Krankenschwestern und Ämtern. Essen kochen. Na ja, um das meiste kümmerte sich Morten. Aber das war eben nicht alles.

»Hast du gut geschlafen, altes Haus?«, fragte er vorsichtig, als er sich Hardys Lager näherte.

Sein ehemaliger Kollege öffnete die Augen und versuchte zu lächeln. »Tja, so ist das, Carl, der Urlaub ist um, die Arbeit ruft. Die letzten zwei Wochen sind wie im Flug vergangen. Aber Morten und ich werden das schon schaffen. Hauptsache, du vergisst nicht, die Kumpels von mir zu grüßen, klar?«

Carl nickte. Es musste verdammt hart sein für Hardy, verdammt hart. Wenn man doch nur einen Tag mit ihm tauschen könnte.

Nur einen einzigen Tag für Hardy.

Abgesehen von den Wachhabenden in ihrem Käfig sah Carl keine Menschenseele. Der Hof des Präsidiums war wie leer gefegt und der Säulengang wintergrau und abweisend.

»Was zum Teufel ist denn hier los?«, rief er, als er kurz darauf den Kellerflur entlangging.

Er hatte einen lautstarken Empfang erwartet, den Geruch von Assads Pfefferminzkleister oder zumindest eine von Roses gepfiffenen Versionen der großen Klassiker. Aber auch hier unten war alles wie ausgestorben. Waren die in den vierzehn Tagen, die er sich für Hardys Umzug freigenommen hatte, einfach alle von Bord gegangen?

Er betrat Assads Kämmerchen und sah sich irritiert um. Keine Fotos von alten Tanten, kein Gebetsteppich, keine Döschen mit klebrigem Gebäck. Sogar die Neonröhren an der Decke waren ausgeschaltet.

Er ging über den Flur und machte in seinem Büro Licht. Sein sicheres Terrain, bis zu dem das Rauchverbot nicht vorgedrungen war. Der Ort, wo er immerhin schon drei Fälle gelöst hatte – und erst zwei hatte aufgeben müssen. Wo alle alten Fälle, das Arbeitsgebiet des Sonderdezernats Q, in drei zierlichen Aktenstapeln überschaubar und ordentlich auf seinem Schreibtisch gelegen hatten, vorsortiert nach seinem unfehlbaren System.

Abrupt blieb er stehen. Der blank polierte Schreibtisch war nicht wiederzuerkennen. Kein Staubkörnchen. Kein einziger dicht beschriebener DIN-A4-Bogen, auf den man seine müden Beine legen und den man anschließend in den Papierkorb knüllen konnte. Kurz gesagt: Alles war wie leer gefegt.

»Rose!«, brüllte er mit so viel Nachdruck, wie er aufbringen konnte.

Aber seine Stimme verhallte in den Kellergemächern.

Er war der letzte Mohikaner, Kevin allein zu Haus, der Hahn ohne Hühnerhof. Der König, der für ein Pferd sein Königreich hergeben würde.

Er griff nach dem Telefon und gab die Nummer von Lis ein, oben in der Mordkommission.

Nach fünfundzwanzig Sekunden wurde abgenommen.

»Dezernat A, Sekretariat«, hörte er die Stimme von der Sørensen – der Kollegin, die Carl von allen wohl am feindlichsten gesonnen war.

»Frau Sørensen«, säuselte er. »Carl Mørck hier. Ich sitze mutterseelenallein hier unten. Was ist los? Wissen Sie zufällig, wo Assad und Rose sind?«

Es war noch keine Millisekunde vergangen, da hatte die blöde Kuh den Hörer aufgeknallt.

Er stand auf und nahm Kurs auf Roses Domizil ein Stück weiter den Gang hinunter. Vielleicht befanden sich die verschwundenen Akten ja dort. Als er ihr Büro betrat, traf ihn fast der Schlag: Tatsächlich sprangen ihm die Unterlagen sofort entgegen – allerdings nicht als Aktenstapel, sondern quasi als Tapete. Mindestens zehn Holzfaserplatten bedeckten die Wand zwischen Assads und Roses Büros, und diese Platten waren zugepflastert mit allen Fällen, die bis vor vierzehn Tagen noch auf seinem Schreibtisch gelegen hatten.

Eine Stehleiter aus gelblichem Lärchenholz zeigte an, wo der letzte Fall angepinnt worden war. Es war der zweite Fall, den sie hatten aufgeben müssen. Der zweite der ungelösten Fälle in Folge.

Carl trat einen Schritt zurück, um sich einen Überblick über diese Papierhölle zu verschaffen. Was zum Teufel hatten seine Fälle an dieser Wand zu suchen? War bei Rose und Assad eine Sicherung durchgeknallt? Waren sie deshalb verduftet?

Feiges Pack.

Im zweiten Stock war es genau dasselbe. Keine Menschenseele. Sogar Frau Sørensens Platz hinter der Theke war gähnend leer. Das Büro des Chefs, das des Stellvertreters, die Kaffeeküche, der Konferenzraum: nichts.

Was war denn verdammt noch mal hier los? Hatte es Bombenalarm gegeben? War die Polizeireform inzwischen so weit gediehen, dass man das Personal auf die Straße gesetzt hatte, um die Gebäude meistbietend zu verkaufen? War der neue Justizminister Amok gelaufen?

Er kratzte sich am Hinterkopf, griff nach dem Hörer und rief die Wache an.

»Carl Mørck hier. Wo zum Teufel sind die Kollegen hin verschwunden?«

»Die meisten haben sich im Gedenkhof versammelt.«

»Im Gedenkhof? Wieso denn das? Meines Wissens gedenken wir der Internierung der dänischen Polizei am 19. September. Das ist noch mehr als ein halbes Jahr hin. Was wollen die denn alle da?«

»Die Polizeipräsidentin möchte einigen Dezernaten die Reformanpassungen erläutern. Du musst schon entschuldigen, Carl, aber wir dachten, das wüsstest du.«

»Ja, aber ich hab doch gerade mit Frau Sørensen gesprochen, die hat keinen Ton gesagt.«

Carl schüttelte den Kopf. Das war doch total durchgeknallt. Bis er unten im Hof war, hatte das Justizministerium den ganzen Kram doch schon wieder geändert.

Er starrte den Sessel des Chefs der Mordkommission an. Verlockend weich. Dort konnte man zumindest mal ohne Zuschauer die Augen schließen.

Zehn Minuten später wachte er auf. Lars Bjørn, der stellvertretende Leiter der Mordkommission, hatte ihm die Hand auf die Schulter gelegt. Assads Kulleraugen lächelten nur zehn Zentimeter vor seinem Gesicht.

Schluss mit dem Frieden, aus und vorbei.

»Komm, Assad«, sagte er und drückte sich aus dem Sessel hoch. »Wir gehen runter in den Keller und holen ruckzuck die Papiere von den Wänden, ja? Wo ist eigentlich Rose?«

Assad schüttelte den Kopf. »Das geht nicht, Carl.«

Carl stopfte sich das Hemd in die Hose. Verdammt, was sagte der Mann da? Natürlich ging das. Hatte er, Carl, etwa nicht das Sagen?

»Nun komm schon. Und bring Rose mit. Und zwar JETZT.«

»Der Keller ist ab sofort gesperrt«, belehrte ihn Lars Bjørn. »Aus der Isolierung der Rohre rieselt Asbest. Die Gewerbeaufsicht war da. So sieht es aus.«

Assad nickte. »Ja. Wir mussten unsere Sachen hier hochbringen. Und wir sitzen in diesem Raum natürlich nicht besonders gut. Aber für dich haben wir einen schicken Stuhl aufgetrieben«, ergänzte er, als ob das ein Trost wäre. »Ach ja, und wir sind nur zu zweit. Rose hatte keine Lust, hier oben zu sitzen, deshalb hat sie ein verlängertes Wochenende eingelegt. Sie kommt aber nachher noch.«

Genauso gut hätten sie ihm in seine edleren Körperteile treten können.

2

Sie hatte in die Flammen gestarrt, bis die Kerzen heruntergebrannt waren und Dunkelheit sie umgab. Er war schon öfter einfach weggefahren, aber noch nie an ihrem Hochzeitstag.

Sie holte tief Luft und stand auf. Inzwischen hatte sie es sich abgewöhnt, am Fenster zu stehen und zu warten und seinen Namen auf die von ihrem Atem beschlagene Scheibe zu schreiben.

Es hatte nicht an Warnungen gefehlt, damals, als sie sich kennengelernt hatten. Ihre Freundin hatte vorsichtige Zweifel geäußert, und ihre Mutter hatte es ihr unumwunden gesagt. Er sei zu alt für sie. In seinen Augen funkele etwas Böses. Er sei ein Mann, den man nicht einschätzen könne. Ein Mann, auf den kein Verlass sei.

Deshalb hatte sie ihre Mutter und ihre Freundin schon lange nicht mehr gesehen. Und deshalb wuchs in dem Maße, in dem ihr Bedürfnis nach Kontakt größer wurde, ihre Verzweiflung. Mit wem sollte sie reden? Es gab doch niemanden mehr.

Jetzt saß sie in einem leeren, aufgeräumten Zimmer und presste die Lippen zusammen. Der Druck der ungeweinten Tränen nahm zu.

Da hörte sie ihren Sohn, er bewegte sich. Sie gewann ihre Fassung zurück, wischte sich die Nasenspitze mit dem Zeigefinger ab und holte zweimal tief Luft.

Wenn ihr Mann sie betrog, dann sollte er auch nicht mehr auf sie zählen können.

Das Leben hatte mit Sicherheit mehr zu bieten.

Ihr Mann kam so lautlos ins Schlafzimmer, dass ihn nur sein Schatten an der Wand verriet. Breite Schultern und offene Arme. Warm und nackt legte er sich neben sie und zog sie wortlos an sich.

Sie hatte schöne Worte erwartet und eine spitzfindige Entschuldigung. Vielleicht hatte sie den schwachen Duft einer fremden Frau befürchtet und wegen des schlechten Gewissens ein Zögern an den falschen Stellen. Stattdessen umarmte er sie, drehte sie leidenschaftlich herum und zerrte ihr die Sachen vom Leib. Sein vom Mondlicht beschienenes Gesicht erregte sie. Die Zeit des Wartens war vorbei, und Kummer und Zweifel waren wie weggeblasen.

Es war ein halbes Jahr her, seit er zuletzt so gewesen war.

Gott sei Dank, dass es wieder passierte.

»Schatz, ich werde eine Weile verreisen«, sagte er ohne Vorwarnung am nächsten Morgen beim Frühstück und streichelte dabei die Wange des Kindes. Zerstreut, als wäre das, was er da gerade gesagt hatte, völlig bedeutungslos.

Sie runzelte die Stirn und spitzte die Lippen, um die unausweichliche Frage noch einen Moment zurückzuhalten. Dann legte sie die Gabel auf den Teller und blickte konzentriert auf Rührei und Bacon. Die Nacht war lang gewesen. Sie spürte noch ihren Unterleib, seine Zärtlichkeiten und liebevollen Blicke hatten sie lange nachglühen lassen. Bis eben gerade. Aber jetzt drang die bleiche Märzsonne als unwillkommener Gast ins Zimmer und beleuchtete unmissverständlich die Tatsache: Ihr Mann war nur auf einen Sprung zu Hause. Wieder einmal.

»Warum kannst du mir nicht sagen, was du arbeitest? Ich bin doch deine Frau.«

Er hatte das Besteck schon in der Hand, hielt aber sofort inne. Schon wurden seine Augen dunkler.

»Nein, ich meine es ernst«, fuhr sie fort. »Wie viel Zeit soll denn diesmal vergehen, bis du wieder so bist wie heute Nacht? Sind wir schon wieder an dem Punkt, wo ich nichts von dir weiß, wo ich keine Ahnung habe, was du tust? Wo du nicht mehr greifbar bist für mich, selbst wenn du da bist?«

Er sah ihr direkt in die Augen. »Hast du nicht von Anfang an gewusst, dass ich nicht über meine Arbeit sprechen kann?«

»Doch, aber …«

»Dann frag auch nicht andauernd nach.«

Er ließ das Besteck auf den Teller fallen und wandte sich mit einem gezwungenen Lächeln ihrem Sohn zu.

Sie versuchte, tief und ruhig weiterzuatmen, aber in ihrem Inneren rumorte die Verzweiflung. Es stimmte ja. Schon lange vor der Hochzeit hatte er ihr klargemacht, dass er beruflich mit Dingen befasst war, über die er nicht sprechen durfte. Vielleicht ging es um nachrichtendienstliche Aufgaben oder etwas in der Art, sie erinnerte sich nicht mehr genau. Aber soweit sie wusste, führten auch Menschen, die für den Nachrichtendienst arbeiteten, neben ihrem Job ein einigermaßen normales Leben. Und normal war *ihr* Leben in keiner Hinsicht. Oder gehörten Alternativaufgaben wie Seitensprünge etwa zum Berufsalltag eines Geheimdienstlers? Denn um etwas anderes konnte es sich doch wohl kaum handeln.

Sie räumte die Teller zusammen und überlegte, ob sie ihm auf der Stelle ein Ultimatum setzen sollte. Und damit seine Wut riskieren? Eine Wut, die sie fürchtete, aber von deren wahrem Ausmaß sie keine Ahnung hatte.

»Wann sehe ich dich denn wieder?«, fragte sie.

Er lächelte. »Kann gut sein, dass ich nächsten Mittwoch wieder da bin. Dieser Job dauert normalerweise acht bis zehn Tage.«

»Ach so. Dann bist du also gerade rechtzeitig zum Bowlingturnier zurück«, konstatierte sie spitz.

Er stand auf, zog sie mit dem Rücken an seinen Oberkörper und faltete seine Hände unter ihrer Brust. Wenn sie seinen

Kopf auf ihrer Schulter fühlte, hatte das bei ihr bisher immer wohliges Schaudern ausgelöst. Heute zog sie sich zurück.

»Ja«, sagte er. »Zum Turnier bin ich wieder da. Und dann können wir das von heute Nacht gleich wiederholen. Einverstanden?«

Als er gegangen und das Geräusch seines Wagens verklungen war, starrte sie lange mit verschränkten Armen vor sich hin. Ein Leben in Einsamkeit war eine Sache. Aber nicht zu wissen, wofür man diesen Preis bezahlte, war etwas ganz anderes. Doch die Chance, einen Mann wie den ihren des Ehebruchs zu überführen, war minimal. Das wusste sie, obwohl sie es nie versucht hatte. Sein Revier war groß, und er war ein vorsichtiger Mensch, alles in ihrem gemeinsamen Leben bewies das. Pensionen, Versicherungen, Fenster und Türen, Koffer und Gepäck, alles wurde zweifach gecheckt. Auf dem Tisch herrschte immer Ordnung, nie lagen Zettel oder Quittungen in Taschen oder Schubladen herum. Er war ein Mann, der nicht viele Spuren hinterließ. Selbst sein Geruch hing kaum mehr als wenige Sekunden in der Luft, nachdem er ein Zimmer verlassen hatte. Wie sollte sie ihm jemals eine Affäre nachweisen? Es sei denn, sie setzte einen Privatdetektiv auf ihn an. Aber wovon sollte sie den bezahlen?

Sie schob die Unterlippe vor und pustete sich ganz langsam warme Luft ins Gesicht. Das war eine Angewohnheit von ihr, das hatte sie schon immer gemacht, wenn sie angespannt war oder eine wichtige Entscheidung treffen musste. Damals, beim Kauf ihres Konfirmationskleides, vor den höchsten Hindernissen beim Springreiten und bevor sie ihrem Mann das Jawort gegeben hatte. Manchmal sogar, wenn sie einfach nur auf die Straße ging, um zu sehen, ob sich das Leben in dem milden Licht dort draußen anders anfühlte.

3

Rundheraus gesagt: Der ebenso kräftige wie gutmütige Sergeant David Bell machte sich gern einen lauen Lenz. Saß da und sah den Wellen zu, die gegen die Klippen donnerten. Ganz oben am äußersten Zipfel Schottlands, in John O'Groats, wo die Sonne nur halb so lange schien, aber doppelt so schön. Hier war David geboren und hier wollte er sterben – wenn es mal so weit war.

Die raue See war Davids Element. Warum also sollte er seine Zeit sechzehn Meilen weiter südlich vertun, in einem Büro auf der Polizeiwache in der Bankhead Road in Wick? Nein, diese verschlafene Hafenstadt bedeutete ihm nichts, und daraus machte er auch keinen Hehl.

Deshalb schickten seine Vorgesetzten auch ihn los, wenn es irgendwo in den kleinen Orten im Norden Ärger gab. Dann fuhr er mit dem Streifenwagen vor, drohte den testosterongesteuerten Typen damit, einen Officer aus Inverness herbeizurufen, und schon herrschte wieder Ruhe. Da oben wollte man keine Fremden, die sollten ihre Nasen nicht in die Angelegenheiten anderer Leute stecken. Dann schon lieber Pferdepisse im Bier, in ihrem guten alten Orkney Skull Splitter. Wegen der Fähre zu den Orkneys hatten sie nun wirklich oft genug Durchreisende.

Wenn sich die Gemüter wieder beruhigt hatten, warteten die Wellen auf ihn, und wenn es etwas gab, wofür sich Sergeant Bell reichlich Zeit nahm, dann für sie.

David Bells Liebe zum Meer war legendär – und ohne sie wäre die Flasche sonst wo gelandet. Aber da dieser Sergeant nun mal in seiner frisch gebügelten Uniform auf dem Felsen saß, den Wind im Haar und in der Uniformmütze, konnte man sie ebenso gut ihm geben.

Und das tat man dann auch.

Die Flasche hatte in den Maschen des Netzes festgesteckt und schwach geblinkt, als auf dem Trawler der Fang eingeholt wurde. Vom Meerwasser war das Glas im Laufe der Zeit matt geworden. Der jüngste Mann an Bord des Kutters ›BrewDog‹ hatte sofort gesehen, dass es keine gewöhnliche Flasche war.

»Schmeiß sie wieder ins Meer, Seamus!«, rief der Skipper, als er den Zettel in der Flasche entdeckte. »Solche Flaschen bringen Unglück. Bei uns heißen die Flaschenpest. Der Teufel steckt in der Tinte und wartet nur darauf, freigelassen zu werden. Du kennst doch die Geschichten!«

Aber der junge Seamus kannte die Geschichten nicht und beschloss, David Bell die Flasche zu geben.

Als der Sergeant endlich nach Wick zurückkam, hatte einer der ortsansässigen Alkis schon geraume Zeit in den Büroräumen der Wache gewütet, und die Kollegen hatten kaum noch Kraft, den Idioten auf den Fußboden zu pressen. Und so flog die Flasche aus David Bells Jackentasche, als er die Uniformjacke beiseitewarf, um die Kollegen zu unterstützen. Er hob die Flasche nur rasch auf und stellte sie auf die Fensterbank. Dann pflanzte er sich dem Besoffenen auf den Brustkorb, um da mal ein bisschen Luft rauszupressen. Aber Bell hatte nicht damit gerechnet, dass er es hier mit einem waschechten Wikingernachfahren aus Caithness zu tun hatte, der ihm unverhofft einen kräftigen Stoß in die Weichteile versetzte. Bells Glocken gerieten dabei dermaßen in Schwingung, dass sich jeder Gedanke an die Flasche in den scharfen blauen Blitzen verlor, die sein gemartertes Nervensystem aussandte.

Und so stand die Flasche sehr, sehr lange unbeachtet in der sonnigen Ecke der Fensterbank. Niemand nahm Notiz von ihr, und niemanden kümmerte es, dass das Sonnenlicht und das Kondenswasser, das sich allmählich auf der Innenseite des Glases bildete, dem Papier im Flascheninneren immer stärker zusetzten.

Niemand nahm sich die Zeit, die oberste Zeile des leicht verwischten und verblassenden Textes zu lesen, und deshalb fragte sich auch niemand, was das Wort »HJÆLP« womöglich bedeuten könnte.

Die Flasche gelangte erst wieder in Menschenhände, als so ein Scheißkerl, der sich über einen Bußgeldbescheid wegen Falschparkens aufregte, eine Sintflut von Viren auf das Intranet der Polizeiwache Wick losließ. In solchen Situationen rief man die EDV-Expertin Miranda McCulloch an. Vor ihr ging man immer dann auf die Knie, wenn Pädophile ihre Schweinereien verschlüsselten, wenn Hacker die Spuren ihrer Transaktionen beim Online-Banking verschleierten, wenn gekündigte Arbeitnehmer die Festplatten ihrer Firmen löschten.

Als Miranda McCulloch kam, wurde ihr wie einer Königin aufgewartet. Sie bekam ihr eigenes Büro, in dem schon eine Thermoskanne mit heißem Kaffee bereitstand, das Fenster weit aufgerissen und das Radio auf BBC Scotland eingestellt war.

Und da der Wind die Gardine vor dem Fenster bauschte, entdeckte sie die Flasche gleich an ihrem ersten Tag in dem Büro.

Was für eine schöne kleine Flasche, dachte sie und wunderte sich kurz über den Schatten im Innern, bevor sie sich weiter durch die Zahlenkolonnen der aggressiven Codes pflügte. Als sie sich am dritten Tag zufrieden von ihrem Platz erhob und ans Fenster trat, meinte sie, die Virustypen erfolgreich identifiziert zu haben. Sie nahm die kleine Flasche in die Hand und stellte überrascht fest, dass sie viel schwerer war als erwartet. Und warm fühlte sie sich an.

»Was ist denn da drin?«, fragte sie die Sekretärin nebenan. »Ist das ein Brief?«

»O Gott, die Flasche«, kam die Antwort. »Die hat, glaube ich, David Bell da mal hingestellt. Vermutlich nur so, in Gedanken. Wieso, was soll da drin sein?«

Miranda hielt die Flasche ins Licht. Waren das Buchstaben auf dem Zettel? Wegen des Kondenswassers auf der Innenseite war das schlecht zu erkennen.

Sie drehte und wendete die Flasche eine Weile. »Wo ist denn dieser David Bell, arbeitet der hier auf dem Revier?«

Die Sekretärin schüttelte den Kopf. »Leider nein. David ist vor ein paar Jahren etwas außerhalb von Wick ums Leben gekommen. Sie hatten einen Wagen verfolgt, dessen Fahrer Fahrerflucht begangen hatte. Schreckliche Geschichte. David war so ein netter Kerl.«

Miranda nickte. Sie hörte nur mit einem Ohr zu. Inzwischen war sie sicher, dass da etwas auf dem Papier stand. Aber das war es nicht, was ihre Aufmerksamkeit erregte, sondern das, was sich da am Flaschenboden befand.

Eine geronnene Masse, die verdammt nach Blut aussah.

»Glaubst du, ich darf die Flasche mitnehmen? Gibt es hier jemanden, den ich fragen kann?«

»Frag Emerson. Er ist ein paar Jahre lang mit David gefahren. Der sagt bestimmt Ja.« Die Sekretärin wandte sich zum Flur um. »Hey, Emerson«, rief sie in einem Ton, dass die Scheiben klirrten. »Komm doch mal.«

Miranda begrüßte einen kompakten, gutmütig aussehenden Kerl mit traurigen Augen.

»Ob du die mitnehmen darfst? Na klar doch. Ich will jedenfalls nichts damit zu tun haben.«

»Wie meinst du das?«

»Na ja, vielleicht ist das nur dummes Zeug. Aber unmittelbar bevor David verunglückte, war ihm die Flasche wieder in den Sinn gekommen, und er hatte gemeint, er müsse sich endlich mal darum kümmern, dass sie geöffnet würde. Er hatte sie von einem Fischerlehrling oben in dem Dorf, wo er herkommt. Der Junge und der Kutter waren einige Jahre später mit Mann und Maus abgesoffen. Deshalb fand David wohl, er sei es dem Jungen schuldig, nachzusehen, was sich da drin befand. Aber David starb ja, ehe er dazu gekommen war. Und das ist doch bestimmt kein gutes Omen, oder?« Emerson schüttelte den Kopf. »Nimm sie mit, aber ich sag's dir gleich: An der Flasche hängt nichts Gutes.«

Am selben Abend saß Miranda in ihrem Reihenhaus in Edinburghs Vorort Granton und starrte die Flasche an. Circa fünfzehn Zentimeter hoch, leicht bläulich, etwas abgeflacht und mit langem Hals. Könnte ein Parfumflakon sein, war dafür aber etwas groß. Vielleicht eher eine Eau-de-Cologne-Flasche, und wahrscheinlich ziemlich alt. Sie klopfte daran. Solides Glas.

Miranda lächelte. »Was für ein Geheimnis birgst du Schätzchen wohl?« Sie nippte am Rotwein, und dann fing sie an, den Klumpen, der den Flaschenhals verschloss, mit dem Korkenzieher herauszupulen. Das Zeug roch nach Teer, aber durch die Zeit im Wasser war der Ursprung des Materials schwer zu bestimmen.

Sie versuchte, das Papier herauszufischen, ohne Erfolg. Sie drehte und wendete die Flasche, klopfte auf den Flaschenboden, aber das Papier bewegte sich keinen Millimeter. Da nahm sie die Flasche mit in die Küche und schlug ein paarmal mit dem Fleischklopfer darauf.

Das half. Die Flasche zersplitterte in bläuliche Kristalle, die wie geborstenes Eis durch die Küche flogen.

Sie starrte auf das Papier, das nun auf dem Hackbrett lag, und spürte, wie sich ihre Augenbrauen zusammenzogen. Sie ließ den Blick über die Glasscherben wandern und atmete tief durch.

Vielleicht war das, was sie eben getan hatte, nicht sehr schlau gewesen.

»Ja«, bestätigte ihr Kollege Douglas aus der technischen Abteilung. »Das ist zweifellos Blut. Das hast du ganz richtig erkannt. Die Art und Weise, wie das Blut vom Papier aufgesogen wurde, ist charakteristisch. Besonders hier unten, wo die Unterschrift total verwischt ist. Und die Farbe ist auch ziemlich typisch.« Vorsichtig faltete er das Papier mit seiner Pinzette auseinander. Dann leuchtete er es noch einmal mit diesem blauen Licht ab. Blutspuren auf dem gesamten Papier. Jeder Buchstabe leuchtete diffus.

»Das ist mit Blut geschrieben?«

»Zweifelsfrei.«

»Und du glaubst wie ich, dass die Überschrift ein Hilferuf ist. Jedenfalls klingt es so.«

»Ja, das glaube ich«, antwortete er. »Aber ich bezweifle, dass wir außer der Überschrift etwas retten können. Der Brief ist ziemlich mitgenommen. Außerdem ist er wohl schon einige Jahre alt. Wir müssen ihn zuerst mal präparieren und konservieren. Anschließend kommen wir einer Datierung vielleicht näher. Und natürlich muss uns jemand sagen, was für eine Sprache das ist.«

Miranda nickte. Sie hatte schon einen Vorschlag.

Isländisch.

4

»Die Gewerbeaufsicht ist da, Carl.« Rose stand in der Tür und machte keine Anstalten, sich von dort wegzubewegen.

Der Mann von der Gewerbeaufsicht war klein und trug einen tadellos gebügelten Anzug. Er stellte sich als John Studsgaard vor. Inklusive einer kleinen braunen Aktenmappe, die unter seinem Arm klemmte, wirkte er durch und durch zuverlässig. Freundliches Lächeln, ausgestreckte Hand. Der Eindruck verpuffte in dem Moment, als er den Mund aufmachte.

»Bei der letzten Inspektion hat man hier auf dem Gang und im Kriechkeller Asbeststaub entdeckt. Aus dem Grund müssen die Rohre isoliert werden, damit man sich in den Kellerräumen sicher aufhalten kann.«

Carl sah zur Decke. Scheißrohr. Das einzige im gesamten Keller und dann so ein Aufstand.

»Ich sehe, dass Sie hier unten ein Büro eingerichtet haben«, fuhr der Papiertiger fort. »Entspricht das den Nutzungsbestimmungen des Präsidiums und der Brandschutzordnung?« Aus seiner Aktenmappe zog er einen Stoß Papiere, die ganz offensichtlich bereits die Antworten auf seine Fragen enthielten.

»Welche Büros?«, fragte Carl. »Meinen Sie den Archivrechenschaftsablageraum hier?«

»Archivrechenschaftsablageraum?« Eine Sekunde wirkte der Mann etwas irritiert, dann übernahm wieder der Bürokrat in ihm. »Der Terminus ist uns nicht bekannt. Aber es ist ja offensichtlich, dass Mitarbeiter des Präsidiums hier unten einen Großteil ihres Arbeitstages verbringen beziehungsweise Tätigkeiten verrichten, die mit ihrer polizeilichen Arbeit in Verbindung stehen.«

»Denken Sie dabei an die Kaffeemaschine? Die können wir ohne weiteres entfernen.«

»Keineswegs. Ich denke an alles hier. Die Schreibtische, die Pinnwände, die Regale, Haken, Schubladen mit Papier und Büroartikeln, den Fotokopierer.«

»So, so. Und wissen Sie auch, wie viele Stufen es bis in den zweiten Stock sind?«

Der Mann von der Gewerbeaufsicht schwieg.

»Nun. Dann wissen Sie vielleicht auch nicht, dass wir hier im Präsidium chronisch unterbesetzt sind und dass es halbe Tage in Anspruch nehmen würde, wenn wir jedes Mal zwei Stockwerke hochsausen müssten, nur um etwas aus dem Archiv zu kopieren. Lassen Sie etwa lieber Horden von Mördern frei herumlaufen als uns unsere Arbeit erledigen?«

John Studsgaard wollte gerade protestieren, aber Carl wehrte ab. »Wo ist dieser Asbest, von dem Sie reden?«

Der Mann runzelte die Stirn. »Ich habe nicht vor, das mit Ihnen zu diskutieren. Wir haben eine Asbestverunreinigung festgestellt. Und Asbest ist eine krebserregende Substanz. Das wischt man nicht einfach mit einem Putzlappen weg.«

»Rose, bist du hier gewesen, als die Aufsicht zur Inspektion kam?«, fragte Carl.

Sie deutete den Korridor hinunter. »Die haben da unten irgend so einen Staub gefunden.«

»Assad!«, brüllte Carl so laut, dass der Mann unwillkürlich einen Schritt zurücktrat.

»Komm, Rose, zeig es mir«, sagte er, als Assad auftauchte.

»Komm mit, Assad. Nimm den Wassereimer, den Lappen und deine schönen grünen Gummihandschuhe. Wir haben etwas zu erledigen.«

Sie gingen fünfzehn Schritte den Gang hinunter, und Rose deutete auf weißen, pulverigen Staub zwischen ihren schwarzen Stiefeln. »Da!«, sagte sie.

Der Mann von der Gewerbeaufsicht protestierte und versuchte, ihnen zu erklären, dass das, was sie da taten, sinnlos sei. Dass sie das Übel so nicht beseitigten und dass die Vernunft und die Bestimmungen besagten, der Staub müsse vorschriftsgemäß entsorgt werden.

Carl ignorierte seine Einlassung. »Wenn du den Dreck aufgewischt hast, Assad, dann rufst du einen Tischler an. Wir müssen eine Wand einziehen lassen zwischen der verunreinigten Zone und unserem Archivrechenschaftsablageraum. Diesen giftigen Kram wollen wir schließlich nicht in unserer Nähe haben, stimmt's?«

Assad schüttelte langsam den Kopf. »Was ist das noch mal für ein Raum, von dem du da sprichst, Carl? Archiv …?«

»Wisch einfach auf, Assad. Der Mann hier hat es eilig.«

Der Beamte warf Carl einen feindseligen Blick zu. »Sie hören von uns«, war das Letzte, was er sagte. Dann eilte er den Gang hinunter, den Arm mit der Aktenmappe fest an den Körper gepresst.

Von denen hören! Ja, nur zu.

»Und jetzt erklärst du mir, Assad, warum meine Akten da oben an der Wand hängen«, sagte Carl. »Ich kann nur für dich hoffen, dass es Kopien sind.«

»Kopien? Wenn du Kopien willst, nehme ich sie einfach herunter. Du kannst so viele Kopien bekommen, wie du willst, Carl. Kein Problem.«

Carl schluckte. »Sagst du mir gerade ins Gesicht, dass das, was da hängt, die Originalakten sind?«

»Ja, aber Carl, sieh doch mal mein System! Sag ruhig, wenn du's nicht ebenso phantastisch findest wie ich. Ich nehm's dir nicht übel.«

Carl zog seinen Kopf zurück. Wie bitte? Was war denn das? Kaum war man mal vierzehn Tage weg, da drehten die Mitarbeiter vollkommen durch. Waren die high vom Asbest?

»Sieh mal, Carl.« Assad hielt ihm freudestrahlend zwei Rollen Paketschnur hin.

»Ja, sieh mal einer an: Du hast dir zwei Rollen Paketschnur besorgt, eine blaue und eine rote. Damit kannst du ja jede Menge Päckchen verschnüren! Wenn Weihnachten ist! In neun Monaten!«

Assad haute ihm auf die Schulter. »Ha ha ha, Carl. Der war gut! Jetzt bist du wieder ganz der Alte.«

Carl schüttelte den Kopf. O Gott, wie lange war's noch bis zu seiner Pensionierung?

»Schau mal hier.« Assad rollte etwas von der blauen Paketschnur ab, nahm ein Stück Tesafilm, klebte damit das eine Ende der Schnur an einen Fall aus den Sechzigern, zog die Rolle quer über eine Menge anderer Fälle, schnitt die Schnur ab und heftete das andere Ende an einen Fall aus den Achtzigern. »Ist das nicht klasse?«

Carl faltete die Hände im Nacken, als müsste er den Kopf an seinem Platz halten. »Ein phantastisches Kunstwerk, Assad, wirklich! Andy Warhol hat nicht umsonst gelebt.«

»Andy wer?«

»Und was genau soll das, Assad? Versuchst du, die beiden Fälle miteinander in Verbindung zu bringen?«

»Ja, überleg doch mal, angenommen, die beiden Fälle hätten vielleicht was miteinander zu tun, dann könnte man das auf diese Weise ganz super sehen.« Er deutete wieder auf die blaue Schnur. »Genau hier! Blaue Schnur!« Er schnipste. »Das bedeutet: Es gibt Ähnlichkeiten zwischen den beiden Fällen. Parallelen.«

Carl holte tief Luft. »Aha! Tja, dann ahne ich natürlich, wofür die rote Schnur steht.«

»Ja, nicht wahr? Rot, wenn wir wissen, dass es erwiesenermaßen eine Verbindung zwischen den Fällen gibt. Gutes System, stimmt's?«

Carl holte wieder tief Luft. »Ja, Assad. Aber die Fälle haben nun mal nichts miteinander zu tun, und dann ist es vielleicht doch besser, wenn sie auf meinem Schreibtisch liegen und wir ein bisschen darin blättern können.«

Das war zwar keine Frage, aber die Antwort kam trotzdem.

»Ja, okay, Chef.« Assad wippte auf seinen ausgelatschten Ecco-Schuhen vor und zurück. »Ja. In zehn Minuten fange ich mit dem Kopieren an. Dann bekommst du die Originale und ich hänge die Kopien auf.«

Marcus Jacobsen, der Chef der Mordkommission, wirkte auf einmal deutlich älter. In der letzten Zeit waren einfach abartig viele Fälle auf seinem Schreibtisch gelandet. In erster Linie die Bandenkonflikte und Schießereien in Nørrebro und Umgebung, aber auch ein paar von diesen ekelhaften Bränden. Brandstiftung mit gewaltigen wirtschaftlichen Schäden und leider auch einigen Toten. Und immer nachts. Hatte Jacobsen in der letzten Woche drei Stunden pro Nacht geschlafen, dann war das viel gewesen. Vielleicht sollte man ihm entgegenkommen, egal, was er auf dem Herzen haben mochte.

»Was ist los, Boss? Warum hast du mich hier raufbeordert?«

Jacobsen fummelte an seiner alten Zigarettenpackung herum, der arme Mann. Er kam mit dem Entzug überhaupt nicht klar. »Ja, Carl, ich weiß ja, dass deine Abteilung hier oben nicht so viel Platz bekommen hat. Aber streng genommen darf ich dich nicht unten im Keller sitzen lassen. Und jetzt rufen die von der Gewerbeaufsicht an und erzählen mir, du hättest dich ihren Anweisungen widersetzt.«

»Marcus, wir haben das unter Kontrolle. Wir ziehen in der Mitte eine Wand hoch, mit Tür und allem Drum und Dran. Dann ist der Mist isoliert.«

Jacobsens Augenringe wurden plötzlich noch eine Spur dunkler. »Ganz genau das, Carl, will ich nicht gehört haben«, sagte er. »Und deshalb müsst ihr, du und Rose und Assad, wieder nach hier oben. Ärger mit der Aufsicht, das schaffe ich nicht auch noch. Du weißt, wie sehr ich derzeit unter Druck stehe. Schau dir nur das mal an.« Er deutete auf seinen neuen winzigen Flachbildschirm an der Wand, wo die Nachrichten von TV2 über die Folgen des Bandenkrieges berichteten. Die Forderung nach einem Trauerzug für eines der Opfer durch die Straßen Kopenhagens fachte das Feuer nur weiter an. Die Polizei müsse endlich die Schuldigen finden und die Straßen wieder sicher machen, hieß es.

Ja, Marcus Jacobsen stand unter Druck.

»Okay, wenn du uns nach hier oben umziehen lässt, bedeutet das das Ende des Sonderdezernats Q.«

»Führe mich nicht in Versuchung, Carl.«

»Und acht Millionen Zuschuss pro Jahr verlierst du obendrein. Waren es nicht acht Millionen, die man dem Sonderdezernat Q zur Verfügung gestellt hat? Donnerwetter, man lässt sich uns echt was kosten! Büromöbel, Auto, Kopierer, Toner, Papier und – ach ja – natürlich noch die fetten Gehälter von Rose, Assad und mir. Acht Millionen, Wahnsinn.«

Der Chef der Mordkommission seufzte. Er steckte in der Klemme. Ohne Bewilligung der acht Millionen für das Sonderdezernat Q würden seinen eigenen Abteilungen mindestens fünf Millionen im Jahr fehlen. Kreative Umverteilung nannte man das. Das machte jede Kommune so. Eine Art legaler Raub.

»Lösungsvorschläge erbeten«, sagte Jacobsen.

»Wo sollen wir hier oben denn sitzen?«, fragte Carl. »Auf dem Klo? Oder auf der Fensterbank, wo Assad gestern saß? Oder besser noch hier in deinem Büro?«

»Draußen auf dem Flur ist Platz.« Marcus Jacobsen wand sich innerlich, als er das sagte, das war nicht zu übersehen. »Wir finden bald etwas anderes für euch. Ist doch nur ein Provisorium, Carl.«

»Okay, prima Lösung, einverstanden. Dann brauchen wir ja nur noch drei neue Schreibtische.« Carl erhob sich unaufgefordert und streckte ihm die Hand hin. Damit war das wohl abgemacht.

Der Chef der Mordkommission wehrte ab. »Moment mal«, sagte er. »An dem Angebot ist doch was faul.«

»Faul? Ihr bekommt drei zusätzliche Schreibtische, und wenn die Gewerbeaufsicht kommt, dann schicke ich Rose zu euch rauf, damit sie sich ein bisschen dekorativ auf den leeren Stühlen ausbreitet.«

»Damit kommen wir doch nicht durch, Carl.« Jacobsen machte eine kleine Pause. Trotzdem schien er anzubeißen. »Na, kommt Zeit, kommt Rat, wie meine alte Mutter immer sagt. Setz dich noch mal, Carl. Wir haben hier einen Fall, auf den du einen Blick werfen solltest. Kannst du dich an die Kollegen von der schottischen Polizei erinnern, die wir vor drei oder vier Jahren mal unterstützt haben?«

Carl nickte zögernd. Bereitete sein Chef gerade eine Okkupation des Sonderdezernats Q durch Dudelsackpfeifer vor? Schneidbrenner-Musik und Schafsmagen-Würste in seinen Kellerräumen? Nein, nicht, wenn er ein Wörtchen mitzureden hatte. Schlimm genug, dass dann und wann Norweger zu Besuch kamen. Aber Schotten!

»Wir hatten denen einige DNA-Proben von einem Schotten geschickt, der in Vestre einsaß, du erinnerst dich sicher daran. Das war Baks Fall. Die konnten auf diese Weise einen Mord aufklären, und jetzt haben wir noch was gut bei denen. Ein Polizeitechniker in Edinburgh, Gilliam Douglas heißt er, hat uns dieses Paket geschickt. Darin befindet sich ein Brief, den sie in einer Flasche gefunden haben. Sie haben einen Linguisten zu Rate gezogen und festgestellt, dass der Brief aus Dänemark kommen muss.« Er hob einen braunen Pappkarton vom Fußboden auf. »Wenn wir etwas herausfinden, würden sie gern erfahren, was da los war. Bitte sehr, Carl.«

Er drückte ihm den Karton in die Hand und signalisierte ihm dann zu verschwinden.

»Was soll ich damit?«, fragte Carl. »Warum übergeben wir das Ding nicht einfach der dänischen Post?«

Jacobsen lächelte. »Sehr witzig. Weil die Post keine Rätsel löst, sondern allenfalls welche aufgibt.«

»Wir haben eh schon alle Hände voll zu tun.«

»Ja, ja, Carl, das bezweifle ich ja nicht. Aber wirf doch einfach mal einen Blick drauf, das ist doch keine große Sache. Außerdem erfüllt die Geschichte alle Kriterien, die für das Sonderdezernat Q gelten: Sie ist alt, sie ist nicht aufgeklärt, und keiner sonst hat Zeit und Lust, sich damit zu befassen.«

Schon wieder so ein Fall, der mich daran hindert, die Haxen auf der Schreibtischschublade auszustrecken, dachte Carl, als er mit dem Karton in der Hand die Treppe hinunterstieg.

Egal. Es würde die schottisch-dänische Freundschaft kaum belasten, wenn er sich ein Stündchen oder zwei aufs Ohr haute.

»Morgen bin ich mit allem fertig, Rose hilft mir.« Assad überlegte, in welchem der drei Stapel von Carls System der Fall, den er gerade in der Hand hielt, ursprünglich gelegen hatte.

Carl brummte. Das schottische Paket stand vor ihm auf dem Schreibtisch. Ungute Gefühle hatten es ja leider so an sich, dass sie sich meist als richtig erwiesen. Und dieser Pappkarton mit dem Klebeband des Zolls hatte wahrlich keine gute Ausstrahlung.

»Ist das ein neuer Fall?« Assads Augen klebten förmlich an dem braunen Pappkarton. »Wer hat die Kiste aufgemacht?«

Carl deutete mit dem Daumen nach oben.

»Rose, komm mal«, rief Carl in den Flur.

Fünf Minuten vergingen, bevor sie auftauchte. Das war in etwa der zeitliche Rahmen, mit dem sie klarmachte, wer darüber bestimmte, was getan werden musste und besonders: wann. Daran gewöhnte man sich.

»Wie würdest du es finden, Rose, deinen ersten eigenen Fall zu bekommen?« Sanft schob er den Karton zu ihr hinüber.

Er konnte ihre Augen unter dem schwarzen Punkerpony nicht sehen. Aber erfreut schauten sie wohl kaum.

»Wahrscheinlich irgendwas mit Kinderpornos oder Frauenhandel, was, Carl? Irgendwas, was du selbst nicht mit der Kneifzange anfassen würdest. Insofern: nein danke. Wenn du selbst keine Lust darauf hast, dann lass doch unseren kleinen Kameltreiber den Stall ausmisten. Ich hab anderes zu tun.«

Carl lächelte. Keine Flüche, keine Tritte gegen den Türrahmen. Das klang ja fast schon nach guter Laune.

Er schob den Karton noch etwas weiter in ihre Richtung. »Das ist ein Brief, der in einer Flasche gesteckt hat. Ich hab ihn noch nicht gesehen. Wir können ja mal gemeinsam auspacken.«

Sie zog die Nase kraus. Skepsis hieß ihr ständiger Begleiter.

Carl öffnete die Laschen des Pakets, räumte den Styroporkram beiseite, fischte die Aktenmappe heraus und legte sie auf den Tisch. Dann wühlte er noch etwas in den Styroporkügelchen herum und fand schließlich eine Plastiktüte.

»Was ist da drin?«

»Die Glasscherben der Flasche, vermute ich.«

»Haben sie die zerdeppert?«

»Nein, sie haben die nur auseinandermontiert. In der Aktenmappe liegt 'ne Gebrauchsanweisung, aus der hervorgeht, wie man sie wieder zusammensetzt. Kinderkram für eine praktisch veranlagte Frau wie dich.«

Sie streckte ihm die Zunge raus und wog die Plastiktüte in der Hand. »Nicht sonderlich schwer. Wie groß war die?«

Er schob ihr die Aktenmappe rüber. »Lies selbst.«

Sie ließ den Pappkarton stehen und verschwand den Gang hinunter. Damit herrschte Frieden. In einer Stunde war der Tag vorbei. Dann würde er den Zug nach Allerød nehmen, eine Flasche Whisky kaufen und sich und Hardy dopen, ein Glas Whisky mit Strohhalm und eines mit Eis. Der Abend würde sicher nett.

Er schloss die Augen. Er hatte noch keine zehn Sekunden so gesessen, da stand Assad vor ihm.

»Ich hab da was gefunden, Carl. Komm mal mit und sieh es dir an. Gleich hier draußen an der Wand.«

Mit dem Gleichgewichtssinn passiert etwas Merkwürdiges, wenn man sich nur wenige Sekunden vollkommen aus der Welt entfernt hat, stellte Carl fest und lehnte sich benommen an die Mauer im Flur. Assad deutete stolz auf eine der Akten oben an der Wand.

Carl zwang sich zurück in die Realität. »Sag das noch mal, Assad. Ich hab gerade an was anderes gedacht.«

»Ich hab mich nur gefragt, ob der Chef der Mordkommission bei all diesen Bränden in Kopenhagen nicht mal ein bisschen an diesen Fall hier denken sollte.«

Carl spürte nach, ob seine Beine noch wackelig waren, dann trat er näher zur Wand, wo Assad seinen Zeigefinger auf einen Fall gepflanzt hatte. Die Geschichte war vierzehn Jahre alt. Es handelte sich um einen Brand mit Leichenfund, möglicherweise Brandstiftung, in Rødovre, ganz in der Nähe des Damhus-Sees. Die Leiche war durch das Feuer so zerstört, dass sich weder Todeszeitpunkt noch Geschlecht oder DNA ermitteln ließen. Und die Sache wurde auch nicht weniger kompliziert dadurch, dass keine vermissten Personen zu dem Leichenfund passten. Man hatte den Fall schließlich zu den Akten gelegt. Carl erinnerte sich sehr gut daran. Es war einer von Antonsens Fällen gewesen.

»Warum glaubst du, das könnte mit den verheerenden aktuellen Bränden zu tun haben?«

»Heer?«

»Die Brände, die derzeit so viel Schaden anrichten und Menschenleben kosten.«

»Deshalb!« Assad deutete auf eine Detailaufnahme der Skelettreste. »Diese runde Vertiefung an seinem Kleinfingerknochen. Dazu steht da auch was drin.« Er nahm die Aktenmappe von der Pinnwand und schlug die entsprechende Seite des Berichts auf. »Hier ist es beschrieben: ›Als hätte dort jahrelang ein Ring gesessen‹, steht da. Eine Vertiefung ringsum.«

»Und?«

»Na, der Kleinfinger, Carl.«

»Ja, und?«

»Als ich oben im Dezernat A war, fehlte dem ersten Brandopfer der komplette Kleinfinger.«

»Okay. Das heißt übrigens kleiner Finger. Zwei Wörter, Assad.«

»Ja, und beim nächsten Brand hatte die Leiche, die man fand, eine Vertiefung am kleinen Finger. Genau wie hier.«

Carl merkte, wie sich seine Augenbrauen beträchtlich nach oben bewegten.

»Ich finde, du solltest in den zweiten Stock raufgehen und unserm Chef erzählen, was du mir gerade gesagt hast, Assad.«

Der strahlte übers ganze Gesicht. »Ich hätte das gar nicht gesehen, wenn das Foto nicht die ganze Zeit in Nasenhöhe an der Wand gehangen hätte. Gut, oder?«

Es schien fast so, als hätte Roses undurchdringlicher Panzer aus punkerschwarzer Arroganz durch die neue Aufgabe einen klitzekleinen Riss bekommen. Jedenfalls knallte sie nicht gleich wie üblich das Dokument auf Carls Schreibtisch. Diesmal nahm sie erst den Aschenbecher weg und legte den Brief dann vorsichtig, fast ehrerbietig auf die Tischplatte.

»Man kann nicht sehr viel lesen«, sagte sie. »Das ist offenbar mit Blut geschrieben, und das Blut ist vom Kondenswasser verschmiert und dann vom Papier aufgesaugt worden. Außerdem ist die Schrift ziemlich unbeholfen und krakelig. Bei dem ersten Wort besteht allerdings kein Zweifel: Da steht ›Hilfe‹, klar und deutlich.«

Widerstrebend lehnte Carl sich vor und betrachtete die Reste der Druckbuchstaben. Vielleicht war das Papier einmal weiß gewesen, jetzt war es jedenfalls braun. An mehreren Stellen fehlten am Rand kleine Stücke. Vermutlich waren die verschwunden, als man den Brief nach seiner Bergung aus dem Meer auseinandergefaltet hatte.

»Welche Untersuchungen haben die denn schon durchgeführt, steht dazu was im Begleitschreiben? Und wann?«

»Die haben die Flasche in der Nähe der Orkneys gefunden. Sie hing in einem Fischernetz. Das war 2002, steht da.«

»2002? Da haben sie sich ja nicht gerade überschlagen, das Ding weiterzugeben.«

»Die Flasche hat auf einer Fensterbank gestanden und war in Vergessenheit geraten. Wahrscheinlich hat sich deshalb so viel Kondenswasser gebildet. Sie hat direkt in der Sonne gestanden.«

»Die saufen zu viel, die Schotten«, brummte Carl.

»Ein ziemlich unbrauchbares DNA-Profil ist beigelegt. Und ein paar Ultraviolett-Fotos. Die haben versucht, den Brief so gut es ging zu präparieren. Und da. Das ist ein Versuch, den Text zu rekonstruieren. Ein bisschen was kann man tatsächlich entziffern.«

Carl sah sich die Fotokopien an und nahm das mit den besoffenen Schotten zurück. Verglich man den Originalbrief mit der versuchten Rekonstruktion, dann war das ganz schön eindrucksvoll, was man dort lesen konnte. Er blickte auf den Zettel. Schon immer hatte Menschen der Gedanke fasziniert, eine Flaschenpost auf Reisen zu schicken, die am anderen Ende der Welt aus dem Meer gefischt und gelesen würde. In der Hoffnung, dass sich daraus ungeahnte Abenteuer entwickelten.

Aber romantische Träumereien waren zweifellos nicht der Anlass für diese Flaschenpost gewesen. Das hier war bitterer Ernst, das hatte nichts von Sehnsucht und weißem Sand und blauem Meer. Das hier war kein Dummejungenstreich. Dieser Brief war offenkundig das, wofür er sich ausgab.

Ein verzweifelter Hilferuf.

5

In dem Moment, wo er sie verließ, streifte er seine alte Identität ab. Er fuhr die zwanzig Kilometer zu dem kleinen Hof bei Ferslev, der etwa auf halbem Weg zwischen ihrem Haus in Roskilde und dem Haus am Fjord lag. Dann holte er den Lieferwagen aus der Scheune und parkte dafür den Mercedes dort drinnen. Er schloss das Tor ab, nahm schnell ein Bad und tönte sein Haar. Danach zog er sich komplett um und machte sich zehn Minuten vor dem Spiegel zurecht. Er suchte alles aus den Schränken zusammen, was er brauchte, und ging dann mit dem Gepäck zu dem hellblauen Renault Partner, den er auf seinen Touren benutzte. Dem fehlte jegliches besondere Kennzeichen, er war weder zu groß noch zu klein, die Nummernschilder waren nicht zu schmutzig, aber doch ziemlich unleserlich. Ein absolut unauffälliges Fahrzeug, registriert auf den Namen, den er sich zugelegt hatte, als er den kleinen Hof erwarb. Alles beides im Hinblick auf den Job, den er zu erledigen hatte.

Wenn er diesen Punkt erreicht hatte, war er bis ins kleinste Detail vorbereitet. Durch gründliche Recherchen im Internet und in den Melderegistern, die er seit Jahren als Online-Nutzer konsultierte, war er mit allen relevanten Informationen über seine potenziellen Opfer versorgt. Er hatte immer reichlich Bargeld bei sich. Er zahlte an Tankstellen mit mäßig großen Geldscheinen, ebenso die Brückenmaut. Er sah bei Überwachungskameras konsequent weg, und er sorgte dafür, sich stets von allem fernzuhalten, was Aufmerksamkeit erregen konnte.

Diesmal hatte er Mitteljütland zum Jagdrevier erkoren. Die Konzentration religiöser Sekten war dort sehr hoch, und es war schon ein paar Jahre her, seit er zuletzt in der Ecke zugeschlagen hatte. Doch, ja, er verwandte viel Sorgfalt darauf, den Tod zu verbreiten.

Mehrmals war er vorab in die Gegend gefahren, jedes Mal nur für zwei, drei Tage, und hatte seine Beobachtungen gemacht. Beim ersten Mal hatte er bei einer Frau in Haderslev gewohnt und die beiden nächsten Male in einem kleinen Ort, der Lønne hieß. Das Risiko, in der Gegend von Viborg wiedererkannt zu werden, war deshalb verschwindend gering.

Er hatte die Wahl zwischen fünf Familien gehabt. Zwei Familien waren Mitglieder bei den Zeugen Jehovas, eine bei der Neuapostolischen Kirche, eine bei den Mormonen und eine bei der Kirche der Gottesmutter. Im Moment tendierte er zu Letzterer.

Gegen zwanzig Uhr kam er in Viborg an. Vielleicht war das etwas zu früh für sein Vorhaben, besonders in einer Stadt dieser Größe. Aber man wusste ja nie, was passieren würde.

Zunächst musste er ein Lokal finden, in dem er gut nach Frauen Ausschau halten konnte, die sich für die Gastgeberinnenrolle eigneten. Die Kriterien für das Lokal waren immer dieselben: Es durfte nicht zu klein sein, es durfte nicht in einer Gegend liegen, wo sich alle kannten, nicht zu sehr auf Stammgäste ausgerichtet sein und nicht zu schmuddelig für eine alleinstehende Frau einer gewissen Klasse, die idealerweise zwischen fünfunddreißig und fünfundfünfzig Jahre alt sein sollte.

Das erste Lokal, Julles Bar, war zu eng und zu düster und es gab zu viele Spielautomaten und Dartboards an den Wänden. Das nächste war schon besser. Eine kleine Tanzfläche, absolute Durchschnittsklientel, bis auf einen Schwulen, der sich sofort auf den Nachbarstuhl pflanzte, nur Millimeter von ihm entfernt. Wenn er dort eine passende Frau entdeckte, würde sich der Schwule trotz höflicher Zurückweisung garantiert an ihn erinnern, und das war nicht gut.

Erst beim fünften Anlauf fand er, was er suchte. Der Laden war ideal für seine Zwecke, das verrieten ihm schon die Schilder über der Theke: »Wer nichts sagt, beißt am besten«, »Draußen ist's gut, im Terminal besser« und »Hier gibt's die besten Brüste«. Das Terminal schloss zwar schon um dreiundzwanzig Uhr, aber die Leute waren bei Hancock-Høker-Bier und Rockmusik in ausgezeichneter Stimmung. Bei den Rahmenbedingungen würde bestimmt noch vorm Zapfenstreich eine anbeißen.

Er suchte sich eine nicht ganz junge Frau aus, die neben dem Eingang in der Nähe der Spielautomaten saß. Als er hereinkam, hatte sie auf der winzigen Tanzfläche mit schwebenden Armen ganz allein getanzt. Sie war vergleichsweise hübsch und sicher keine ganz leichte Beute. Das hier war eine erfahrene Fischerin. Die wollte einen Mann, auf den sie sich verlassen konnte. Einen, der es wert war, dass sie für den Rest ihres Lebens neben ihm aufwachte. Und sie rechnete nicht damit, ihn hier zu finden. Nach einem anstrengenden Tag war sie mit Kolleginnen ausgegangen. Das war's. Das sah man schon von weitem.

Zwei ihrer wohlgeformten Kolleginnen standen in der Raucherecke und kicherten, der Rest hatte sich an die höchst unterschiedlichen Tische verteilt. Vermutlich waren die Damen schon seit einiger Zeit heftig zugange. So wie er sie einschätzte, würden sie ihn schon wenige Stunden später kaum noch beschreiben können.

Er forderte die Frau zum Tanzen auf, nachdem sie fünf Minuten lang Augenkontakt gehabt hatten. Sie war noch einigermaßen nüchtern. Ein gutes Zeichen.

»Du kommst nicht von hier, sagst du? Was machst du denn dann in Viborg?«

Sie roch gut und sah ihm direkt in die Augen. Es war klar, dass sie eine Antwort erwartete. Vermutlich sollte er ihr sagen, dass er verhältnismäßig oft in die Stadt käme. Dass ihm Viborg gut gefiele. Dass er gebildet und Single sei. Also sagte er es. In aller Ruhe und in der richtigen Reihenfolge. Er hätte ihr sonst was erzählt, Hauptsache es tat seine Wirkung.

Zwei Stunden später lagen sie bei ihr zu Hause im Bett. Sie über die Maßen befriedigt, er wohl wissend, dass er hier ein paar Wochen wohnen konnte, ohne dass sie ihm mit allzu vielen Fragen käme. Außer den üblichen natürlich: Magst du mich wirklich, liebst du mich, willst du mich? Das ganze Programm.

Er achtete darauf, ihre Erwartungen nicht zu hoch zu schrauben. Spielte den Verlegenen, sodass sie seine gelegentlich ausweichenden oder zögerlichen Antworten leicht seiner Schüchternheit zuschreiben konnte.

Um halb sechs am nächsten Morgen wachte er planmäßig auf, machte sich fertig, durchwühlte diskret ihre Sachen und fand eine Menge über sie heraus, noch bevor sie sich zu räkeln begann. Geschieden, wie er bereits wusste. Hatte erwachsene Kinder, die längst ausgezogen waren, und einen guten Job in der Verwaltung, wohl ein bisschen weiter oben angesiedelt, der ihr hoffentlich alle Energie raubte. Sie war zweiundfünfzig und gerade mehr als bereit, ihr Leben ins Märchenland zu verlagern.

Bevor er ein Tablett mit Kaffee und Toast neben sie aufs Bett stellte, zog er die Gardine auf, sodass ihr Blick sofort auf sein ausgeruhtes Lächeln fallen konnte.

Sie schmiegte sich dicht an ihn. Zärtlich, ergeben und sanft lächelnd. Sie streichelte seine Wange und wollte seine Narbe küssen. Aber so weit kam sie nicht, denn er hob ihr Kinn und stellte ihr die Frage: »Soll ich mich im Hotel Palads einmieten oder heute Abend wieder zu dir kommen?«

Die Antwort lag auf der Hand. Sie verriet ihm, wo der Schlüssel lag, und drückte sich noch einmal zärtlich an ihn. Dann schlenderte er zum Lieferwagen und fuhr davon.

Er hatte sich eine Familie ausgesucht, die das Lösegeld von einer Million, das er immer verlangte, schnell würde bezahlen können. Vielleicht würde man ein paar Aktien verkaufen müssen, auch wenn dafür gerade nicht der günstigste Zeitpunkt war. Aber selbst dann würde sich die Familie noch gutstehen. Natürlich hatte die Finanzkrise es auch für ihn schwerer gemacht, auf anständige Lösegeldsummen zu kommen. Aber er wählte seine Opfer sorgfältig aus, und bisher hatte er noch immer einen Weg gefunden. Auch diesmal schätzte er es so ein, dass die Familie sowohl die Möglichkeiten als auch den Willen hatte, seinen Forderungen zu entsprechen, und zwar diskret.

Inzwischen wusste er schon recht viel über sie. Er hatte ihre Gemeinde besucht und sich nach den Gottesdiensten mit den Eltern unterhalten. Wusste, wie lange sie schon Mitglieder der Sekte waren, wie ihr Vermögen entstanden war, wie ihre Kinder hießen, und in groben Zügen wusste er auch über ihren Tagesablauf Bescheid.

Die Familie wohnte am Rand von Dollerup. Fünf Kinder, zwischen zehn und achtzehn Jahren. Alle lebten zu Hause und alle waren aktive Mitglieder in der Kirche der Gottesmutter.

Die beiden Ältesten gingen in Viborg aufs Gymnasium, die übrigen wurden von der Mutter zu Hause unterrichtet. Sie, Mitte vierzig, ehemalige Tvind-Lehrerin an einer dieser alternativen Siebzigerjahre-Schulen, hatte sich, in Ermangelung anderer bleibender Lebensinhalte, eben nun Gott zugewandt. In diesem Haushalt hatte sie die Hosen an. Sie managte die Familie und die Religion. Der Mann war zwanzig Jahre älter und einer der wohlhabendsten Unternehmer der Gegend. Selbst wenn er die Hälfte seines Einkommens der Kirche der Gottesmutter spendete, was allen Mitgliedern empfohlen war, blieb reichlich übrig.

In der Familie gab es nur ein Problem: Der zweitälteste Sohn, an sich ein ausgesprochen gut geeignetes Objekt, hatte mit Karate angefangen. Das allein war zwar kein Grund, nervös zu werden, der schmächtige Junge stellte deshalb noch keine Gefahr für ihn dar. Aber er könnte das Timing ruinieren.

Und aufs Timing kam es an, wenn es unangenehm wurde. Mit dem Timing stand und fiel alles.

Abgesehen davon hatten dieser zweitälteste Sohn und seine mittlere kleine Schwester, die Nummer vier in der Geschwisterschar, alles, was notwendig war, damit sein Vorhaben gelang. Sie waren unternehmungslustig, sie waren die beiden Hübschesten der Geschwister und sie waren auch diejenigen, die den Ton angaben: unbedingte Lieblinge ihrer Mutter. Sie waren gute Kirchgänger, aber zugleich auch ein bisschen wild. Kinder, für die es nur Entweder-oder gab, entweder wurden sie Hohepriester oder ausgestoßen. Sie waren gläubig und zugleich wilde Hummeln. Die perfekte Kombination.

Vielleicht ein bisschen so, wie er selbst einmal gewesen war.

Er parkte den Lieferwagen in einigem Abstand zwischen den Bäumen, saß lange mit dem Fernglas im Auto und beobachtete die Kinder, wenn sie Pause hatten. Sie spielten im Garten neben dem Bauernhof. Das Mädchen, das er auserkoren hatte, machte sich eine ganze Weile mit irgendetwas in einer Ecke unter ein paar Bäumen zu schaffen. Mit etwas, das nicht für die Augen der anderen bestimmt war. Auch das bestätigte ihm, was für eine gute Wahl sie doch war.

Was sie da tut, ist sicher etwas, das weder ihre Mutter schätzt noch den Geboten ihrer Kirche entspricht, dachte er und nickte. Es waren stets die besten Schafe aus der Herde, die Gott auf die Probe stellte. Die zwölfjährige Magdalena war da offenbar keine Ausnahme.

Er saß noch weitere zwei Stunden zurückgelehnt im Lieferwagen und betrachtete den Bauernhof dort in der Kurve vor Dollerup. Durch das Fernglas sah er ganz deutlich, wie sich im Verhalten des Mädchens ein Muster abzeichnete. In jeder Pause hockte sie ganz für sich in der Ecke des Gartens, und wenn dann die Mutter zur nächsten Stunde rief, deckte sie etwas zu.

Für ein halbwüchsiges Mädchen in einer Familie, die sich zur Kirche der Gottesmutter bekannte, gab es viele Restriktionen und Tabus: Tanz, Musik, alles Gedruckte – abgesehen natürlich von den Veröffentlichungen der Kirche selbst –, Alkohol, Kontakte zu Menschen außerhalb der Gemeinde, Kuscheltiere, Fernsehen, Internet. Alles war verboten, und die Strafe für Übertretungen war hart: Man wurde aus der Familie und der Gemeinde ausgestoßen.

Er fuhr, bevor die großen Jungs nach Hause kamen. Er hatte ein gutes Gefühl. Das war bestimmt die richtige Familie. Nun wollte er noch einmal den Geschäftsbericht der Firma des Mannes und dessen Steuererklärung durchgehen. Am nächsten Tag würde er wieder hinausfahren und, soweit das möglich war, das Tun und Lassen der Kinder beobachten.

Denn schon bald gab es keinen Weg mehr zurück. Ein berauschender Gedanke.

Isabel hieß seine Gastgeberin, doch sie selbst war nicht halb so exotisch wie ihr Name. Im Regal standen schwedische Krimis und CDs von Anne Linnet. Sie machte keine Abstecher in unbekanntes Terrain.

Er sah auf die Uhr. In einer halben Stunde würde sie zu Hause sein. Es blieb also Zeit zu checken, ob mit unangenehmen Überraschungen zu rechnen war. Er setzte sich an den Schreibtisch, schaltete ihr Notebook ein und knurrte ein bisschen, als er nach dem Passwort gefragt wurde. Zweimal versuchte er es vergeblich, dann hob er die Schreibunterlage an und fand einen kleinen Zettel mit Passwörtern für alles Mögliche, vom Internetbanking bis zum Internetdating. Das klappte meistens. Frauen wie Isabel benutzten Geburtstage, die Namen ihrer Kinder oder Haustiere, Telefonnummern oder einfach eine Zahlenreihe, meist abwärts. Und war das nicht der Fall, dann behalfen sie sich, indem sie sich die Passwörter notierten. Nur äußerst selten lagen die Zettel mehr als einen halben Meter von der Tastatur entfernt. Man wollte ungern extra aufstehen.

Er loggte sich in ihrem Internetdating ein und las die Korrespondenz. Zufrieden stellte er fest, dass sie in ihm den Mann gefunden hatte, den sie offenbar schon seit einer Weile suchte. Vielleicht ein paar Jahre jünger als beabsichtigt, aber welche Frau sagte dazu Nein?

Dann sah er ihre Outlook-Kontakte durch. Ein einzelner tauchte sehr häufig in der Inbox auf. Ein Karsten Jønsson. Vielleicht ein Bruder, vielleicht ein Exmann, das war nicht entscheidend. Entscheidender war, dass die E-Mail-Adresse auf politi.dk endete – die dänische Polizei.

So ein Mist!, dachte er. Wenn es so weit war, musste er sich hüten, gewalttätig zu werden und hässliche Sachen zu ihr zu sagen oder überall Schmutzwäsche liegen zu lassen. In ihrem Internetdating-Profil hatte sie geschrieben, das würde sie total abturnen.

Er fischte seinen kleinen BlueTinum-Memorystick aus der Tasche und steckte ihn in die USB-Buchse. Skype-Konto, Headset, Telefonbuch, alles zusammen. Dann gab er die Telefonnummer seiner Frau ein.

Um diese Zeit kaufte sie ein. Immer um diese Zeit. Er wollte ihr vorschlagen, eine Flasche Champagner zu besorgen und sie kühl zu stellen.

Beim zehnten Rufzeichen runzelte er die Stirn. Das war ja überhaupt noch nie passiert, dass sie nicht antwortete. Wenn seine Frau an etwas hing, dann an diesem Handy.

Er versuchte es noch einmal, und wieder ging sie nicht ran.

Er lehnte sich vor, starrte auf die Tastatur und sein Gesicht wurde heiß.

Dafür musste sie ihm eine wirklich gute Erklärung liefern! Sollte sie ihm unbekannte Seiten ihrer Persönlichkeit zeigen, lief sie Gefahr, dass auch er ihr völlig neue Seiten offenbarte.

Und das würde sie ganz sicher nicht wollen.

6

»Ich muss sagen, Assads Vermutung hat uns hier oben nachdenklich gemacht, Carl.« Marcus Jacobsen hielt seine Lederjacke schon in der Hand. In zehn Minuten würde er an einer Straßenecke im Nordwestviertel stehen und sich die Blutflecken von der Schießerei letzte Nacht ansehen. Der Mann war nicht zu beneiden.

Carl nickte. »Du denkst also wie Assad, dass es einen Zusammenhang zwischen den Bränden gibt?«

»Dieselben Einkerbungen am Knochen des kleinen Fingers bei zwei von drei Brandopfern. Ja, darüber muss man sicher nachdenken. Aber lass uns noch etwas abwarten. Im Augenblick liegt das Material zur Durchsicht bei den Rechtsmedizinern, darauf müssen die jetzt erst mal reagieren. Aber die Nase, Carl ...« Er tippte sich auf seinen gleichermaßen legendären wie markanten Gesichtsvorsprung. Nicht viele Nasen waren in so viele faule Fälle gesteckt worden wie diese. Ja, Assad und Jacobsen hatten bestimmt recht. Es gab einen Zusammenhang. Carl merkte es selbst.

Er bemühte sich, seiner Stimme eine gewisse Eindringlichkeit zu verleihen. Gar nicht leicht, es war ja noch nicht mal zehn. »Dann gehe ich davon aus, dass wir den Fall euch überlassen.«

»Bis auf weiteres. Ja, bis auf weiteres.«

Carl nickte. Er ging schnurstracks nach unten und hakte die alte Brandakte für Sonderdezernat Q als abgeschlossen ab.

Machte was her für die Statistik.

»Carl, komm mal, Rose hat dir was zu zeigen«, dröhnte es, als hätte eine Horde Brüllaffen die unteren Gemächer eingenommen. An Stimmbandkatarrh litt Assad nicht, das war mal sicher.

Breit lächelnd stand er da, mit einem Stoß Fotokopien in der Hand. Nicht von irgendwelchen Akten, soweit Carl das sehen konnte. Es waren eher Vergrößerungen von etwas, das man bestenfalls undeutlich nennen konnte.

»Schau mal, worauf sie verfallen ist.«

Assad deutete auf die Trennwand am Ende des Ganges, die der Tischler gerade fertiggestellt hatte und die sie vor dem Asbest schützen sollte. Genauer gesagt deutete er auf die Stelle, wo man die Trennwand vermutete, denn sehen konnte man sie nicht. Mitsamt der eingelassenen Tür war sie vollständig bedeckt von unzähligen, nahtlos aneinandergeklebten Fotokopien. Wollte jemand dort hindurch, brauchte er erst mal eine Schere.

Schon aus zehn Metern Abstand konnte man erkennen, dass es sich um eine riesenhafte Vergrößerung des Briefs aus der Flasche handelte.

»Hilfe«, stand quer über dem Kellerflur.

»Vierundsechzig DIN-A4-Bögen. Super, was? Ich bringe hier die letzten fünf. Zweivierzig hoch und einssiebzig breit. Hat sie nicht ein richtig schlaues Köpfchen?«

Carl trat ein paar Schritte näher, während Rose, den Hintern in die Höhe gereckt, dabei war, unten in der Ecke Assads Kopien festzukleben.

Carl betrachtete erst ihr Hinterteil, dann das Werk. Die brachiale Vergrößerung der Kopie hatte Vor- und Nachteile, das sah man sofort.

Die Bereiche, wo das Papier die Buchstaben mehr oder weniger vollständig aufgesaugt hatte, wirkten unglaublich verwischt, während andere Teile plötzlich einen Sinn ergaben: die mit den undeutlichen, schiefen Buchstaben, die von den schottischen Konservatoren herausgeholt und einigermaßen sichtbar gemacht worden waren.

Der langen Rede kurzer Sinn: Mit einem Mal stand man mindestens zwanzig zusätzlichen entzifferbaren Buchstaben gegenüber!

Rose drehte sich eine Sekunde zu ihm um, ignorierte seine Handbewegung, die einen Gruß darstellen sollte, und zog eine Leiter auf den Flur.

»Kletter da mal hoch, Assad. Dann sag ich dir, wo du die Punkte machen sollst, okay?«

Sie schob Carl zur Seite und stellte sich haargenau an die Stelle, wo er eben gestanden hatte.

»Nicht zu fest aufdrücken, Assad. Das muss man wieder wegradieren können.«

Assad nickte von der Leiter herunter, den Bleistift in Bereitschaft.

»Fang an unter ›HILFE‹, direkt vor und direkt nach dem i. Ich meine, dort könnte jeweils ein Buchstabe sein. Was denkst du?«

Assad und Carl betrachteten die Flecke, die das i wie grauschwarze Schäfchenwolken einrahmten.

Dann nickte Assad und setzte einen Strich als Platzhalter auf jeden der beiden Flecke.

Carl trat einen Schritt zurück. Das war sicher richtig. Unter der deutlichen Überschrift »HILFE« waren insgesamt drei undeutliche Flecke zu erkennen und in dem mittleren von ihnen ein nur unwesentlich deutlicheres i. Durch das Meer- und Kondenswasser hatten sich der vorangehende und der nachfolgende Buchstabe aufgelöst und waren in die Papiermasse eingesickert.

Carl beobachtete den Auftritt einen Moment. Rose dirigierte Assad. Eine langsame Angelegenheit. Endlose Stunden mit endlosen Ratereien. Und wozu das alles? Die Flaschenpost konnte Jahrzehnte alt sein – oder einfach nur ein schlechter

Scherz. Die Buchstaben wirkten so unbeholfen. Als hätte ein Kind sie geschrieben. Ein paar Pfadfinder und ein kleiner Schnitt in den Finger. Das war's. Oder nicht?

»Rose, ich weiß nicht recht«, begann er vorsichtig. »Vielleicht sollten wir's einfach vergessen. Auf uns warten schließlich noch haufenweise andere Fälle.«

Er konnte genau sehen, wie seine Ansage wirkte. Roses Körper begann zu zittern, ihr Rücken bebte. Fast hätte man meinen können, dass sich ein Lachanfall ankündigte. Aber Carl kannte Rose, und deshalb zog er sich zurück, nur einen Schritt, aber ausreichend, um einer funkensprühenden Schimpftirade nicht ganz so direkt ausgesetzt zu sein.

Okay, sie war nicht glücklich mit seiner Einmischung. Er war ja nicht schwer von Begriff.

Er nickte. Wie gesagt, es gab so viel anderes, worum sie sich zu kümmern hatten. Ihm fielen jedenfalls ein paar gewichtige Akten ein, die, in der richtigen Weise aufgeschlagen, sein Gesicht ausgezeichnet verdecken würden, während er seinem gelegentlich ungedeckten Schlafbedürfnis nachgab. Sollten die anderen doch in der Zwischenzeit ihren Pfadfinderspielen nachgehen.

Rose registrierte seinen feigen Rückzug, als sie sich mit stechendem Blick langsam umdrehte.

»Aber das ist gut überlegt, Rose, das hier. Echt gut«, beeilte er sich nachzuschieben. Doch natürlich schluckte sie den Köder nicht.

»Du hast zwei Möglichkeiten, Carl«, fauchte sie, und Assad verdrehte oben auf der Leiter die Augen. »Entweder du hältst die Klappe oder ich gehe nach Hause. Und schicke dir stattdessen meine Zwillingsschwester. Und weißt du was?«

Carl schüttelte langsam den Kopf. Er war sich gar nicht sicher, ob er es überhaupt wissen wollte. »Na, die wird wohl mit drei Kindern und vier Katzen kommen«, mutmaßte er, »plus vier Untermietern und einem Mistkerl von einem Mann, war es nicht so? Dann wird's in deinem Büro aber verdammt eng. War das die Antwort?«

Sie stemmte die Hände in die Hüften und beugte sich zu ihm vor. »Ich weiß nicht, wer dir so was eingeredet hat. Yrsa wohnt bei mir zu Hause und hat weder Katzen noch Untermieter.« Das Wort »Idiot« leuchtete ihr förmlich aus den schwarz umrandeten Augen.

Abwehrend hob er die Hände.

Der Stuhl in seinem Büro rief sanft nach ihm.

»Was hat das mit ihrer Zwillingsschwester auf sich, Assad? Hat Rose schon mal mit so was gedroht?«

Während Carl bereits das Blei in den Beinen spürte, federte Assad neben ihm die Treppe in der Rotunde hinauf. »Ach, Carl, nimm's nicht so schwer. Rose ist wie Sand auf einem Kamelrücken. Manchmal juckt er einen am Arsch, und manchmal nicht. Das hängt ganz davon ab, wie dickhäutig man gerade ist.« Er drehte sich zu Carl um und enthüllte zwei Reihen Zahnperlen. Wenn irgendein Arsch im Lauf der Zeit ein dickes Fell bekommen hatte, dann mit Sicherheit seiner.

»Sie hat mir von ihrer Schwester erzählt. Die heißt Yrsa, das weiß ich noch, weil es sich auf Irma reimt. Und ich glaube nicht, dass die zwei dicke Freundinnen sind«, ergänzte Assad.

Yrsa? Gibt es tatsächlich heute noch Menschen, die so heißen?, dachte Carl. Sie waren im zweiten Stock angekommen und seine Herzklappen tanzten Fandango.

»Hallo, Jungs«, klang es wunderbar vertraut von der anderen Seite der Theke herüber. Also war Lis wieder am Platz. Lis' vierzig Jahre alter, gut erhaltener Body und ihre ebenso elastischen Gehirnzellen. Eine Freude für alle Sinne. Ganz anders Frau Sørensen. Die lächelte Assad milde zu und hob bei Carls Anblick den Kopf wie eine provozierte Kobra.

»Lis, erzähl doch Herrn Mørck, wie schön ihr es drüben in

den USA hattet, Frank und du.« Sie lächelte angriffslustig, die alte Schachtel.

»Das muss warten«, ging Carl schnell dazwischen. »Wir haben einen Termin beim Chef.«

Vergeblich zog er Assad am Arm.

Der Teufel hol dich, Assad, dachte Carl, während Lis' infrarote Lippen freudestrahlend von ihrem vierwöchigen Trip durch die USA berichteten. Ihr halb welker Ehemann hatte im Doppelbett des Wohnmobils offenbar die Urkräfte eines Bisons wiedererlangt. Bilder, die Carl mit aller Macht verbannen wollte, genau wie den Gedanken an seinen eigenen unfreiwilligen Zölibat.

Verfluchte Sørensen, dachte er. Verfluchter Assad. Verflucht der Mann, der Lis gekapert hatte. Und zuletzt auch noch verfluchte Ärzte ohne Grenzen, die Mona, das Epizentrum seines Begehrens, ins finsterste Afrika gelockt hatten.

»Wann kommt eigentlich diese Psychologin zurück, Carl?«, fragte Assad, als sie am Konferenzraum vorbeigingen. »Wie hieß die noch gleich, ich meine außer Mona?«

Carl ignorierte Assads anzügliches Grinsen und öffnete die Tür zu Marcus Jacobsens Büro. Hier saß fast das gesamte Dezernat A und rieb sich die Augen. Ein paar harte Tage lang waren sie dem Druck der öffentlichen Meinung ausgesetzt gewesen, aber Assads Entdeckung würde jetzt wohl etwas Druck aus dem Kessel nehmen.

Marcus Jacobsen brauchte geschlagene zehn Minuten, um seine Gruppenführer zu briefen. Er und Lars Bjørn wirkten ziemlich enthusiastisch. Mehrfach fiel Assads Name und mehrfach wandten sich Assads stolzem Gesicht Augenpaare zu, in denen sich unverhohlen das Erstaunen darüber ausdrückte, wie dieser hergelaufene Kameltreiber von einer Putzhilfe plötzlich in ihre Mitte geraten konnte.

Aber offen zu fragen, wagte dann doch keiner. Jedenfalls war es Assad, der einen Zusammenhang zwischen den alten und den neuen Fällen von Brandstiftung entdeckt und sie damit in ihren Ermittlungen weitergebracht hatte. Alle an den Brandstätten gefundenen Leichen hatten am Knochen des linken kleinen Fingers diese Einkerbung. Einzige Ausnahme war nur das Brandopfer, bei dem der kleine Finger gleich ganz fehlte. Die Rechtsmediziner hatten das zwar jeweils angemerkt, nur war bislang niemand auf die Idee gekommen, eine Verbindung herzustellen.

Den Obduktionsberichten zufolge deutete alles darauf hin, dass zwei der Toten einen Ring am kleinen Finger getragen hatten. Aber nicht die Überhitzung des Metalls durch das Feuer hatte die Einkerbung in den Knochen verursacht, sagten die Rechtsmediziner. Sehr viel näher lag der Schluss, dass die Toten diese Ringe seit frühester Jugend getragen hatten, weshalb sie sogar Spuren am Knochengewebe hinterlassen konnten. Vielleicht hatten die Ringe irgendeine kulturelle Bedeutung, ähnlich dem Füßebinden bei den Chinesen, schlug einer vor, ein anderer mutmaßte, es könnte doch auch etwas Rituelles im Spiel sein.

Marcus Jacobsen nickte. Ja, vielleicht etwas in der Art. Die eine oder andere Form von Bruderschaft: Hatte man den Ring erst einmal aufgesteckt, wurde er nie mehr abgenommen.

Und noch etwas hatten die Leichen gemeinsam: Auch die anderen Finger waren nicht gänzlich intakt. Hier konnte man die verschiedensten Ursachen vermuten.

»Jetzt muss nur noch die Frage nach dem Motiv und dem Täter geklärt werden«, rundete Lars Bjørn die Ausführungen des Chefs ab.

Die meisten nickten, ein paar seufzten. Tja, also, Motiv und Täter – das konnte doch wohl nicht so schwer sein.

»Das Sonderdezernat Q gibt uns Bescheid, falls sie dort unten noch mehr Parallelfälle finden«, sagte Jacobsen, und einer der Ermittler, der mit Sicherheit nicht mit den Fällen befasst sein würde, klopfte Assad auf die Schulter.

Und dann standen sie wieder draußen auf dem Gang.

»Na, wie ist es denn nun mit dieser Mona Ibsen, Carl?« Assad, dieses Aas, machte doch tatsächlich da weiter, wo er aufgehört hatte. »Solltest du nicht zusehen, dass sie schnellstens wieder nach Hause kommt, bevor deine Klunker schwer werden wie Kanonenkugeln?«

Unten im Keller war im Großen und Ganzen alles wie gehabt. Rose hatte einen Schemel vor den Flaschenbrief an der Wand geschleppt. Dort hockte sie nun und grübelte so intensiv, dass man die Falten auf ihrer Stirn fast von hinten sehen konnte.

Offenbar kam sie nicht weiter.

Carl betrachtete die gigantische Fotokopie. War ja auch keine leichte Aufgabe. Absolut nicht.

Sie hatte die Buchstaben zierlich mit schwarzem Filzstift nachgezogen. Das war vermutlich nicht so schlau, gab aber einen besseren Überblick, das konnte er durchaus nachvollziehen.

Mit einem koketten Ruck zog sie die Finger durch ihr schwarzes Vogelnesthaar. Der Filzstift hatte ihre Fingernägel richtig eingesaut, passenderweise ebenfalls in Schwarz. Und später würde sie noch schwarzen Nagellack darübermalen. Das machte sie immer.

»Was für einen Sinn ergibt das? Ergibt das überhaupt einen?«, fragte sie, als Carl die Wörter zu lesen versuchte.

Dort stand:

HILFE
_i_ wur___ am __ ___rua ____ __tfü_t –
An ___ Bush__te_____ __ut_op____ __
Bal_____ – ___ Mann ___ 1,8_ g___
___ _____ Hare ____ _____ _____
und ein_ Na__ am rech___ ___ –
__ f____ ___ bla__ ____rwag_ –

______ Eltern k_nn ihn – Er h____
Fr_d__ u_d ___ mit B – __ ___ ___
_edrot ___ ______ ________ –
__ br_ngt ___ um –
Er ___ ers_ mir ___ ____ meim Bruder
___ ______ ___ ___ Mu__ ________ –
Wir sind f___ 1 Stunde gefaren ___
______ i_g__dwo a_ Wass__ – __ ___
____ _______ Wi________ –
Hi__ _ti_k_ __ –
__f____ _n_ – _c______ –
Mei_ ______r ist _ry_g__ __ Jahr_ –
___ ___ ___ ____ __ –
P___ ____

Tja, ein Hilferuf und darüber hinaus Hinweise auf irgendeinen Mann, auf Eltern, einen Bruder und eine einstündige Fahrt irgendwohin. Unterschrieben mit P. Das war alles. Nein, Sinn ergab das keinen.

Was war da passiert? Wo und wann und warum?

»Ich bin ganz sicher, dass das hier der Absender ist.« Rose deutete mit ihrem Filzstift auf das P unten. Ganz blöd war sie ja nicht.

»Ich bin auch sicher, dass der Name des Betreffenden aus zwei Wörtern zu je vier Buchstaben besteht«, fuhr sie fort und tippte auf Assads Bleistiftmarkierungen.

Carl ließ den Blick von den Filzstiftstrichen auf ihren Nägeln zu den Bleistiftmarkierungen auf dem Brief wandern. Sollte er vielleicht mal einen Sehtest machen? Wie um alles in der Welt konnte sie so sicher sein, dass es zweimal vier Buchstaben waren? Weil Assad ein paar Striche auf ein paar Flecken gemalt hatte? Seiner Meinung nach wären zig andere Möglichkeiten ebenso plausibel.

»Ich hab das mit dem Original abgeglichen«, sagte sie. »Und

ich hab mit dem Techniker in Schottland gesprochen. Wir sind einer Meinung. Zweimal vier Buchstaben.«

Carl nickte. Ah, der Techniker in Schottland, na dann! Von ihm aus konnte sie mit einer kartenlegenden, rothaarigen Wahrsagerin in Reykjavik sprechen. In seinen Augen war das einfach nur Gekritzel, egal was andere sagten.

»Ich bin davon überzeugt, dass der Brief von einer männlichen Person geschrieben wurde, denn man kann wohl davon ausgehen, dass niemand in dieser Situation einen solchen Brief mit einem Kosenamen unterzeichnen würde. Und ich hab keine dänischen Mädchennamen finden können, die mit P beginnen und vier Buchstaben haben. Und außerhalb des Dänischen habe ich nur Mädchennamen gefunden wie Paca, Pala, Papa, Pele, Peta, Piia, Pili, Pina, Ping, Piri, Posy, Pris, Prue.«

Sie ratterte die Namen herunter, ohne auch nur einmal auf ihren Notizblock zu schauen. Sie war schon verdammt sonderbar, diese Rose.

»Papa, seltsamer Name für ein Mädchen«, grunzte Assad. Ihm standen die Fragezeichen förmlich ins Gesicht geschrieben. Niemand konnte so hinreißend sichtbar denken wie dieses kernige Wüstengeschöpf. »Ein muslimischer Name ist es auch nicht«, ließ er sich nach einer Weile vernehmen. Er starrte hoch konzentriert auf die Wand. »Mir fällt jedenfalls kein anderer ein als Pari, und das ist Iranisch.«

Carl zog die Mundwinkel herunter. »Aha. Und Iraner gibt's keine in Dänemark, wie? Na gut, dann heißt der Mann halt entweder Poul oder Paul, was für eine Erleichterung, das zu wissen. Dann haben wir ihn ja in null Komma nix.«

Die Falten auf Assads Stirn wurden noch tiefer. »In *was* haben wir ihn? Was hast du gesagt?«

Carl holte tief Luft. Er musste seinen kleinen Gehilfen doch mal zu seiner Exfrau schicken. Da würde er im Handumdrehen so viele Redensarten lernen, dass seine Kulleraugen nur so rollen würden.

Carl sah auf seine Armbanduhr. »Also heißt er Paul, wollen wir uns nicht darauf einigen? Ich mach nur mal schnell eine Viertelstunde Pause, in der Zeit werdet ihr den Briefschreiber sicher gefunden haben.«

Rose bemühte sich, seinen Tonfall zu ignorieren, aber ihre Nasenlöcher weiteten sich deutlich. »Ja, Paul ist bestimmt ein guter Anfang. Oder Piet oder Peer mit zwei e, Pehr mit h oder Petr. Aber es kann genauso gut Pete oder Phil sein. Es gibt zig Möglichkeiten, Carl. Wir sind inzwischen eine multiethnische Gesellschaft mit vielen neuen Namen. Paco, Paki, Pall, Page, Pasi, Pedr, Pepe, Pere, Pero, Peru …«

»Hey, Rose, jetzt krieg dich mal wieder ein! Wir sind doch hier kein Namensregister. Und was meinst du überhaupt mit Peru? Das ist ein verdammtes Land und kein Name …«

»… und Peti, Ping, Pino, Pius …«

»Pius? Ja, nimm nur die Päpste mit dazu. Sind ja nur …«

»Pons, Pran, Ptah, Puck, Pyry.«

»Bist du fertig?«

Sie antwortete nicht.

Carl sah wieder auf die Unterschrift drüben an der Wand. Es stimmte schon, es ließ sich unmöglich etwas anderes daraus ablesen, als dass den Brief jemand geschrieben hatte, dessen Name mit P begann. Aber wer war dieser P?

»Es könnte doch auch ein zusammengesetzter Vorname sein, Rose. Bist du sicher, dass in der Mitte kein Bindestrich ist?« Er deutete auf die verwischte Umgebung. »So wie zum Beispiel bei Poul-Erik oder Paco-Paki oder Pili-Ping.« Er versuchte, ein Lächeln auf Roses Gesicht zu zaubern, aber diese Art von Humor zog bei ihr nicht. Ach, scheiß drauf.

»Na, wollen wir nicht einfach diesen hübschen, großen Brief dort hängen lassen und zusehen, dass wir mit unserer Arbeit weiterkommen? Dann kann Rose auch endlich ihre verunstalteten Fingernägel schwarz übermalen«, schloss Carl. »Wir kommen ja öfter hier entlang und können immer mal wieder einen Blick auf den Mist werfen. Vielleicht fällt uns dabei was Schlaues ein. Wie beim Kreuzworträtsel, das auf dem Klo liegt und an dem man von Sitzung zu Sitzung weiterarbeitet.«

Rose und Assad sahen ihn mit gerunzelter Stirn an. Kreuzworträtsel auf dem Klo? So lange saßen die beiden offenbar nicht auf dem Balken.

»Im Übrigen glaube ich, können wir den Brief nicht dort an der Trennwand hängen lassen, hier kommen und gehen schließlich Leute. Wie ihr wisst, befindet sich ein Teil des Archivs hinter der Tür. Alte Fälle, schon mal davon gehört?« Carl drehte sich um und nahm Kurs auf den gemütlichen Stuhl, der in seinem Büro auf ihn wartete. Genau zwei Meter weit kam er, dann fuhr ihm Roses nadelspitze Stimme wie ein Dolch in den Rücken.

»Dreh dich mal um, Carl.«

Er drehte sich langsam um und sah sie dort stehen, wie sie hinter sich auf ihr Kunstwerk deutete.

»Wenn du meine Nägel hässlich findest, kann ich dir auch nicht helfen. Und jetzt nur noch eins: Siehst du das Wort da ganz oben?«

»Ja, Rose. Fakt ist, dass es das einzige Wort ist, das ich mit Sicherheit entziffern kann. Dort steht recht deutlich ›Hilfe‹.«

Da richtete sie ihren schwarz dekorierten Zeigefinger wie eine Waffe auf ihn. »Merk es dir gut. Denn das ist das Wort, an das du als Erstes denken und das du aus vollem Hals schreien wirst, falls du auch nur ein einziges Stück Papier entfernst. Ist das klar?«

Ihre Augen funkelten rebellisch.

Er winkte Assad, ihm zu folgen.

Wahrscheinlich wird es langsam Zeit, mal zu zeigen, wer hier der Herr im Haus ist, dachte er.

7

Wenn sie sich im Spiegel betrachtete, fand sie, das Leben müsse ihr mehr zu bieten haben. »Pfirsichhaut« und »Dornröschen«. Diese Kosenamen aus der Schulzeit in Thyregod bestimmten noch immer ihr Bild von sich. Manchmal, wenn sie sich auszog, konnte der Anblick ihres eigenen Körpers sie durchaus noch positiv überraschen. Mit diesem Wissen allein dazustehen, reichte ihr aber nicht. Natürlich nicht.

Die Distanz zwischen ihnen beiden war zu groß geworden. Er sah sie nicht mehr.

Wenn er nach Hause kam, würde sie ihm sagen, dass er sie nicht wieder verlassen dürfe und dass es bestimmt andere Arbeitsmöglichkeiten für ihn gäbe. Sie wollte ihn kennenlernen und wissen, was er tat, und sie wollte ihn jeden Tag neben sich aufwachen sehen.

Ja, darauf würde sie bestehen.

Früher mal war am Ende der Straße Toftebakken hinter der psychiatrischen Klinik ein kleiner Müllabladeplatz gewesen. Die zerschlissenen Holzwollematratzen und die rostigen Bettgestelle waren inzwischen verschwunden. Jetzt war dort eine kleine grüne Oase entstanden, mit ungehindertem Blick auf den Fjord und die exklusivsten Wohnsitze der Stadt.

Sie liebte diesen Platz, liebte es, dort zu stehen und den Blick über den Yachthafen und den blauen Fjord schweifen zu lassen.

An einem solchen Ort und in einem solchen emotionalen Zustand konnte es leicht passieren, dass man den Zufällen des Lebens wehrlos ausgesetzt war. Vielleicht sagte sie deshalb Ja, als der junge Mann vom Fahrrad abstieg und vorschlug, zusammen einen Kaffee trinken zu gehen. Er wohnte im selben Viertel wie sie, und sie hatten sich manchmal beim Einkaufen zugenickt. Jetzt stand er da.

Sie sah auf die Uhr. Ihren Sohn musste sie erst in zwei Stunden abholen, sie hatte also Zeit genug. Es konnte doch nicht verkehrt sein, eine Tasse Kaffee zu trinken.

Aber da sollte sie sich entsetzlich irren.

Am Abend saß sie wie eine alte Frau auf ihrem Sessel und schaukelte vor und zurück. Presste die Arme vor den Bauch und versuchte, ihr wild pochendes Herz zu beruhigen. Was sie getan hatte, war ganz unbegreiflich. Was war denn bloß in sie gefahren? Es war, als hätte der nette Mann sie hypnotisiert. Nach zehn Minuten hatte sie ihr Handy ausgeschaltet und angefangen, von sich selbst zu erzählen. Und er hatte zugehört.

»Mia, was für ein schöner Name«, hatte er gesagt.

Es war so lange her, seit sie ihren Namen zuletzt gehört hatte, so lange, dass er ganz fremd klang. Ihr Mann benutzte ihn nie.

Dieser junge Mann war so freimütig gewesen. Er hatte ihr Fragen gestellt, und wenn sie ihn etwas fragte, hatte er ihr geantwortet. Er war Soldat, Kenneth hieß er. Er hatte gute Augen, und als er seine Hand auf ihre legte, während mindestens zwanzig andere Gäste das sehen konnten, hatte sich das nicht falsch angefühlt. Er hatte ihre Hand leicht gedrückt und festgehalten.

Und sie hatte ihre Hand nicht weggezogen.

Anschließend war sie Hals über Kopf zur Kinderkrippe gerannt und hatte dabei immer noch seine Nähe gespürt.

Inzwischen war es Abend geworden, aber weder die Stunden noch die Dunkelheit hatten ihren Puls beruhigen können. Sie musste sich ständig auf die Lippen beißen. Das ausgeschaltete Handy lag auf dem Couchtisch und schien sie anklagend anzusehen. Sie war auf einer Insel gestrandet, von der man keinen Ausblick hatte. Es gab niemanden, den sie um Rat fragen konnte. Niemanden. Und niemanden, bei dem sie Vergebung finden würde.

Wie sollte es weitergehen?

Als der Morgen graute, saß sie immer noch dort, vollständig angezogen. Und verstört. Gestern, während ihres Gesprächs mit Kenneth, hatte ihr Mann sie auf ihrem Handy angerufen. Das hatte sie gerade festgestellt. Das Display zeigte drei vergebliche Anrufe an, und damit war sie ihm eine Erklärung schuldig. Er würde sie anrufen und fragen, warum sie das Gespräch nicht angenommen hatte. Und er würde ihre Lüge durchschauen, egal wie plausibel die Geschichte auch klang. Er war klüger und älter und hatte mehr Lebenserfahrung als sie. Er würde ihren Betrug spüren, und deshalb zitterte sie jetzt am ganzen Leib.

Für gewöhnlich rief er drei Minuten vor acht an, direkt ehe sie mit Benjamin aus dem Haus musste. Heute würde sie es anders machen und ein bisschen später fahren. Er sollte die Gelegenheit bekommen, sie zu fragen, aber er durfte sie nicht unter Druck setzen. Denn dann würde es schiefgehen.

Sie hatte ihren Sohn schon auf dem Arm, als das Handy auf dem Tisch anfing, sich verräterisch um sich selbst zu drehen. Dieses kleine, stets in Reichweite befindliche Tor zur Welt.

»Hallo, Schatz!«, sagte sie betont munter, aber der Puls hämmerte in ihren Ohren.

»Ich hab mehrfach versucht, dich zu erreichen. Warum hast du nicht zurückgerufen?«

»Das wollte ich gerade«, rutschte es ihr heraus. Ach, da hatte er sie schon.

»Ja, aber du musst doch gleich mit Benjamin aus dem Haus. Es ist eine Minute vor acht. Ich kenne dich doch.«

Sie hielt die Luft an und setzte den Jungen vorsichtig auf den

Boden. »Er ist ein bisschen krank. Und du weißt ja, sie wollen nicht, dass die Kinder in die Krippe kommen, wenn der Rotz grün ist. Ich glaube, er hat etwas Fieber.« Sie atmete ganz langsam ein, dabei schrie ihr Körper geradezu nach Sauerstoff.

»Ah ja.«

Die Pause, die entstand, gefiel ihr gar nicht. Erwartete er, dass sie etwas sagte? Hatte sie etwas vergessen? Sie versuchte sich auf irgendetwas zu konzentrieren. Irgendetwas außerhalb der Doppelscheiben. Auf das Gartentor, das der Wind leicht bewegte. Auf die kahlen Äste. Auf die Leute, die auf dem Weg zur Arbeit vorbeihasteten.

»Ich habe gestern mehrmals angerufen. Hast du gehört, dass ich das sagte?«, fragte er.

»Ach ja. Entschuldige, Schatz, mein Handy war tot. Ich glaube, wir müssen bald mal in einen neuen Akku investieren.«

»Ich habe beide Akkus erst am Dienstag aufgeladen.«

»Ja, merkwürdig, normalerweise hält meiner länger.«

»Und jetzt hast du ihn selbst aufgeladen? Das hast du hingekriegt?«

»Ja, stell dir vor.« Sie bemühte sich, unbeschwert zu lachen, aber es klang gekünstelt. »Ich habe dir ja oft genug dabei zugesehen.«

»Ich dachte, du weißt nicht mal, wo das Ladegerät liegt.«

»Doch, doch.« Nun zitterten ihre Hände. Er ahnte, dass etwas nicht stimmte. Im nächsten Augenblick würde er fragen, wo sie denn das verdammte Ladegerät gefunden habe, und sie hatte doch keine Ahnung, wo es lag.

Denk! Denk schnell!, rasten ihr die Gedanken durch den Kopf.

»Ich …«, sie hob die Stimme. »O nein, Benjamin. Nein, das geht nicht!« Sie stupste das Kind mit dem Fuß an, sodass es einen Ton von sich gab. Dann sah sie Benjamins tränenglitzernde Augen und stieß ihn noch einmal.

Und als die Frage kam: »Und wo hast du es gefunden?«, fing der Junge endlich an zu weinen.

»Oje, tut mir leid, wir müssen später weitersprechen«, sagte sie und bemühte sich, aufgeregt zu klingen. »Benjamin hat sich gerade den Kopf gestoßen.«

Sie klappte das Handy zusammen, hockte sich vor ihren Sohn und zog ihm den Overall aus. Dann küsste sie ihn auf die Wange und redete beruhigend auf ihn ein. »Mein Süßer, es tut mir so leid, entschuldige, bitte entschuldige. Mama hat dich aus Versehen ein bisschen geschubst. Tut's noch weh? Magst du einen Keks?«

Und das Kind schniefte und verzieh und nickte verwirrt und mit trauriger Miene. Sie hielt ihm ein Bilderbuch hin, während die Katastrophe langsam in ihrem ganzen Ausmaß zu ihr vordrang: Das Haus hatte dreihundert Quadratmeter, und das Ladegerät konnte in jedem nur erdenklichen Hohlraum liegen, er brauchte nur so groß zu sein wie eine Faust.

Eine Stunde später gab es nicht ein Schubfach, kein Möbelstück, kein Regal im Erdgeschoss, das sie nicht durchsucht hatte.

Und wenn sie nun nur dieses eine Ladegerät hatten?, fiel es ihr schlagartig ein. Und wenn er das nun mitgenommen hatte? War sein Handy überhaupt von derselben Marke wie ihres? Sie hatte keine Ahnung.

Mit gerunzelter Stirn saß sie neben Benjamin und fütterte ihn. O Gott, dachte sie. Er hat das Ladegerät mitgenommen.

Sie schüttelte den Kopf und fuhr ihrem Sohn mit dem Löffel über den verschmierten Mund. Nein, wenn man ein Handy kaufte, dann erhielt man auf jeden Fall auch ein Ladegerät dazu. Selbstverständlich. Und deshalb lag garantiert irgendwo der Karton von ihrem Handy mit der Gebrauchsanweisung und vermutlich auch mit einem unbenutzten Ladegerät herum. Nur nicht hier im Erdgeschoss.

Sie sah zur Treppe in den ersten Stock.

Es gab Zimmer in diesem Haus, die sie so gut wie nie betrat. Nicht weil er es ihr verbot, das nicht. Aber so war es einfach. Dafür kam er auch nie in ihr Nähzimmer. Sie hatten beide ihre Interessen und Oasen und Zeiten für sich ganz allein. Nur dass er davon einfach wesentlich mehr hatte als sie.

Da nahm sie ihren Sohn auf den Arm, ging die Treppe hinauf und stand eine Weile unschlüssig vor der Tür zu seinem Büro. Falls sie den Karton mit dem Ladegerät in einer seiner Schubladen oder Schränke fand, wie sollte sie ihm erklären, dass sie darin herumgewühlt hatte?

Sie schob die Tür auf.

Der Raum war ganz und gar anders als ihr Zimmer, das direkt gegenüber lag. Diesem Raum hier fehlte jegliche Energie, jene schwer zu definierende Ausstrahlung von Farben und kreativen Gedanken, wie es sie in ihrem Zimmer gab. Hier existierten nur beigefarbene und graue Flächen und nichts sonst.

Sie öffnete sämtliche Einbauschränke und starrte hinein. Sie waren mehr oder weniger leer. Wären es ihre Schränke, würden Tagebücher, Fotoalben und aller möglicher Krimskrams herausquellen, gesammelte Erinnerungen an unbeschwerte Tage mit ihren Freundinnen.

In den Regalen standen nur wenige Bücher. Fachbücher offenbar, über Themen, die mit seiner Arbeit zu tun hatten: Schusswaffen und Polizeiarbeit und all so was. Auch Bücher über religiöse Sekten waren darunter. Über die Zeugen Jehovas, die Kinder Gottes, die Mormonen und etliche andere, von denen sie noch nie gehört hatte. Seltsam, dachte sie. Dann stellte sie sich auf die Zehenspitzen, um zu sehen, was auf den obersten Regalbrettern lag.

Nichts Nennenswertes.

Da nahm sie Benjamin wieder auf den Arm und öffnete mit der freien Hand die Schreibtischschubladen, eine nach der anderen. Abgesehen von einem grauen Wetzstein, so einem, wie ihn ihr Vater zum Schleifen seiner Fischmesser benutzte, war da nichts Aufregendes. Nur Papier, Stempel und ein paar nagelneue Boxen mit Disketten, wie sie inzwischen gar nicht mehr benutzt wurden.

Sie zog die Tür zu, alle Gefühle waren wie eingefroren. In diesem Moment kannte sie weder sich noch ihren Mann. Das war alles so erschreckend und irreal. So etwas hatte sie noch nie erlebt.

Benjamins Kopf sank auf ihre Schulter, und sie spürte seinen ruhigen Atem an ihrem Hals.

»Ach, mein Schätzchen. Bist du einfach eingeschlafen?«, flüsterte sie, als sie ihn in sein Gitterbettchen legte. Jetzt musste sie höllisch aufpassen, nicht die Kontrolle zu verlieren. Alles musste genau so laufen wie immer.

Sie atmete tief durch, nahm das Telefon und rief in der Kinderkrippe an. »Benjamin ist so erkältet, dass ich ihn heute lieber zu Hause lasse. Der würde sonst nur alle anstecken. Ich wollte einfach kurz Bescheid sagen. Tut mir leid, dass ich erst jetzt anrufe«, ergänzte sie mechanisch und vergaß ganz, sich für die Genesungswünsche zu bedanken.

Dann drehte sie sich zum Flur um und starrte auf die schmale Tür zwischen dem Büro ihres Mannes und dem Schlafzimmer. Sie hatte ihm dabei geholfen, die zahllosen Umzugskartons heraufzutragen. Ein wesentlicher Unterschied zwischen ihnen lag in dem Ausmaß an Ballast, das sie mit sich herumschleppten. Während sie lediglich ein paar leichte Ikea-Möbel aus ihrem Zimmer im Studentenwohnheim mitgebracht hatte, war er mit allem angekommen, was er im Laufe der zwanzig Jahre angesammelt hatte, die er älter war als sie. Deshalb standen in allen Räumen Möbel aus den unterschiedlichsten Epochen, und deshalb war das Zimmer hinter dieser schmalen Tür voll mit Kartons, von deren Inhalt sie keine Ahnung hatte.

Ihr sank sofort der Mut, als sie die Tür öffnete und hineinschaute. Der Raum war kaum anderthalb Meter breit, bot aber doch genügend Platz für vier Reihen Umzugskartons nebeneinander und übereinander. Man konnte eben noch über sie hinweg bis zum Velux-Fenster sehen. Insgesamt stapelten sich wohl mindestens fünfzig Kartons in dem Raum.

Hauptsächlich Sachen von meinen Eltern und deren Eltern, hatte er gesagt. War es nicht langsam an der Zeit, die rauszuwerfen? Er hatte ja keine Geschwister, mit denen er das diskutieren musste.

Sie blickte auf die Mauer aus Kartons und gab sofort auf. Es machte keinen Sinn, hier nach dem Ladegerät zu suchen. Das hier war ein Raum, in dem die Vergangenheit mit sich selbst eingeschlossen war.

Trotzdem, dachte sie und betrachtete eingehend einige Mäntel mit riesigen Kragen, die zu einem Haufen zusammengeknäuelt auf den hintersten Kartons lagen. Bildeten die in der Mitte nicht eine Art Beule? Konnte sich darunter etwas verstecken?

Sie reckte sich über die Kartons, reichte aber nicht bis an die Mäntel heran. Da zog sie sich auf den Berg aus Pappe, kniete sich darauf und kroch nach vorn. Sie hob die Mäntel an und musste enttäuscht feststellen, dass nichts darunter lag. Und dann sank sie plötzlich mit einem Knie durch den Pappkartondeckel.

Mist, dachte sie. Jetzt konnte er sehen, dass sie hier gewesen war.

Sie schob sich etwas zurück, zog die Deckelklappen hoch und stellte fest, dass nichts weiter passiert war.

Das war der Moment, in dem sie die Zeitungsausschnitte entdeckte. Seltsamerweise waren die Artikel gar nicht so alt, dass die Eltern ihres Mannes sie gesammelt haben konnten. Also hatte offenbar ihr Mann sie ausgeschnitten. Vielleicht für seine Arbeit? Oder sie hatten ihn einfach so interessiert?

»Merkwürdig«, murmelte sie. Warum um alles in der Welt sollte man Artikel über die Zeugen Jehovas ausschneiden und sammeln?

Sie blätterte in den Ausschnitten. Das Material war keinesfalls so homogen, wie es auf den ersten Blick schien. Zwischen den Artikeln über die unterschiedlichsten Sekten lagen auch Börsenberichte und Reportagen über Kriminaltechnik und Verfahren zur DNA-Analyse. Sogar fünfzehn Jahre alte Verkaufsinserate von Sommerhäusern und Ferienwohnungen in Hornsherred fielen ihr entgegen. Kaum etwas, das er noch brauchen würde. Vielleicht sollte sie ihn eines Tages fragen, ob sie das Zimmer nicht leer räumen könnten. Dann könnten sie dort einen begehbaren Kleiderschrank einrichten. Wer hätte so etwas nicht gerne?

Sie rutschte wieder von den Kartons herunter, und ein Gefühl der Erleichterung machte sich in ihr breit. Sie hatte eine Idee.

Sicherheitshalber ließ sie den Blick noch einmal über die Kartonlandschaft wandern. Sie fand die Delle im mittleren Karton nicht besonders auffällig. Nein, das würde er gar nicht merken.

Dann schloss sie die Tür hinter sich.

Der Einfall war gut: Sie würde einfach ein neues Ladegerät kaufen, und zwar von dem aufgesparten Haushaltsgeld, davon wusste er nichts. Sie würde sich das Fahrrad schnappen, jetzt sofort, und zum Sonofon-Laden in der Algade fahren. Anschließend würde sie das Gerät in Benjamins Sandkiste so bearbeiten, dass es alt und gebraucht aussah, und es dann draußen im Flur in den Korb mit Benjamins Mützchen und Handschuhen legen. Und wenn ihr Mann dann kam und nach dem Ladegerät fragte, würde sie einfach darauf deuten.

Selbstverständlich würde er sich wundern, woher das Gerät kam, und sie wiederum würde es wundern, dass er sich wunderte. Und dann würde sie mutmaßen, dass es wohl irgendjemand bei ihnen vergessen hatte, irgendeiner ihrer Gäste. Es kam zwar nicht oft vor, dass sie Besuch hatten, seit dem letzten Mal war sogar schon eine ganze Weile verstrichen, aber trotzdem. Da war das Treffen der Hausbesitzer gewesen. Und der Besuch der Krankenschwester. Doch, doch, theoretisch konnte das durchaus jemand bei ihnen vergessen haben, auch wenn es natürlich schon ein bisschen seltsam war, denn wer nimmt schon ein Handyladegerät mit zu anderen Leuten.

Während Benjamins Mittagsschlaf könnte sie es gerade schaffen, das Gerät zu kaufen. Sie lächelte beim Gedanken an das überraschte Gesicht ihres Mannes, wenn er das Ladegerät sehen wollte und sie es so ohne weiteres aus dem Handschuhkorb zog. Sie sagte den Satz mehrmals vor sich hin, um ihm das richtige Gewicht und die richtige Betonung zu verleihen.

»Ach, ist das denn nicht unseres? Komisch. Dann muss es wohl jemand vergessen haben. Vielleicht bei Benjamins Taufe?«

Ja, die Erklärung war plausibel. So einfach und gleichzeitig so ausgefallen, dass sie wasserdicht war.

8

Falls Carl je Zweifel gehegt hatte, ob Rose eine Frau war, die zu ihrem Wort stand, so tat er das nun nicht mehr. Denn kaum hatte er es sich erlaubt, seine müde Stimme zu erheben und Roses endloses Herumknobeln an der Flaschenpost zu kommentieren, da hatte sie die Augen aufgerissen und gezischt, er könne ihr verdammt noch mal den Buckel runterrutschen und sich im Übrigen die Glassplitter der Scheißflasche in den Arsch stecken.

Und noch ehe er protestieren konnte, hatte sie sich ihren Beutel über die Schulter geworfen und war abgezischt. Selbst Assad war schockiert und stand einen Augenblick wie versteinert da, den Hals über einen Grapefruitschnitz gereckt, in den er gerade hatte beißen wollen.

Eine ganze Weile schwiegen sie erschrocken.

»Ob sie jetzt wohl ihre Schwester schickt?«

»Wo ist dein Gebetsteppich?«, brummte Carl. »Bete, dass das nicht passiert. Dann bist du ein Pfundskerl.«

»Ein Pfund was?«

»Ein klasse Typ, Assad.«

Carl bedeutete seinem Assistenten, mit ihm vor den gigantischen Brief zu treten. »Lass uns die Kopien von der Trennwand abnehmen, solange sie nicht da ist.«

»Uns?«

Carl nickte anerkennend. »Du hast ja recht, Assad. Nimm sie herunter und häng sie an die Wand neben deine tollen Fälle mit all den Paketschnüren. Aber lass ein paar Meter Platz dazwischen, okay?«

Mit einer gewissen Andacht betrachtete Carl das Original. Selbst wenn der Brief im Laufe der Jahre durch viele Hände gewandert war und nicht alle im Haus ihn für ein relevantes Beweisstück hielten, wäre es ihm nicht im Traum eingefallen, auf die Baumwollhandschuhe zu verzichten.

Das Papier war so mürbe und fragil. Und wenn man ganz allein vor dem Dokument saß, so wie er jetzt, dann ging davon etwas Seltsames aus, etwas, worauf Carl immer schon sehr empfänglich reagiert hatte. Marcus Jacobsen nannte diese Empfänglichkeit »Carls Nase«, der alte Bak hatte »Bauchgefühl« dazu gesagt, seine Fast-Exfrau sprach ganz simpel von »Intuition«. Jedenfalls ging von diesem verdammten kleinen Zettel etwas aus, das in Carls Innerem fast so etwas wie ein Kribbeln verursachte. Die Authentizität des Dokuments leuchtete ihm förmlich entgegen. In höchster Eile angefertigt. Vermutlich auf schlechter Unterlage. Mit Blut und einem unbekannten Schreibutensil geschrieben. Konnte es eine Feder sein, in Blut getaucht? Nein, eher nicht. Die Striche waren zu ungleichmäßig, zu unkontrolliert. An manchen Stellen wirkte es, als sei zu fest aufgedrückt worden, an anderen fehlte die Farbe fast ganz. Carl holte die Lupe hervor und versuchte, ein Gefühl für die Vertiefungen und Unebenheiten zu bekommen. Aber das Dokument war zu mitgenommen. Was einmal Vertiefungen gewesen waren, hatte die Feuchtigkeit womöglich aufquellen lassen und umgekehrt.

Er sah Roses grübelndes Gesicht vor sich und legte das Papier zur Seite. Morgen würde er ihr sagen, dass sie den Rest der Woche, wenn es denn unbedingt sein müsse, noch für den Brief verwenden könne. Aber danach müsse sie wieder an die Arbeit.

Er überlegte, ob er Assad wohl zum Brauen seiner Zuckermasse motivieren sollte. Aber aus dem Klagegesang draußen auf dem Flur schloss er, dass Assad immer noch damit beschäftigt war, die Leiter auf- und zusammenzuklappen, sie hin- und herzuwuchten und rauf- und runterzuklettern, um die Kopien umzuhängen. Vielleicht sollte Carl ihm erzählen, dass in den Räumen der Beamtensterbekasse eine zweite Leiter stand. Aber eigentlich hatte er dazu gerade überhaupt keine Lust.

Carl nahm sich die alte Akte zum Rødovre-Brand vor. Nach der Lektüre wollte er den Mist auf Jacobsens Schreibtisch platzieren – und zwar ganz oben auf dem am höchsten aufragenden Aktenturm.

In der Akte ging es um einen Brand in Rødovre im Jahr 1995. Das neu gedeckte Ziegeldach eines mehrstöckigen Gebäudes im Damhusdal, das eine Import-Export-Firma beherbergte, war plötzlich in zwei Hälften gebrochen, und binnen weniger Sekunden hatten die Flammen die oberste Etage vernichtet. Als der Brand gelöscht war, entdeckte man eine Leiche. Der Firmeneigentümer wusste nichts von dem Mann, aber Nachbarn erzählten, sie hätten die ganze Nacht einen Lichtschein in einem der Dachfenster gesehen. Da sich die Leiche nicht identifizieren ließ, vermutete man einen Obdachlosen, der durch das noch nicht ganz geschlossene Dach ins Gebäude eingedrungen war, dort sein Lager aufgeschlagen und vergessen hatte, in der Teeküche den Gashahn abzudrehen. Erst als der Gasanbieter HNG mitteilte, der Gashahn sei gar nicht aufgedreht gewesen, wurde der Fall dem Dezernat für Gewaltdelikte der Polizei Rødovre übergeben. In deren Hängeregistraturen hatte der Fall dann vor sich hin gemodert. Bis zu dem Tag, als das Sonderdezernat Q eingerichtet wurde. Und auch dort hätte er wohl ein unbeachtetes Dasein gefristet, wäre nicht Assad auf die Einkerbung am linken kleinen Finger der Leiche aufmerksam geworden.

Carl schnappte sich sein Telefon und gab die Nummer von Marcus Jacobsen ein. Kaum drang die Stimme der Sørensen an sein Ohr, schnellte Carls Frustpegel in die Höhe.

»Nur ganz kurz, Sørensen«, sagte er, »wie viele Fälle …?«

»Mørck? Sie!? Ich verbinde Sie lieber gleich mit jemandem, der Sie nicht so peinlich findet.«

Früher oder später würde er ihr mal einen Skorpion unter den Arsch setzen.

»Hallo, mein Lieber«, flötete Lis.

Puh. Ob die Sørensen vielleicht doch so etwas wie Mitgefühl kannte?

»Kannst du mir sagen, bei wie vielen der letzten Brandfälle wir die Identität der Opfer kennen? Ja, und wie viele Fälle sind es denn eigentlich insgesamt?«

»Du meinst die letzten Fälle? Das sind drei, aber wir haben nur von einem Opfer den Namen, und selbst da sind wir nicht sicher.«

»Nicht sicher?«

»Na ja, wir haben einen Vornamen auf einem Medaillon gefunden, das der Tote trug. Aber woher soll man wissen, ob das sein eigener war?«

»Hm. Sag mir noch mal schnell, wo die Brände waren.«

»Hast du die Akten nicht gelesen?«

Er atmete schwer aus. »Wir haben eine Leiche in Rødovre gefunden, das war 1995. Und ihr habt …?«

»… eine am letzten Samstag in der Stockholmsgade in Østerbro gefunden, eine am Tag drauf in Emdrup und die letzte in Nordvest.«

»Stockholmsgade, das klingt vornehm. Bei welchem Brand ist denn am wenigsten zerstört worden, weißt du das?«

»Nordvest, glaube ich. Draußen im Dortheavej.«

»Gibt's irgendwelche Verbindungen zwischen den Fällen? Besitzer? Renovierungen? Nachbarn, die nachts Licht gesehen haben? Hinweise auf Brandstiftung?«

»Nicht, dass ich wüsste. Aber mehrere Kollegen arbeiten dran. Frag einen von denen.«

»Danke, Lis. Na, eigentlich ist das gar nicht mein Fall«, sagte er mit betont sonorer Stimme, in der Hoffnung, sie damit zu beeindrucken.

Dann legte er die Akte wieder auf den Tisch. Die sind offenbar am Ball, dachte er. Draußen auf dem Flur waren Stimmen zu hören. Wahrscheinlich wieder dieser Paragrafenhengst von der Gewerbeaufsicht mit seinem Asbest-Schwachsinn.

»Ja, er sitzt da drinnen«, hörte er Assads Stimme verräterisch nah.

Carl fixierte eine Fliege, die ihre Bahnen durch sein Büro zog. Mit dem richtigen Timing könnte er sie dem Mann genau an die Birne klatschen.

Die Rørvig-Akte zum Schlag erhoben, stellte er sich direkt hinter der Tür auf.

Doch in der Tür erschien ein unbekanntes Gesicht.

»Tag.« Ihm wurde eine Hand entgegengestreckt. »Mein Name ist Yding. Vizepolizeikommissar. Polizei Vestegn. Albertslund, Sie wissen schon.«

Carl nickte. »Yding? Ist das Ihr Vor- oder Ihr Nachname?«

Der Mann lächelte bloß, vielleicht wusste er das selber nicht so genau.

»Ich komme im Zusammenhang mit den Bränden der letzten Tage. Damals, bei den Ermittlungen 1995 in Rørvig, war ich Antonsens Assistent. Marcus Jacobsen hätte gern einen mündlichen Bericht und sagte, ich sollte mit Ihnen reden, dann könnten Sie mir Ihren Assistenten vorstellen.«

Carl atmete erleichtert auf. »Sie haben gerade mit ihm gesprochen. Der da draußen auf der Leiter, das ist er.«

Yding kniff die Augen zusammen. »Der da draußen?«

»Ja. Wieso? Ist der nicht gut genug? Er wurde in New York zum Polizeiassessor ausgebildet und hat bei Scotland Yard Sonderausbildungen in DNA- und Bildanalyse absolviert.«

Yding nickte beeindruckt.

»Assad, komm doch mal«, rief Carl und schlug mit der Akte nach der Fliege, bevor er Yding und Assad miteinander bekannt machte.

»Bist du mit dem Aufhängen fertig?«, fragte er.

Assads Augenlider wirkten bleischwer. Das war Antwort genug.

»Marcus Jacobsen sagte, die Originalakte von Rødovre sei hier unten«, erklärte Yding und schüttelte Assad die Hand. »Sie wüssten, wo sie ist.«

Assad zeigte auf Carls Hand – der hielt sie gerade hoch. »Da«, sagte er. »Noch was?« Nein, heute war er definitiv nicht gut drauf. Das mit Rose, das hatte ihn sicher mitgenommen.

»Jacobsen hat mich gerade nach einem Detail gefragt, an das ich mich nicht mehr erinnern kann. Darf ich mal kurz einen Blick in die Akte werfen?«

»Ja«, brummte Carl. »Wir haben es etwas eilig, wenn Sie uns also entschuldigen würden.«

Er zog Assad mit sich über den Korridor und setzte sich an dessen Schreibtisch, direkt unter eine schöne Reproduktion sandfarbener Ruinen. Darauf stand *Rasafa*, was auch immer das heißen mochte.

»Hast du was im Kessel, Assad?«, fragte er und deutete auf den Samowar.

»Nimm dir den Rest, Carl. Dann mache ich mir frischen.« Er lächelte. Danke für vorhin, sagten seine Augen.

»Wenn dieser Knabe endlich weg ist, dann müssen wir zwei mal einen Ausflug machen, Assad.«

»Wohin?«

»Nach Nordvest. Ein Gebäude anschauen, das so gut wie niedergebrannt ist.«

»Ja, aber Carl, das ist doch nicht unser Fall. Da werden die anderen nur sauer.«

»Ja, ja, das vergeht auch wieder.«

Assad wirkte nicht überzeugt. Dann änderte sich sein Gesichtsausdruck. »Ich hab da draußen an der Wand noch einen Buchstaben entziffert«, sagte er. »Und mir ist ein echt übler Verdacht gekommen.«

»Und zwar …?«

»Ich sag noch nichts. Du lachst ja bloß.«

Das klang wie die gute Nachricht des Tages.

»Danke«, sagte Yding an der Tür und starrte auf die Tasse mit den tanzenden Elefanten, aus der Carl trank. »Ich nehme die Unterlagen mit rauf zu Jacobsen, das ist doch in Ordnung?«

Beide nickten.

»Ach, und ich soll noch von einem alten Bekannten grüßen. Hab ihn vorhin oben in der Kantine getroffen. Laursen, von der Technik.«

»Tomas Laursen?«

»Ja.«

Carl runzelte die Stirn. »Aber der hat doch zehn Millionen im Lotto gewonnen und gekündigt. Konnte die verdammten Toten nicht mehr ertragen, hat er immer gesagt. Was macht der denn hier? Hat er den Overall wieder übergezogen?«

»Leider nein, obwohl die Technische Abteilung ihn sicher gut gebrauchen könnte. Das Einzige, was er übergezogen hat, oder besser gesagt umgebunden, ist eine Schürze. Er arbeitet oben in der Kantine.«

»Das ist ja ein Ding!« Carl sah den gewaltigen Rugby-Spieler mit Schürze vor sich. Womöglich so ein albernes Ding mit Motto: *Hier kocht der Chef*. »Was ist passiert? Der hatte doch in alle möglichen Firmen investiert.«

Yding nickte. »Genau. Ist aber nicht sonderlich gut gelaufen für ihn. Und jetzt ist alles weg. Blöde Sache.«

Carl schüttelte den Kopf. Für jemanden wie ihn selbst, der immer versuchte, vernünftig zu sein, hatte das fast schon wieder etwas Tröstliches. Vielleicht war's gar nicht so dumm, erst gar keinen Cent zu besitzen, den man verlieren konnte.

»Seit wann ist er denn schon hier?«

»Seit ungefähr einem Monat, sagte er. Kommen Sie denn nie nach oben in die Kantine?«

»Sind Sie wahnsinnig? Bis zur Feldküche sind's zehn Millionen Treppenstufen. Der Aufzug funktioniert schon seit Ewigkeiten nicht mehr.«

Die Unternehmen und Institutionen, die auf den sechshundert Metern des Dortheavej noch übrig geblieben waren, gehörten nicht unbedingt zur ersten Liga: Neben einem undefinierbaren Beratungszentrum und einem Plattenstudio gab es eine Fahrschule, ein sogenanntes Kulturhaus, diverse Multikulti-Vereine und noch ein paar Sachen mehr. Ein altes Gewerbegebiet, das sich anscheinend nicht ausradieren ließ – es sei denn durch Abfackeln, wie beim Lager der Firma K. Frandsen Engros geschehen.

Die Aufräumarbeiten auf dem Hof waren weitestgehend abgeschlossen, nicht so die Arbeit der Ermittler. Die Kollegen verzichteten mal wieder darauf, Carl zu grüßen, aber die konnten ihn ohnehin kreuzweise.

Er baute sich mitten auf dem Hof in K. Frandsens ehemaligem Eingangsbereich auf und ließ den Blick langsam über die Zerstörungen wandern. Um das Gebäude war es sicher nicht schade, aber der galvanisierte Gitterzaun fiel sofort auf: Der war nagelneu gewesen.

»In Syrien hab ich auch solche Häuser gesehen, Carl. Wenn der Petroleumofen zu heiß wurde, dann *bumm* …« Assad ließ die Arme wie Windmühlenflügel kreisen.

Carls Blick wanderte nach oben zum ersten Stock. Das Dach sah aus, als habe es sich gehoben und sei dann wieder an seinen Platz geknallt. Der unter der Dachtraufe hervorquellende Rauch hatte die Eternitplatten nach oben hin komplett geschwärzt. Die Velux-Fenster waren sonst wohin geflogen.

»Ja, das war ordentlich«, sagte er, während er überlegte, weshalb sich Menschen freiwillig an einem so gottverlassenen und hässlichen Ort aufhielten.

»Carl Mørck, Sonderdezernat Q«, sagte er, als einer der

jüngeren Ermittler vorbeiging. »Dürfen wir nach oben gehen und uns ein bisschen umsehen? Sind die Techniker fertig?«

Der Typ zuckte die Achseln. »Hier ist man erst fertig, wenn der ganze Scheißdreck abgerissen ist«, brummte er. »Aber passt auf, wo ihr hintretet. Wir haben zwar Bretter auf dem Fußboden ausgelegt, damit keiner abstürzt, aber ich garantiere für nichts.«

»K. Frandsen Engros: Was haben die eigentlich importiert?«, fragte Assad ihn.

»Alles Mögliche für Druckereien. Das ist ein ganz rechtschaffenes Unternehmen«, antwortete der Kriminalbeamte. »Die wussten offenbar nicht, dass da jemand in dem Gebäude war, ein Obdachloser oder wer auch immer. Die Angestellten sind ziemlich geschockt. Ein Glück, dass nicht alles in Rauch aufging.«

Carl nickte. Unternehmen dieser Art dürften sich nie weiter als in sechshundert Meter Entfernung von der nächsten Feuerwache ansiedeln. Die hier hatten Schwein gehabt, dass sie noch in diesem Radius lagen – und dass die örtliche Feuerwehr den aberwitzigen EU-Outsourcing-Trend überlebt hatte.

Wie erwartet war die erste Etage komplett ausgebrannt. Die Holzfaserplatten an den Wandschrägen waren zerfetzt, die Trennwände ragten wie zackige Türmchen auf und erinnerten ein wenig an Ground Zero. Eine rußgeschwärzte Landschaft der Zerstörung.

»Wo lag denn die Leiche?«, fragte Carl einen älteren Mann, der sich als Repräsentant für Brandursachenermittlung der Versicherungsgesellschaft vorstellte.

Der Versicherungsmann deutete auf einen Fleck am Fußboden.

»Die Explosion war heftig und kam in zwei Intervallen, die dicht aufeinanderfolgten«, erklärte er. »Die eine entfachte den Brand, die zweite entzog dem Raum allen Sauerstoff und löschte den Brand wieder.«

»Dann war das also kein Schwelbrand im üblichen Sinn, wo das Opfer an einer Kohlenmonoxidvergiftung stirbt?«, fragte Carl.

»Nein.«

»Der Mann – starb der gleich bei der Explosion oder ist er eher langsam erstickt und dann verbrannt? Was glauben Sie?«

»Ich weiß es nicht. Da ist so wenig übrig, das lässt sich nicht sagen. Wir finden bei solchen Leichen kaum Reste der Atemwege. Deshalb können wir auch nichts über die Rußkonzentration in Lunge und Luftröhre sagen.« Er schüttelte den Kopf. »Schwer zu glauben, dass das Feuer die Leiche in so kurzer Zeit in diesen Zustand versetzt haben soll. Das hatte ich Ihren Kollegen draußen in Emdrup neulich auch schon gesagt.«

»Was?«

»Na, dass ich den Brand für arrangiert hielt. Ich glaube, der sollte nur kaschieren, dass das Opfer in Wahrheit bei einem ganz anderen Brand starb.«

»Sie meinen, die Leiche wurde bewegt? Und was haben die dazu gesagt?«

»Ich glaube, die waren derselben Meinung.«

»Also Mord? Ein Mann wurde ermordet und verbrannt und dann zu einem anderen Brandort gebracht?«

»Nun, mit Sicherheit sagen lässt sich das natürlich nicht. Aber ja, meiner Meinung nach ist es sehr wahrscheinlich, dass das Opfer bewegt wurde. Schwer vorstellbar, dass bei einem so kurzen, wenn auch heftigen Brand eine Leiche bis aufs Skelett verbrennen kann.«

»Und Sie sind bei allen drei Brandstätten gewesen?«, fragte Assad.

»Das hätte ich theoretisch sein können, denn ich arbeite für verschiedene Versicherungsgesellschaften. Aber in der Stockholmsgade war ein Kollege.«

»Waren die Örtlichkeiten der anderen Brandstätten vergleichbar mit dieser hier?«, fragte Carl.

»Nein. Bis auf diese waren alle leer. Deshalb liegt die Theorie, bei den Opfern habe es sich um Obdachlose gehandelt, natürlich nahe.«

»Und Sie glauben also, dass es sich jedes Mal nach dem gleichen Muster abgespielt hat? Dass die Toten jeweils in ein leer stehendes Gebäude gebracht wurden, um dort ein zweites Mal verbrannt zu werden?«, fragte Assad.

Der Versicherungsmann sah den ungewöhnlichen Ermittler ruhig an. »Davon kann man in vielerlei Hinsicht ausgehen, ja, das meine ich durchaus.«

Carl legte den Kopf in den Nacken und besah sich den schwarzen Dachstuhl. »Ich habe zwei Fragen an Sie, dann lassen wir Sie in Ruhe.«

»Legen Sie los.«

»Warum zwei Explosionen? Warum den Mist nicht einfach schnell abbrennen lassen? Haben Sie darauf eine Antwort?«

»Für mich kommt als Erklärung nur in Frage, dass die Brandstifter bewusst auf kontrollierte Schäden aus waren.«

»Danke! Die zweite Frage lautet, ob wir Sie anrufen dürfen, wenn wir noch mehr Fragen haben?«

Der Mann lächelte und fischte seine Visitenkarte aus der Tasche. »Natürlich. Ich heiße Torben Christensen.«

Carl suchte in der Tasche nach seinem eigenen Kärtchen, wohl wissend, dass es keines gab. Noch eine Aufgabe für Rose, sobald sie zurückkam.

»Ich verstehe das nicht.« Assad stand neben ihnen und zog an der Wandschräge Striche in den Ruß. Er gehörte offenbar zu der Sorte Menschen, die sich mit einem winzigen Fleck Farbe am Finger sämtliche Kleidungsstücke und die ganze Umgebung verschmieren können. Im Moment hatte er jedenfalls genug Ruß an seinen Klamotten und im Gesicht, um damit eine mittlere Kleinstadt einzusauen. »Ich verstehe nicht, was ihr da redet. Das muss doch alles zusammenhängen. Das mit dem Ring am Finger oder dem fehlenden Finger und das mit den Toten und den Bränden und überhaupt.« Dann wandte er sich abrupt dem Ermittler der Versicherungsgesellschaft zu. »Wie viel Geld zahlt Ihre Versicherung der Firma für das hier? Das ist doch ein beschissenes altes Haus.«

Torben Christensen runzelte die Stirn. Der Gedanke an Versicherungsbetrug stand jetzt offen im Raum, aber er stimmte dem nicht unbedingt zu. »Ja, das Gebäude war nicht sonderlich hochwertig, aber die Firma hat dennoch Anspruch auf Entschädigung. Wir sprechen hier von einer Brandversicherung. Nicht von einer Versicherung gegen Hausfäule- und Bauholzpilze.«

»Und wie viel?«

»Tja, sieben- bis achthunderttausend Kronen, würde ich schätzen.«

Assad pfiff anerkennend. »Würde man etwas Neues auf das schlechte Erdgeschoss aufbauen?«

»Das hängt vollkommen vom Versicherungsnehmer ab.«

»Wenn die wollten, könnten sie also alles abreißen?«

»Ja, das wollen sie.«

Carl sah Assad an. Eindeutig, der hatte was am Wickel.

Während sie zum Auto gingen, beschlich Carl das Gefühl, dass sie kurz davor waren, ihre Gegner in der nächsten Innenkurve zu überholen, und dass ihre Gegner diesmal nicht nur die Schurken waren, sondern auch die Mordkommission.

Was für ein Triumph, wenn man denen zuvorkommen könnte!

Den Kollegen, die immer noch auf dem Hof standen, nickte Carl gemessen zu. Er hatte keine Lust, mit denen zu reden. Sollten sie doch selbst rausfinden, was sie wissen wollten.

Assad blieb neben dem Dienstwagen stehen, um das Graffiti näher in Augenschein zu nehmen, das in grünen, weißen, schwarzen und roten Buchstaben auf der schön verputzten Mauer prangte.

Israel raus aus dem Gaza-Straifen. Palästina den Palästinensern, stand da.

»Die können nicht buchstabieren«, kommentierte er und kletterte ins Auto.

Kannst du es?, dachte Carl. War doch schnurzegal.

Carl startete den Wagen und warf einen Blick auf seinen Assistenten. Der hatte die Augen starr auf das Armaturenbrett gerichtet und war ganz weit weg.

»Hey, Assad, wo bist du gerade?«

In seinem Blick tat sich nichts. »Na, hier, Carl«, sagte er.

Danach wurde auf dem Weg zum Präsidium kein Wort mehr gewechselt.

9

Die Fenster des kleinen Gemeindehauses wirkten wie glühende Metallplatten. Die Trottel hatten also schon angefangen.

Im Vorraum zog er sich den Mantel aus und begrüßte die sogenannten unreinen Frauen. Frauen mit Menstruation mussten dem Jubelgesang von draußen lauschen. Dann trat er ganz leise durch die Doppeltür ein.

Der Gottesdienst war bereits an dem Punkt, wo die Gemeinde endgültig abzuheben begann. Er hatte mehrfach daran teilgenommen, das Ritual war immer gleich. Jetzt stand der Pfarrer im selbst genähten Ornat vor dem Altar und bereitete den »Lebenstrost« vor, wie sie das Abendmahl nannten. Bald würden sich alle, Kinder wie Erwachsene, auf sein Geheiß hin erheben und mit trippelnden Schritten und gesenkten Köpfen in ihren unschuldig-weißen Hemden aufeinander zugehen.

Dieser Gang zum Altar war der Höhepunkt der Woche. Da reichte in Gestalt des Pfarrers die Gottesmutter höchstpersönlich der Gemeinde den Kelch und das Brot dar. Bald würden alle im Muttersaal einen Freudentanz beginnen und in endlosen Wortkaskaden die Gottesmutter lobpreisen, die mithilfe des Heiligen Geistes Jesus Christus das Leben geschenkt hatte. Der Mund würde ihnen übergehen, sie würden für alle ungeborenen Kinder beten, einander umarmen und sich die Sinnlichkeit ins Gedächtnis rufen, mit der sich die Gottesmutter dem Herrn hingab, und noch eine Menge mehr in der Tonart.

Der reinste Nonsens, wie so vieles andere, das dort drinnen vor sich ging.

Er schlich schnell zur rückwärtigen Wand und blieb dort im

Hintergrund stehen. Andächtig lächelte man ihm zu. Alle sind willkommen, besagte das Lächeln. Und wenn die Schar sich binnen kurzem der Ekstase hingab, würde sie dafür danken, dass es ihn zur Gottesmutter hinzog und er zu ihnen gekommen war.

Derweil betrachtete er die Familie, die er ausgesucht hatte. Vater und Mutter und fünf Kinder. In diesen Kreisen war die Kinderschar selten kleiner.

Hinter den beiden großen Jungen und teilweise von ihnen verdeckt stand ihr graumelierter Vater und vor ihnen die drei Mädchen, die mit offenem, schwingendem Haar rhythmisch hin und her wankten. Ganz vorn im Kreis, zwischen den anderen erwachsenen Frauen, stand ihre Mutter, die Lippen geöffnet, die Augen geschlossen, die Hände ruhten lose auf den Brüsten. Alle Frauen standen so. Der Umgebung entrückt, schwankend, im kollektiven Bewusstsein der Nähe der Gottesmutter.

Die meisten der jungen Frauen waren schwanger. Eine von ihnen war so kurz vor der Geburt, wie man überhaupt nur sein kann, und ihr Hemd an der Brust war fleckig von der aussickernden Milch.

Die Männer betrachteten diese fruchtbaren Wesen verzückt. Denn bis auf die Zeit der Menstruation war der Frauenkörper für die Jünger der Gottesmutter das Heiligste überhaupt.

In dieser die Fruchtbarkeit anbetenden Versammlung hielten alle Männer die Hände vorm Schritt gefaltet. Die ganz kleinen Jungen lachten und ahmten die Großen nach, ohne eine Ahnung zu haben, worum es ging. Die fünfunddreißig Menschen waren eins. Diese Zusammengehörigkeit war es, die so ausführlich im sogenannten »Mutterdekret« beschrieben stand.

Zusammengehörigkeit im Glauben an die Muttergottes – an die Frau, auf die sich das gesamte Leben gründete. Das hatte er bis zum Erbrechen gehört.

Jede Sekte eine eigene unangreifbare, unbegreifliche Wahrheit.

Während der Priester den Nächststehenden das Brot austeilte und in ekstatische Zungenrede verfiel, betrachtete er die mittlere Tochter der Familie, Magdalena.

Sie war ganz in Gedanken versunken. Dachte sie an die Botschaft des Abendmahls? Oder an das, was sie in der Wiese zu Hause im Garten verbuddelt hatte? An den Tag, an dem sie zur Dienerin der Gottesmutter geweiht würde, an dem die anderen sie entkleiden und mit frischem Schafsblut einschmieren würden? An den Tag, wo sie ihr einen Mann zuführen, ihren Schoß preisen und um seine Fruchtbarkeit bitten würden? Schwer zu sagen. Was geht überhaupt im Kopf eines zwölfjährigen Mädchens vor? Das wissen nur sie allein. Gut möglich, dass sie sich fürchtete, aber es war ja auch zum Fürchten.

Dort, wo er herkam, waren es die Jungs, die bestimmte Rituale über sich ergehen lassen mussten. Die ihren Willen, ihre Träume und Sehnsüchte an die Gemeinde abtreten mussten. Und natürlich ihren Körper. Er erinnerte sich nur zu gut daran.

Und hier waren es also die Mädchen.

Er bemühte sich, mit Magdalena Blickkontakt aufzunehmen. Ob sie vielleicht doch an das Loch im Garten dachte? Ob das Unaussprechliche noch stärkere Kräfte in ihr weckte als der Glaube?

Vermutlich würde sie schwerer zu knacken sein als der neben ihr stehende Bruder. Und deshalb war es auch nicht von vornherein klar, wen von beiden er auswählen würde.

Wen von beiden er umbringen würde.

Nachdem die Familie zur Andacht gefahren war, hatte er eine Stunde gewartet, ehe er ins Haus einbrach. Die Märzsonne war bereits gen Horizont gewandert. Nur zwei Minuten hatte er gebraucht, um ein Fenster des Wohnhauses zu entriegeln und in das Zimmer eines der Kinder einzusteigen.

Die Kammer gehörte dem jüngsten Mädchen, das sah er sofort. Obwohl hier natürlich nichts in Rosa gehalten war und auch keine Herzkissen auf dem Sofa drapiert waren. Nein, hier gab es weder Barbiepuppen noch Bleistifte mit Bären oder Riemchenschuhe unter dem Bett. In diesem Zimmer gab es absolut nichts, das die Sicht eines durchschnittlichen zehnjährigen dänischen Mädchens auf sich und die Welt spiegelte. Nein, dass man im Zimmer der jüngsten Tochter war, erkannte man daran, dass noch immer das Taufkleid an der Wand hing. So wurde das in der Kirche der Gottesmutter gehandhabt. Das Taufkleid war die von der Gottesmutter verliehene Hülle, und die hegte und pflegte man und reichte sie zu gegebener Zeit an den nächsten Familienspross weiter. Bis dahin musste das zuletzt geborene Kind das Taufkleid beschützen. Musste es jeden Samstag vor der Ruhezeit vorsichtig abbürsten. Und kurz vor Ostern Kragen und Spitzen aufbügeln.

Es war ein Glück für das Letztgeborene, dieses heilige Kleid am längsten schützen zu dürfen. Ein ganz besonderes Glück, hieß es.

Er ging ins Arbeitszimmer des Mannes und fand schnell, wonach er suchte: Unterlagen, die den Wohlstand der Familie dokumentierten; die letzte Steuererklärung, wonach die Kirche der Gottesmutter den Platz des Einzelnen in der Gemeinde ermittelte. Und schließlich entdeckte er auch die Telefonlisten, die ihm Einblick gaben in die geografische Verteilung der Sekte im In- und Ausland.

Seit er zum letzten Mal in dieser Sekte zugeschlagen hatte, waren allein in Mitteljütland etwa hundert neue Mitglieder dazugekommen.

Kein schöner Gedanke.

Nachdem er alle Zimmer in Augenschein genommen hatte, stieg er wieder aus dem Fenster und schob es zu. Er starrte zur Ecke des Gartens. Da hatte Magdalena sich keinen schlechten Platz zum Spielen ausgesucht. Nahezu uneinsehbar vom Wohnhaus und auch vom übrigen Garten aus.

Er legte den Kopf in den Nacken und sah, dass der bewölkte Himmel langsam schwarz wurde. Bald würde es stockdunkel sein, er musste sich also beeilen.

Hätte er nicht gewusst, wo er suchen sollte, hätte er Magdalenas Versteck nicht gefunden. Einzig ein Zweig am Rand einer Grassode verriet die Stelle. Als er das sah, lächelte er und bog den Zweig vorsichtig zur Seite. Dann hob er ein Stück Gras von der Größe einer Handfläche hoch.

Das Loch darunter war mit einer gelben Plastiktüte ausgekleidet, und darauf lag ein zusammengefaltetes farbiges Stück Papier.

Er faltete es auseinander und lächelte wieder.

Dann steckte er es in die Tasche.

Drinnen im Gemeindehaus betrachtete er eingehend das junge Mädchen mit den langen Haaren und ihren Bruder Samuel mit dem trotzigen Lächeln. Geborgen standen sie hier mit den anderen Gemeindemitgliedern zusammen. Mit denen, die in schönster Ahnungslosigkeit weiterleben durften, und denen, die sehr bald schon mit einem Wissen leben mussten, das ihnen unerträglich sein würde.

Dem fürchterlichen Wissen um das, was er ihnen antun würde.

Nach dem Gesang bildete die ganze Schar einen Kreis um ihn. Sie streichelten ihn, seinen Kopf, seinen Oberkörper. So drückten sie ihre Verzückung über sein Suchen nach der Gottesmutter aus. So dankten sie ihm sein Vertrauen und seine Zuversicht. Alle waren hingerissen und wie berauscht, dass sie ihm den Weg zur ewigen Wahrheit zeigen durften. Anschließend trat die Schar einen Schritt zurück und reckte die Hände in die Höhe. Schon bald würden sie beginnen, sich gegenseitig mit der flachen Hand zu streicheln. Das Streicheln würde so lange fortgesetzt, bis einer von ihnen umfiel und die Gottesmutter seinen zitternden Körper einnahm. Er wusste, wer das sein würde. Die Ekstase leuchtete schon jetzt aus den Pupillen der Frau. Eine kleine Frau, jung, deren größte Tat ihre drei Kinder waren, die um sie herumsprangen.

Wie alle anderen schrie er hoch zur Decke, als es geschah. Mit dem Unterschied, dass er das in seinem Inneren zurückhielt, was die anderen mit aller Macht versuchten, loszulassen: den Teufel im Herzen.

Als sich die Gemeindemitglieder oben auf der Treppe voneinander verabschiedeten, trat er unbemerkt einen Schritt vor und stellte Samuel ein Bein, sodass der Junge wankte und von der obersten Treppenstufe hinab ins Nichts fiel.

Das Knacken von Samuels Knie, als es auf dem Boden aufschlug, klang in seinen Ohren erlösend. Wie das Knacken des Halses beim Hängen.

Alles war so, wie es sein sollte.

Von nun an lag die Führung bei ihm. Von nun an war alles unabänderlich.

10

Wenn Carl an einem Abend wie diesem nach Hause in den Rønneholtpark kam, wo das Flimmern und die Programmgeräusche der Fernseher aus den Betonblocks drangen und sich die Hausfrauen in den Küchenfenstern als Schattenrisse abzeichneten, kam er sich vor wie ein Musiker ohne Noten inmitten eines Symphonieorchesters.

Bis heute verstand er nicht, wie es so gekommen war. Warum er sich dermaßen außen vor fühlte. Wenn ein Buchhalter mit einem Leibesumfang von einhundertvierundfünfzig Zentimetern und ein Computerfreak mit Oberarmen wie Zahnstocher in der Lage waren, ein Familienleben zu führen, warum zum Teufel brachte er das nicht fertig?

Seine Nachbarin Sysser stand in einem eisigen Licht in der Küche und briet etwas. Vorsichtig winkte er zurück, als sie ihn entdeckte. Gott sei Dank hatte sie nach dem desaströsen Start am Montagmorgen zurück in die eigenen Gemächer gefunden. Er wusste nicht, was er sonst gemacht hätte.

Müde sah er auf sein Türschild. Seinen und Viggas Namen überdeckten mittlerweile allerlei Korrekturen. Es war ja nicht so, dass er sich mit Morten Holland, Jesper und Hardy einsam fühlte. Im Moment war jedenfalls eine Menge Lärm hinter der Hecke zu hören. Auch eine Art Familienleben, könnte man sagen. Nur nicht das, wovon er geträumt hatte.

Normalerweise konnte er vom Eingangsflur aus erschnüffeln, was auf dem Speiseplan stand. Aber was sich seinen Nasenlöchern jetzt aufdrängte, war nicht der Duft von Mortens kulinarischen Einfällen. Jedenfalls hoffte er das.

»Hallihallo«, rief er ins Wohnzimmer, wo Morten und Hardy sich zu amüsieren pflegten.

Keine Menschenseele.

Dagegen war draußen auf der Terrasse richtig was los. In der Mitte entdeckte er unter dem Terrassenheizstrahler Hardys Bett mit Tropf und allem Drum und Dran. Darum scharten sich die Nachbarn in Daunenjacken und konsumierten Grillwürstchen und Dosenbier. Den törichten Mienen nach zu urteilen, ging das schon eine Weile so.

Beim Versuch, den Gestank im Haus zu lokalisieren, gelangte Carl in die Küche. Auf dem Tisch stand ein Topf, dessen Inhalt bestenfalls an altes Dosenfutter erinnerte, zu Kohlenstoff verbrutzelt. Widerlich. Auch im Hinblick auf die weitere Existenz des Topfes.

»Was ist hier los?«, fragte Carl draußen auf der Terrasse und sah dabei Hardy an, der unter vier Lagen Decken still vor sich hin lächelte.

»Du weißt doch, Hardy hat ganz oben am Oberarm einen kleinen Fleck, den er spüren kann«, sagte Morten.

»Ja, das sagt er, ja.«

Morten wirkte wie ein Junge, der zum ersten Mal ein Heft mit nackten Damen in der Hand hat und es jetzt aufschlagen soll. »Und du weißt, dass er im Mittelfinger und im Zeigefinger der einen Hand leichte Reflexe hat?«

Carl sah Hardy an und schüttelte den Kopf. »Was ist das hier? Ein neurologisches Ratequiz? In dem Fall machen wir vor den unteren Landesteilen halt, okay?«

Morten bleckte die vom Rotwein verfärbten Zähne und lachte. »Und vor zwei Stunden hat Hardy sein Handgelenk ein bisschen bewegt. Ja, Carl, hat er wirklich. Darüber habe ich das Mittagessen vergessen.« Begeistert breitete er die Arme aus, sodass man einen guten Eindruck von seiner Korpulenz bekommen konnte. Er sah aus, als wollte er Carl jeden Moment umarmen. Das sollte er nur mal versuchen.

»Darf ich mal sehen, Hardy?«, war Carls trockene Reaktion.

Morten schlug die Decke zurück und enthüllte Hardys kreideweiße Haut.

»Na komm, alter Freund, zeig mal her«, sagte Carl, und Hardy schloss die Augen und biss die Zähne zusammen, dass die Kiefermuskulatur hervortrat. Es war, als würden sämtliche Impulse des Körpers durch die Nervenbahnen zu dem Handgelenk beordert, auf das sich jetzt alle Aufmerksamkeit richtete. Hardys Gesichtsmuskeln begannen zu zittern, und das taten sie lange, bis er am Ende ausatmen und aufgeben musste.

»Oh«, sagten die Leute ringsum und kamen mit allen möglichen Ermunterungen. Aber das Handgelenk bewegte sich nicht.

Carl blinzelte Hardy tröstend zu und zog dann Morten mit sich zur Hecke.

»Das hier musst du noch erklären, Morten. Wozu soll diese Aufregung gut sein? Du hast eine verdammte Verantwortung für ihn, das ist dein Job. Also lass das und mach dem armen Mann nicht solche Hoffnungen, und vor allem hör auf damit, aus ihm eine Zirkusnummer zu machen. Ich geh jetzt hoch und zieh 'ne Jogginghose an und du bugsierst die Leute nach Hause und Hardy wieder an seinen Platz. Klar?«

Er hatte nicht mal Lust, sich die faulen Ausreden anzuhören. Die konnte Morten beim übrigen Publikum loswerden.

»Sag das noch mal«, bat Carl eine halbe Stunde später.

Hardy sah seinen ehemaligen Partner ruhig an. Er wirkte würdevoll, wie er dort lag, dieses lange Elend.

»Es stimmt, Carl. Morten hat es nicht gesehen, aber er stand neben mir. Mein Handgelenk hat sich leicht bewegt. Und an der Schulter tut es ein bisschen weh.«

»Und warum kannst du es dann nicht wiederholen?«

»Ich weiß nicht genau, was ich gemacht habe, aber es war kontrolliert. Nicht nur ein Zucken.«

Carl legte seinem gelähmten Partner eine Hand auf die Stirn. »Meines Wissens ist das so gut wie unmöglich, aber ich glaube dir, klar. Ich weiß nur nicht, was wir daraus machen sollen.«

»Aber ich«, meldete sich Morten zu Wort. »Hardy hat oben an der Schulter einen Fleck, in dem er Gefühl hat. Und der tut weh. Ich finde, wir sollten diesen Punkt stimulieren.«

Carl schüttelte den Kopf. »Hardy, glaubst du, dass das eine gute Idee ist? Klingt wie Quacksalberei.«

»Ja und?«, fragte Morten. »Ich bin doch eh hier, und was kann es schaden?«

»Dass du alle unsere Töpfe ruinierst.«

Carl sah hinaus auf den Flur. Wieder eine Jacke zu wenig an den Haken. »Wollte Jesper nicht mitessen?«

»Er ist in Brønshøj bei Vigga.«

Wie bitte? Was wollte Jesper denn in dem arschkalten Gartenhaus? Noch dazu, wo er Viggas neuesten Freund hasste. Nicht weil das Jüngelchen Gedichte schrieb und eine riesige Brille trug. Eher, weil er sie ihnen vorlas und anschließend Feedback verlangte.

»Warum ist Jesper dort? Der Kerl schwänzt doch nicht etwa wieder?« Carl schüttelte den Kopf. Nur noch wenige Monate bis zum Abi. In Anbetracht des idiotischen Notensystems und der erbärmlichen Oberstufenreform sollte Jesper sich verdammt noch mal auf den Hosenboden setzen und zumindest so tun, als würde er büffeln.

Hier brach Hardy in die Gedankenkette ein. »Ganz ruhig, Carl. Jesper und ich arbeiten jeden Tag nach der Schule zusammen. Ich höre ihn ab, bevor er zu Vigga abzieht. Er ist gut davor.«

Gut davor? Das klang echt surreal. »Und warum ist er überhaupt bei seiner Mutter?«

»Sie hat ihn angerufen«, antwortete Hardy. »Es tut ihr leid, Carl. Sie hat ihr Leben satt und will gern wieder nach Hause.«

»Nach Hause? Hier nach Hause?«

Hardy nickte. Sehr viel näher als Carl in diesem Moment konnte man einem Kreislaufversagen durch Schock wohl kaum kommen.

Morten musste den Whisky zweimal holen.

Das wurde eine schlaflose Nacht und ein flauer Morgen.

Als Carl schließlich in seinem Büro saß, war er müder als am Vorabend, ehe er zu Bett gegangen war.

»Haben wir etwas von Rose gehört?«, fragte er, aber Assad stellte ihm nur einen Teller mit irgendwelchen undefinierbaren Klumpen hin. Offenbar sollte er erst aufgepäppelt werden.

»Ich hab sie gestern Abend angerufen, aber sie war nicht zu Hause. Das sagte mir ihre Schwester.«

»Aha.« Carl wedelte die gute alte und noch immer anwesende Fliege weg und versuchte, einen der Sirupkleckse vom Teller loszukriegen. Aber der war äußerst widerspenstig. »Kommt sie heute, hat die Schwester sich dazu geäußert?«

»Ja, Yrsa, die Schwester, kommt. Rose nicht. Die ist weggefahren.«

»Was soll das heißen? Wo ist Rose hin? Und die Schwester? Kommt die hierher? Was soll denn das?« Er riss sich von dem Fliegenfängerklecks los.

»Yrsa hat gesagt, Rose würde manchmal für ein oder zwei Tage verschwinden, aber das habe nichts zu sagen. Sie kommt wieder, das tut sie immer, sagt Yrsa. Aber in der Zwischenzeit kommt, wie gesagt, Yrsa und übernimmt ihre Arbeit. Sie meint, sie könnten es sich nicht leisten, auf Roses Lohn zu verzichten.«

Carl schüttelte energisch den Kopf. »Wie? Das hat nichts zu sagen, wenn sich eine festangestellte Mitarbeiterin nach Gutdünken mal verkrümelt? Das kann doch wohl nicht wahr sein!

Spinnt die?« Na, die würde sich was anhören können, wenn sie wieder aufkreuzte. »Und diese Yrsa! Die kommt gar nicht erst an der Wache oben im Käfig vorbei, dafür werde ich sorgen.«

»Äh, hm. Also, ich habe das mit der Wache und mit Lars Bjørn schon geregelt, Carl. Das geht in Ordnung. Lars Bjørn ist es egal, Hauptsache der Lohn wird auch weiter an Rose ausbezahlt. Yrsa ist die Vertretung, solange Rose krank ist. Bjørn ist einfach froh, dass wir überhaupt jemanden haben.«

»Bjørn und in Ordnung? Und krank, hast du gesagt?«

»Ja, das nennen wir doch so, oder?«

Das war ja die reinste Revolte.

Carl griff zum Telefon und gab Lars Bjørns Nummer ein.

»Hallooo!« Das war Lis.

Was zum Teufel war denn jetzt los?

»Hallo, Lis. Hab ich nicht die Nummer von Lars Bjørn gewählt?«

»Doch, ich kümmere mich um sein Telefon. Die Polizeipräsidentin, Jacobsen und Bjørn haben ein Meeting wegen der Personalsituation.«

»Kannst du mich nicht kurz durchstellen? Ich muss nur fünf Sekunden mit ihm reden.«

»Es geht wohl um Roses Schwester, oder?«

Die Muskeln in seinem Gesicht zogen sich zusammen. »Damit hast du doch wohl nichts zu tun, oder?«

»Carl, führe ich etwa nicht die Vertretungslisten?«

Davon war ihm nichts bekannt.

»Und du sagst, Bjørn hat einer Vertretung für Rose zugestimmt, ohne mich vorher zu fragen?«

»Hey, Carl, take it easy.« Sie schnipste mit den Fingern, als wollte sie ihn wecken. »Uns fehlen Leute. Im Augenblick stimmt Bjørn allem zu. Du solltest nur mal sehen, wer die Arbeit in anderen Abteilungen erledigt.«

Leider verbesserte ihr perlendes Lachen die Lage nicht wesentlich.

Die Firma K. Frandsen Engros war eine Aktiengesellschaft mit einem Eigenkapital von schlappen zweihundertfünfzigtausend Kronen, aber der Schätzwert lag bei sechzehn Millionen. Allein das Papierlager war im letzten Geschäftsjahr auf acht Millionen veranschlagt worden, insofern war also nicht von unmittelbaren ökonomischen Schwierigkeiten auszugehen. Das Problem war allerdings, dass K. Frandsens Kunden Wochenblätter und Gratiszeitungen waren, und denen hatte die Finanzkrise sehr wohl zugesetzt. Nach Carls Einschätzung könnte eine daraus resultierende Auftragsflaute das Unternehmen K. Frandsen durchaus ungewöhnlich plötzlich und hart getroffen haben.

Aber richtig interessant wurde es erst, als sich Parallelen abzeichneten zu den Unternehmen in Emdrup und in der Stockholmsgade, deren Räumlichkeiten ebenfalls abgebrannt waren. Das Unternehmen in Emdrup, JPP Beslag A/S, hatte einen Jahresumsatz von fünfundzwanzig Millionen Kronen und versorgte in erster Linie Baumärkte mit Bauholz. Im letzten Jahr vermutlich ein blühendes, in diesem Jahr garantiert ein kränkelndes Unternehmen. Und auch Public Consult, die Firma in Østerbro, die davon lebte, Bauaufträge für große Architektenbüros zu generieren, dürfte die Niedrigkonjunktur zu spüren bekommen haben.

Doch außer einer recht großen Verwundbarkeit in der aktuellen Konjunkturlage gab es keine Übereinstimmungen zwischen den drei vom Pech verfolgten Firmen. Keine gemeinsamen Besitzer, keine gemeinsamen Kunden.

Carl trommelte auf den Tisch. Wie war das 1995 bei dem Brand in Rødovre gewesen? Handelte es sich da auch um eine Firma, die plötzlich ins Trudeln geraten war? Jetzt könnte er Rose gut gebrauchen, verdammt noch eins.

»Tock, tock«, flüsterte jemand an der Tür.

Das wird diese Yrsa sein, dachte Carl und sah auf die Uhr. Es war Viertel nach neun. Na, jetzt aber dalli.

»Was ist denn das für eine Zeit zu kommen?«, sagte er mit dem Rücken zur Tür. Das hatte er mal gelernt: Chefs, die ihrem Gegenüber getrost auch mal den Rücken zeigen, sind starke Führungspersönlichkeiten. Mit denen ist nicht zu spaßen.

»Hatten wir eine Verabredung?«, hörte er eine nasale Männerstimme.

Carl schnurrte so heftig mit dem Bürostuhl herum, dass er eine Viertelumdrehung zu weit kam.

Da stand Laursen. Der gute alte Tomas Laursen, Polizeitechniker und Rugbyspieler, der ein Vermögen gewonnen und wieder verloren hatte und nun in der Kantine in der obersten Etage arbeitete.

»Na, zum Teufel, Tomas, kommst du mal zu uns runter!«

»Ja. Dein tüchtiger Assistent fragte, ob ich nicht Lust hätte, mal vorbeizuschauen.«

Da zeigte Assad sein schelmisches Gesicht an der Tür. Was wollte Assad damit erreichen? War er tatsächlich oben in der Kantine gewesen? Reichten ihm seine würzigen Spezialitäten und selbst zubereiteten Magen-Erschrecker nicht mehr?

»Ich hab mir nur eine Banane geholt, Carl«, sagte Assad und schwenkte das krumme gelbe Teil. Bis in die oberste Etage wegen einer Banane?

Carl nickte. Irgendwie war Assad eine Art Affe. Er hatte es schon immer geahnt.

Er und Laursen tauschten einen kräftigen Händedruck aus. Immer noch der gleiche schmerzhafte Spaß wie früher.

»Klasse, Laursen. Hab gerade von dir gehört, von Yding aus Albertslund. Du bist nicht ganz freiwillig ins Präsidium zurückgekehrt, soweit ich das verstanden habe.«

Laursen wiegte den Kopf hin und her. »Tja. Hab ich mir ja wohl selbst zuzuschreiben. Die Bank hat mich ausgetrickst, ich sollte zum Investieren einen Kredit aufnehmen, und das konnte ich ja locker tun, ich hatte ja jede Menge Kapital. Und nun hab ich einen Dreck.«

»Man müsste sie selbst die Scheiße decken lassen«, kommentierte Carl. Das hatte er mal in den Nachrichten jemanden sagen hören.

Laursen nickte. Tja, nun war er wieder da. Als niederster Angestellter in der Kantine. Belegte Brote und Abwasch. Einer der begabtesten Polizeitechniker Dänemarks, was für eine Verschwendung.

»Ich bin zufrieden«, sagte er. »Ich treffe viele alte Kollegen, aber ich selbst muss nicht mehr mit denen raus.« Er lächelte noch wie früher. »Mir hat meine Arbeit keinen Spaß mehr gemacht, Carl, besonders wenn ich eine ganze Nacht in Leichenteilen herumwühlen musste. Es verging kein Tag, an dem ich nicht daran dachte, abzuhauen, fünf Jahre lang. Das Geld hat mir geholfen, den Schritt zu tun, auch wenn ich es wieder verloren habe. So kann man's auch betrachten. Alles ist immer für irgendwas gut.«

Carl nickte. »Du kennst Assad zwar nicht, aber ich bin sicher, dass er dich nicht hier runtergeschleppt hat, um über die Speisekarte in der Kantine zu reden und dich zu Pfefferminztee bei einem alten Kollegen einzuladen.«

»Er hat mir schon von der Flaschenpost erzählt. Ich glaube, ich weiß einigermaßen Bescheid. Darf ich den Brief mal sehen?«

Na, aber gerne doch!

Er setzte sich, und Carl zog den Brief vorsichtig aus dem Ordner. Assad tänzelte herein, drei winzige Tässchen auf einem ziselierten Tablett balancierend.

Der Duft von Pfefferminztee breitete sich aus. »Diesen Tee magst du ganz bestimmt«, flötete Assad und schenkte ein. »Der ist gut für alles, auch hier.« Er fasste sich ganz kurz in den Schritt und warf ihnen einen verschleierten Blick zu. Missverständnisse ausgeschlossen.

Laursen schaltete eine weitere Arbeitslampe ein und zog sie ganz dicht an das Dokument heran.

»Wer hat das präpariert, wissen wir das?«

»Ein Labor in Edinburgh, drüben in Schottland«, sagte Assad. Er hatte die Untersuchungsergebnisse herausgefischt, noch ehe Carl überhaupt überlegen konnte, wo er die Papiere hingelegt hatte.

»Das ist die Analyse.« Assad legte sie Laursen hin.

»Okay«, sagte Laursen nach einigen Minuten. »Wie ich sehe, hat Gilliam Douglas die Untersuchungen geleitet.«

»Du kennst ihn?«

Laursen sah Carl mit demselben Ausdruck an, den ein fünfjähriges Mädchen zeigen würde, wenn man sie fragte, ob sie Britney Spears kennt. Kein sonderlich respektvoller Blick – aber einer, der die Neugier weckte. Wer mochte dieser Gilliam Douglas sein? Außer dass er auf der falschen Seite der Grenze zu England geboren war?

»Ich glaube nicht, dass da jetzt noch sehr viel mehr rauszuholen ist«, sagte Laursen und hob das Teetässchen mit zwei kräftigen Fingern an. »Unsere schottischen Kollegen haben alles in ihrer Macht Stehende getan, um das Papier zu präparieren und den Text mit unterschiedlicher Lichttechnik und Chemie sichtbar zu machen. Man hat minimale Schatten von Druckerschwärze gefunden, aber anscheinend wurde nicht versucht, die Herkunft des Papiers selbst zu bestimmen. Tatsächlich haben sie den Großteil der physischen Untersuchung uns überlassen. War der Brief drüben in Vanløse in der Kriminaltechnischen Abteilung?«

»Nein, aber ich hab ja auch nicht geahnt, dass die technischen Untersuchungen noch nicht abgeschlossen waren«, antwortete Carl widerstrebend. Der Fehler ging auf sein Konto.

»Das steht da.« Laursen tippte auf die letzte Zeile des Untersuchungsberichts.

So ein verdammter Mist. Warum hatten sie das nicht gesehen?

»Rose hat mich mal darauf hingewiesen, Carl. Aber dann

meinte sie, wir müssten wahrscheinlich nicht unbedingt wissen, wo das Papier herkommt und so.«

»Na, also da hat sie sich ziemlich sicher geirrt. Lass mich mal sehen.« Laursen stand auf und zwängte die Fingerspitzen in die Hosentaschen. Keine ganz einfache Sache bei so durchtrainierten Schenkeln in einer so engen Jeans.

Carl hatte diese Sorte Lupe, die Laursen aus der Tasche zog, schon oft gesehen. Ein kleines Viereck, das sich ausklappen ließ, sodass es auf dem Gegenstand stehen konnte. Das untere Teil ähnelte einem kleinen Mikroskop. Standardausrüstung für Briefmarkensammler und ähnliche Tölpel, und in dieser professionellen Variante mit der feinsten Linse von Zeiss ein absolutes Muss für einen Techniker wie Laursen.

Der stellte die Lupe auf das Dokument und brummte vor sich hin, während er die Linse über die Zeilen zog. Absolut systematisch von links nach rechts, Zeile für Zeile.

»Kannst du durch dieses Glasdingens mehr Buchstaben erkennen?«, fragte Assad.

Laursen schüttelte den Kopf, ohne etwas zu sagen.

Als er halbwegs durch war, begann Carl der Drang nach einer Zigarette zu kitzeln.

»Ich muss mal schnell was erledigen, okay?«

Sie reagierten kaum darauf.

Draußen auf dem Gang setzte er sich auf einen der Tische und starrte die ganze Maschinerie an, die ungenutzt dort herumstand. Scanner, Kopierer und der ganze Kram. Ein einziges Ärgernis. Nächstes Mal musste er Rose gewähren und sie ihren eigenen Weg gehen lassen, damit sie nicht mittendrin abhaute. Schlechter Führungsstil.

In diesem Augenblick der Selbsterkenntnis hörte er Rumpelgeräusche von der Treppe. Es klang, als hüpfte ein Basketball in Zeitlupe die Treppe hinunter, gefolgt von einem Schubkarren mit plattem Reifen. Was da auf ihn zukam, sah aus wie eine Oma mit Hamstereinkäufen von der Schwedenfähre. Sowohl die irre hochhackigen Schuhe als auch der karierte Plisseerock und der beinahe ebenso bunte Einkaufstrolley, den sie hinter sich her schleppte, strahlten Fünfzigerjahre-Charme aus. Und auf dieser Gestalt saß der Klon von Roses Kopf mit adretten blonden Dauerwellen. Es war gerade so, als stünde man in einem Doris-Day-Film, ohne den Notausgang zu kennen.

Wenn so etwas geschieht und die Zigarette keinen Filter hat, dann verbrennt man sich.

»Au, Mist!«, schrie er und warf die Kippe auf den Boden, der bunten Gestalt direkt vor die Füße.

»Yrsa Knudsen«, sagte die nur und streckte ihm zwei Finger mit blutroten Nägeln entgegen.

Nie im Leben hätte er geglaubt, dass sich Zwillinge dermaßen ähneln und zugleich so weit voneinander entfernt vom Stamm desselben Baumes fallen können.

Er hatte sich fest vorgenommen, von der ersten Sekunde an die Führung zu übernehmen. Trotzdem hörte er sich brav auf ihre Frage antworten, wo denn ihr Büro sei: dass sie es gleich dort hinten auf der anderen Seite der Papiere finde, die dort an der Wand flatterten. Er vergaß vollkommen, was er eigentlich hatte sagen wollen: wer er war und welchen Titel er hatte und dass es entgegen aller Regeln sei, was die beiden Schwestern da trieben und dass das schnellstmöglich aufhören müsse.

»Ich rechne damit, zu einem raschen Briefing gerufen zu werden, sobald ich mich eingerichtet habe. Sollen wir sagen in einer Stunde?« Das war ihre Replik zum Abschied.

»Was war das denn?«, fragte Assad, als Carl wieder ins Büro kam.

Carl sah ihn düster an. »Was das war? Das war ein Problem. Dein Problem! In exakt einer Stunde führst du Roses Schwester in die Fälle ein. Alles klar?«

»Das war also Yrsa, die da eben vorbeigegangen ist?«

Carl schloss bestätigend die Augen. »Alles klar, Assad? Du briefst sie.«

Dann wandte er sich an Laursen, der nun fast fertig war. »Findest du was, Laursen?«

Der Techniker, der Pommeskoch geworden war, nickte und deutete auf etwas total Unsichtbares, das er auf ein winziges Stück Plastik gelegt hatte.

Carl hielt das Gesicht ganz nahe daran. Doch ja, da lag ein Splitter von der Größe einer Haarspitze, und daneben etwas Rundes, Kleines, Flaches und überdies fast Durchsichtiges.

»Das da ist ein Holzsplitter.« Laursen deutete darauf. »Ich möchte annehmen, dass er von der Spitze des Schreibgeräts des Briefschreibers stammt, denn er steckte in Schreibrichtung im Papier. Das andere ist eine Schuppe von einem Fisch.«

Er richtete sich aus seiner ungünstigen Stellung auf und rollte die Schultern. »Wir kommen schon noch weiter, Carl. Aber wir müssen das nach Vanløse einsenden, ja? Es würde mich wundern, wenn die nicht relativ schnell die Holzart identifizieren könnten. Aber um anhand der Schuppe die Sorte des Fischs zu bestimmen, musst du einen Meeresbiologen hinzuziehen.«

»Sehr interessant«, sagte Assad. »Das ist ja ein äußerst fähiger Kollege, den wir hier haben, Carl.«

Carl kratzte sich an der Wange. »Was kannst du noch sagen, Laursen? Fällt dir noch etwas auf?«

»Ja. Ich kann nicht erkennen, ob der Briefschreiber Rechts- oder Linkshänder war, was bei so porösem Papier ungewöhnlich ist. Da kann man nämlich fast immer Erhebungen in eine bestimmte Richtung sehen. Daraus könnte man schließen, dass der Brief unter schwierigen Bedingungen geschrieben wurde. Vielleicht auf einer schlechten Unterlage, vielleicht mit gefesselten Händen. Vielleicht von einer Person, die im Schreiben ungeübt war. Außerdem kann ich sagen, dass das Papier benutzt worden war, um Fisch darin einzupacken. Soweit ich sehen kann, gibt es Schleimabsonderungen, sicher von Fisch. Und da wir wissen, dass die Flasche dicht war, können diese Schleimabsonderungen nicht während des Aufenthaltes im Wasser hinzugekommen sein. Was diese Schatten auf dem Papier angeht, bin ich mir nicht sicher. Vielleicht ist es nichts. Das Papier war vielleicht vorher schon etwas stockfleckig. Aber wahrscheinlicher ist doch, dass es Flecken vom Aufenthalt in der Flasche sind.«

»Interessant! Was meinst du im Übrigen zu dem Brief an sich? Ist er es wert, dass wir uns weiter mit ihm beschäftigen, oder war das nur ein Dummejungenstreich?«

»Ein Dummejungenstreich?« Laursen stülpte die Oberlippe zurück und bleckte die beiden schräg stehenden Vorderzähne. Das bedeutete aber keinesfalls, dass er lachen wollte. Eher, dass man zuhören sollte. »Ich kann in dem Papier Vertiefungen erkennen, die auf eine zittrige Hand beim Schreiben deuten. Die Holzspitze, die du hier siehst, hat feine, tiefe Ritzen verursacht, ehe sie abbrach. An gewissen Stellen sind diese Ritzen so scharf und markant wie die Rillen einer Vinylplatte.« Er schüttelte den Kopf. »Nein, Carl, das war kein Dummejungenstreich, das glaube ich nicht. Wie ich schon sagte: Es sieht so aus, als hätte das jemand geschrieben, dem die Hand zitterte – vielleicht, weil er unbeholfen war, vielleicht aber auch, weil er Todesangst hatte. Nein, das hier, das ist Ernst, würde ich spontan sagen. Aber wissen kann man das natürlich nie.«

Assad schaltete sich ein. »Wenn du die Ritzen so genau siehst, kannst du dann nicht vielleicht auch noch ein paar mehr Buchstaben erkennen?«

»Ja, ein paar. Aber nur bis zu der Stelle, wo die Spitze des Schreibgeräts abgebrochen ist.«

Da reichte ihm Assad eine Kopie des Briefs.

»Kannst du nicht die dazuschreiben, von denen du meinst, dass sie fehlen?«, bat er.

Laursen nickte und legte die Lupe wieder auf den Originalbrief. Und nachdem er die ersten Zeilen noch ein paar Minuten länger untersucht hatte, sagte er: »Ja, so schätze ich das ein. Aber den Kopf will ich dafür nicht hinhalten.«

Dann setzte er Zahlen und Buchstaben ein, sodass in den ersten Zeilen des Briefs jetzt stand:

HILFE
_i_ wur___ am _6 Fe_rua 1996 entfü_t –
An ___ Bush_lte_tel_ _aut_opv___ in
Bal___u_ – ___ Mann ___ 1,8_ gr_ß
___ k_r_e Hare

Sie betrachteten das Ergebnis eine Weile. Dann brach Carl das Schweigen.

»1996! Dann hat die Flasche ja sechs Jahre im Wasser gelegen, ehe sie herausgefischt wurde!«

Laursen nickte. »Ja. Bei der Jahreszahl bin ich mir ziemlich sicher. Auch wenn die beiden Neuner spiegelverkehrt sind.«

»Vielleicht konnte dein schottischer Kollege sie deshalb nicht entziffern.«

Laursen zuckte die Achseln. Möglich.

Neben ihnen runzelte Assad die Stirn.

»Was ist denn, Assad?«

»Mist, es ist genau so, wie ich's mir gedacht hab. So ein Scheiß«, sagte er und deutete dabei auf vier der Wörter.

Carl inspizierte den Brief genauer.

»Wenn wir nicht noch mehr Buchstaben aus dem letzten Teil rausfinden, wird's schwierig«, fuhr Assad fort.

Jetzt sah Carl, was Assad meinte. Von allen Menschen auf der Erde musste natürlich er es sein, dem das Problem als Erstem auffiel. Ein Mann, der erst seit wenigen Jahren hier im Land lebte. Es war schlicht unglaublich.

Die vier Wörter, die Assad sich soeben zusammengereimt hatte, lauteten, in der Schreibweise des Briefs: »Februa«, »entfürt«, »Bushaltestele« und »Hare«.

Derjenige, der den Brief geschrieben hatte, beherrschte ganz offensichtlich die Rechtschreibung nicht.

11

Sie hörten nicht viel von Yrsa hinten in Roses Büro, und das war eigentlich ein gutes Zeichen. Wenn sie so weitermachte, war sie nach drei Tagen wieder draußen und Rose müsste zurückkommen. Sie brauchten doch das Geld, hatte Yrsa gesagt.

Da die Archive keine Hinweise auf eine Entführung im Februar 1996 enthielten, nahm Carl sich wieder die alte Brandakte vor und rief Polizeikommissar Antonsen in Rødovre an. Da war ihm so ein ausgebuffter alter Hase doch lieber als ein Bürohengst wie Yding. Warum in aller Welt dieser Knallkopf in dem Polizeibericht damals nichts über die ökonomische Situation der abgebrannten Firma notiert hatte, überstieg seine Vorstellungskraft. Nach Carls Auffassung war das ein Pflichtversäumnis ersten Ranges.

»Nanu«, rief Antonsen, als Carl zu dessen Apparat durchgestellt worden war. »Was verschafft uns die Ehre, mit Carl Mørck zu sprechen? Dem mit dem Diplom im Entstauben alter Fälle«, gluckste er. »Hast du den Mord am Ötzi aufgeklärt?«

»Ja, und den an Erik Klipping auch«, antwortete Carl. »Und wenn ich das richtig einschätze, haben wir demnächst auch einen von euren alten Fällen gelöst.«

Antonsen lachte. »Ich weiß genau, worauf du hinauswillst. Hab gestern mit Marcus Jacobsen gesprochen. Du willst etwas zu dem Brand hier bei uns 1995 wissen, kann ich mir vorstellen. Hast du den Bericht nicht gelesen?«

Hier erlaubte sich Carl ein paar Flüche, die der hartgesottene Antonsen ebenso saftig erwiderte. »Doch. Und dieser Bericht, der ist der totale Dreck. War das einer von deinen Leuten, der den geschrieben hat?«

»Ach, dummes Zeug, Carl. Yding hat gute Arbeit abgeliefert. Was fehlt dir?«

»Informationen über die Firma, bei der es gebrannt hat. Die hat Yding in seiner guten Arbeit komplett ausgespart.«

»Ja, ja, dachte mir schon, dass es so etwas ist. Aber wir haben irgendwo noch was liegen. Ein paar Jahre später nämlich hat eine Betriebsprüfung bei besagter Firma zu einer Anzeige geführt. Letztlich kam da zwar nichts raus, aber wir haben zumindest noch einiges über den Laden erfahren. Soll ich's dir faxen oder lieber auf Knien angerutscht kommen und es vor deinem Thron ablegen?«

Carl lachte. Nicht oft begegnete er jemandem, der auf seine Anwürfe so effektiv und entwaffnend reagierte.

»Nein, ich komme zu dir rüber, Antonsen. Setz schon mal den Kaffee auf.«

»O nein«, war das Letzte, was aus dem Hörer tönte, bevor es tutete.

Carl saß einen Moment still da und starrte auf den Flachbildschirm, wo in Endlosschleife Berichte über die sinnlose Erschießung von Mustafa Hsownay liefen. Ein weiteres vollkommen unschuldiges Opfer des Bandenkriegs. Jetzt hatte die Polizei offenbar einen Trauermarsch durch die Straßen Kopenhagens genehmigt. Das führte garantiert dazu, dass der eine oder andere seine nationalfarbene Rote Grütze in den falschen Hals bekam.

Da grunzte es plötzlich an der offenen Tür: »Bekommt man bald mal was zu tun?«

Carl erstarrte. Normalerweise schlichen die Leute hier unten nicht auf leisen Sohlen herum. Wenn also diese Yrsa, die eben noch wie eine Horde durchgehender Gnus herumgetrampelt war, sich plötzlich dermaßen lautlos bewegte, dann zerrte das an seinen Nerven.

Sie wedelte nach irgendetwas. »Igitt, eine Schmeißfliege, die hasse ich. Eklig.«

Carl folgte dem Tier mit den Augen. Wo hatte sich das wohl seit neulich aufgehalten? Er griff nach der Akte auf dem Tisch. Es sollte doch mit dem Teufel zugehen, wenn er der verdammten Fliege nicht eins auf den Rüssel geben konnte.

»Ich bin nun installiert. Willst du schauen?«, fragte Yrsa, und ihre Stimme glich zum Verwechseln der von Rose.

Ob er sich ansehen wollte, wie sie sich installiert hatte? Nichts lag ihm ferner.

Er ließ die Fliege Fliege sein und wandte sich Yrsa zu.

»Du möchtest mit Arbeit eingedeckt werden, sagst du? Gut. Dafür bist du ja wohl auch hier. Dann fang mal damit an, dass du in den Vorstandsetagen der abgebrannten Unternehmen anrufst. Fordere die Jahresabschlüsse der letzten fünf Jahre der Firmen K. Frandsen Engros, Public Consult und JPP Beslag A/S an und schau dir deren Kontokorrentkredite und die kurzfristigen Kredite an. Okay?« Er schrieb die Namen der drei Firmen auf einen Zettel.

Sie sah ihn an, als habe er etwas Unzüchtiges geäußert. »Nein, lieber nicht, wenn ich so frei sein darf«, sagte sie.

»Und warum nicht?«

»Weil es ungleich leichter ist, die aus dem Internet rauszusuchen, und warum dann am Hörer kleben? Hier ist in zehn Minuten Feierabend.«

Carl versuchte zu ignorieren, dass sein Ego urplötzlich zwischen den Plisseefalten ihres Rockes verschwand. Vielleicht sollte er ihr eine Chance geben.

»Carl, sieh dir das mal an«, sagte Assad von der Tür her und trat einen Schritt zur Seite, um Yrsa vorbeizulassen.

»Ich hab lange davorgesessen und es mir angeschaut«, fuhr er fort und reichte Carl die Kopie des Flaschenbriefs. »Und nach einer Weile war ich mir sicher, dass in der zweiten Zeile ›Ballerup‹ steht. Daraufhin hab ich im Stadtplan alle Straßen von Ballerup durchgesehen und dabei rausgefunden, dass der einzige Straßenname, der auf das Wort direkt vor dem

›in‹ passt, Lautrupvang ist. Gut, der Typ hat ›Lautrop‹ statt ›Lautrup‹ geschrieben, aber er war ja auch nicht so gut in Rechtschreibung.«

Einen Moment fixierte Assad die Fliege, die unter der Decke herumsauste. Dann sah er Carl an.

»Was meinst du, Carl? Glaubst du, das könnte stimmen?« Er deutete auf die entsprechende Stelle. In der Kopie stand jetzt:

HILFE
Wir wurden am _6 Februa 1996 entfürt –
An der Bushaltestele Lautropvang in
Ballerup – Der Mann ist 1,8_ groß
_ _ _ k_r_e Hare

Carl nickte. Das sah recht wahrscheinlich aus, ja, unbedingt. Dementsprechend musste man nun sofort in die Archive abtauchen.

»Du nickst. Du findest also, das passt. Ach, ist das schön, Carl«, rief Assad, wälzte sich über den Tisch und küsste ihn oben auf den Kopf.

Carl zog sich ruckartig zurück und sah ihn streng an. Sirupkuchen und gezuckerter Tee, das ging ja noch. Aber Gefühlsausbrüche nahöstlicher Proportionen, die brauchte er nun wirklich nicht.

»Es war also entweder der 16. oder der 26. Februar 1996, das wissen wir jetzt«, fuhr Assad konzentriert fort. »Wir wissen auch, wo es passiert ist, und außerdem wissen wir noch, dass der Entführer ein Mann und größer als einsachtzig war. Nun fehlen uns nur noch zwei Wörter in der Reihe, irgendwas mit seinen Haaren.«

»Ja, Assad. Und dann noch die Bagatelle von fünfundsechzig Prozent Restbrief«, sagte Carl.

Aber grundsätzlich wirkte die Deutung ziemlich plausibel.

Carl nahm das Papier und ging auf den Gang, um sich die vergrößerte Kopie des Briefs anzusehen. Hätte er tatsächlich geglaubt, Yrsa sei mit den Jahresabschlüssen der brandgeschädigten Firmen beschäftigt, wäre er einem Irrtum aufgesessen. Sie stand nämlich mitten im Flur, völlig losgelöst von der Welt um sie herum, und starrte auf den Flaschenbrief.

»Hallo, Yrsa«, sagte Carl. »Lass mal, damit werden wir schon fertig.« Aber Yrsa bewegte sich keinen Millimeter.

Wohl wissend, wie ähnlich sich Geschwister in ihren Verhaltensweisen sein können, zuckte er die Achseln und ließ Yrsa in Ruhe. Irgendwann würde ihr von der Haltung schon der Nacken wehtun.

Zusammen mit Assad stellte er sich neben sie. Verglich man Assads Entschlüsselungsversuch mit dem, was dort an der Wand hing, dann traten schwach weitere mögliche Buchstaben hervor, die vorher nicht zu entziffern gewesen waren.

Ja, Assads Vorschläge machten allesamt einen plausiblen Eindruck.

»Sieht gar nicht so verkehrt aus«, meinte Carl. Dann beauftragte er Assad zu überprüfen, ob nicht doch ein Verbrechen angezeigt worden war, das in irgendeiner Form mit einer Entführung 1996 im Lautrupvang in Ballerup in Verbindung stehen konnte.

Damit würde er wohl fertig sein, wenn Carl aus Rødovre zurückkam.

Antonsen saß in seinem kleinen Büro inmitten eines politisch völlig inkorrekten Miefs aus Pfeifen- und Zigarilloqualm. Es ging das Gerücht, er bliebe auf der Arbeit, bis alle anderen nach Hause gegangen waren, um in aller Ruhe zu schmöken. Zwar hatte seine Frau schon vor Jahren verkündet, er rauche nicht mehr, aber sie war eben auch nicht allwissend.

»Hier ist die Betriebsprüfung der Firma im Damhusdalen«,

sagte Antonsen und reichte Carl einen Plastikordner. »Wie du gleich der ersten Seite entnehmen kannst, handelt es sich um eine Import-Export-Firma mit Partnern im ehemaligen Jugoslawien. War sicher kein ganz leichter Umstellungsprozess für den Laden, als der Krieg auf dem Balkan explodierte und alles zusammenkrachte.

Heute ist Amundsen & Mujagic ein ziemlich blühendes Unternehmen, aber als der Mist brannte, befanden sie sich ökonomisch am Nullpunkt. Trotzdem gab es damals nichts, das uns glauben ließ, die Firma sei suspekt, und auch heute glauben wir das zunächst mal nicht. Aber wenn du etwas anderes zu sagen weißt – nur zu.«

»Amundsen & Mujagic. Mujagic ist doch ein jugoslawischer Name, oder?«, fragte Carl.

»Jugoslawisch, kroatisch, serbisch, das ist doch gehupft wie gesprungen. Ich glaube nicht, dass in der Firma heute noch ein Amundsen oder Mujagic übrig ist. Aber wenn du Lust hast, kannst du das ja untersuchen.«

»Mal ganz ehrlich.« Carl rutschte ein bisschen auf dem Stuhl herum und sah seinen alten Kollegen an.

Antonsen war okay als Polizist. Er war ein paar Jahre älter als Carl und immer ein paar Gehaltsstufen über ihm gewesen. Trotzdem hatten sie beruflich einige Dinge gemeinsam gestemmt, die ihnen bewiesen hatten, dass sie aus demselben Holz geschnitzt waren.

Sie gehörten nicht zu denen, die für Schulterklopfen, Katzbuckelei und Speichelleckerei empfänglich waren. Sie hielten nichts von politischen Bierzeltabsprachen und dem Anzapfen öffentlicher Kassen. Nein, wenn jemand bei der Polizei ungeeignet war für den diplomatischen Dienst, dann sie beide. Deshalb war Antonsen nicht Polizeipräsident geworden und Carl überhaupt nichts.

Zwischen ihnen beiden gab es nur eine Sache, die Carl im Augenblick wurmte, und das war dieser verdammte Brand.

Denn daran ließ sich nicht rütteln: Auch damals schon war Antonsen hier der Chef gewesen.

»Also, ich glaube«, fuhr Carl fort, »dass wir den Schlüssel zur Aufklärung der aktuellen Kopenhagener Brandserie in dem Brand hier in Rødovre finden können. Hier draußen hat man eine Leiche mit einer deutlichen Deformation des Fingerknochens entdeckt, die darauf deutet, dass das Opfer sehr viele Jahre einen Ring getragen hat. Dieselbe Eigentümlichkeit zeigen auch die Leichen der drei aktuellen Brände. Und deshalb frage ich dich: Kannst du mir ganz ehrlich sagen, Antonsen, dass der Fall damals gründlich behandelt wurde? Ich frage dich direkt, und dann antwortest du, und dann ist das für mich erledigt. Aber ich muss das einfach wissen. Hattest du etwas mit der Firma zu tun? Oder gibt es etwas, das dich in irgendeiner Weise mit der Firma Amundsen & Mujagic A/S verbunden hat, seit du damals den Fall untersucht hast?«

»Beschuldigst du mich etwa einer Ungesetzlichkeit, Carl Mørck?« Antonsens Gesicht war schmal geworden, das Wohlwollen sichtlich am Schwinden.

»Nein. Aber ich kann einfach nicht verstehen, warum ihr damals die Brandursache nicht mit Sicherheit klären konntet. Und warum ihr nicht herausgefunden habt, wer der Tote war.«

»Also beschuldigst du mich gewissermaßen, die Aufklärung verhindert zu haben?«

Antonsen gab Carl ein Tuborg, das dieser bis zum Ende des Gesprächs in der Hand hielt. Antonsen selbst nahm gleich einen großen Schluck von seinem.

Der alte Fuchs wischte sich den Mund ab und schob die Unterlippe vor. »Um es rundheraus zu sagen – der Fall hat uns nicht um den Schlaf gebracht, Carl. Ein Dachstuhl hat gebrannt und ein Obdachloser ist dabei umgekommen, das war's. Und um ganz ehrlich zu sein, ja, das Ganze glitt mir etwas aus der Hand. Aber nicht, wie du glaubst.«

»Wie denn dann?«

»Weil Lola zu der Zeit mit einem Kollegen hier vom Revier ins Bett ging und ich mich durch die Krise gesoffen habe.«

»Lola?«

»Ja, zum Teufel. Aber hör zu, Carl. Meine Frau und ich sind durch den ganzen Mist gut durchgekommen. Alles ist jetzt, wie es sein soll. Aber du hast natürlich recht: Ja, ich hätte bei dem Fall genauer hinschauen können. Dazu will ich dir gegenüber gern stehen.«

»Okay, Antonsen, akzeptiert. Beenden wir das an dieser Stelle.«

Carl stand auf und betrachtete Antonsens Pfeife, die dort lag wie ein in der Wüste gestrandetes Segelschiff. Bald würde es wieder segeln. Bürozeit hin oder her.

»Äh, warte mal«, sagte Antonsen, als Carl schon halb durch die Tür war. »Es gibt noch was. Du erinnerst dich doch noch an die Mordgeschichte im Hochhaus von Rødovre, im Sommer. Da hab ich zu dir gesagt, dass ihr es mit mir zu tun bekämt, wenn ihr meinen Polizeiassistenten Samir Ghazi bei euch im Präsidium nicht anständig behandelt. Nun ist mir zu Ohren gekommen, dass Samir zu uns zurückwill, er hat einen Antrag auf Rückversetzung gestellt.« Antonsen nahm die Pfeife und rieb sie leicht. »Warum tut er das, weißt du etwas darüber? Mir gegenüber sagt er nichts, aber soweit ich weiß, war Jacobsen mit ihm wirklich zufrieden.«

»Samir? Nee, keine Ahnung. Ich kenne ihn kaum.«

»Ah ja. Dann sollte ich dir vielleicht noch erzählen, dass die vom Dezernat A es auch nicht verstehen. Und gleichzeitig hab ich gehört, es könnte vielleicht etwas mit einem deiner Leute zu tun haben. Weißt du da was?«

Carl überlegte. Warum sollte das etwas mit Assad zu tun haben? Der hatte sich doch vom ersten Tag an von dem Mann ferngehalten.

Jetzt schob Carl die Unterlippe vor. Tja, aber warum hatte Assad das eigentlich getan?

»Ich weiß es nicht, aber ich werde rumfragen. Vielleicht will Samir einfach nur zurück zum besten Chef der Welt? Wär doch eine Möglichkeit.« Er blinzelte Antonsen kurz zu. »Und grüß Lola vielmals von mir.«

Er fand Yrsa haargenau an derselben Stelle, wo er sie zurückgelassen hatte: mitten auf dem Gang vor Roses Riesenkopie des Flaschenbriefs. Mit nachdenklicher Miene und fast wie in Trance stand sie da. Wie ein Flamingo hatte sie ein Bein bis unter den Rock hochgezogen. Abgesehen von der Kleidung war sie ein 1:1-Duplikat von Rose. Sehr, sehr spooky.

»Bist du mit den Jahresabschlüssen fertig?«

Geistesabwesend sah sie ihn an, dabei tippte sie sich mit einem Bleistift an die Stirn. Ob sie seine Anwesenheit überhaupt registriert hatte?

Da holte er bis in die Lungenspitzen Luft und schlug ihr denselben Satz ein zweites Mal um die Ohren. Sie zuckte zusammen, aber das war auch mehr oder weniger die einzige Reaktion.

Als er sich gerade abwenden wollte, ratlos den Kopf schüttelnd über diese seltsamen Schwestern, antwortete sie so klar, dass man jedes einzelne Wort verstand:

»Ich bin gut in Scrabble, Kreuzworträtseln, Silbenrätseln, IQ-Tests und Sudoku, und ich kann gut Verse schreiben für Konfirmationen, Silberhochzeiten, Geburtstage und Jubiläen. Aber das hier klappt einfach nicht.« Jetzt wandte sie sich Carl zu. »Könntest du mich nicht noch ein bisschen in Frieden lassen, damit ich in Ruhe über diesen ekelhaften Brief nachdenken kann?«

Wie bitte? Sie hatte dort gestanden, die ganze Zeit, während er in Rødovre gewesen war, und sogar noch etwas länger. Und jetzt sollte er sie in Frieden lassen? Also mal ehrlich. Sie sollte doch einfach ihre Südfrüchte in das hässliche Scheißding von einem Einkaufstrolley packen und in ihren buntkarierten

Gewändern mit Dudelsack und Trara nach Vanløse abzischen, oder wo immer sie herkam.

»Liebe Yrsa«, fing er an, nachdem er sich einen Ruck gegeben hatte. »Entweder ich bekomme innerhalb der nächsten siebenundzwanzig Minuten diese lächerlichen Jahresabschlüsse mitsamt den Anmerkungen, wo genau ich suchen soll. Oder ich werde Lis oben in der zweiten Etage bitten, dir auf der Stelle einen Lohnscheck für etwa vier Stunden komplett überflüssige Arbeit auszustellen. Mit Pensionsansprüchen brauchst du in dem Zusammenhang nicht zu rechnen. Haben wir uns verstanden?«

»Meine Güte! Entschuldige, dass ich fluche. Aber das waren viele Worte auf einmal.« Sie lächelte breit. »Hab ich im Übrigen schon daran gedacht, dir zu sagen, wie gut dir das Hemd steht? So eins hat Brad Pitt auch.«

Carl senkte den Blick auf das karierte Schauerstück aus dem Coop-Supermarkt. Plötzlich fühlte er sich hier unten im Keller merkwürdig heimatlos.

Er zog sich in Assads sogenanntes Büro zurück und fand dort einen Mann vor, dessen Beine in der obersten Schublade ruhten und der den Telefonhörer an die blauschwarzen Bartstoppeln gepresst hielt. Vor ihm lagen zehn Kugelschreiber, vermutlich aus Carls Bezirk, die nun dort fehlten, und darunter viel Papier mit Namen und Zahlen und zierlichen Friesen arabischer Schriftzeichen. Assad sprach langsam und deutlich und verblüffend korrekt. Sein Körper strahlte Autorität und Gelassenheit aus, und die Liliputtasse mit duftendem türkischem Mokka klemmte ruhig zwischen Daumen und Zeigefinger. Wüsste man es nicht besser, würde man meinen, er sei ein Reiseveranstalter in Ankara, der gerade einen Jumbo für fünfunddreißig Ölscheichs gechartert hatte.

Jetzt wandte er sich Carl mit gerunzelter Stirn zu und lächelte ihn an.

Der musste offenbar auch in Ruhe gelassen werden.

Das war ja die reinste Epidemie.

Vielleicht sollte man sich ein vorbeugendes Nickerchen im Bürostuhl gönnen? Derweil könnte man auf der Innenseite seiner Lider einen Film über einen Brand in Rødovre abspielen und hoffen, dass der Fall gelöst war, wenn man die Augen wieder aufklappte.

Er war gerade so weit gekommen, dass er sich gesetzt und die Beine hochgelegt hatte, da durchkreuzte Laursens Stimme diesen attraktiven und lebensverlängernden Plan.

»Carl, habt ihr noch etwas von der Flasche übrig?«

Carl blinzelte. »Äh, von der Flasche?« Er richtete den Blick auf Laursens Schürze mit den vielen Fettflecken und nahm die Beine vom Schreibtisch. »Na ja, wenn du dich mit dreitausendfünfhundert Glasstücken in Fliegenschissgröße zufriedengibst, dann habe ich die hier in einer Plastiktüte.«

Er holte die durchsichtige Tüte und hielt sie Laursen vors Gesicht. »Was sagst du dazu, ist das was?«

Laursen nickte und deutete auf eine einzelne Scherbe. Sie war ein wenig größer als die anderen und lag ganz unten in der Tüte.

»Ich hab gerade mit Gilliam Douglas gesprochen, dem Techniker aus Schottland, und er riet mir, das größte Stück vom Flaschenboden herauszusuchen und dann eine DNA-Analyse des Bluts vornehmen zu lassen, das noch daran klebt. Das ist das Stück da. Du kannst das Blut sogar mit bloßem Auge sehen.«

Carl hätte ihn fast um seine Lupe gebeten. Aber er konnte es tatsächlich erkennen. Es war nicht viel Blut, und es wirkte irgendwie total ausgelaugt.

»Haben die das nicht untersucht?«

»Nein. Er sagt, sie hätten ausschließlich Kram vom eigentlichen Brief genommen. Aber er sagt auch, wir sollen nicht allzu viel erwarten.«

»Weil?«

»Weil die Blutmenge für eine Analyse sehr gering ist und weil es höchstwahrscheinlich zu lange her ist. Und auch weil die Verhältnisse in der Flasche und der Aufenthalt im Meerwasser sich ungünstig auf die Erbmasse ausgewirkt haben können. Wärme, Kälte und womöglich ein bisschen Salzwasser. Das wechselnde Licht. Alles spricht dafür, dass keine DNA mehr übrig ist.«

»Verändert sich die DNA denn im Zersetzungsprozess?«

»Nein, die DNA verändert sich nicht. Die wird nur abgebaut. Und in Anbetracht all der ungünstigen Faktoren wird genau das wohl passiert sein.«

Carl betrachtete den kleinen Fleck auf der Glasscherbe. »Und was, wenn die nun doch eine brauchbare DNA finden? Was sollen wir damit anfangen? Wir müssen keine Leiche identifizieren, denn es gibt keine. Wir müssen auch kein Genmaterial mit Verwandten abgleichen, denn wer soll das sein? Wir wissen ja nicht mal, wer der Briefschreiber überhaupt ist. Wozu also soll das gut sein?«

»Man könnte zumindest Haut-, Augen- und Haarfarbe bestimmen. Wäre das keine Hilfe?«

Carl nicke. Selbstverständlich musste das probiert werden. Die Leute drüben in der Abteilung für Forensische Genetik im Rechtsmedizinischen Institut waren phantastisch, das wusste er. Er hatte selbst einen Vortrag des stellvertretenden Leiters der Abteilung gehört. Wenn jemand herausfinden konnte, ob das Opfer ein lahmer, lispelnder und rothaariger Grönländer aus Thule war, dann die.

»Nimm den Mist und zieh ab«, sagte Carl. Dann klopfte er Laursen auf die Schulter. »Bald komme ich zu dir nach oben und esse ein Tournedos.«

Laursen lächelte. »Dann denk dran, dir eins mitzubringen.«

12

Sie hieß Lisa, aber sie nannte sich Rachel. Sieben Jahre lang hatte sie mit einem Mann zusammengelebt, der sie nicht schwanger machen konnte. Unfruchtbare Wochen und Monate in Lehmhütten, zuerst in Simbabwe, danach in Liberia. Volle Schulklassen und breites Elfenbeinlächeln in braunen Kindergesichtern. Aber auch Hunderte endloser Stunden in Verhandlungen mit den lokalen Repräsentanten der National Democratic Party of Liberia und schließlich noch Charles Taylors Guerillasoldaten. Gebete für Frieden und Hilfe. Das war keine Zeit, auf die sich eine frisch ausgebildete Lehrerin eines freien, internationalen Lehrerseminars ohne weiteres hatte vorbereiten können. Dazu gab es überall viel zu viele Fallstricke und Abgründe, aber so konnte Afrika eben auch sein.

Als sie von einer Gruppe zufällig vorbeikommender NPFL-Soldaten vergewaltigt wurde, griff ihr Lebensgefährte nicht ein, sondern überließ sie ihrem Schicksal.

Deshalb war Schluss.

An jenem Abend hatte sie sich mit ihrem geschundenen Körper auf die Veranda gekniet und die blutigen Hände gerungen. Zum ersten Mal in ihrem ungöttlichen Leben hatte sie da die Nähe des Himmelreichs gespürt.

»Vergib mir und lass das hier ohne Folgen bleiben«, betete sie unter dem nachtschwarzen Himmel. »Lass es keine Folgen haben und lass mich ein neues Leben finden. Ein Leben in Frieden. Mit einem guten Mann und vielen Kindern. Darum bitte ich dich, lieber Gott.«

Am nächsten Morgen, als sie ihren Koffer packte, begann

ihr Unterleib zu bluten, und sie wusste, dass Gott sie gehört hatte. Ihre Sünden waren ihr vergeben.

Es waren Menschen einer kleinen, neu eingerichteten Gemeinde in Danané im Nachbarland Elfenbeinküste, die ihr zu Hilfe kamen. Nach zwei Wochen Unsicherheit zwischen anderen Flüchtlingen auf der Landstraße nach Baobli und weiter über die Grenze hatten sie auf einmal an der Landstraße A 701 gestanden und ihr Herberge gegeben. Menschen mit sanften Gesichtern, die große Not gesehen hatten und wussten, dass Wunden Zeit brauchen, um zu heilen. Von Stund an entfaltete sich zusehends ein neuer Lebensinhalt für sie. Gott hatte sie gehört und Gott hatte ihr gezeigt, welchen Weg sie einschlagen sollte.

Im Jahr darauf war sie wieder in Dänemark: vom Teufel und all seinen Untaten gereinigt und bereit, den Mann zu finden, der sie schwängern würde.

Er hieß Jens, nannte sich seither aber Joshua. Ihr Körper war über die Maßen verlockend für einen Mann, der allein in dem Landmaschinenverleih arbeitete, den er von seinen Eltern übernommen hatte. Und in der Wonne zwischen ihren Schenkeln fand auch Jens den Weg Gottes.

Bald hatte die Gemeinde am Rand von Viborg zwei weitere Jünger, und zehn Monate später gebar Rachel ihren Ersten.

Seither hatte die Gottesmutter ihr neues Leben geschenkt und war ihr gnädig gewesen. Josef, achtzehn Jahre alt, Samuel, sechzehn, Miriam, vierzehn, Magdalena, zwölf, und Sarah, zehn Jahre alt, waren das Ergebnis. Jeweils genau dreiundzwanzig Monate lagen dazwischen.

Doch, die Gottesmutter kümmerte sich wahrhaftig um die Ihren.

Rachel war dem neu dazugekommenen Mann mehrfach in der Kirche begegnet, und wenn sie sich den Hymnen zu Ehren der Gottesmutter hingaben, hatte er sie und ihre Kinder mit guten

Augen angeschaut. Nur gesegnete Worte hatte sie aus seinem Mund vernommen. Er hatte aufrichtig gewirkt, freundlich und einfühlsam. Ein ziemlich gut aussehender Mann, der vielleicht auch noch eine geeignete neue Frau mit in die Gemeinde bringen würde.

Er machte einen rundum positiven Eindruck, da waren sie sich einig. Joshua nannte ihn rechtschaffen.

An jenem Abend, als er zum vierten Mal zu ihnen in die Kirche gekommen war, hatte sie das unbedingte Gefühl, dass er bleiben würde. Sie boten ihm ein Zimmer auf ihrem Hof an, aber er lehnte dankend ab und erklärte, er hätte bereits eine Unterkunft, und im Übrigen habe er reichlich damit zu tun, nach einem Haus zu suchen, wo er hinziehen und wohnen könne. Er bliebe noch einige Tage in der Gegend, und wenn er in der Nähe wäre, würde er ihnen sehr gern einen Besuch abstatten.

Er hatte also die Absicht, ein Haus zu finden, und darüber wurde natürlich in der Gemeinde geredet, besonders unter den Frauen. Er hatte kräftige Hände und einen Lieferwagen und konnte der Gemeinde von großem Nutzen sein. Er schien ziemlich erfolgreich und darüber hinaus war er immer gut gekleidet und höflich und gewandt. Vielleicht ein zukünftiger Pfarrerkandidat. Vielleicht ein Missionar.

Sie würden ihn ganz besonders entgegenkommend behandeln.

Schon einen Tag später stand er vor ihrer Tür. Leider war das ein ungünstiger Zeitpunkt, denn Rachel war unpässlich, hatte Kopfschmerzen, die Anfangsbeschwerden der Menstruation. Im Augenblick wollte sie nichts weiter, als dass sich die Kinder in ihren Zimmern aufhielten und Joshua sich um seine Angelegenheiten kümmerte.

Aber Joshua öffnete dem Mann die Tür und zog ihn an den Eichenholztisch in der Küche.

»Denk dran, dass wir vielleicht nicht so viele Gelegenheiten haben«, flüsterte er und bat sie inständig, das Sofa zu verlassen. »Nur eine Viertelstunde, Rachel, dann kannst du dich wieder hinlegen.«

Als sie daran dachte, wie willkommen der Gemeinde frisches Blut war, stand sie auf. Die Hand auf den Unterleib gepresst, ging sie in die Küche, fest davon überzeugt, die Gottesmutter habe diesen Zeitpunkt sorgfältig gewählt, um sie auf die Probe zu stellen. Schmerzen sind nichts anderes als eine leichte Berührung durch Gottes Hand. Daran sollte sie erinnert werden. Übelkeit ist nur wie brennender Wüstensand. Sie waren alle Jünger, die lernen mussten, dass sich ihnen Leibliches nicht in den Weg stellen durfte.

Und deshalb ging sie zwar blass, aber tapfer lächelnd auf ihn zu und bat ihn, an ihrem Tisch Platz zu nehmen und die Gaben des Herrn zu empfangen.

Er sei in Levring gewesen und in Elsborg, um sich Höfe von Kleinbauern anzusehen, erzählte er, während er an dem heißen Kaffee nippte. Übermorgen oder am Montag wollte er nach Ravnstrup und Resen fahren, wo es ebenfalls attraktive Angebote gab.

»Herr Jesus!«, rief Joshua und sah sie sofort entschuldigend an. Er wusste, dass sie es hasste, wenn er den Namen des Sohns der Gottesmutter missbrauchte.

»In Resen?«, fuhr er fort. »Doch nicht etwa an der Straße zur Plantage Sjørup? Geht es um das Haus von Theodor Bondesen? Dann kann ich dafür sorgen, dass du es zum richtigen Preis bekommst. Das hat mindestens acht Monate leer gestanden. Ja, noch länger.«

Über das Gesicht des Mannes huschte ein sonderbares Zucken. Joshua fiel es natürlich nicht auf, aber ihr. Ein Zucken, das nicht hätte sein dürfen.

»In Richtung Sjørup?«, wiederholte der Mann, und sein Blick flackerte durch den Raum, als suchte er nach einem festen Halt. »Das weiß ich nicht. Aber das kann ich dir am Montag sagen, wenn ich das Haus angesehen habe.« Jetzt lächelte er. »Wo sind eure Kinder? Machen sie Hausaufgaben?«

Rachel nickte. Besonders mitteilsam schien er nicht zu sein. Hatte sie ihn vielleicht falsch eingeschätzt? »Wo wohnst du jetzt?«, blieb sie beim Thema. »In Viborg?«

»Ja, ich habe im Stadtzentrum einen ehemaligen Kollegen. Wir sind vor einigen Jahren gemeinsam gefahren. Nun ist er Frührentner.«

»Aha? Wie so viele zu früh verbraucht?«, fragte sie und suchte den Augenkontakt.

Jetzt sah er sie mit den guten Augen an. Das dauerte etwas, aber vielleicht war er einfach zurückhaltend. Es musste jedenfalls kein schlechter Zug sein.

»Verbraucht? Nein, das ist er nicht. Wenn es das nur wäre, falls man das so sagen darf. Nein, mein Freund Charles hat bei einem Verkehrsunfall seinen Arm verloren.«

Mit der Handkante zeigte er, wie weit oben amputiert worden war. Das weckte böse Erinnerungen bei ihr. Abschätzend sah er sie an, hielt ihren Blick eine Weile fest, dann senkte er die Augen. »Ja, das war wahrhaftig ein schrecklicher Unfall. Aber er kommt zurecht.«

Plötzlich hob er den Kopf. »Noch etwas! Übermorgen ist in Vinderup ein Karatetreffen. Ich habe mir überlegt, ich könnte Samuel fragen, ob er mitkommen und es sich ansehen will. Aber vielleicht ist das mit seinem schlimmen Knie zu früh? Wie geht es damit? Hat er sich etwas gebrochen, als er die Treppe hinuntergefallen ist?«

Jetzt lächelte Rachel und sah zu ihrem Mann. Genau diese Art von Mitgefühl und Sorge für den Nächsten, dafür stand ihre Kirche. »Nimm die Hand deines Nächsten und streichele sie sanft«, wie der Pfarrer immer sagte.

»Nein«, antwortete ihr Mann. »Das Knie ist so dick wie der Schenkel, aber in einigen Wochen wird die Schwellung abgeklungen sein. In Vinderup sagst du? Ein Karatetreffen? Na so was.« Ihr Mann strich sich übers Kinn. Dann war das garantiert etwas, worauf er gleich näher eingehen wollte. »Aber wir können Samuel ja fragen. Was meinst du, Rachel?«

Sie nickte. Doch ja, solange er vor der Ruhezeit zurück sein könnte, wäre das doch wunderbar. Vielleicht könnten ja alle Kinder mitkommen, falls sie Lust dazu hätten?

Da veränderte sich seine Miene, wurde entschuldigend. »O ja, ich würde sie schrecklich gern alle mitnehmen. Aber in den Lieferwagen passen wir vorne leider nur zu dritt rein. Hinten dürfen keine Fahrgäste sitzen. Aber zwei könnte ich mitnehmen. Dann bietet sich den anderen vielleicht beim nächsten Mal die Gelegenheit. Wie wäre es mit Magdalena? Wäre das nicht etwas für sie? Sie wirkt sehr aufgeweckt. Stehen sie und Samuel sich nicht auch ziemlich nahe?«

Wieder lächelte Rachel, und ihr Mann lächelte jetzt auch. Das war liebevoll beobachtet und liebevoll gefragt. Als wüsste er, wie nahe ihrem Herzen diese beiden Kinder stets gewesen waren. Samuel und Magdalena. Die zwei, die ihr von allen fünfen am meisten glichen.

»Na, dann lasst uns das so machen, nicht wahr, Joshua?«

»Ja, das machen wir.« Joshua lächelte. Solange keine Schwierigkeiten in Sicht waren, war er umgänglich.

Sie klopfte leicht auf die Hand ihres Gastes, die flach auf dem Tisch lag. Merkwürdig, wie kalt die war.

»Ich bin mir ziemlich sicher, dass Samuel und Magdalena Lust dazu haben«, sagte sie dann. »Wann sollen sie so weit sein?«

Er spitzte die Lippen, berechnete die Fahrzeit. »Ja, also, das Treffen ist um elf. Wollen wir zehn Uhr sagen?«

Als er gegangen war, lag so etwas wie der Frieden Gottes über dem Haus. Er hatte ihren Kaffee getrunken und anschließend hatte er die Tassen genommen und abgespült, als wäre das die natürlichste Sache der Welt. Er hatte sie angelächelt und ihnen für ihre Gastfreundschaft gedankt. Und am Ende hatte er auf Wiedersehen gesagt.

Die Schmerzen im Unterleib waren noch nicht weg, aber die Übelkeit.

Wie wunderbar war doch Nächstenliebe. Vielleicht das schönste Geschenk Gottes an die Menschen.

13

»Keine guten Nachrichten, Carl«, sagte Assad.

Carl hatte keine Ahnung, wovon er sprach. Nach einem zweiminütigen Bericht über ein milliardenschweres Umwelt-Rettungspaket auf ›Update‹, dem Nachrichtensender von Danmarks Radio, befand er sich bereits halb im Dämmerstadium.

»Was sind keine guten Nachrichten, Assad?«, hörte er sich wie aus weiter Ferne fragen.

»Ich hab überall gesucht und kann nun ganz sicher sagen, dass zu keinem Zeitpunkt über versuchtes Kidnapping dort draußen berichtet wurde. Jedenfalls nicht, seit es in Ballerup eine Straße gibt, die Lautrupvang heißt.«

Carl rieb sich die Augen. Nein, das waren keine sonderlich guten Nachrichten, da hatte Assad recht. Wenn die Botschaft der Flaschenpost seriös war, wohlgemerkt.

Assad stand vor ihm und steckte ein abgewetztes Kartoffelmesser in einen Plastikkübel mit arabischen Schriftzeichen, der mit einer undefinierbaren Substanz gefüllt war. Dann lächelte er erwartungsvoll, schnitt ein Stückchen dieser Substanz ab und stopfte es sich in den Mund. Über seinem Kopf summte hellwach die gute alte Fliege.

Carl sah nach oben. Vielleicht sollte man mal ein bisschen Energie aufwenden und sie an die Decke klatschen, dachte er. Träge hielt er Ausschau nach einer geeigneten Mordwaffe. Direkt vor sich auf dem Tisch fand er sie. Ein zerkratztes Fläschchen Tipp-Ex. Bestes Hartplastik. Sicher ein tödliches Wurfgeschoss.

Nun ziel aber richtig, dachte er und pfefferte die Flasche

Richtung Fliege. Im selben Moment musste er feststellen, dass der Deckel nicht festgeschraubt gewesen war.

Konsterniert sah Assad zu, wie die weiße Masse langsam an der Wand hinunterlief.

Die Fliege war weg.

»Merkwürdig«, murmelte Assad und kaute weiter. »Zuerst dachte ich, Lautrupvang sei ein Ort, wo Menschen wohnen. Aber dort gibt es nur Büros und Gewerbeflächen.«

»Und?« Carl grübelte, wonach diese verdammte beigefarbene Masse in dem Plastikkübel eigentlich roch. War das Vanille?

»Ja, Büros und Gewerbeflächen«, wiederholte Assad. »Was hat er da gemacht, der behauptet, entführt worden zu sein?«

»Vermutlich gearbeitet?«, schlug Carl vor.

An dem Punkt setzte Assad eine Miene auf, die sich mit einigem Wohlwollen noch als skeptisch bezeichnen ließ. »Nein, Carl, nicht wenn er in Rechtschreibung so schlecht war, dass er nicht mal Straßennamen buchstabieren konnte.«

»Könnte doch sein, Assad, dass er nicht in diese Sprache hineingeboren wurde. Kennst du so was nicht?« Carl wandte sich seinem Computer zu und gab den Straßennamen ein.

»Schau mal hier, Assad. Da liegen viele Betriebe, Berufs- und Fachhochschulen und so weiter Seite an Seite. Da könnten jede Menge Menschen ausländischer Herkunft und junge Leute ein- und ausgehen.« Er deutete auf eine der Adressen. »Lautrupgårdschule zum Beispiel. Eine Förderschule für Kinder mit emotionalen und sozialen Problemen. Dann könnte es vielleicht doch ein Streich gewesen sein. Warte mal ab: Wenn wir erst den restlichen Brief dechiffriert haben, finden wir womöglich heraus, dass sie nur einen Lehrer schikanieren wollten oder so was.«

»Dechiffrieren, schikanieren – du benutzt seltsame Wörter, Carl. Und was, wenn es doch jemand war, der für eine Firma dort gearbeitet hat? Davon gibt es etliche.«

»Na, glaubst du nicht, die Firma hätte einen verschwundenen Mitarbeiter bei der Polizei gemeldet? Wir dürfen nicht vergessen, dass nie etwas in der Richtung, wie es die Flaschenpost andeutet, angezeigt wurde. Gibt es übrigens noch anderswo im Land einen Lautrupvang?«

Assad schüttelte den Kopf. »Du glaubst also nicht, dass es eine echte Entführung war?«

»Nee, nicht wirklich.«

»Ich glaube, da irrst du dich, Carl.«

»Hm. Aber warte mal, Assad. Angenommen, es hat tatsächlich eine Entführung gegeben, könnte es nicht sein, dass der Entführte damals freigekauft wurde? Wär doch möglich, oder? Und anschließend geriet die ganze Geschichte in Vergessenheit. In dem Fall können wir mit den Ermittlungen natürlich nicht weiterkommen, oder? Vielleicht wussten nur wenige Eingeweihte, was passiert ist?«

Assad sah ihn einen Moment lang an. »Ja, Carl, das wissen wir alles nicht. Und wenn du sagst, wir sollen mit dem Fall nicht weitermachen, dann finden wir es auch nie heraus, oder?«

Ohne noch ein Wort zu verlieren, rauschte er aus dem Büro. Den Kleisterkübel und das Messer ließ er auf Carls Schreibtisch zurück. Was zum Teufel war jetzt mit dem los? Nahm er ihm die Bemerkung über die schlechte Rechtschreibung von Immigranten übel? Normalerweise war er doch um einiges gesprächiger. Oder hatte ihn der Fall dermaßen gepackt, dass er an nichts anderes mehr denken konnte?

Carl neigte den Kopf zur Seite und lauschte auf Assads und Yrsas Tonfall draußen auf dem Gang. Mecker, mecker, mecker.

Da fiel ihm Antonsens Frage wieder ein und er stand auf.

»Darf ich euch Turteltauben einen Moment stören?« Er ging auf die beiden zu, die wie angewurzelt vor der Riesenkopie standen. Seit sie ihm die Jahresabschlussberichte der

Aktiengesellschaften gegeben hatte, klebte Yrsa nun schon dort – an diesem Tag alles in allem vier bis fünf Stunden. Und noch nicht einen Buchstaben hatte sie auf dem Schreibblock zu ihren Füßen notiert.

»Turteltauben! Bevor du den Mund aufmachst, solltest du im Gehirn erst die Gedanken schleudern.« Damit wandte sich Yrsa wieder dem Flaschenbrief zu.

»Assad, hör mal. Der Polizeikommissar in Rødovre hat ein Ersuchen von Samir Ghazi auf dem Tisch. Samir will gern zurück zum Polizeirevier dort drüben. Weißt du was davon?«

Assad sah Carl verständnislos an, war aber eindeutig auf der Hut. »Warum sollte ich?«

»Du bist Samir aus dem Weg gegangen, nicht wahr? Vielleicht seid ihr beiden euch nicht so grün?«

Sah Assad gekränkt aus?

»Ich kenne den Mann nicht, nicht richtig. Vielleicht will er einfach wieder zurück an seinen alten Arbeitsplatz.« Er lächelte etwas zu breit. »Vielleicht hat es ihm hier ja nicht gepasst? Reisende soll man nicht aufhalten.«

»Meinst du. Soll ich das Antonsen so sagen?«

Assad zuckte die Achseln.

»Jetzt hab ich noch ein paar Wörter mehr«, ließ sich Yrsa vernehmen.

Sie packte die Leiter und bugsierte sie an die richtige Stelle.

»Ich schreibe mit Bleistift, dann können wir das wieder ausradieren«, erklärte sie von der zweitobersten Stufe. »So. So sieht's nun aus. Ist nur ein Vorschlag. Besonders nach dem Wort ›Hare‹ rate ich ein bisschen. Aber das muss man ohnehin, der Briefschreiber hat nämlich ernste Probleme mit der Rechtschreibung. Aber an manchen Stellen hilft das sogar, finde ich.«

Assad und Carl sahen sich an. Hatten sie ihr das nicht gesagt?

»Zum Beispiel bin ich mir ganz sicher, dass ›edrot‹ ein ›gedroht‹ sein soll, also das Wort ›drohen‹.«

Noch einmal betrachtete sie ihr Werk. »Ach ja, und ich bin mir auch ziemlich sicher, dass das Wort ›bla‹ dort ›blau‹ heißen soll. Wahrscheinlich ist das u einfach verschwunden. Aber schaut es euch doch selbst mal an. An der Rechtschreibung hab ich übrigens nichts geändert.«

HILFE
Wir wurden am _6 Februa 1996 entfürt –
An der Bushaltestele Lautropvang in
Ballerup – Der Mann ist 1,8_ groß
___ k_r_e Hare ____ _____ _____
und eine Nabe am rechten ___ –
__ f____ ___ blau_ Liferwagn –
Unsre Eltern kenn ihn – Er h____
Fr_d__ u_d ___ mit B – Er hat uns
gedrot und _____ ________ –
Er bringt uns um –
Er ___ ers_ mir ___ ____ meim Bruder
___ _____ ___ ___ Mu__ __pr___ –
Wir sind fast 1 Stunde gefaren ___
_____ irgendwo am Wasser – __ ___
____ ______ Wi_______ –
Hier stinkt es –
__f____ _n_ – _c_____ –
Mei_ ______r ist _ry_g__ __ Jahre –
___ ___ ___ ____ __ –
P___ ____

»Was sagt ihr dazu?« Noch immer wandte sie Carl und Assad den Rücken zu.

Carl las den Text mehrfach. Das wirkte überzeugend, musste er zugeben. Das klang nicht nach einem Scherz, den sich der

Briefschreiber mit seinem Lehrer oder jemand anderem, der ihm dumm gekommen war, erlaubt hatte.

Trotzdem, ob der Hilferuf wirklich echt war, konnte nur ein Experte entscheiden. Falls der jedoch die Authentizität bestätigte, dann gaben ein paar der Sätze größten Anlass zur Sorge.

»Unsere Eltern kennen ihn«, stand dort. So etwas erfand man nicht einfach so. Und schließlich: »Er bringt uns um«.

Nichts von »vielleicht«.

»Wir wissen nicht, *wo* am Körper der Entführer diese Narbe hat, und das ärgert mich«, sagte Yrsa, die Hände in den Goldlocken vergraben. »Irgendwie gibt es zu viele Körperteile mit drei Buchstaben. Besonders, wenn man nicht buchstabieren kann. Arm, Fuß, Zeh, Knie ohne e. Was meint ihr? Kann man davon ausgehen, dass die Narbe an einem der Gliedmaßen sitzt? Mir fällt jedenfalls nichts am Kopf oder am Körper ein, das nur drei Buchstaben hat. Euch?«

»Na ja«, sagte Carl nach einer kleinen Gedankenpause. »Ohr, Po mit h oder doppeltem o, Haar mit nur einem a. Aber du hast recht, außer denen fällt mir an Kopf oder Körper auch nichts mit drei Buchstaben ein. Und der Po ist's wohl kaum. Der ist ja meistens bedeckt, da ist eine Narbe nicht sichtbar. Das gilt im Übrigen auch für die Beine.«

»Was ist hier in diesem Kühlschrankland im Februar schon sichtbar?«, brummte Assad.

»Er kann sich ausgezogen haben«, sagte Yrsa und ihre Augen blitzten auf. »Kann unzüchtig gewesen sein. Vielleicht ist er deshalb Entführer.«

Carl nickte. Das war eine Möglichkeit, leider.

»Sichtbar ist nur der Kopf, wenn es kalt ist«, fuhr Assad fort. Er starrte Carls Ohren an. »Ohren kann man sehen, wenn die Haare nicht allzu lang sind. Und was ist mit dem Auge? Kann man am Auge überhaupt eine Narbe haben?« Assad versuchte es sich anscheinend vorzustellen. »Nein«, befand er schließlich, »nicht am Auge, das geht nicht.«

»Na, Freunde, lasst das jetzt erst mal ruhen. Ich glaube, wir müssen uns zunächst ein klareres Bild verschaffen. Wir hoffen, dass es denen in der Forensischen Genetik gelingt, eine brauchbare DNA zu ermitteln. Aber so was dauert leider, da müssen wir uns gedulden. Habt ihr einen Vorschlag, wie wir in der Zwischenzeit hier weiterkommen können?«

Yrsa drehte sich zu ihnen um. »Ja! Zeit zum Essen!«, rief sie. »Wollt ihr auch ein süßes Brötchen? Ich hab sogar einen Toaster mitgebracht.«

Wenn ein Getriebe beim Schalten rattert, muss Öl nachgefüllt werden, und im Augenblick tat sich das Sonderdezernat Q schwer, in den nächsthöheren Gang zu kommen. Zeit für einen Ölwechsel, dachte Carl.

»Wir wühlen den ganzen Kram noch mal durch und versuchen, die Dinge aus einem anderen Blickwinkel zu betrachten. Macht ihr mit?«

Sie nickten. Assad vielleicht etwas zögernd.

»Prima. Dann übernimmst du die Jahresabschlüsse der Aktiengesellschaften, Assad. Und du, Yrsa, telefonierst alle Betriebe und Institutionen im Lautrupvang durch.«

Carl nickte gedankenverloren. Natürlich, so eine frische Mädchenstimme war nötig, um die Bürofritzen dazu zu bewegen, einmal zusätzlich in die Archive hinabzusteigen.

»Bring die Leute in den Verwaltungen dazu, die älteren Mitarbeiter zu befragen, ob sie sich an einen Schüler oder Kollegen erinnern, der urplötzlich nicht mehr kam«, sagte er. »Und Yrsa. Gib ihnen ein paar Stichworte, sodass sie gleich wissen, was sonst noch im Februar 1996 los war. Was weiß ich, erinnere sie daran, dass dieses Viertel damals frisch ausgebaut worden war.«

Da hatte Assad offenbar die Nase voll und ging. Es war nicht schwer zu erraten, dass ihm die Rollenverteilung nicht passte. Nur war eben Carl derjenige, der das Sagen hatte. Außerdem hatten die Brandfälle immer noch weit mehr Substanz. Und last, not least konnte man damit die Kollegen oben in Dezernat A am meisten provozieren.

Assad musste seinen Ärger also schlucken und die Ärmel hochkrempeln, während sich Yrsa in ihrer bummeligen Gangart weiter der Flaschenpost widmen konnte.

Carl wartete, bis auch sie abgezogen war, dann ging er in sein Büro und suchte die Nummer der Klinik für Wirbelsäulenverletzungen in Hornbæk heraus.

»Ich möchte gern mit dem Oberarzt sprechen. Und nur mit ihm«, sagte er, wohl wissend, dass er überhaupt nichts verlangen konnte.

Fünf Minuten vergingen, dann meldete sich der erste Assistenzarzt.

Er klang nicht sonderlich erfreut. »Ja, ich weiß sehr wohl, mit wem ich spreche«, sagte er müde. »Ich vermute, Ihr Anruf hat mit Hardy Henningsen zu tun?«

Carl erklärte ihm in kurzen Worten die Situation.

»Jawohl, aha«, schnarrte der Arzt. Warum wurden die Stimmen dieser Ärzte nur immer so nasal, sobald sie eine oder zwei Gehaltsklassen aufgestiegen waren?

»Sie möchten wissen, ob es wahrscheinlich ist, dass sich in einem Fall wie dem von Hardy Henningsen Nervenbahnen restituieren?«, fuhr er fort. »Das Problem bei Hardy Henningsen ist, dass wir ihn nicht mehr unter täglicher Beobachtung hier haben. Deshalb können wir die Messungen nicht durchführen, die wir vornehmen müssten. Sie haben ihn auf eigenen Wunsch mit nach Hause genommen, bitte erinnern Sie sich daran. Es fehlte nicht an Warnungen unsererseits.«

»Nein. Aber wäre Hardy bei Ihnen geblieben, dann wäre er wahrscheinlich längst tot. Jetzt hat er zumindest ein gewisses Maß an Lebenswillen zurückgewonnen. Ist das nichts wert?«

Am anderen Ende wurde es ziemlich still.

»Wäre es nicht möglich, dass jemand von Ihnen mal vorbeikommt und ihn sich anschaut?«, fuhr Carl fort. »Vielleicht könnte das ein Anlass sein, alles neu einzuschätzen. Ich meine, sowohl für ihn wie für Sie.«

»Sie sagen, er spürt etwas in der Hand?«, lenkte der Kittelmensch endlich ein. »Wir haben schon früher ein Zucken in einigen Fingergliedern beobachtet, vielleicht verwechselt er das. Das können Reflexe sein.«

»Soll das heißen, dass ein so stark beschädigtes Rückenmark einfach nicht mehr funktionstüchtiger wird?«

»Carl Mørck, wir reden hier nicht darüber, ob er wieder wird gehen können, denn das wird er mit Sicherheit nicht. Hardy Henningsen ist vom Hals abwärts gelähmt und auf immer ans Bett gefesselt, so ist das. Ob es allerdings möglich ist, dass er in Teilen des betreffenden Arms etwas fühlen kann, steht auf einem anderen Blatt. Ich glaube nicht, dass wir etwas anderes erwarten sollten als diese kleinen Kontraktionen, und sicher nicht einmal das.«

»Nichts von wegen die Hand bewegen können?«

»Das kann ich mir nicht vorstellen.«

»Dann wollen Sie ihm also keinen Besuch abstatten?«

»Das habe ich nicht gesagt.« Papierrascheln war zu hören. Vermutlich ein Kalender. »Wann sollte es sein?«

»Ja, halt so schnell wie möglich.«

»Ich sehe zu, was ich machen kann.«

Als Carl etwas später zu Assad rüberging, war das Büro leer.

Auf dem Tisch lag ein Zettel. *Hier sind die Zahlen,* stand dort, und darunter, sehr förmlich: *mfG Assad.*

War er tatsächlich dermaßen eingeschnappt?

»Yrsa«, rief Carl über den Korridor. »Wo ist Assad, weißt du das?«

Keine Antwort.

Wenn der Berg nicht zum Propheten kommt, muss der Prophet zum Berg gehen, dachte er und machte sich auf den Weg zu ihrem Büro. Doch kaum hatte er den Kopf hineingesteckt, prallte er zurück, als hätte vor seiner Nase ein Blitz eingeschlagen.

Roses spartanische, schwarz-weiß gehaltene Eislandschaft war zu etwas mutiert, das sich nicht mal ein zehnjähriges Mädchen mit einer Vorliebe für glitzernde Barbielandschaften hätte ausdenken können. Überall Rosa und jede Menge Nippes.

Er schluckte, dann richtete er den Blick auf Yrsa. »Hast du Assad gesehen?«

»Ja, er ist vor einer halben Stunde gegangen. Kommt morgen wieder.«

»Was hatte er vor?«

Sie zuckte die Achseln. »Ich hab einen halb fertigen Bericht zum Lautrupvang, willst du den haben?«

Er nickte. »Hast du was gefunden?«

Sie verzog ihre kirschroten Lippen. »Null. Hat dir überhaupt schon mal jemand gesagt, dass du dasselbe Lächeln hast wie Gwyneth Paltrow?«

»Gwyneth Paltrow, ist das nicht eine Frau?«

Sie nickte.

Wieder in seinem Büro rief er Roses Nummer zu Hause an. Noch ein paar Tage mit Yrsa und er würde für nichts mehr garantieren können. Sollte das Sonderdezernat Q seinen fragwürdigen Standard halten, dann hatte sich Rose schleunigst an ihren Schreibtisch zu verfügen.

Diesmal hatte er den Anrufbeantworter am Ohr.

»Der Anrufbeantworter von Rose und Yrsa teilt mit, dass die Damen zur Audienz bei der Königin weilen. Wenn die Festlichkeiten überstanden sind, rufen wir gern zurück. Wenn es nicht anders geht, hinterlassen Sie bitte eine Nachricht.« Danach kam der Piepton.

Die Götter mochten wissen, wer von beiden das auf Band gesprochen hatte.

Entnervt lehnte er sich zurück und tastete nach einer Zigarette. Irgendjemand hatte ihm erzählt, bei der Post gäbe es derzeit gute Jobs.

Klang verlockend.

Carls Laune besserte sich auch nicht, als er anderthalb Stunden später sein Wohnzimmer betrat und feststellen musste, dass sich ein Arzt über Hardys Bett beugte und dass neben dem Arzt Vigga stand.

Höflich begrüßte er den Arzt, dann zog er Vigga beiseite.

»Was machst du hier, Vigga? Du sollst zuerst anrufen, wenn du mich treffen willst. Du weißt, dass ich diese Spontanbesuche hasse.«

»Carl, Süßer.« Sie strich ihm mit einem schabenden Geräusch über die Wange. »Ich denke jeden Tag an dich, und da habe ich beschlossen, wieder nach Hause zu ziehen«, erklärte sie ziemlich überzeugend.

Carl merkte selbst, wie er die Augen aufriss. Kein Zweifel, sie meinte, was sie sagte, diese fast geschiedene Farbenorgie.

»Vigga, ausgeschlossen, völlig unvorstellbar für mich.«

Vigga klimperte ein paarmal mit den Lidern. »Aber nicht für mich. Und die Hälfte des Hauses gehört noch immer mir, mein Freund. Denk dran!«

An genau der Stelle bekam er einen solchen Wutanfall, dass der Arzt zusammenfuhr. Vigga quittierte den Ausbruch mit Tränen. Als das Taxi sie endlich weggeschafft hatte, nahm Carl den dicksten Filzstift, den er finden konnte, und zog dort, wo auf dem Namensschild Vigga Rasmussen stand, einen fetten Strich. Das war verdammt noch mal höchste Zeit.

Und höchste Zeit war es wohl auch für die Scheidung – mochte die kosten, was sie wollte.

Das unvermeidliche Ergebnis der Geschichte war, dass Carl die ganze Nacht senkrecht im Bett saß und endlose Gespräche mit imaginären Scheidungsanwälten führte, deren Finger tief in seine Brieftasche griffen.

Das würde sein Ruin werden.

Da tröstete es ihn auch wenig, dass der Arzt aus der Hornbæk-Klinik schon da gewesen war. Er hatte tatsächlich eine gewisse, wenn auch ungeheuer schwache Aktivität in Hardys Arm messen können.

Was den Arzt positiv verwirrt hatte.

Am nächsten Morgen kreuzte Carl um halb sechs vor der Wache des Präsidiums auf. Besser als noch länger senkrecht im Bett zu sitzen.

»Na, das ist ja mal 'ne Überraschung, dass du um diese Tageszeit hier vorbeikommst, Carl«, sagte der Wachhabende im Käfig. »Ich weiß allerdings nicht, ob dein kleiner Gehilfe das auch findet. Pass nur auf, dass der da unten keinen Schock bekommt.«

Das musste Carl noch einmal hören. »Was meinst du damit? Ist Assad da? Jetzt?«

»Ja. Seit einigen Tagen kommt er immer schon um diese Zeit. Wusstest du das nicht?«

Nein, das wusste er absolut nicht.

Es konnte kein Zweifel bestehen, dass Assad schon da war und draußen auf dem Gang sein Gebet verrichtet hatte, denn der Gebetsteppich lag noch da. Das sah Carl zum ersten Mal. Sonst fand das Ritual auf Assads Territorium statt. Das war seine Privatsache.

Im Moment telefonierte Assad mit jemandem, der schwerhörig sein musste. Das Ganze ging auf Arabisch vonstatten, und der Tonfall wirkte nicht eben freundlich, aber bei dieser Sprache ließ sich das schwer einordnen.

Carl trat an die Tür und sah, wie der Dampf aus dem Kessel quoll und um Assads Hinterkopf waberte. Vor ihm lagen Notizen auf Arabisch, und auf dem Monitor flimmerte grobkörnig das Bild eines älteren Mannes mit Schnurrbart und gewaltigen Kopfhörern. Erst jetzt sah Carl, dass Assad mit Headset telefonierte. Also sprach er über Skype mit dem Mann, vermutlich einem syrischen Familienmitglied.

»Guten Morgen, Assad«, grüßte Carl. Gewiss, er hatte damit gerechnet, dass Assad sich erschrecken, dass er vielleicht etwas zusammenzucken würde, schließlich kam Carl zum ersten Mal so früh. Doch eine so heftige Reaktion hatte er nicht erwartet. Durch Assads Körper ging eine regelrechte Erschütterung.

Der alte Mann, mit dem er telefonierte, wirkte alarmiert und rückte näher an die Kamera. Vermutlich konnte er auf seinem eigenen Bildschirm Carl als Umriss hinter Assad ausmachen.

Der Mann murmelte ein paar eilige Worte, dann unterbrach er die Verbindung. Assad, der auf der Stuhlkante hockte, versuchte sich unterdessen zu sammeln.

Was machst du denn hier?, sprühte es aus seinen Augen. Als hätte Carl ihn mit beiden Händen in der Kasse erwischt statt in der Keksdose.

»Tut mir leid, Assad. Ich wollte dich nicht erschrecken. Bist du wieder okay?« Er legte Assad eine Hand auf die Schulter. Das Hemd war kalt und klamm vor Schweiß.

Mit einem schnellen Mausklick auf das Skype-Symbol veränderte Assad das Bild auf dem Monitor. Vielleicht wollte er nicht, dass Carl sah, zu wem er Kontakt gehabt hatte.

Entschuldigend hob Carl die Hände. »Ich störe dich nicht weiter, Assad. Mach, was du zu tun hast. Und anschließend kommst du zu mir rüber.«

Noch hatte Assad kein Wort gesagt. Und das war sehr ungewöhnlich.

Als Carl sich auf seinen Schreibtischstuhl fallen ließ, war er schon fix und fertig. Noch vor wenigen Wochen hatte er den Keller unter dem Präsidium als eine Art persönlichen Freiraum betrachtet. Zwei loyale Mitarbeiter und eine Stimmung, die sich an guten Tagen fast als gemütlich bezeichnen ließ. Nun war Rose durch eine Frau ersetzt worden, die genauso sonderbar war, nur anders, und Assad war auch nicht mehr der Alte. Vor diesem Hintergrund war es ungleich schwerer, sich vor den permanent anbrandenden Alltagssorgen in Deckung zu bringen. Wie zum Beispiel vor der bangen Frage, was wohl passieren würde, wenn Vigga nicht nur die Scheidung verlangte, sondern auch die Hälfte seiner irdischen Güter.

Verdammte Scheiße.

Carl sah auf und sein Blick fiel auf eine Stellenausschreibung, die er vor ein paar Monaten an die Wand gepinnt hatte. *Rigspolitichef*, Chef der dänischen Polizei. Bestimmt genau das Richtige, hatte er gedacht. Was konnte wohl besser sein als ein Job mit Mitarbeitern, die buckelten und dienerten, dazu Ritterkreuz, billige Reisen und eine Gehaltsklasse, bei der womöglich selbst Vigga mal die Klappe halten würde. Siebenhundertzweitausendzweihundertsiebenundsiebzig Kronen, und was sonst noch so dazukam. Allein um die Zahl auszusprechen, brauchte man fast einen Arbeitstag.

Wie ärgerlich, dass man nicht dazu gekommen war, sich zu bewerben, dachte er gerade, als plötzlich Assad vor ihm stand.

»Carl, müssen wir über das eben reden?«

Worüber reden? Dass er dort gesessen und geskyped hatte? Dass Assad so früh morgens schon im Präsidium war? Dass er sich dermaßen erschreckt hatte?

Eigentlich war das eine seltsame Frage.

Carl schüttelte den Kopf und sah auf die Uhr. Immer noch eine Stunde bis zum Beginn der regulären Arbeitszeit. »Also Assad, was du so früh am Morgen tust, das soll deine Angelegenheit bleiben. Ich verstehe ja, dass man Lust hat, mit Leuten zu reden, die man nicht so oft sieht.«

Assad wirkte fast erleichtert. Wieder sonderbar.

»Ich habe die Jahresabschlüsse von Amundsen & Mujagic in

Rødovre angeschaut sowie die von K. Frandsen im Dortheavej und von JPP Beslag und Public Consult.«

»Okay. Und ist dir etwas aufgefallen, was du mir vielleicht erzählen möchtest?«

Assad kratzte sich am Kopf. »Die wirken alle recht solide. Jedenfalls die meiste Zeit.«

»Ja und?«

»Nur nicht während der Monate, bevor es bei ihnen gebrannt hat.«

»Woran siehst du das?«

»Da haben sie Kredite aufgenommen. Und die Aufträge gingen zurück.«

»Also zuerst gehen die Aufträge zurück, dann fehlt ihnen Geld und dann nehmen sie Kredite auf?«

Assad nickte. »Ja, so.«

»Und was danach?«

»Na, das kann man ja nur in Rødovre sehen. Die anderen Brände sind noch zu frisch.«

»Und was ist in Rødovre passiert?«

»Also, zuerst hat es gebrannt, dann haben sie die Versicherungssumme gekriegt und anschließend war der Kredit getilgt.«

Carl griff nach seinen Zigaretten und zündete sich eine an. Das war doch klassisch. Versicherungsbetrug nannte man das. Aber was hatten die Leichen mit den eingekerbten kleinen Fingern dort zu suchen?

»Von was für einer Art Kredit reden wir?«

»Von kurzfristigen. Für ein Jahr. Bei der Firma, die am letzten Samstag gebrannt hat, Public Consult in der Stockholmsgade, war es sogar nur für sechs Monate.«

»Und die Kredite wurden fällig, und sie hatten kein Geld für die Rückzahlung?«

»Nicht, soweit ich das sehen kann.«

Carl pustete den Rauch aus, woraufhin Assad zwei Schritte

zurücktrat und mit den Armen wedelte, was Carl ignorierte. Das hier war sein Territorium und seine Zigarette. War er hier nun der Boss oder nicht?

»Bei wem haben sie die Kredite aufgenommen?«, fragte er.

Assad zuckte die Achseln. »Verschieden. Banken in Kopenhagen.«

Carl nickte. »Na, ein paar Namen brauch ich schon. Und sag mir, wer dahintersteht.«

Hier senkte sich Assads Kopf ein klein wenig.

»Ja, ja, immer mit der Ruhe, Assad. Wenn die Büros aufmachen. Bis dahin sind's noch zwei Stunden. Kein Stress.«

Aber das schien Assad nicht zu erleichtern, ganz im Gegenteil.

Was waren die momentan nervig, seine beiden Mitarbeiter! Lautes Gequatsche und schlecht verhohlener Widerwille. Als hätten sich Yrsa und Assad gegenseitig angesteckt. Als entschieden sie über die Verteilung der Aufgaben. Wenn das so weiterging, durften sich alle beide die grünen Gummihandschuhe überstreifen und den Kellerfußboden schrubben, bis man sich darin spiegeln konnte.

Assad hob den Kopf und nickte dann still. »Ich werde dich auch nicht mehr stören, Carl. Komm du einfach zu mir rüber, wenn du fertig bist, okay?«

»Was meinst du damit?«

Assads Lächeln war ziemlich schräg. Was für eine verwirrende Transformation. »Na, du hast doch nachher sicher beide Hände voll«, sagte er mit einem vieldeutigen Augenzwinkern.

»Bitte? Herrje, Assad, wovon redest du?«

»Von Mona natürlich. Versuch jetzt nicht mir weiszumachen, du wüsstest nicht, dass sie zurückgekommen ist.«

14

Wie Assad gesagt hatte, war Mona Ibsen zurück. Sie strahlte Tropensonne aus, aber auch viel zu viel anderes, das sich reizvoll, aber unübersehbar in den Fältchen um ihre Augen abgesetzt hatte.

Carl hatte an dem Morgen lange im Keller gesessen und Worte geübt, die geeignet waren, ihre eventuellen Verteidigungsmechanismen von vornherein auszuhebeln. Worte, die sie dazu brächten, ihn sanft, weich und berührungswillig anzusehen, falls ihr Weg sie hier vorbeiführte.

Doch daraus wurde nichts. Der weibliche Anteil im Keller blieb an diesem Morgen auf Yrsa beschränkt. Und fünf Minuten, nachdem sie mit dem Einkaufstrolley hereingerumpelt war, baute sie sich, bestimmt freundlich gemeint, im Gang auf und rief mit ihrer unerträglich hohen Stimme: »Jungs, es gibt frische Toastbrötchen von Netto!«

In Momenten wie diesen wurde einem der Abstand zu all den glücklichen Menschen, die sich in den oberen Etagen frei bewegen konnten, so richtig bewusst.

Aber bis er eingesehen hatte, dass ihm nichts anderes übrig blieb, als sich zu erheben und Mona Ibsen selbst aufzustöbern, brauchte es noch ein paar Stunden.

Auf Nachfrage fand er sie oben im vertraulichen Gespräch mit dem Rechtsreferendar. Sie trug eine Lederweste und verwaschene Levi's und sah wahrhaftig nicht aus wie eine Frau, die den größten Teil der Herausforderungen des Lebens schon hinter sich gebracht hatte.

»Guten Tag, Carl«, sagte sie und machte keine Anstalten, noch etwas hinzuzufügen. Der professionelle Blick bedeutete unmissverständlich, dass sie im Augenblick keinen gemeinsamen Fall hatten. Deshalb konnte er nichts weiter tun als zu lächeln. Im Übrigen brachte er eh keinen Mucks raus.

Von ihm aus hätte der Rest des Tages im Leerlauf vergehen können, während er sich in Ruhe der Frustration über sein morsches Gefühlsleben hingab. Aber Yrsa hatte anderes im Sinn.

»Könnte sein, dass wir draußen in Ballerup Glück haben«, sagte sie und strahlte ihn mit kaum verhohlener Begeisterung und Toastbrötchenkrümeln zwischen den Vorderzähnen an. »Ich bin in diesen Tagen der Glücksengel. So steht's in meinem Horoskop.«

Carl blickte zu ihr auf. Na, dann sollten ihre Engelsflügel sie mal rasch in die Atmosphäre entführen, dann könnte er hier in aller Ruhe sitzen und über sein trauriges Los nachgrübeln.

»War gar nicht so leicht, an diese Informationen ranzukommen«, fuhr sie fort. »Zunächst ein Gespräch mit dem Rektor der Lautrupgårdschule, aber der ist erst seit 2004 dort. Dann eins mit einer Lehrerin, die seit der Schulgründung dabei ist, aber die wusste auch nichts. Dann bekam ich den Hausmeister, auch der wusste nichts, und dann …«

»Yrsa! Führt die Spur noch irgendwie weiter? Dann überspring alle einleitenden Manöver, please. Ich hab's eilig«, sagte er und rieb sich den müden Arm.

»Na gut. Anschließend rief ich dann in der Ingenieurhochschule an, und bei denen hatte ich Glück.«

Irgendwie weckte das den Arm. »Phantastisch!«, rief er. »Inwiefern?«

»Ganz einfach. Ich hab dort mit einer Professorin gesprochen, Laura Mann, die nach längerer Krankschreibung heute den ersten Tag wieder da ist. Sie erzählte, sie sei seit 1995 an der Hochschule und ihrer Erinnerung nach könnte es sich überhaupt nur um einen einzigen Fall handeln.«

Jetzt richtete Carl sich in seinem Stuhl auf. »Ja? Welchen?«

Yrsa neigte den Kopf zur Seite und sah ihn an. »Aha, kleiner Mann, da ist das Interesse geweckt!« Sie tätschelte seinen behaarten Unterarm. »Das möchtest du wohl gern wissen, hm?«

Was zum Teufel war das denn? Im Lauf der vielen Jahre hatte er mindestens hundert knifflige Fälle bearbeitet. Und jetzt saß er hier und spielte »Hätten Sie's gewusst?« mit einer Aushilfskraft in hellgrünen Strumpfhosen?

»An welchen Fall hat sich die Frau erinnert?«, wiederholte Carl und nickte Assad zu, der den Kopf hereinsteckte. Er war blass.

»Gestern hatte doch Assad schon dort im Sekretariat angerufen und dasselbe gefragt. Nun, darüber hat man sich heute bei der morgendlichen Kaffeerunde unterhalten, und das wiederum hat die Professorin mitbekommen«, fuhr Yrsa fort.

Assad, der interessiert zuhörte, sah jetzt wieder ganz normal aus.

»Sie hatte die Geschichte schnell wieder in ihrem Kopf parat«, sagte Yrsa. »Die Hochschule hatte damals einen Überflieger-Studenten. Einen Typen mit irgend so 'nem Syndrom. Er war noch ziemlich jung, aber wahnsinnig gut in Physik und Mathematik.«

»Ein Syndrom?« Assad sah wie ein einziges großes Fragezeichen aus.

»Ja, irgend so was mit überproportionalen Fähigkeiten in der einen Richtung und fehlenden in der anderen. Was war das noch mal?« Sie runzelte die Stirn. »Ach ja, das Asperger-Syndrom, das war's.«

Carl lächelte. Das war garantiert etwas, wofür sie Verständnis hatte.

»Und was war nun mit dem Typen?«, fragte er.

»Er kam und fuhr im ersten Semester lauter Top-Noten ein. Und dann stieg er aus.«

»Wie?«

»Am letzten Tag vor den Wintersemesterferien kam er zusammen mit seinem kleinen Bruder, um ihm die Hochschule zu zeigen. Und seitdem haben sie ihn dort nie mehr gesehen.«

Sowohl Assad als auch Carl kniffen die Augen zusammen. Jetzt kam es. »Und wie hieß er?«, fragte Carl.

»Er hieß Poul.«

Carl wurde es innerlich kalt.

»Yes!«, rief Assad und zappelte gleichzeitig mit den Armen und Beinen, wie ein Hampelmann.

»Die Professorin sagte, dass sie sich deshalb so genau an ihn erinnert, weil Poul Holt der sicherste Kandidat für einen Nobelpreis war, der je in die Nähe ihrer Hochschule gekommen war. Außerdem hatten sie weder vorher noch nachher Studenten mit dieser speziellen Form des Asperger-Syndroms. Er war etwas ganz Besonderes.«

»Deshalb hat sie sich an ihn erinnert?«, fragte Carl.

»Ja, deshalb. Und weil er im allerersten Jahrgang der Schule war.«

Eine halbe Stunde später wiederholte Carl seine Frage draußen auf der Ingenieurhochschule und erhielt dieselbe Antwort.

»Ja klar, an so was erinnert man sich«, lächelte Laura Mann elfenbeingelb. »Sie erinnern sich doch bestimmt auch an Ihre erste Verhaftung?«

Carl nickte. Ein schmutziger kleiner Alkoholiker, der sich mitten auf den Englandsvej gelegt hatte. Carl konnte sich bis heute den Rotzklumpen vergegenwärtigen, der auf seiner Dienstmarke gelandet war, als er versuchte, den Idioten in Sicherheit zu zerren. Nein, die erste Verhaftung vergisst man nie, das stimmte. Ob mit oder ohne Rotzklumpen.

Er musterte die Frau ihm gegenüber. Man sah sie manchmal im Fernsehen, wenn Expertenmeinungen zu alternativen Energiequellen gefragt waren. *Laura Mann, Dr. rer. nat.* stand auf ihrer Visitenkarte und noch etliche andere Titel. Carl war froh, dass er keine hatte.

»Er hatte eine Art Autismus, nicht wahr?«

»Ja, das war es wohl. Aber eine milde Variante. Leute mit Asperger-Syndrom sind oft hochbegabt. *Nerds* würden die meisten sie wohl nennen. Solche Bill-Gates-Typen. Kleine Einsteins. Aber Poul hatte auch praktisches Talent. Er war insgesamt in vielerlei Hinsicht bemerkenswert.«

Assad lächelte. Auch er hatte ihre Hornbrille registriert und den Knoten im Nacken. Sie war wohl genau die richtige Professorin gewesen für so einen wie Poul. *Nerds* unter sich, könnte man vielleicht sagen.

»Poul hatte an dem Tag seinen jüngeren Bruder mit hergebracht. Am 16. Februar 1996, sagen Sie. Und danach hat man ihn nie mehr gesehen. Woher wissen Sie, dass es genau dieser Tag war?«, fragte Carl.

»In den ersten Jahren haben wir Anwesenheitslisten geführt. Wir haben einfach nachgesehen, seit wann er nicht mehr kam. Er tauchte nach den Ferien nicht mehr auf, und auch dann nie wieder. Wollen Sie die Listen sehen? Sie stehen hier nebenan im Sekretariat.«

Carl sah Assad an. Auch der schien nicht sonderlich daran interessiert zu sein. »Nein danke, es reicht uns, wenn Sie das sagen. Aber die Schule hat doch anschließend bestimmt Kontakt zur Familie aufgenommen?«

»Doch, ja. Aber die waren sehr abweisend. Besonders, als wir vorschlugen, zu ihnen nach Hause zu kommen und selbst mal mit Poul zu sprechen.«

»Haben Sie denn mit ihm telefoniert?«

»Nein. Zum letzten Mal habe ich mit Poul Holt hier in meinem Büro gesprochen. Das war eine Woche vor den Winterferien. Als ich später bei ihm zu Hause anrief, sagte sein Vater, Poul wolle nicht ans Telefon kommen. Da konnte ich nichts mehr machen. Er war gerade achtzehn geworden. Alt genug, um selbst zu entscheiden, was er mit seinem Leben anfangen wollte.«

»Achtzehn? Älter war er nicht?«

»Nein, er war sehr jung. Er hat mit siebzehn Abitur gemacht, er war früh dran.«

»Haben Sie irgendwelche Daten zu ihm?«

Sie lächelte. Das hatte sie natürlich längst alles vorbereitet.

Carl las laut, Assad schaute ihm über die Schulter.

»Poul Holt, geboren am 13. November 1977. Schwerpunktfächer Mathematik und Physik, Gymnasium Birkerød. Durchschnitt 9,8.«

Und dann kam die Adresse. Das war nicht sehr weit. Höchstens eine Dreiviertelstunde Fahrt.

»Für ein Genie ist das aber ein relativ bescheidener Durchschnitt, oder?«

»Na ja. Das kommt eben dabei raus, wenn man in allen naturwissenschaftlichen Fächern dreizehn Punkte hat und in allen geisteswissenschaftlichen sieben«, antwortete sie.

»Sie sagen, er sei schlecht in Dänisch gewesen?«, fragte Assad.

Sie lächelte. »Jedenfalls im Schriftlichen. Seine Arbeiten waren in sprachlicher Hinsicht absolut mangelhaft. Aber so ist das ja oft. Auch mündlich drückte er sich bei Themen, die ihn nicht sonderlich interessierten, eher schlicht aus.«

»Ist das eine Kopie, die ich mitnehmen darf?«, fragte Carl.

Laura Mann nickte. Hätte sie nicht so rauchergelbe Finger gehabt und so fettige Haut, dann hätte er sie in den Arm genommen.

»Phantastisch, Carl«, sagte Assad, als sie in die Nähe des Hauses kamen. »Wir haben eine Aufgabe bekommen und sie innerhalb einer Woche gelöst. Wir wissen, wer der Briefschreiber ist! Und jetzt halten wir vorm Haus der Familie.« Vor Begeisterung haute er aufs Armaturenbrett.

»Ja«, nickte Carl. »Dann wollen wir mal hoffen, dass das alles nur ein Scherz war.«

»Wenn ja, dann kann sich Poul aber was anhören.«

»Und wenn nicht, Assad?«

Assad nickte. Dann lag eine neue Aufgabe vor ihnen.

Sie parkten direkt vor dem Gartentor. Der Name auf dem Schild lautete nicht Holt, das sahen sie sofort.

Geraume Zeit nach ihrem Klingeln öffnete ihnen ein Mann im Rollstuhl, der beteuerte, seit 1996 habe niemand anders als er in diesem Haus gewohnt. Carl hatte unmittelbar dieses sonderbare Gefühl, es war mehr ein Instinkt.

»Sie haben das Haus von der Familie Holt gekauft, oder?«, fragte er barsch.

»Nein, ich habe es von den Zeugen Jehovas gekauft. Der Mann war eine Art Priester. Im großen Zimmer war deren Versammlungssaal. Wollen Sie hereinkommen und es sich ansehen?«

Carl schüttelte den Kopf. »Dann haben Sie die Familie, die hier lebte, nie gesehen?«

»Nein.«

Carl und Assad bedankten sich und gingen.

»Hattest du plötzlich auch das untrügliche Gefühl, dass das garantiert kein Dummejungenstreich war, Assad?«

»Also, Carl. Nur weil man umzieht ...« Er blieb an der Gartenpforte stehen. »Okay, Carl, ich weiß, was du denkst.«

»Ja, oder? Würde ein Junge mit Pouls Persönlichkeit so etwas erfinden? Und würden zwei Jungs, die zu den Zeugen Jehovas gehören, überhaupt auf die Idee kommen, so ein Ding zu drehen?«

»Ich weiß es nicht. Ich weiß nur, dass sie nicht lügen dürfen. Zumindest nicht innerhalb ihres eigenen Kreises.«

»Kennst du jemanden, der dazugehört?«

»Nein. Aber so ist das mit streng religiösen Menschen. Die Gemeindemitglieder beschützen sich gegenseitig vor der Außenwelt, mit allen Mitteln. Und nach außen hin lügen sie zur Not dann auch.«

»Korrekt. Aber wenn die Entführung tatsächlich nur ausgedacht war, dann wäre das doch eine unnötige Lüge gewesen. Und das wäre nicht in Ordnung gewesen. Ich glaube, das würden die Zeugen Jehovas auch so sehen.«

Assad nickte. Sie waren sich einig.

Und was nun?

Yrsa gebärdete sich wie ein Ameisenheer auf einem Waldweg, unablässig rannte sie zwischen ihrem und Carls Büro hin und her. Derzeit war die Entführung ihr Fall, und sie wollte alles haarklein erfahren, am liebsten häppchenweise: Wie sah Pouls Professorin aus? Was sagte Laura Mann über Poul? Wie war das Haus, in dem sie gewohnt hatten? Was wussten sie sonst noch von der Familie, abgesehen davon, dass sie zu den Zeugen Jehovas gehörte?

»Immer mit der Ruhe. Assad kümmert sich um das Einwohnermeldeamt. Wir werden sie schon finden.«

»Komm doch mal mit hinaus auf den Gang, Carl«, bat sie und zerrte ihn mehr oder weniger hinter sich her zu der großen Kopie an der Wand. Ganz unten hatte sie Pouls Namen eingesetzt und noch ein paar andere kleine Wörter.

HILFE
Wir wurden am 16 Februa 1996 entfürt –
An der Bushaltestele Lautropvang in
Ballerup – Der Mann ist 1,8_ groß
hat kurze Hare ____ _____ _____
und eine Nabe am rechten ___ –
__ fährt ein blaun Liferwagn –
Unsre Eltern kenn ihn – Er h____
Fr_d__ u_d ___ mit B – Er hat uns
gedrot und _____ _______ –
Er bringt uns um –
Er ___ ers_ mir ___ ____ meim Bruder

___ ______ ___ ___ Mu__ __pr___ –
Wir sind fast 1 Stunde gefaren ___
______ irgendwo am Wasser – __ ___
____ _______ Wi________ –
Hier stinkt es –
__f_____ _n_ – _c______ –
Mei_ ______r ist _ry_g__ __ Jahre –
___ ___ ___ ____ __ –
Poul Holt

»Also: Er wurde zusammen mit seinem Bruder entführt«, fasste Yrsa zusammen. »Er heißt Poul Holt und schreibt, dass sie fast eine Stunde gefahren sind – und zwar irgendwie ans Wasser, glaube ich.« Sie stemmte die Hände in die schmalen Hüften. Die richtige Haltung, um ein Statement abzugeben.

»Wenn dieser Junge an Asperger litt, dann glaube ich nicht, dass er sich so etwas wie ›fast eine Stunde bis zum Wasser gefahren‹ ausdenken würde.« Sie drehte sich zu ihm um. »Nun?«

»Es könnte auch sein kleiner Bruder gewesen sein. Darüber wissen wir streng genommen nichts.«

»Nein. Aber Carl, mal ehrlich. Laursen hat eine Fischschuppe auf dem Brief gefunden! Meinst du, der kleine Bruder hätte ein Stück Papier mit Fischschleim eingeschmiert, nur um eine Scherz-Flaschenpost möglichst echt aussehen zu lassen?«

»Vielleicht war er ein helles Kerlchen. Wie sein großer Bruder. Nur in anderer Form.«

Da stampfte sie so heftig mit dem Fuß auf, dass das Echo von der Rotunde am Ende des Kellergangs zurückgeworfen wurde. »Verflixt, Carl, jetzt hör mal her! Und aktivier endlich mal die kleinen Grauen! Wo sind die entführt worden?« Sie bürstete ihm die Schultern ab, als wollte sie damit ihren scharfen Ton etwas glätten.

Carl stellte fest, dass bei der Gelegenheit etliche Schuppen rieselten. »In Ballerup«, antwortete er.

»Ja, und was denkst du, wenn die in Ballerup entführt worden und trotzdem fast eine Stunde gefahren sind, ehe sie ans Wasser kamen? Nach Hundested wollten die wohl kaum, das hätte von Ballerup aus doch keine verdammte Stunde gedauert. Eine halbe, höchstens.«

»Sie könnten doch zum Beispiel nach Stevns gefahren sein, oder?« Er knurrte innerlich. Niemand hatte es gern, wenn seine intellektuelle Kapazität in den Dreck gezogen wurde.

»Ja!« Wieder stampfte sie mit dem Fuß auf. Falls im Kriechkeller unter ihnen Ratten hausten, dann suchten die spätestens jetzt das Weite. »Wenn der Flaschenbrief aber nur ausgedacht ist«, fuhr sie fort, »warum es dann so kompliziert machen? Warum nicht einfach schreiben, sie seien eine halbe Stunde gefahren und dann ans Wasser gekommen? Ein Junge, der einfach nur 'ne gute Geschichte erfinden will, der würde das so schreiben. Der würde das Nächstliegende nehmen. Deshalb bin ich fest davon überzeugt, dass der Brief nicht erdichtet ist. Nimm ihn endlich ernst, Carl.«

Er holte sehr tief Luft. Er hatte einfach keine Lust, sie an seiner Einschätzung des Falls zu beteiligen. Rose vielleicht, aber nicht Yrsa.

»Ja, ja«, beschwichtigte er. »Lass uns mal abwarten, wie es sich entwickelt, wenn wir die Familie gefunden haben.«

»Was ist hier los?« Assads Kopf ploppte aus seinem Pygmäenbüro. Er wollte eindeutig nur die Stimmung ausloten. Stritten die sich etwa, oder was?

»Carl, ich hab die Adresse«, sagte er und streckte ihm ein Stück Papier entgegen. »Seit 1996 viermal umgezogen. Jetzt wohnen sie in Schweden.«

Fuck, dachte Carl. Schweden. Das Land mit den größten Mücken der Welt und dem langweiligsten Essen.

»Ach du liebe Güte«, sagte er. »Dann wohnen sie womöglich ganz da oben, wo die Rentiere frei herumlaufen? Luleå oder Kebnekaise oder so was?«

»Hallabro. Der Ort heißt Hallabro und liegt in Blekinge. Das sind etwa zweihundertfünfzig Kilometer von hier.«

Zweihundertfünfzig Kilometer. Leider ziemlich leicht machbar. Ade Wochenende.

Carl wand sich. »Na gut. Obwohl es doch eh immer das Gleiche ist: Wenn man kommt, sind sie nicht zu Hause. Und wenn man vorher anruft, sind sie trotzdem nicht zu Hause. Und wenn sie doch zu Hause sind, reden sie bestimmt schwedisch, und wer um Himmels willen versteht das, wenn er aus Jütland kommt?«

Assad kniff die Augen zusammen. Das waren für seinen Geschmack ein oder zwei Aussagen zu viel auf einmal. »Ich hab angerufen. Sie waren zu Hause.«

»Was? Das hast du? Na, dann sind sie garantiert morgen nicht zu Hause.«

»Doch. Ich hab nämlich nicht gesagt, wer ich bin. Ich hab sofort wieder aufgeknallt.«

Wahrhaftig ein Duo mit Sinn für Geräuscheffekte, seine zwei Kollegen.

Carl schleppte sich in sein Büro und rief Morten an, um ihn kurz und bündig zu instruieren, was er tun sollte, falls Vigga in seiner Abwesenheit auftauchte. Wer konnte schon wissen, was der alles einfiel.

Anschließend gab er Assad Instruktionen zu den weiteren Ermittlungen in der Brandsache und bat ihn, Yrsa zu erklären, was sie weiter prüfen sollte. »Gib ihr eine solide Liste der religiösen Sekten, von der sie ausgehen kann. Und lauf hoch zu Laursen und bitte ihn, in der Rechtsmedizin anzurufen. Die sollen bei der DNA-Analyse mal ein bisschen Tempo machen. Würdest du das bitte tun?«

Dann steckte er seine Dienstpistole in die Tasche. Bei diesen Schweden wusste man nie.

Jedenfalls nicht, wenn sie ursprünglich aus Dänemark kamen.

15

In der darauffolgenden Nacht sorgte er dafür, dass seine Gastgeberin und vorübergehende Geliebte immer haarscharf vor dem Orgasmus blieb. Genau in den Sekunden, bevor sie endgültig den Kopf in den Nacken legte und bis tief ins Zwerchfell atmete, zog er seine Finger geschickt aus ihrem Schoß und ließ sie in dieser knisternden Hochspannung einfach liegen.

Er stand schnell auf und ließ Isabel Jønsson allein mit der Entscheidung, wie die Spannung am besten zu entladen sei. Sie sah verwirrt aus, aber das war der Sinn der Sache.

Über ihrem kleinen Reihenhaus schoben sich immer wieder dunkle Wolken vor den hellen Mond. Er stand nackt auf der Terrasse, rauchte und beobachtete das Schauspiel am Himmel.

Die folgenden Stunden würden nach dem ihm wohlbekannten Muster ablaufen.

Erst Streit. Dann würde die Geliebte eine Erklärung fordern, warum Schluss war und warum gerade jetzt. Sie würde flehen und schimpfen und wieder flehen, und er würde antworten, und anschließend würde sie ihn auffordern, seine Sachen zu packen. Und dann wäre er aus ihrem Leben verschwunden.

Um zehn Uhr am nächsten Vormittag würde er mit den Kindern neben sich auf den Beifahrersitzen in Dollerup losfahren. Und wenn sie sich wunderten, warum er zu früh abbog, würde er sie betäuben. Er wusste ganz genau, wo das ungestört passieren konnte, das hatte er bereits ausgekundschaftet. An einer Stelle zwischen dichten Bäumen, die den Wagen während der wenigen Minuten verbergen würden, die er bräuchte, um die Kinder zu neutralisieren und die Körper in den Laderaum zu packen.

Viereinhalb Stunden, nachdem das geschehen war, inklusive eines Besuchs zum Mittagessen bei seiner Schwester auf Fünen, würde er das Bootshaus oben bei Jægerspris im Waldgebiet Nordskoven erreichen. Das war der Plan. Nur zwanzig Schritte durchs Gebüsch bis zu dem niedrigen Raum mit den Ketten. Zwanzig Schritte mit den beiden gebückten Gestalten vor sich.

Wie oft hatte er auf diesem kurzen Weg schon inbrünstiges Flehen um Gnade gehört. Das würde auch dieses Mal nicht anders sein.

Erst anschließend konnten die Verhandlungen mit den Eltern beginnen.

Er nahm einen letzten tiefen Zug, dann trat er die Zigarette auf dem kleinen Rasenstück aus. Vor ihm lagen eine anstrengende Nacht und ein anstrengender Tag.

Den üblen Verdacht, dass womöglich zu Hause irgendetwas los war, das sein ganzes Leben auf den Kopf stellen konnte, musste er jetzt erst mal verdrängen. Falls seine Frau ihm untreu war, war das für sie selbst am schlimmsten.

Er hörte die Verandatür knarzen und drehte sich um. Isabel sah verwirrt aus und zitterte. Sie war nackt, der Morgenmantel bedeckte sie nur notdürftig. In ein paar Sekunden würde er ihr sagen, es sei aus, weil sie zu alt sei, aber das war sie bei weitem nicht. Ihr Körper war pikant und verlockend und konnte direkt ein bisschen süchtig machen. In vieler Hinsicht war es schade, dass ihre Beziehung ein Ende haben musste, aber das hatte er schon oft gedacht.

»Was stehst du ohne einen Faden am Leib hier draußen? Es ist eiskalt.« Sie neigte den Kopf zur Seite, sah ihn aber nicht an. »Was ist hier eigentlich gerade los, kannst du mir das mal sagen?«

Er stellte sich vor sie und packte den Kragen ihres Morgenmantels. »Du bist zu alt für mich«, sagte er kalt und zog den Kragen dabei um ihren Hals zusammen.

Einen Augenblick schien sie wie gelähmt zu sein. Bereit, ihre Wut und Frustration herauszuschreien oder auf ihn loszugehen. Die Flüche standen Schlange auf ihrer Zunge. Aber er wusste, sie würde schweigen. Nette geschiedene städtische Angestellte – solche Frauen machten keine Szene, wenn ein nackter Mann vor ihnen auf ihrer Terrasse stand.

Die Leute würden sich Gedanken machen. Das wussten sie beide.

Als er früh am nächsten Morgen aufwachte, hatte sie seine Sachen bereits zusammengesammelt und in die Tasche geworfen. Keinerlei Zeichen von Morgenkaffee, nur eine Sammlung geordnet vorgebrachter Fragen, die davon zeugten, dass sie noch nicht am Boden zerstört war.

»Du bist an meinem Computer gewesen«, sagte sie beherrscht, obschon gefährlich weiß im Gesicht. »Du hast Informationen über meinen Bruder gesucht. Du hast mehr als fünfzig elefantengroße Abdrücke in meinen Daten hinterlassen. Hättest du dir nicht besser mal die Mühe machen sollen herauszufinden, worin meine tägliche Arbeit in der Kommunalverwaltung eigentlich besteht? War es nicht gleichermaßen dumm und respektlos von dir, das nicht zu tun?«

Derweil dachte er, dass er hier unter die Dusche müsse, egal was sie sagte. Dass die Eltern in Dollerup einem unrasierten, nach Sexsekreten stinkenden Mann ihre Kinder nicht überlassen würden.

Erst ihre nächsten Sätze alarmierten alle seine Sinne.

»Ich bin bei der Stadt Viborg als EDV-Beauftragte angestellt. Befasse mich mit Datensicherheit und Computerlösungen. Deshalb weiß ich natürlich, was du getan hast. Ein Kinderspiel für mich, die Logdatei meines eigenen Notebooks zu lesen. Was zum Teufel hast du dir dabei gedacht?«

Sie sah ihm direkt in die Augen. Vollkommen ruhig. Sie hatte die erste Krise überwunden. Sie hatte Trümpfe, die sie meterhoch über Selbstmitleid, Tränen und Hysterie erhoben.

»Du hast meine Passwörter unter der Schreibunterlage gefunden«, sagte sie. »Aber nur, weil ich sie absichtlich dort hingelegt habe. Ich hatte dich schon in den ersten Tagen durchschaut, deshalb wollte ich sehen, was dir noch so einfallen würde. Bei Männern, die so wenig von sich selbst erzählen, ist immer etwas faul. Da wird man hellhörig, denn normalerweise lieben Männer es, von sich selbst zu reden. Aber das hast du vielleicht gar nicht gewusst?« Sie lächelte etwas, als sie merkte, wie aufmerksam er geworden war. »Warum wirft dieser Mann so gar nicht mit Fakten über sich selbst um sich?, habe ich mich gefragt. Da wurde ich, ehrlich gesagt, neugierig.«

Er zog die Augenbrauen zusammen. »Und jetzt glaubst du, du wüsstest alles über mich, weil ich über meine privaten Verhältnisse geschwiegen habe und neugierig auf deine war?«

»Neugierig, ja, das kann man wohl so sagen. Ich kann ja noch verstehen, dass dich mein Profil beim Internetdating interessiert hat. Aber was, bitte schön, wolltest du über meinen Bruder rausfinden?«

»Ich hab geglaubt, das sei dein Ex. Vielleicht wollte ich einfach wissen, was bei euch schiefgelaufen ist.«

Das schluckte sie nicht. Seine Beweggründe waren ihr egal. Er hatte einen Riesenfehler begangen, daran gab es nichts zu deuteln.

»Zu deinen Gunsten muss ich allerdings sagen, dass du immerhin mein Konto nicht leer geräumt hast«, sagte sie dann.

Sie hatte jetzt eindeutig Oberwasser. Trotzdem versuchte er, nachsichtig zu lächeln und damit seinen Abgang zur Dusche einzuleiten. Doch daraus wurde nichts.

»Aber weißt du was«, fuhr sie fort. »Wir nehmen uns nichts. Ich hab nämlich auch in deinen Sachen gewühlt. Und was hab ich in deinen Taschen gefunden? Nichts. Keinen Führerschein, keine Krankenversicherungskarte, keinen Geldbeutel, keine

Autoschlüssel. Aber weißt du was, mein Lieber? Genauso todsicher, wie Frauen ihre Passwörter immer völlig idiotisch an den nächstliegenden Stellen verstecken, legen Männer ihre Autoschlüssel immer oben aufs Vorderrad, wenn sie die nicht bei sich haben wollen. Was hast du für eine hübsche kleine Bowlingkugel an deinem Schlüsselring? Du gehst also zum Bowling? Hast du mir nie erzählt. Eine Kugel mit der Nummer eins. Bist du so gut?«

Langsam fing er an zu schwitzen. Es war lange her, dass ihm die Kontrolle in dieser Form entglitten war. Nichts war schlimmer.

»Ja, ja, ganz ruhig. Ich hab den Autoschlüssel wieder an seinen Platz gelegt. Auch deinen Führerschein. Und den Fahrzeugschein für den Lieferwagen. Und deine Kreditkarte. Und alles andere. Liegt alles wieder hübsch da, wo ich's im Auto gefunden hab. Gut versteckt unter den Gummimatten.«

Er richtete den Blick auf ihren Hals. Der war nicht gerade zart, da musste man schon ordentlich zupacken. Das würde ein paar Minuten dauern, aber Zeit hatte er ja genug.

»Du hast recht, ich bin ein sehr zurückhaltender Mensch«, sagte er und trat einen Schritt näher. Dabei legte er seine Hand wie absichtslos auf ihre Schulter. »Hör mal, Isabel. Ich bin wirklich sehr verliebt in dich. Aber ich konnte dir doch nicht die Wahrheit sagen, das verstehst du doch wohl, oder? Herrje, ich bin verheiratet, habe Kinder. Das ist mir hier alles außer Kontrolle geraten, es tut mir so leid. Deshalb muss ich es einfach beenden, es geht nicht anders. Kannst du das nicht nachvollziehen?«

In einer stolzen Geste hob sie den Kopf. Verletzt, aber nicht besiegt. Sie hatte schon öfter mit verheirateten Männern zu tun gehabt, die sie angelogen hatten, da war er sich sicher. Und genauso sicher wollte er dafür sorgen, dass er der letzte Mann in ihrem Leben blieb, der sie betrog.

Sie fegte seine Hand von ihrer Schulter. »Du hast mir nie

deinen richtigen Namen genannt und du hast mich in allen möglichen anderen Punkten belogen, keine Ahnung, warum. Und jetzt willst du mir weismachen, es liegt alles nur daran, dass du verheiratet bist? Und das soll ich dir glauben?«

Als hätte sie seine Gedanken gelesen, zog sie sich ein Stück zurück. Als würde da hinter ihr griffbereit eine Waffe liegen.

Wenn man das Gefühl hat, zusammen mit einem wütenden Eisbären auf einer Eisscholle zu stehen, dann muss man blitzschnell seine Möglichkeiten abwägen. Im Moment sah er vier.

Ins Wasser springen und schwimmen.

Auf eine andere Eisscholle springen.

Abwarten und schauen, ob der Eisbär hungrig oder satt ist.

Und schließlich: den Eisbären töten.

Alle Möglichkeiten hatten offenkundige Vor- und Nachteile. Doch gerade jetzt hatte er keinen Zweifel, dass die vierte Option die einzig praktikable war. Die Frau ihm gegenüber war verletzt und bereit, sich mit allen Mitteln zu verteidigen. Zweifellos, weil sie sich tatsächlich in ihn verliebt hatte. Das hätte ihm früher auffallen müssen. Aus Erfahrung wusste er schließlich, dass Frauen in solchen Situationen schnell mal irrational und unberechenbar wurden.

Und da er die Schäden, die sie ihm zufügen konnte, so schnell nicht zu überblicken vermochte, musste er sie loswerden. Die Leiche mit dem Lieferwagen mitnehmen und entsorgen, wie schon andere vor ihr. Ihre Festplatte zerstören und alle Spuren im Haus beseitigen.

Er sah ihr in die schönen grünen Augen und schätzte ab, wie lange es dauern würde, bis sie nicht mehr glänzten.

»Ich habe meinem Bruder erzählt, dass ich dir begegnet bin«, sagte sie, »und habe ihm das Kennzeichen deines Lieferwagens, die Nummer deines Führerscheins, deinen Namen und die Adresse auf dem Fahrzeugschein gemailt. Sicher, das ist alles Kleinkram für ihn. Er hat nun wirklich anderes zu tun. Aber er ist von Natur aus neugierig. Und sollte sich herausstellen, dass du mich in irgendeiner Weise bestohlen hast, dann findet er dich. Kapiert?«

Für einen Moment war er wie gelähmt. Selbstverständlich fuhr er nicht mit Papieren oder Plastikkarten herum, die seine wahre Identität verrieten. Aber trotzdem: Dass jemand überhaupt einen Verdacht – wenn auch einen völlig falschen – gegen ihn hegte und ihm obendrein mit der Polizei drohte, das hatte er noch nie erlebt und das war es, was ihn jetzt lähmte. Eine Weile überblickte er nicht mal, was ihn überhaupt in diese Situation gebracht hatte. Was hatte er unterlassen, wo hatte er einen Fehler gemacht? Lag es daran, dass er sie nicht gefragt hatte, worin ihr Job bei der Stadtverwaltung bestand? War die Antwort wirklich so einfach? Ja, so war es wohl.

Und jetzt dieses Dilemma.

»Entschuldige, Isabel«, sagte er leise. »Ich bin zu weit gegangen, viel zu weit, ich weiß. Bitte entschuldige. Ich war nur einfach so wahnsinnig scharf auf dich – und bin es immer noch. Du darfst nicht ernst nehmen, was ich heute Nacht gesagt hab. Ich wusste nur einfach nicht, was ich machen sollte: zugeben, dass ich verheiratet bin und Kinder hab, oder dich anlügen? Ich setz doch meine Ehe und meine ganze Familie aufs Spiel, wenn ich mich noch mehr auf dich einlasse. Und ich war auf dem besten Weg, das zu tun. Alles aufzugeben. Ja, ich war echt in Versuchung. Ich war so sehr in Versuchung, dass ich einfach alles über dich wissen musste. Ich konnte nicht anders. Ich konnte mich einfach nicht beherrschen. Verstehst du das nicht?«

Sie sah ihn höhnisch an, während er fieberhaft überlegte, was er dort auf der Eisscholle tun sollte. Aller Wahrscheinlichkeit nach würde ihn der Eisbär nicht grundlos umbringen. Wenn er wegfuhr und sich nie mehr in dieser Gegend blicken ließ, dann würde sie ihren Bruder nicht damit belästigen, Informationen über ihn einzuholen, warum sollte sie? Würde er sie allerdings umbringen oder entführen, gäbe es einen

Ausgangspunkt für Nachforschungen. Selbst die gründlichste Reinigung würde nicht alle Schamhaare, Spermaflecken und Fingerabdrücke beseitigen. Auch wenn man ihn in keiner Kartei fand, würden sie in der einen oder anderen Weise ein Täterprofil von ihm erstellen. Er könnte die Hütte abfackeln, aber was, wenn die Feuerwehr rechtzeitig kam oder jemand ihn wegfahren sah? Nein, das war zu unsicher. Außerdem hatte ein Polizist namens Karsten Jønsson das Kennzeichen seines Lieferwagens und damit auch die Beschreibung des Fahrzeugs. Ja, womöglich hatte sie ihren Bruder sogar mit Details über seine Person versorgt.

Er starrte in die Luft, während sie jede seiner Bewegungen genauestens verfolgte. Er war zwar ein Experte im Häuten, und er trat nie ohne Verkleidung auf. Trotzdem konnte die E-Mail an ihren Bruder genaue Angaben zu seiner Größe, seinem Körperbau, seiner Augenfarbe und womöglich noch intimere Details enthalten. Kurz gesagt hatte er keine Ahnung, welche Informationen über ihn sie weitergegeben hatte. Und genau damit stand es auf der Kippe.

Er sah sie an, sah ihren harten Blick, und da wurde es ihm schlagartig klar. Sie war kein Eisbär. Sie war ein Basilisk. Schlange, Hahn und Drache in einem. Und sah man einem Basilisken ins Auge, wurde man zu Stein. Ja, allein dadurch, dass man die Bahn des Basilisken kreuzte, war man zum Tode verurteilt. Niemand konnte wie der Basilisk seine Version der Wahrheit in die Welt hinauskrähen. Niemand. Und er wusste, nur der Anblick seines eigenen Spiegelbildes konnte dieses Untier töten.

Deshalb sagte er: »Egal was du sagst und tust, Isabel, ich werde immer an dich denken. Du bist wunderschön, du bist einfach phantastisch, und ich wünschte, ich wäre dir früher begegnet. Jetzt ist es zu spät. Ich bitte dich um Verzeihung. Ich hab dich nicht verletzen wollen. Du bist ein wunderbarer Mensch. Entschuldige.«

Und dann streichelte er ihr zärtlich über die Wange. Anscheinend wirkte das. Jedenfalls zitterten kurz ihre Lippen.

»Ich finde, du solltest jetzt gehen. Ich will dich nie mehr sehen«, sagte sie, aber sie meinte es nicht.

Lange würde sie darum trauern, dass es vorbei war. So etwas wie mit ihm erlebte man in ihrem Alter schließlich nicht mehr alle Tage.

In diesem Moment sprang er von der Eisscholle auf eine andere. Weder der Basilisk noch der Eisbär würden ihm folgen.

Als sie ihn gehen ließ, war es noch nicht einmal sieben.

16

Er rief seine Frau wie üblich gegen acht Uhr an. Kam aber immer noch nicht auf die Streitfrage zu sprechen, sondern erzählte von Erlebnissen, die er nicht gehabt hatte, und von Gefühlen, die er in dem Moment nicht für sie empfand. Am Ortsausgang von Viborg hielt er kurz an und machte auf der Kundentoilette des Supermarkts Løvbjerg Katzenwäsche. Über Hald Ege fuhr er weiter nach Dollerup, wo Samuel und Magdalena auf ihn warteten.

Nichts sollte ihn jetzt noch bremsen. Das Wetter war einigermaßen okay. Kurz vor Einbruch der Dunkelheit würde er am Ziel sein.

Der Duft frischer Brötchen empfing ihn. Samuel hatte trotz seines schlimmen Knies morgens schon trainiert. Magdalenas Augen funkelten erwartungsvoll.

Beide waren sie gespannt und freuten sich auf den Ausflug.

»Was meint ihr, sollen wir erst beim Krankenhaus vorbeifahren, damit die dort einen Blick auf Samuels Knie werfen? Das könnten wir vorher noch schaffen.« Er schob sich den letzten Rest des Brötchens in den Mund und warf einen Blick auf seine Armbanduhr. Es war Viertel vor zehn. Er wusste, sie würden das Angebot ausschlagen.

Die Jünger der Gottesmutter suchten nicht ohne wirkliche Not Krankenhäuser auf.

»Nein danke, das Knie ist nur verdreht.« Rachel reichte ihm die Kaffeetasse und deutete zum Milchkännchen auf dem Tisch. Er solle sich selbst nehmen.

»Und wo findet der Wettkampf statt?«, fragte Joshua. »Wenn Zeit bleibt, könnte es ja sein, dass wir später dazustoßen.«

»Was redest du da, Joshua.« Rachel gab ihm einen Klaps. »Du weißt ganz genau, wann du Zeit hast und wann nicht.«

Vermutlich nie, soweit er es beurteilen konnte.

»In der Vinderup-Halle«, antwortete er dem Hausherrn. »Der Veranstalter ist der Bujutsukan-Club. Vielleicht steht etwas dazu im Internet.«

Das tat es nicht, aber er war sich auch absolut sicher, dass es in diesem Haus keinen Internetanschluss gab. Noch eine dieser gottlosen Erfindungen, die sich die Jünger der Gottesmutter versagten.

Er hob wie erschrocken die Hand und hielt sie sich vor den Mund. »Bitte entschuldigt, das war dumm von mir. Tut mir leid. Natürlich habt ihr kein Internet. Ist ja auch ein ziemliches Teufelszeug.« Er bemühte sich, schuldbewusst auszusehen. Der Kaffee war koffeinfrei, stellte er fest. Nichts in diesem Haus, was nicht politisch absolut korrekt war. »Also, in der Vinderup-Halle.«

Sie winkten ihnen nach. Die gesamte Familie stand in Reih und Glied vor dem Haus an der Kurve, in dem von diesem Augenblick an niemals mehr der Frieden vergangener Tage herrschen würde. Noch lächelten sie, aber schon sehr bald würden sie auf schmerzhafte Weise lernen, dass sich das Böse dieser Welt nicht durch Andachten, Gebete und den Verzicht auf modernes Teufelszeug bannen ließ.

Er bedauerte sie nicht. Schließlich hatten sie sich freiwillig dafür entschieden, diesen Weg zu gehen. Und der kreuzte sich nun mal mit seinem.

Er sah zu den beiden Kindern hinüber, die neben ihm saßen und ihrer Familie zuwinkten.

»Sitzt ihr gut?«, fragte er. Sie fuhren an winterlich kahlen Feldern vorbei, auf denen nur ein paar Reihen schwarzbrauner Maisstubben zu sehen waren. Er steckte die Hand ins Seitenfach der Fahrertür. Alles war, wie es sein sollte, griffbereit klemmte dort der Taser, ein Modell, das so harmlos aussah wie ein Eiskratzer. Nein, da würden sie wohl kaum Verdacht schöpfen.

Sie nickten, und er lächelte ihnen zu. Sie saßen gut, und ihre Gedanken flogen mit ihnen davon. So etwas waren sie nicht gewohnt, in ihrem ruhigen, restriktiven Alltag gab es kaum Abwechslung. Das Ereignis des Jahres wartete auf sie.

Nein, das hier würde weiter keine Schwierigkeiten bereiten.

»Die Fahrt über Finderup ist so schön«, sagte er und bot ihnen Mini-Marsriegel an. Verboten, klar. Aber durchaus geeignet, zwischen ihnen eine Art verschwörerisches Gemeinschaftsgefühl zu erzeugen. Und so etwas schuf Sicherheit. Und Sicherheit wiederum schuf Ruhe zum Arbeiten.

»Na ja«, fuhr er fort, als er ihr Zögern bemerkte, »ich hab auch Obst dabei. Mögt ihr eine Clementine haben?«

»Ich glaube, ich hätte gern die Schokolade.« Magdalenas unwiderstehliches Lächeln zeigte ihre Zahnspange. Ja, das passte zu einer, die unter der Grassode im Garten ein Geheimnis versteckt.

Anschließend rühmte er die Heidelandschaft und erzählte ihnen, wie sehr er sich darauf freute, für immer in dieser Gegend zu wohnen. Als sie zur Kreuzung in Finderup kamen, war die Stimmung ganz in seinem Sinne – entspannt und vertrauensvoll. Und an der Stelle bog er ab.

»Moment mal!«, rief Samuel und beugte sich zur Windschutzscheibe vor. »Hier bist du aber zu früh abgebogen. Der Holstebrovej kommt erst noch.«

»Ja, ich weiß, das ist der nächste. Aber als ich gestern unterwegs war und Häuser besichtigte, habe ich hier eine Abkürzung zur Landstraße 16 entdeckt.«

Nach etwa zweihundert Metern, hinter dem Denkmal für Erik Klipping, bog er ein weiteres Mal ab.

Hesselborgvej stand da.

»Diese Straße hier müssen wir hochfahren. Bisschen langsam, aber eine echte Abkürzung«, fuhr er fort.

»Wirklich?« Samuel las das Schild, an dem sie vorbeifuhren. *Militärische Fahrzeuge auf Nebenstraßen untersagt,* stand da.

»Also, ich dachte immer, dass die Straße einfach aufhört«, sagte der Junge und lehnte sich zurück.

»Nein, wir müssen nur an dem gelben Hof links vorbei, dann kommt auf der rechten Seite noch so ein heruntergekommener Hof, und danach biegen wir wieder links ab. Du wirst die Straße nicht kennen.«

Er nickte, als nach ein paar hundert Metern der Schotter in der Fahrspur immer weniger wurde. Die Gegend hier war relativ hügelig und voller Baumstümpfe. Hier war ordentlich abgeholzt worden. Hinter der nächsten Kurve waren sie am Ziel.

»Nein, sieh doch«, rief der Junge und deutete voraus. »Ich glaube nicht, dass du da vorn weiterkommst.«

Da irrte er sich, aber es gab keinen Grund, darauf einzugehen.

»Das ist ja zu blöd«, sagte er stattdessen. »Samuel, ich glaube, du hast recht. Na, dann muss ich hier eben wenden. Tut mir leid. Ich hatte wirklich gedacht ...«

Er wendete mitten auf dem Weg und fuhr dann rückwärts zwischen die Bäume.

Als der Wagen stand, zog er blitzschnell den Taser aus dem Türfach, legte ihn Magdalena an den Hals und drückte ab. Ein Teufelsding, das dem Opfer 1,2 Millionen Volt in den Körper jagte und es für einen Moment lähmte. Samuel fuhr bei ihrem Schmerzensschrei und ihrem Zucken zusammen. Wie seine Schwester war auch er vollkommen unvorbereitet. Seine Augen zeigten Furcht, aber auch Kampfbereitschaft. In dem Moment, als seine Schwester auf ihn fiel und er begriff, wie gefährlich dieses Teil war, das da auf ihn gepresst wurde, erwachten in dem Jungen alle adrenalingesteuerten Mechanismen.

Deshalb reagierte er nicht schnell genug, als Samuel den

Körper seiner Schwester beiseitestieß, am Türgriff zerrte, die Tür aufdrückte und sich aus dem Wagen fallen ließ. Deshalb erwischte er den Jungen nicht richtig mit dem Elektroschocker.

Da gab er dem Mädchen noch einen Stoß und spurtete dann hinter dem Jungen her, der den Weg bereits ein Stück entlanggekraxelt war. Das kranke Knie knickte immer wieder unter ihm weg. Nur eine Frage von Sekunden, dann war er an der Reihe.

Als der Junge die Fichtenschonung erreichte, drehte er sich jäh um. »Was willst du von uns?«, schrie er und rief die Gottesmutter um Hilfe an. Als ob sich die schnurgeraden Reihen der Bäume in Scharen von Schutzengeln verwandeln könnten! Er humpelte einen Schritt zur Seite und hob einen dicken Ast auf, dessen Zweige abgebrochen waren und als spitze Enden abstanden.

Verdammt, hätte er sich doch nur den Jungen zuerst vorgenommen! Warum zum Teufel hatte er nicht auf seinen Instinkt gehört?

»Komm ja nicht näher!«, brüllte der Junge und ließ den Stock über seinem Kopf kreisen. Der würde zweifellos zuschlagen. Der würde kämpfen, wie er es gelernt hatte.

Er musste sich für die Zukunft unbedingt einen Taser C2 im Internet bestellen. Damit konnte man Strom aus vielen Metern Abstand auf sein Opfer abschießen. Manchmal, so wie jetzt, kam es einfach auf jede Sekunde an. Bis zu den Höfen waren es nur wenige Hundert Meter. Zwar hatte er die Stelle sorgfältig ausgewählt, aber trotzdem konnten sich Waldarbeiter oder ein Bauer hierher verirren. Außerdem würde die kleine Schwester schon in wenigen Sekunden so weit zu sich gekommen sein, dass auch sie imstande wäre zu fliehen.

»Das hilft dir nicht, Samuel«, rief er und rannte trotz der heftigen Abwehr des Jungen auf ihn zu. Er spürte, wie ihn der Knüppel im selben Moment an der Schulter traf, in dem er den Arm des Jungen mit dem Elektroschocker berührte. Das Gebrüll, das sie beide ausstießen, kam simultan.

Aber es war ein ungleicher Kampf, und beim nächsten Stoß fiel der Junge um.

Er sah auf die Schulter, an der Samuel ihn getroffen hatte. So ein Scheiß, dachte er. Sternförmig breitete sich das Blut in der Schulterpartie der Windjacke aus.

»Ja, fürs nächste Mal kaufe ich ganz sicher einen C2«, murmelte er, als er den Jungen auf die Ladefläche des Lieferwagens hievte und ihm ein Tuch mit Chloroform aufs Gesicht presste. Es dauerte nur einen Augenblick, bis der Junge vollends das Bewusstsein verlor und leer in die Luft starrte.

Im nächsten Moment passierte mit seiner Schwester dasselbe.

Dann verband er beiden die Augen, fesselte sie mit Packband an Händen und Füßen und klebte ihnen den Mund damit zu. So wie er es immer machte. In stabiler Seitenlage platzierte er beide auf den dicken Fußbodenmatten.

Nachdem er das Hemd gewechselt und sich eine andere Jacke angezogen hatte, beobachtete er die Kinder noch einige Minuten. Er wollte sichergehen, dass ihnen nicht übel wurde und sie nicht an ihrem eigenen Erbrochenen erstickten.

Als er sich von ihrer Transportfähigkeit überzeugt hatte, fuhr er los.

Seine Schwester und ihr Mann lebten in einem kleinen weißen Bauernhaus am Ortsrand von Årup. Es lag dicht an der Landstraße und nur wenige Kilometer von der Kirche entfernt, an die sein Vater zuletzt versetzt worden war.

Mit Sicherheit der letzte Ort auf dieser Erde, wo er sich niederlassen würde.

»Und woher kommst du dieses Mal?«, fragte ihn sein Schwager desinteressiert und deutete auf ein Paar ausgelatschte Pantoffeln, die im Flur standen. Im Haus waren die für alle

Gäste Pflicht. Als wäre der Fußboden jemals auch nur das Geringste wert gewesen.

Er folgte dem Geräusch ins Wohnzimmer und fand dort seine Schwester. Vor sich hin summend saß sie in einer Ecke. Die Zeit und die Motten hatten an der Wolldecke, in die sie gehüllt war, ihre Spuren hinterlassen.

Eva erkannte ihn wie immer an seinem Schritt, aber sie sagte nichts. Sie hatte enorm zugenommen, seit er sie zuletzt gesehen hatte, mindestens zwanzig Kilo. Der Körper uferte in alle Richtungen aus. Die Erinnerung an seine junge, zierliche Schwester, die so begeistert im Garten des Pfarrhofs getanzt hatte, würde bald auf immer ausgelöscht sein.

Sie begrüßten sich nicht, das taten sie nie. Höflichkeitsfloskeln gehörten nicht zum Erbschatz ihres Elternhauses.

»Ich bin nur auf einen Sprung hier«, kündigte er gleich an und hockte sich vor sie hin. »Wie geht es dir?«

»Willy sorgt gut für mich«, antwortete sie. »Wir essen gleich zu Mittag. Willst du auch eine Kleinigkeit haben?«

»Danke, einen Happen esse ich mit. Und dann fahre ich wieder.«

Sie nickte. In Wahrheit war es ihr egal. Seit das Licht in ihren Augen erloschen war, hatte auch der Wunsch, Neues über ihre Mitmenschen und die Welt ringsum zu erfahren, mehr und mehr nachgelassen. Vielleicht musste das so sein. Vielleicht füllten die Bilder der Vergangenheit zu viel in ihr aus, auch wenn sie sicher langsam verblassten.

»Ich habe Geld für euch mitgebracht.« Er nahm einen Umschlag aus der Tasche und drückte ihn ihr in die Hand. »Das sind dreißigtausend Kronen. Damit kommt ihr hoffentlich zurecht, bis wir uns das nächste Mal sehen.«

»Danke. Wann?«

»In ein paar Monaten.«

Sie nickte und hievte sich hoch. Er wollte ihr den Arm reichen, aber sie entzog sich ihm.

Den Tisch in der Küche bedeckte ein Wachstuch, dessen beste Tage wahrscheinlich Jahrzehnte zurücklagen. Darauf standen Blechteller mit billiger Leberpastete und undefinierbaren Fleischstücken. Willy kannte in der Gegend Leute, die mehr Wild schossen, als sie essen konnten, sodass es ihnen nie an Kalorien mangelte.

Als sein Schwager den Kopf auf die Brust senkte und das Vaterunser betete, keuchte er asthmatisch. Er wie auch die Schwester hatten zwar die Augen fest zugekniffen, aber alle ihre Sinne waren auf das Tischende ausgerichtet, an dem er saß.

»Hast du Gott noch nicht gefunden?«, fragte ihn seine Schwester nach dem Gebet und richtete ihre weißmelierten toten Augen auf ihn.

»Nein«, antwortete er, »den hat Vater aus mir rausgeprügelt.«

Da hob sein Schwager langsam den Kopf und sah ihn hasserfüllt an. Früher war er einmal ein flotter Kerl gewesen, mit jeder Menge Flausen im Kopf. Er hatte in die weite Welt hinausgewollt, daunenweiche Frauen erobern. Als er Eva traf, blendete sie ihn mit Verletzlichkeit und schönen Worten. Er hatte Christus schon immer gekannt, allerdings nicht als besten Freund.

Das brachte ihm erst Eva bei.

»Sprich anständig über Schwiegervater«, sagte der Schwager. »Er war ein heiliger Mann.«

Er sah zu seiner Schwester. Ihr Gesicht zeigte überhaupt keinen Ausdruck. Falls sie in dem Zusammenhang einen Kommentar abgeben wollte, hätte sie das jetzt getan, aber sie schwieg. Natürlich schwieg sie.

»Du glaubst also, unser Vater ist im Paradies?«

Sein Schwager kniff die Augen zusammen. Das war die Antwort. Er sollte sich bloß in Acht nehmen, auch wenn er Evas Bruder war.

Er schüttelte den Kopf und erwiderte den Blick des Schwagers. Solche Menschen sind doch hoffnungslos, dachte er. Wenn Willys Idealvorstellung tatsächlich ein Paradies war, in dem sich abgestumpfte, engstirnige Pfarrer dritten Ranges tummelten, dann würde er ihm von Herzen gern behilflich sein, schnellstmöglich dorthin zu gelangen.

»Hör auf, mich so anzustarren, Schwager. Ich habe dir und Eva dreißigtausend Kronen gegeben. Für die Summe verlange ich, dass du dich in der halben Stunde meiner Anwesenheit unter Kontrolle hast.«

Er sah hinauf zu dem Kruzifix, das über dem verkniffenen Gesicht des Schwagers an der Wand hing. Das Teil war schwerer, als es den Anschein hatte.

Das hatte er am eigenen Leib zu spüren bekommen.

Auf der Brücke über den Großen Belt merkte er im Laderaum Erschütterungen. Deshalb hielt er vor der Mautanlage an, öffnete die Klappe und versorgte die beiden kämpfenden Körper mit einem weiteren Spritzer Chloroform.

Erst als hinten wieder Ruhe eingekehrt war, fuhr er weiter. Verärgert öffnete er das Seitenfenster, die letzte Dosis war unkontrolliert gewesen.

Als er das Bootshaus in Nordseeland erreichte, war es noch immer zu hell, um die Kinder hineinzuführen. Vom Meer glitten Segelboote in den Fjord hinein, die ersten dieses Jahres, aber die letzten dieses Tages. Sie waren unterwegs zu den Yachthäfen in Lynæs und Kignæs. Schon ein einziger Neugieriger mit Fernglas reichte, und alles wäre verloren. Sorgen machte ihm allmählich nur, dass es im Laderaum des Wagens so verdammt still war. Falls die Kinder an der Dosis Chloroform gestorben waren, wären die monatelangen Vorbereitungen umsonst gewesen.

Er starrte auf den widerspenstigen blutroten Himmelskoloss, der drüben am Horizont festgekeilt zu sein schien. Über der untergehenden Sonne hingen flammendrot die Abendwolken. Verdammt, jetzt geh doch endlich unter, dachte er.

Dann nahm er sein Handy. Die Familie in Dollerup wunderte sich sicher schon, warum er mit den Kindern noch nicht zurück war. Er hatte ihnen versprochen, vor der Ruhestunde wieder da zu sein, und das hatte er nicht eingehalten. Er sah sie vor sich, wie sie mit gefalteten Händen um den Esstisch mit den brennenden Kerzen versammelt waren. Bestimmt sagte die Mutter gerade, das sei das letzte Mal gewesen, dass sie sich auf ihn verließen.

Und wie schmerzlich sie doch recht haben würde!

Er rief an. Nannte gar nicht erst seinen Namen. Sagte nur, seine Forderung belaufe sich auf eine Million Kronen. Gebrauchte Scheine, in einem kleinen Beutel, den sie aus dem Zug werfen sollten. Er erklärte genau, um welche Uhrzeit sie abfahren und wie und wann sie umsteigen mussten, und auf welchem Streckenabschnitt sie nach dem Stroboskoplicht Ausschau halten sollten und auf welcher Seite des Zuges. Er würde die Lampe in der Hand halten und sie würde kräftig aufblitzen. Sie sollten ja nicht zögern, es gäbe nur diese eine Gelegenheit. Wenn sie den Beutel geworfen hatten, würden sie ihre Kinder bald wiedersehen.

Und sie sollten ja nicht auf die Idee kommen, ihn zu hintergehen. Jetzt am Wochenende und dazu noch den ganzen Montag hätten sie Zeit, das Geld zu beschaffen. Und am Montagabend sollten sie den Zug nehmen.

Fehlte Geld, würden die Kinder sterben. Nahmen sie Kontakt zur Polizei auf, würden die Kinder sterben. Versuchten sie bei der Übergabe krumme Sachen, würden die Kinder sterben.

»Denkt dran«, mahnte er, »das Geld werdet ihr wieder verdienen, aber die Kinder sind auf immer verloren.« An dieser Stelle ließ er den Eltern immer einen Moment, damit sie nach Luft schnappen, den ersten Schock verarbeiten konnten. »Und denkt auch daran, dass ihr eure übrigen Kinder nicht rund um die Uhr beschützen könnt. Sobald mir an eurem Verhalten irgendetwas komisch vorkommt, werdet ihr künftig in Unsicherheit leben. Dessen könnt ihr gewiss sein. Und ebenso sicher könnt ihr sein, dass ihr dieses Handy niemals aufspüren werdet.«

Dann legte er auf. So einfach war das. Noch zehn Sekunden, und das Mobiltelefon war draußen im Fjord verschwunden. In Weitwurf war er schon immer gut gewesen.

Die Kinder waren kreidebleich, aber sie lebten. Im Bootshaus kettete er sie in gehörigem Abstand voneinander an, löste ihnen das Klebeband vom Mund und passte auf, dass sie sich nicht übergaben, nachdem er ihnen zu trinken gegeben hatte.

Nach dem üblichen Gewinsel aßen sie ein wenig, dann klebte er ihre Münder wieder mit Packband zu. Als er wegfuhr, hatte er ein gutes Gefühl.

Dieses Bootshaus mit dem niedrigen Dach gehörte ihm jetzt seit fünfzehn Jahren, und in all der Zeit war außer ihm nie jemand in der Nähe gewesen. Der Hof, zu dem das Bootshaus gehört hatte, lag abgeschirmt hinter Bäumen. Das Stück bis hin zum Bootshaus war schon immer zugewachsen gewesen. Einzig vom Wasser aus konnte man das kleine Haus dann und wann ausmachen, und auch das nicht ohne weiteres. Und wer wollte schon in diese stinkende Brühe aus Seetang geraten, der bereits über das Fischernetz wuchs? Dieses Netz, das er damals zwischen den Grundpfählen gespannt hatte, nachdem eines seiner Opfer irgendetwas ins Wasser geworfen hatte.

Nein, die Kinder konnten jammern, so viel sie wollten.

Niemand würde sie hören.

Wieder sah er auf die Uhr. Heute würde er seine Frau nicht anrufen, wie er es sonst tat, wenn er sich auf den Heimweg nach Roskilde machte. Warum ihr einen Hinweis geben, wann sie ihn zu Hause erwarten konnte?

Er würde rasch in Ferslev vorbeifahren, den Lieferwagen

wieder in der Scheune abstellen und für die Strecke nach Hause in seinen Mercedes umsteigen. Weniger als eine Stunde, dann würde er wissen, was mit seiner Frau los war.

Auf den letzten Kilometern vor seinem Heim erreichte er eine Art Frieden mit sich selbst. Wie war es eigentlich zu diesem Argwohn gegen seine Frau gekommen? Lag der Fehler nicht bei ihm? Waren sein Misstrauen und seine verdorbenen Gedanken nicht von all den Lügen genährt, die er selbst ständig ausspie? In denen er lebte? War das alles nicht eine Konsequenz seines eigenen Doppellebens?

Nein, ganz ehrlich, uns geht es doch gut miteinander, das war sein letzter Gedanke, bevor er konstatierte, dass in der Einfahrt an der Trauerweide ein Herrenfahrrad lehnte. Ein Fahrrad, das nicht sein eigenes war.

17

Einst hatten ihr die morgendlichen Telefongespräche mit ihrem Mann Energie verliehen. Allein der Klang seiner Stimme hatte ihr gereicht, um einem neuen Tag ohne menschliche Kontakte halbwegs gelassen entgegenzusehen. Allein der Gedanke an seine Umarmung hatte sie aufgerichtet.

Aber ihre Gefühle hatten sich verändert. Der Zauber war verschwunden.

Morgen rufe ich Mutter an und söhne mich mit ihr aus, redete sie sich selbst zu. Aber der Tag verging und der nächste Morgen kam, und sie hatte es wieder nicht getan.

Denn was sollte sie auch sagen? Dass ihr die Entfremdung leidtat? Dass sie sich vielleicht doch geirrt hatte? Dass sie das aber erst gemerkt hatte, seit sie einem anderen Mann begegnet war? Dass dieser Mann sie mit Worten füllte, und dass sie inzwischen nichts anderes hörte? Natürlich konnte sie das ihrer Mutter nicht sagen. Aber es stimmte.

Diese unendliche Leere, die ihr Mann immer in ihr zurückgelassen hatte, die war jetzt ausgefüllt.

Kenneth war mehr als einmal da gewesen. Sobald sie Benjamin in der Kinderkrippe abgeliefert hatte, stand er da. Trotz des launischen Märzwetters immer in kurzärmeligen Hemden und engen Sommerhosen. Acht Monate Stationierung im Irak und danach zehn Monate in Afghanistan, das hatte ihn abgehärtet. Beißend kalte Temperaturen draußen wie drinnen hatten den Drang der dänischen Soldaten nach Bequemlichkeiten gezügelt, sagte er.

Es war einfach unwiderstehlich. Und einfach entsetzlich, das auch.

Sie hatte mit ihrem Mann telefoniert, hatte gehört, wie er sich nach Benjamin erkundigte und sich wunderte, wieso die Erkältung so rasch abgeklungen war. Sie hatte auch gehört, wie er ins Handy sagte, dass er sie liebe und wie sehr er sich aufs Nachhausekommen freue. Dass er vielleicht sogar schon eher zurückkommen würde. Sie glaubte nicht die Hälfte dessen, was er sagte, und genau da lag der Unterschied. Der Unterschied zu früher, als seine Worte ihr noch imponiert hatten. Heute schüchterten seine Worte sie nur noch ein.

Sie fürchtete sich. Fürchtete sich vor seinem Zorn, fürchtete sich vor seiner Macht. Setzte er sie vor die Tür, hatte sie nichts, dafür hatte er gesorgt. Na gut, vielleicht etwas. Aber eigentlich blieb ihr nichts. Vielleicht nicht einmal Benjamin.

Er war so wortgewaltig. Er jonglierte mit Worten. Wer würde ihr schon glauben, wenn sie sagte, dass es Benjamin bei seiner Mutter am besten ginge? War denn nicht etwa sie diejenige, die wegging? Hatte ihr Mann nicht sein Leben für die Familie geopfert? Nahm er nicht all die Geschäftsreisen auf sich, um ihnen ein Auskommen zu ermöglichen? Sie konnte sie schon hören, die Leute vom Jugendamt. All die Sachverständigen, die sich allein an seiner Reife orientieren und verächtlich auf ihre Fehler deuten würden.

Sie wusste es jetzt schon. Nachher rufe ich Mutter an, dachte sie. Ich schlucke alle Scham runter und erzähle ihr alles. Sie ist meine Mutter. Sie wird mir helfen. Ganz bestimmt.

Und die Stunden vergingen und die Gedanken bedrückten sie. Warum ging es ihr bloß so? Weil sie sich nach nur wenigen Tagen einem wildfremden Mann näher fühlte als ihrem eigenen Ehemann jemals in all den Jahren? Denn es stimmte. Ihren Mann kannte sie im Grunde nur von den wenigen gemeinsamen Stunden, die sie zusammen hier im Haus verbracht hatten. Was wusste sie sonst von ihm? Seine Arbeit, seine Vergangenheit, all die Kartons dort im ersten Stock hielt er von ihr fern.

Aber es war eine Sache, seine Gefühle zu verlieren. Eine ganz andere war es, dies zu rechtfertigen, nicht zuletzt vor sich selbst. Denn war er etwa nicht gut zu ihr, ihr Mann? Lag es nicht vielmehr an ihr, an ihrer gegenwärtigen Verblendung, dass sie nichts mehr sah?

Diese Gedanken wirbelten ihr unablässig durch den Kopf. Und deshalb ging sie wieder in den ersten Stock hinauf und stand wieder vor der Tür, hinter der sich die Umzugskartons befanden. War jetzt der Zeitpunkt gekommen, um die Grenze zu überschreiten und sich Klarheit zu verschaffen? War jetzt der Punkt gekommen, von dem aus es keinen Weg mehr zurück gab?

Ja.

Sie zog die Umzugskartons einen nach dem anderen auf den Flur hinaus und baute sie in umgekehrter Reihenfolge auf. Wenn sie die Kartons später zurückstellte, mussten sie in genau derselben Ordnung stehen wie vorher, und obenauf kamen die Mäntel. Nur so konnte sie die Kontrolle über das Projekt behalten.

Hoffte sie.

Die ersten zehn Umzugskartons, die hinterste Reihe unter dem Velux-Fenster, bestätigten, was ihr Mann gesagt hatte: lauter alter Familienkrempel, Sachen, die er sich wohl kaum selbst angeschafft hatte. Typische Erbstücke, genau wie das Zeug, das ihre Großeltern der Familie hinterlassen hatten: verschiedene Porzellanteile, allerhand Papiere, Wolldecken, Spitzendecken, ein Essservice für zwölf Personen, Zigarrenschneider, Konsolenuhren und diverser anderer Nippes.

Das Bild eines vergangenen Familienlebens, das nun dem Vergessen anheimfiel. So hatte er es ihr beschrieben.

Doch aus den nächsten zehn Kartons traten Details zutage, die einen verwirrenden Schleier über dieses Bild legten. Hier tauchten die vergoldeten Bilderrahmen auf. Sammelbücher und Ausgeschnittenes. Alben, in denen Souvenirs und Berichte über verschiedenste Ereignisse eingeklebt waren. Alles aus seiner Kindheit. Und über allem lag der Ruch von Lüge, Verheimlichen und Verschweigen, denn ganz anders, als er immer behauptet hatte, war ihr Mann offenbar kein Einzelkind. Nein, es konnte überhaupt kein Zweifel daran bestehen, dass er eine Schwester hatte.

Eines der Fotos zeigte ihren Mann im Matrosenanzug, wie er, die Arme vor der Brust verschränkt, mit traurigen Augen in die Kamera starrte. Höchstens sechs, sieben Jahre alt. Weiche Haut, das volle Haar streng zur Seite gescheitelt. Neben ihm stand ein kleines Mädchen mit langen Zöpfen. Sie lächelte unschuldig. Vielleicht wurde sie zum ersten Mal in ihrem Leben fotografiert.

Es war ein schönes kleines Foto von zwei sehr verschiedenen Kindern.

Sie drehte das Foto um und betrachtete die drei Buchstaben. *EVA*, stand da. Ursprünglich hatte da noch mehr gestanden, aber das war mit Kugelschreiber durchgestrichen.

Sie blätterte die Fotos durch und drehte jedes einzelne um. Immer wieder Durchgestrichenes.

Keine Namen, keine Ortsangaben.

Alles war durchgestrichen.

Warum streicht man Namen durch?, dachte sie. Dann sind die Menschen ja auf immer und ewig weg.

Wie oft hatte sie bei sich zu Hause gesessen und alte Schwarz-Weiß-Aufnahmen von Menschen ohne Namen angeschaut.

»Das ist deine Urgroßmutter, sie hieß Dagmar«, sagte ihre Mutter dann vielleicht. Aber es stand nirgends geschrieben. Und wenn ihre Mutter tot war, was passierte dann mit den Namen? Wer erinnerte sich dann noch, wo und wann die Leute geboren waren?

Aber dieses Mädchen hier hatte einen Namen. Eva.

Mit Sicherheit die Schwester ihres Mannes. Augen und Mund, ganz dieselben. Auf zwei der Fotos, auf denen nur sie beide abgebildet waren, stand sie neben ihrem Bruder und blickte bewundernd zu ihm auf. Es war rührend.

Eva sah wie ein ganz gewöhnliches Mädchen aus. Blond und ordentlich gekämmt. Nur ihr Blick war nicht gewöhnlich. In ihm lag mehr Kummer als Tapferkeit. Eine Ausnahme bildeten da lediglich die zwei ersten Fotos.

Wenn der Bruder, die Schwester und die Eltern gemeinsam abgebildet waren, standen sie so dicht zusammen, als schirmten sie sich gegen den Rest der Welt ab. Sie fassten sich nie an, sie standen nur einfach sehr dicht beieinander. Auf manchen dieser Fotos standen die Kinder vorn, die Eltern dahinter. Die Kinder ließen die Arme hängen, die Hände der Mutter ruhten – nein, sie lasteten förmlich – auf den Schultern der Tochter, die des Vaters auf denen des Sohns. Die Hände der Eltern schienen die Kinder regelrecht zu Boden zu drücken.

Sie versuchte, den Jungen mit den altklugen Augen zu verstehen, der ihr Mann geworden war. Das war nicht leicht. Denn es lagen so viele Jahre zwischen ihrem Leben und seinem, das spürte sie deutlicher denn je.

Dann packte sie die Kartons mit den Fotos zusammen und öffnete die Sammelbücher. Es wäre besser gewesen, wenn sie und ihr Mann sich nie begegnet wären, das war ihr inzwischen klar. Sie war auf die Welt gekommen für einen Mann wie jenen, der fünf Straßen weiter lebte. Mit ihm sollte sie eigentlich das Leben teilen. Nicht mit dem Mann, dessen Familie und Vergangenheit sie hier entdeckte.

Sein Vater war Pfarrer gewesen, das hatte er ihr nie erzählt. Aber das ging aus mehreren Fotos eindeutig hervor.

Ein Mann, der nicht lächelte und dessen Augen Selbstbewusstsein und Macht ausstrahlten.

Anders die Augen der Mutter. Sie drückten nichts aus.

Die Beiträge in diesen Sammelbüchern ließen ahnen, warum. Dieser Vater kontrollierte offenbar alles. Da gab es Kirchenblätter, in denen er gegen Gottlosigkeit wetterte, andere, in denen er die Ungleichheit der Geschlechter predigte, oder solche, in denen er sich gegen menschliche Existenzen wandte, die in ihrem Leben Dummheiten begangen oder einfach Pech gehabt hatten. Der rote Faden all dieser Pamphlete war das Wort Gottes, an das er sich klammerte und das er nur losließ, um es den Ungläubigen entgegenzuschleudern. Ja, ihr Mann und sie waren wahrlich unter sehr unterschiedlichen Bedingungen aufgewachsen, davon zeugten diese Schriften nur zu deutlich.

Eine geradezu widerwärtige Atmosphäre aus Vaterlandsverherrlichung, Intoleranz, aus abgrundtiefem Konservatismus und Chauvinismus sprang sie aus den vergilbten Schmähschriften an. Selbstverständlich handelte es sich um den Vater und nicht um ihren Mann. Und dennoch. Jetzt im Moment konnte sie spüren, wie der Fluch der Vergangenheit eine Finsternis in ihm geschaffen hatte, die nur dann ganz verschwand, wenn er mit ihr schlief. Und wenn sie näher darüber nachdachte, dann hatte sie das unbewusst vielleicht schon immer gespürt.

Alles in allem musste an dieser Kindheit etwas total verkehrt gewesen sein. Wann immer ein Name oder ein Ort angegeben waren, hatte jemand diese Angaben mit Kuli durchgestrichen. Und wie es schien, immer mit demselben Kugelschreiber.

Wenn sie das nächste Mal in die Bibliothek kam, wollte sie versuchen, Benjamins Großvater zu googeln. Aber auch hier, zwischen all diesen Fragmenten aus der Vergangenheit, mussten sich doch noch weitere Hinweise auf diesen autoritären, voreingenommenen Menschen finden lassen.

Vielleicht konnte sie ja mit ihrem Mann darüber sprechen. Vielleicht würde das ihre Beziehung entspannen.

Sie öffnete ein paar Schuhkartons, die in einem der Umzugskartons gestapelt waren. Zuunterst lagen verschiedene Dinge von mäßigem Interesse, unter anderem ein Ronson-Feuerzeug. Sie probierte es aus und war erstaunt, dass es tadellos funktionierte. Manschettenknöpfe, ein Papiermesser und Büroartikel, wahrscheinlich alles aus derselben Lebensphase.

Die übrigen Schuhkartons enthüllten eine ganz andere Zeit. Zeitungsausschnitte, Broschüren und politische Pamphlete. Mit jedem Karton kamen andere, neue Fragmente aus dem Leben ihres Mannes ans Licht, und zusammen formten sie das Bild eines zutiefst erniedrigten und verletzten Menschen, der sich gleichermaßen zum Spiegelbild wie zum Gegenpol seines Vaters entwickelte. Ein Jugendlicher, der unwillkürlich die entgegengesetzte Richtung zu den Lehren seiner Kindheit einschlug. Ein Halbwüchsiger, der statt Reaktion Aktion wählte. Ein Mann, der auf die Barrikaden ging, der alles Totalitäre unterstützte, alles, das nichts mit Religion zu tun hatte. Der den Lärm der Vesterbrogade suchte, wenn sich die Hausbesetzerszene versammelte. Der den Matrosenanzug mit dem Lammfellmantel tauschte, mit der Armeejacke und dem Palästinensertuch. Und der gegebenenfalls schnell das Tuch vors Gesicht zog.

Er war ein Chamäleon, das genau wusste, in welche Farben es sich wann hüllen wollte. Das begriff sie erst jetzt.

Einen Augenblick stand sie vor den Kartons und erwog, die Kisten wieder einzuräumen und einfach auszublenden, was sie gesehen hatte. Schließlich lagerten in diesen Kartons Dinge, die auch er offenkundig vergessen wollte.

Hatte er nicht in gewisser Weise einen Schlussstrich unter sein früheres Leben ziehen wollen? Doch, ja. Sonst hätte er ihr doch von alledem erzählt. Sonst hätte er nicht sämtliche Namen und Orte durchgestrichen.

Aber konnte sie an dieser Stelle wirklich einfach aufhören?

Wenn sie jetzt nicht weiter in sein Leben abtauchte, würde

sie ihn nie wirklich verstehen. Würde nie erfahren, wer der Vater ihres Kindes tatsächlich war.

Und so wandte sie sich dem Rest seines Lebens zu, das ordentlich verpackt auf dem Flur stand. Archivboxen in Schuhkartons, Schuhkartons in Umzugskartons. Alles chronologisch sortiert und sauber etikettiert.

Sie hatte erwartet, dass nun, nach den Jahren auf den Barrikaden, die Zeit kommen würde, da die Probleme begannen. Aber irgendetwas hatte ihn offenbar zu einem Kurswechsel gebracht. Als wäre er für eine Weile zur Ruhe gekommen.

Jede Lebensphase steckte in einer eigenen Klarsichthülle, versehen mit Monats- und Jahresangaben. Offenbar hatte er ein Jahr lang Jura studiert, ein weiteres Philosophie. Zwei Jahre war er mit dem Rucksack in Mittelamerika unterwegs gewesen, wo er sich den Notizen und Faltblättern zufolge mit allerlei kleinen Jobs auf Weingütern, in Hotels oder Schlachthöfen über Wasser gehalten hatte.

Erst nach seiner Rückkehr schien er sich langsam in die Person zu verwandeln, die sie zu kennen glaubte. Wiederum diese ordentlichen Plastikhüllen. Informationsschriften vom Militär. Hingekritzelte Notizen über eine Unteroffiziersausbildung, über die Militärpolizei und das Jägerkorps. Danach endeten die persönlichen Aufzeichnungen und die Sammlung kleiner Reliquien.

Keine Namen mehr, keine spezifischen Angaben zu Orten oder persönlichen Beziehungen. Nur ein grober Abriss der vergangenen Jahre.

Broschüren und Faltblätter in verschiedenen Sprachen gaben Hinweise auf die jeweilige Richtung, die er einzuschlagen erwog. Informationen über eine Ausbildung bei der belgischen Handelsmarine. Über die Fremdenlegion mit schönen Fotos von Südfrankreich. Kopien von Bewerbungsunterlagen für eine kaufmännische Lehre.

Aber all das sagte nichts aus über den Weg, den er letztlich eingeschlagen hatte. Es zeigte nur etwas von den Vorstellungen, die ihn in einer bestimmten Phase seines Lebens bewegt hatten und die insgesamt vollkommen chaotisch wirkten.

Und während sie die Kartons wieder an ihren Platz räumte, kam die Angst. Sie wusste, dass er zu einem geheimen Auftrag aufgebrochen war, jedenfalls hatte er ihr das so gesagt. Und dass dies im Dienste des Guten war, davon war sie bis jetzt ganz selbstverständlich ausgegangen. Nachrichtendienst, undercover, vielleicht bei der Polizei, irgendetwas in der Art. Aber warum war sie sich eigentlich so sicher, dass er im Dienst des Guten unterwegs war? Hatte sie denn einen Beweis dafür?

Sie wusste einzig und allein, dass er niemals ein normales Leben geführt hatte. Er stand außerhalb von allem. Sein Leben hatte sich immer am Rande abgespielt.

Und nun hatte sie Einblick in die ersten dreißig Jahre seines Lebens genommen und wusste doch immer noch nichts über ihn.

Zum Schluss kamen die Kartons, die obenauf gestanden hatten. In manche hatte sie schon zu Beginn einen Blick geworfen, aber längst nicht in alle. Und nun, als sie die Kartons systematisch einen nach dem anderen öffnete, drängte sich ihr plötzlich die erschreckende Frage auf, warum diese Kartons dort so leicht zugänglich standen?

Die Frage war deshalb so erschreckend, weil sie die Antwort kannte: Die Kartons standen so offen herum, weil es völlig undenkbar war, dass sie darin wühlen würde. So einfach war das. Was konnte die Macht, die er über sie hatte, beklemmender verdeutlichen? Das hier war allein sein Bereich. Der war tabu für sie, und bislang hatte sie das ohne weiteres akzeptiert.

Eine solche Macht über einen anderen Menschen hat nur jemand, der diese Macht auch ausüben will.

Zunehmend angespannt, mit fest zusammengepressten Lippen und tief durch die Nase atmend, öffnete sie die oberen Kartons.

Die Kartons waren voller Archivboxen und darin steckten jede Menge DIN-A4-Mappen. Deren Pappdeckel waren bunt, aber ihr Inhalt wirkte rabenschwarz.

Die ersten Boxen zeugten von einer Periode, in der ihr Mann anscheinend versucht hatte, für seine gottlose Zeit Abbitte zu leisten. Wieder diese Broschüren. Broschüren von allerhand religiösen Vereinigungen, ordentlich in Plastikhüllen verstaut. Handzettel, die von der Ewigkeit und von Gottes ewigem Licht sprachen und davon, wie man mit Sicherheit dorthin gelangen konnte. Broschüren von neureligiösen Gemeinden und Sekten, die allesamt meinten, die endgültige Antwort auf die Bedrängnisse der Menschheit zu kennen: Sathya Sai Baba, Scientology, Kirche der Gottesmutter, Zeugen Jehovas, Kinder Gottes, Unification Church, Vierter Weg, Divine Light Mission und etliche andere, von denen sie noch nie gehört hatte. Und egal welcher Herkunft diese Religionen waren, sie beriefen sich alle darauf, den einzig wahren Weg zum Heil, zu Harmonie und Nächstenliebe zu kennen. Den einzig wahren Weg – so sicher wie das Amen in der Kirche.

Sie schüttelte den Kopf. Was hatte er gesucht? Er, der mit aller Macht das drückende Korsett der Kindheit und die christlichen Dogmen abgestreift hatte? Ihres Wissens nach hatte keines dieser vielfältigen Angebote vor den Augen ihres Mannes Gnade gefunden.

Nein, Gott und Religion gehörten wahrlich nicht zu den Worten, die in ihrer Klinkervilla im mächtigen Schatten des Doms von Roskilde oft zu hören waren.

Als sie Benjamin in der Kinderkrippe abgeholt und ein bisschen mit ihm gespielt hatte, setzte sie ihn vor den Fernseher. Hauptsache, es waren Farben zu sehen, Hauptsache, die Bilder bewegten sich, dann war er zufrieden.

Noch während sie zurück in den ersten Stock ging, überlegte sie, ob sie nicht aufhören sollte. Ob sie die letzten Kartons nicht ungeöffnet wieder an ihren Platz stellen und die schmerzliche Vergangenheit ihres Mannes ruhen lassen sollte.

Zwanzig Minuten später war sie froh, diesem Impuls nicht gefolgt zu sein. Stattdessen überlegte sie allen Ernstes, ob sie nicht auf der Stelle ihre Sachen zusammenraffen, die Blechdose mit dem Haushaltsgeld greifen und den erstbesten Zug nehmen sollte. So elend fühlte sie sich.

Sie hatte schon damit gerechnet, in den Kartons Dinge zu finden, die ihre gemeinsame Zeit betrafen, jene Lebensphase, von der sie ein Teil geworden war. Aber sie hatte nicht damit gerechnet, sich selbst als Teil seiner Projekte aufgeführt zu sehen.

Er hatte ihr gesagt, er habe sich Hals über Kopf in sie verliebt, schon gleich bei ihrer ersten Begegnung. Und genau so hatte auch sie empfunden. Doch das war alles nur Bluff gewesen, das wusste sie jetzt.

Denn wie sollte ihre erste Begegnung im Café zufällig gewesen sein, wenn er hier einen Zeitungsartikel vom Springreiten im Bernstorffpark aufbewahrte, wo sie zum allerersten Mal auf dem Siegerpodest gestanden hatte? Das war doch viele Monate vor ihrer ersten Begegnung gewesen. Woher hatte er diesen Zeitungsausschnitt? Wenn er später über den Artikel gestolpert wäre, dann hätte er ihn ihr doch gezeigt, oder? Außerdem besaß er Programme von Turnieren, an denen sie lange Zeit davor teilgenommen hatte. Er hatte sie sogar an Orten fotografiert, wo sie auf keinen Fall mit ihm zusammen gewesen war. Also hatte er sie bereits Monate vor ihrer sogenannten ersten Begegnung systematisch ausspioniert.

Er hatte nur auf den richtigen Moment gewartet, um zuzuschlagen. Sie war von ihm ausgewählt worden, aber so, wie sich die Dinge nun entwickelt hatten, schmeichelte ihr das nicht, bestimmt nicht.

Sie bekam Gänsehaut.

Und noch mehr erschauderte sie, als sie eine Archivbox aus

Holz öffnete, die im selben Umzugskarton lag. Auf den ersten Blick nichts Besonderes. Nur ein Kasten mit Listen von Namen und Adressen, die ihr nichts sagten. Erst bei genauerem Hinsehen spürte sie das Unbehagen.

Warum waren diese Informationen für ihren Mann so wichtig? Sie verstand es nicht.

Zu jedem Namen, der auf der Liste stand, war eine Seite beigefügt, auf der in peinlicher Ordnung Daten zu der Person und der betreffenden Familie notiert waren. Zuerst, welcher Religionsgemeinschaft und welcher Gemeinde sie angehörten. Dann, welchen Status sie innerhalb dieser Gemeinde hatten, und anschließend, wie lange sie Mitglieder waren. Es folgten eher persönliche Informationen, unter anderem ausführliche Angaben über die Kinder der Familien. Name und Alter und auch ihre Charakterzüge, was sie am befremdlichsten fand. Da stand zum Beispiel:

Willers Schou, fünfzehn Jahre. Nicht gerade Mutters Liebling, aber er steht dem Vater sehr nahe. Unbändiger Junge, der nicht regelmäßig an den Treffen der Gemeinde teilnimmt. Im Winter meistens erkältet, zweimal bettlägerig.

Was wollte ihr Mann mit solchen Informationen? Und was ging ihn das Einkommen der Familien an? Spionierte er für das Sozialamt, oder was? Oder war er darauf angesetzt, Sekten in Dänemark zu infiltrieren und dort Inzest, Gewalt und andere Ungeheuerlichkeiten aufzudecken?

Anscheinend war er landesweit tätig, und das hieß doch, dass er nicht bei der Kommune, nicht beim Sozialamt angestellt sein konnte. Nach ihrer Überzeugung konnte er überhaupt kein Mitarbeiter des öffentlichen Dienstes sein, denn wer von denen bewahrte schon persönliche Informationen solcher Art bei sich zu Hause in Umzugskartons auf?

Aber was war er dann? Privatdetektiv? Angeheuert von irgendeinem Superreichen, um religiöse Milieus auszukundschaften?

Vielleicht.

Und im Bewusstsein dieses »Vielleicht« fand sie Ruhe. Bis sie ein Blatt Papier entdeckte, wo ganz unten, unter allen anderen Informationen über die Familie, stand: *1,2 Millionen. Keine Unregelmäßigkeiten.*

Lange saß sie da und hielt das Papier im Schoß. Auch in diesem Fall handelte es sich um eine kinderreiche Familie mit Anbindung an eine religiöse Sekte. Sie unterschieden sich insgesamt nicht von den anderen, bis auf diese letzte Zeile, und dann noch ein weiteres Detail: Neben dem Namen eines der Kinder war ein Häkchen. Ein sechzehnjähriger Junge, über den dort lediglich stand, dass er von allen geliebt würde.

Warum dann dieses Häkchen neben seinem Namen? Weil ihn alle liebten?

Sie biss sich auf die Lippe. Sie fühlte sich völlig leer, hatte keinen Plan, keine Idee. Nur eine innere Stimme, die sie drängte, die Beine in die Hand zu nehmen und zu sehen, dass sie wegkam. Aber war Flucht das Richtige?

Vielleicht konnte man das alles hier gegen ihn verwenden? Vielleicht konnte sie sich auf diese Weise Benjamin sichern? Nur wusste sie noch nicht, wie.

Sorgsam stellte sie die beiden letzten Umzugskisten an ihren Platz, Kartons mit belanglosen Sachen von ihm, für die sie in ihrem gemeinsamen Heim keine Verwendung gehabt hatten.

Am Ende legte sie die Mäntel vorsichtig obenauf. Die einzige Spur ihrer Indiskretion war jetzt die Delle, die einer der Kartons bekommen hatte, als sie nach dem Ladegerät gesucht hatte. Und die war so gut wie nicht zu sehen.

Das muss reichen, dachte sie.

Da klingelte es.

Kenneth stand in der Abenddämmerung vor der Tür. Er verhielt sich auch diesmal genau so, wie sie es ausgemacht hatten.

Hielt eine zerknitterte Ausgabe der Tageszeitung in der Hand, bereit zu fragen, ob die hier im Haus fehlte. Dass sie mitten auf dem Weg gelegen habe und dass auf die Zeitungsausträger immer weniger Verlass sei. Falls ihr Gesichtsausdruck ihm zeigte, dass Gefahr im Verzug war, oder falls entgegen allen Erwartungen ihr Mann die Tür öffnete.

Dieses Mal wusste sie nicht, welche Miene sie zeigen sollte.

»Komm für einen Moment herein«, sagte sie nur.

Sie ließ den Blick über die Straße schweifen. Es war schon recht dunkel. Und alles war ruhig.

»Was ist los? Kommt er nach Hause?«, fragte Kenneth.

»Nein, das glaube ich nicht, dann hätte er angerufen.«

»Was ist denn? Geht's dir nicht gut?«

»Nein.« Sie biss sich auf die Lippe. Was hätte es für einen Sinn, ihn mit ihren Entdeckungen zu behelligen? Wäre es nicht am besten, den Kontakt eine Weile ruhen zu lassen, damit er nicht hineingezogen würde in das, was mit Sicherheit kam? Wer würde ihnen eine Beziehung nachweisen können, wenn sie sich eine Zeit lang nicht sähen?

Sie nickte in Gedanken. »Nein, Kenneth, im Moment bin ich nicht ich selbst.«

Er schwieg, sah sie nur an. Wachsame Augen unter hellen Augenbrauen, die Gefahrenmomente zu deuten gelernt hatten. Sie hatten sofort erkannt, dass etwas nicht stimmte. Sie hatten die Konsequenzen für die Gefühle erkannt, die er nicht länger unterdrücken wollte. Und der Verteidigungsinstinkt war geweckt.

»Sag doch bitte, Mia, was ist denn?«

Sie zog ihn von der Tür weg ins Zimmer, wo Benjamin so ruhig vor dem Fernseher saß, wie es nur ganz kleine Kinder fertigbringen. Dort bei diesem kleinen Menschen mussten die Kräfte konzentriert werden.

Sie wollte sich gerade zu Kenneth umdrehen und ihm sagen, er solle sich keine Sorgen machen, sie müsse für eine Weile weg, als Autoscheinwerfer den dunklen Vorgarten durchschnitten.

»Du musst gehen, Kenneth. Durch die Hintertür. Schnell!«

»Können wir nicht …«

»Sofort, Kenneth!«

»Okay, aber in der Einfahrt steht mein Fahrrad. Was ist damit?«

Jetzt begann sie unter den Achseln zu schwitzen. Sollte sie sofort mit ihm weglaufen? Einfach mit Benjamin auf dem Arm durch die Haustür gehen? Nein, das wagte sie nicht. Das traute sie sich einfach nicht.

»Ich erzähle ihm irgendwas, aber geh jetzt. Durch die Küche, damit Benjamin nichts merkt!«

Und nur den Bruchteil einer Sekunde, bevor in der Haustür der Schlüssel umgedreht wurde, klappte die Hintertür zu.

Da saß sie schon neben ihrem Sohn auf dem Fußboden vor dem Fernseher und hatte die Arme um das Kind geschlungen.

»Hörst du, Benjamin?«, sagte sie. »Da kommt Papa. Jetzt machen wir's uns richtig schön, ja?«

18

An einem so nebligen Freitag im März ließ sich über die Hauptverkehrsader quer durch Schonen nicht viel sagen. Nahm man Häuser und Straßenschilder weg, konnte man genauso gut zwischen Ringsted und Slagelse unterwegs sein. Ziemlich flach, sehr gepflegt, ohne jeden Reiz.

Und doch gab es im Präsidium mindestens fünfzig Kollegen, die leuchtende Augen bekamen, sobald ihnen ein S wie Schweden über die Lippen kam. Glaubte man ihnen, befriedigten bereits das Überqueren der Landesgrenze und der Anblick der blau-gelben Flagge sämtliche menschlichen Bedürfnisse. Carl sah durch die Windschutzscheibe und schüttelte den Kopf. Ihm schien ganz einfach ein Gen zu fehlen. Dieses besondere Gen, das einen in Entzücken versetzte, sobald Wörter wie *lingon*, *potatismos* oder *korv* so profane Dinge wie Preiselbeeren, Kartoffelbrei oder Wurst bezeichneten.

Erst als er Blekinge erreichte, veränderte sich die Landschaft so, dass sie auch seinen Beifall fand. Es gab Menschen, die behaupteten, den Göttern hätten vor Müdigkeit die Hände gezittert, damals, als sie auf der Erde die Felsen und Steine verteilten und endlich Blekinge erreicht hatten. Die Landschaft war wesentlich besser anzusehen. Und trotzdem. Nichts als Bäume und Steine. Und immer noch Schweden.

Nicht eben viele Liegestühle und Camparis, dachte er, als er schließlich in Hallabro ankam und eine Runde um das typische Ortszentrum einer kleinen schwedischen Provinzstadt drehte: die übliche Kombination aus Kiosk, Tankstelle und Autowerkstatt mit Spezialisierung auf Neulackierungen.

Das Haus am Gamla Kongavägen lag oberhalb des Orts. Ein

Steinwall markierte die Grundstücksgrenze, und die drei erhellten Fenster zeigten an, dass Assads Anruf die Familie nicht alarmiert hatte.

Er klopfte an die Tür. Aus dem Haus war nicht eben wilde Aktivität zu hören.

Ach verdammt, dachte er. Es ist doch Freitag. Ob die Zeugen Jehovas den Sabbat heiligten? Wenn die Juden am Freitagabend anfingen, den Sabbat zu feiern, stand das sicher in der Bibel, und an die hielten sich die Zeugen Jehovas doch buchstabengetreu.

Er klopfte noch einmal. Vielleicht öffneten sie ihm nicht, weil sie es nicht durften. War am Sabbat jegliche Bewegung untersagt? Wenn ja, was sollte er dann tun? Die Tür eintreten? Keine gute Idee in einem Zipfel der Welt, wo unter jeder Matratze ein Jagdgewehr lag.

Einen Augenblick sah er sich um. In der einbrechenden Dunkelheit wirkte der Ort wie verlassen. Um diese Uhrzeit legte man doch am besten die Füße auf den Tisch und dachte nicht mehr an den Tag, der gerade vergangen war.

Wo um Himmels willen findet man in diesem gottverlassenen Winkel wohl einen Platz zum Schlafen?, dachte er gerade, als hinter dem Türfenster das Licht anging.

Die Tür wurde einen Spaltbreit geöffnet und das ernste, blasse Gesicht eines vierzehn-, fünfzehnjährigen Jungen erschien. Er sah Carl an, sagte aber kein Wort.

»Hallo«, grüßte Carl. »Sind dein Vater oder deine Mutter zu Hause?«

Da schloss der Junge leise die Tür und schob sogar den Riegel vor. Sein Gesichtsausdruck war ganz ruhig gewesen. Offenbar wusste er, was von ihm erwartet wurde, und dazu gehörte eindeutig, ungebetene Gäste nicht ins Haus zu lassen.

Es vergingen ein paar Minuten, während derer Carl die Tür einfach angaffte. Manchmal half das, man musste nur stur genug sein.

Einheimische spazierten unten im Licht der Straßenlaternen vorbei und nagelten ihn mit misstrauischen Blicken fest. Treue Wachhunde gab's in jeder Kleinstadt.

Schließlich tauchte das Gesicht eines Mannes hinter dem Türfenster auf. Die Wartestrategie hatte wieder einmal funktioniert. Die Tür wurde aufgeschlossen. Ein farbloser Typ sah Carl an, als habe er eine bestimmte Person erwartet.

»Ja?« Er wartete ab, überließ Carl die Initiative.

Carl fischte seine Dienstmarke aus der Tasche. »Carl Mørck, Sonderdezernat Q, Kopenhagen«, sagte er. »Sind Sie Martin Holt?«

Der Mann fühlte sich offenkundig unwohl, als er auf die Marke sah und nickte.

»Kann ich hereinkommen?«

»Worum handelt es sich denn?«, antwortete der Mann mit leiser Stimme in einwandfreiem Dänisch.

»Können wir darüber vielleicht drinnen sprechen?«

»Ich glaube nicht.« Die blasse Gestalt zog sich zurück und machte Anstalten, die Tür wieder zu schließen. Da packte Carl den Türgriff.

»Martin Holt, erlauben Sie mir, einige Worte mit Ihrem Sohn Poul zu wechseln?«

Er zögerte. »Nein«, sagte er dann. »Der ist nicht hier, das geht also nicht.«

»Wo kann ich ihn treffen, wenn ich fragen darf?«

»Das weiß ich nicht.« Er sah Carl fest an. Etwas zu fest für diese Bemerkung.

»Sie haben keine Adresse von Ihrem Sohn Poul?«

»Nein. Und jetzt möchte ich in Ruhe gelassen werden. Wir haben Bibelstunde.«

Carl zog seinen Zettel hervor. »Ich habe hier die Liste des Einwohnermeldeamtes, wer am 16. Februar 1996, als Poul an der Ingenieurhochschule aufhörte, unter Ihrer damaligen Adresse in Græsted als wohnhaft gemeldet war. Wie Sie hier sehen, waren das Sie und Ihre Frau Laila sowie Ihre Kinder Poul, Mikkeline, Tryggve, Ellen und Henrik.« Er blickte auf. »Aus den Personennummern geht hervor, dass die Kinder heute entsprechend einunddreißig, sechsundzwanzig, vierundzwanzig, sechzehn und fünfzehn Jahre alt sind. Ist das korrekt?«

Martin Holt nickte und schob den Jungen weg, der gekommen war und ihm nun neugierig über die Schulter blickte. Derselbe Junge wie vorhin. Das war bestimmt Henrik.

Carl sah dem Jungen nach. Seine Augen hatten diesen willenlosen, leblosen Ausdruck, den Menschen bekommen, wenn sie über nichts anderes entscheiden dürfen, als wann sie Stuhlgang haben wollen.

Dann richtete Carl den Blick wieder auf den Mann, der die Zügel in seiner Familie offenbar sehr straff hielt. »Wir wissen, dass Poul an dem Tag, an dem er sich zum letzten Mal an der Ingenieurhochschule zeigte, zusammen mit Tryggve dort war«, sagte er. »Wenn Poul also nicht zu Hause lebt, gestatten Sie mir vielleicht, stattdessen mit Tryggve zu sprechen? Nur für einen Moment?«

»Nein, mit dem reden wir nicht mehr«, kam es kalt und tonlos. Die Lampe über der Haustür zeigte die ungesunde graue Hautfarbe eines überlasteten Menschen. Zu viel Arbeit, zu viele Entscheidungen und zu wenige positive Erlebnisse. Graue Haut und matte Augen, der Mann hatte beides. Und diese Augen waren das Letzte, was Carl sah, ehe der Mann die Tür zuknallte.

Eine Sekunde später erlosch das Licht über der Haustür und im Flur. Aber Carl wusste, dass der Mann noch immer dort drinnen stand und darauf wartete, dass er wegging.

Da machte Carl ein paar vorsichtige Schritte auf der Stelle, sodass es sich anhörte, als ginge er die Treppe hinunter.

Im selben Moment hörte man den Mann hinter der Tür beten.

»Zügele unsere Zunge, Herr, sodass wir diese hässlichen

Worte nicht aussprechen, die Worte, die unwahr sind, die wahren Worte, die nicht die ganze Wahrheit sagen, die ganze Wahrheit, die unbarmherzig ist. Um Jesu Christi willen.« Er betete auf Schwedisch.

Sogar seine Muttersprache hatte er aufgegeben.

»Zügele unsere Zunge, Herr« und »Mit dem sprechen wir nicht mehr«, hatte er gesagt. Wie zum Teufel konnte er so etwas sagen? War es nicht gestattet, über Tryggve zu sprechen? Oder über Poul? Waren die beiden Söhne im Zusammenhang mit den Geschehnissen damals verstoßen worden? Hatten sie sich als unwürdig für Gottes Reich erwiesen? War es so einfach?

In dem Fall ginge es einen dänischen Beamten tatsächlich nichts mehr an.

Und was nun?, dachte er. Sollte er trotzdem die Polizei in Karlshamn anrufen und um Unterstützung bitten? Und wie sollte er argumentieren? Die Familie hatte ja nichts angestellt. Soweit ihm bekannt war.

Er schüttelte den Kopf, stieg lautlos die Treppe hinunter und setzte sich ins Auto. Rückwärts fuhr er zurück auf die Straße und hielt nach einer Stelle Ausschau, wo er einigermaßen unverfänglich parken konnte.

Dann schraubte er den Deckel seiner Thermoskanne auf. Der Mist war eiskalt. Natürlich, wie sollte es auch anders sein, dachte er. Mindestens zehn Jahre war es her, seit er zuletzt einen solchen Nachtdienst übernommen hatte. Auch damals war das nicht ganz freiwillig gewesen. Feuchtkalte Märznächte in einem Auto ohne anständige Nackenstütze und mit eiskaltem Kaffee im Plastikbecher waren nicht gerade das, was er im Sinn gehabt hatte, als er den Job im Präsidium übernahm. Und jetzt saß er hier. Ohne einen blassen Schimmer, wie es weitergehen sollte. Nur geleitet von dem, was sich Instinkt nannte und sekundenschnell die Reaktionen von Menschen zu deuten vermochte.

Eines war sicher: Der Mann da oben in dem Haus auf der Anhöhe hatte nicht natürlich reagiert. Martin Holt war zu abweisend, zu gefühllos, zu bedrückt gewesen, als er über seine beiden ältesten Söhne sprach, und zugleich hatte es ihn zu wenig interessiert, warum sich ein Polizeikommissar aus Kopenhagen in dieses felsige Land hier oben begab. Nicht so sehr das, wonach die Leute fragten, sondern eher das, wonach sie *nicht* fragten, zeigte dem aufmerksamen Zuhörer, dass etwas nicht stimmte. Das galt wohl auch in diesem Fall.

Carl blickte hinauf zu dem Haus über der Kurve und klemmte sich den Kaffeebecher zwischen die Schenkel. Jetzt wollte er vorsichtig die Augen schließen. Powernaps waren ein Lebenselixier.

Nur zwei Minuten, dachte er und wachte zwanzig Minuten später auf, wobei er feststellen musste, dass ein ganzer Becher Kaffee seine Genitalien abkühlte.

»Scheiße!«, brüllte er und wischte den Plastikbecher und den Kaffee von der Hose. Sekunden später wiederholte er den Fluch, als er sah, wie die Scheinwerfer eines Autos vom Haus da oben hinunter zur Straße Richtung Ronneby glitten.

Er ließ den Kaffee Kaffee sein, mochte er doch in den Sitz sickern, warf den Motor an und trat das Gaspedal durch. Es war verdammt dunkel hier. Kaum hatten sie Hallabro hinter sich gelassen, gab es in dieser steinigen Einsamkeit Blekinges nur noch die Sterne über ihm und den Wagen vor ihm.

So fuhren sie zehn bis fünfzehn Kilometer, dann streiften die Scheinwerfer ein grellgelbes Haus. Es stand auf einer Kuppe, aber so nahe an der Straße, dass wahrscheinlich schon ein kräftiger Windstoß ausreichte, um das hässliche Gebäude zu einem ernsten Verkehrshindernis zu machen.

Der Wagen vor ihm bremste und bog in die Einfahrt ein. Carl wartete zehn Minuten am Straßenrand, dann ließ er seinen Peugeot dort stehen und bewegte sich vorsichtig zum Haus hin.

Erst da sah er die vielen Gestalten im Wagen. Vier Menschen in allen Größen. Unbeweglich, finster.

Erneut verharrte er ein paar Minuten. Bis auf den Anstrich, der sogar im Dunkeln leuchtete, war dieses Haus kein heiterer Anblick.

Haufenweise Müll und rostige alte Gerätschaften. Das Ganze wirkte, als rottete es seit vielen Jahren verlassen vor sich hin.

Für so eine Familie ist das doch ein weiter Weg von dem eleganten Haus in Græsteds Villenviertel bis zu dieser Einöde hier, dachte Carl und verfolgte die Scheinwerfer eines schnell fahrenden Autos, das unten aus Ronneby kam. Der Lichtkegel fegte über die Giebelwand und das auf dem Hof geparkte Auto. Für den Bruchteil einer Sekunde beleuchtete er das verweinte Gesicht der Mutter und auf dem Rücksitz die Gesichter einer jungen Frau und zweier Teenager. Alle wirkten extrem mitgenommen, nervös und erschrocken.

Carl schlich bis ans Haus heran und legte ein Ohr an die morsche Bretterwand. Jetzt konnte er erkennen, dass den alten Kasten vermutlich nur die Farbschicht noch zusammenhielt.

Im Haus ging es hoch her. Zwei Männer, die lautstark diskutierten, offenkundig uneins in irgendeinem Punkt. Das war ihrem Schreien und dem harten, unversöhnlichen Tonfall zu entnehmen.

Als das Gebrüll abrupt aufhörte, konnte Carl gerade noch sehen, wie der Mann die Haustür hinter sich zuknallte und sich förmlich auf den Fahrersitz des wartenden Autos warf.

Mit quietschenden Reifen setzte er zurück und donnerte südwärts davon.

Carl hatte seine Entscheidung getroffen.

Das hässliche gelbe Haus schien ihm etwas zuzuflüstern.

Und er hörte mit großen Ohren zu.

Auf dem Namensschild stand *Lillemor Bengtsson*. Doch die junge Frau, die auf sein Klingeln öffnete, hatte gar nichts von einer »kleinen Mutter«. Anfang zwanzig, blond, leicht schiefe Vorderzähne – und schlichtweg bezaubernd, wie man wohl früher gesagt hätte.

Also hatte Schweden doch etwas Gutes.

»Nun, ich gehe davon aus, dass ich irgendwie erwartet werde.« Er zeigte ihr seine Dienstmarke. »Treffe ich Poul Holt hier an?«

Sie schüttelte den Kopf, lächelte aber. Sie hatte sich bei dem Streit eben wohl in sicherem Abstand gehalten.

»Dann ist Tryggve da?«

»Kommen Sie herein.« Sie trat zur Seite und deutete auf die nächste Tür.

»Er ist da, Tryggve«, rief sie ins Zimmer. »Ich geh schon schlafen, ja?«

Sie lächelte Carl zu, als wären sie alte Freunde, und ließ ihn mit ihrem Freund allein.

Der war groß und dünn, so ein richtig langes Elend. Aber was hatte er sich eigentlich vorgestellt? Carl streckte ihm die Hand hin und wurde mit einem harten Händedruck begrüßt.

»Tryggve Holt«, sagte er. »Ja, mein Vater war hier und hat mich gewarnt.«

Carl nickte. »Ich hatte den Eindruck, dass Sie eigentlich nicht miteinander reden?«

»Das stimmt. Ich bin verstoßen worden. Ich habe seit vier Jahren nicht mehr mit ihnen gesprochen, habe sie aber oft gesehen, wenn sie draußen auf der Straße anhielten.«

Er blickte Carl ruhig an. Da er von der Situation oder der vorangegangenen Auseinandersetzung nicht weiter berührt zu sein schien, kam Carl sofort zum Kernpunkt.

»Wir haben eine Flaschenpost gefunden«, sagte er und bemerkte sofort eine Regung in dem selbstsicheren Gesicht des jungen Mannes. »Ja, also die Flasche wurde vor mehreren Jahren an der schottischen Küste aus dem Meer gefischt. Aber wir von der Polizei in Kopenhagen haben sie erst vor etwa zehn Tagen erhalten.«

Die Veränderung in Tryggves Haltung war mit Händen zu greifen, und ausgelöst hatte sie das Wort »Flaschenpost«. Als wäre dieses Wort lange Zeit tief in seinem Inneren eingekapselt gewesen. Vielleicht hatte er schon lange darauf gewartet, dass es jemand aussprechen würde. Vielleicht handelte es sich um das Codewort für all die Rätsel, die ihn umtrieben. So wirkte es jedenfalls.

Tryggve biss sich auf die Lippe. »Eine Flaschenpost, sagen Sie?«

»Ja. Die hier!« Er reichte dem jungen Mann eine Kopie des Briefs.

Innerhalb von zwei Sekunden schrumpfte Tryggve um einen halben Meter, während er sich um sich selbst drehte und alles in Reichweite herunterriss. Ohne Carls reflexhafte Reaktion wäre er zu Boden gestürzt.

»Was ist passiert?« Das war die Freundin. Mit offenem Haar und in einem kurzen T-Shirt stand sie in der Tür, eigentlich bereit, ins Bett zu gehen.

Carl deutete auf den Brief.

Sie hob ihn auf, warf einen kurzen Blick darauf und gab ihn dann ihrem Freund.

Anschließend sagte minutenlang niemand etwas.

Als Tryggve sich schließlich einigermaßen gefasst hatte, schielte er zu dem Papier, als handelte es sich um eine Giftschlange. Und als wäre es das einzige Gegengift, griff er nach dem Brief und las ihn immer wieder durch, langsam, Wort für Wort.

Als er schließlich den Kopf hob und Carl ansah, war er nicht mehr derselbe. Die Botschaft der Flaschenpost hatte seine Ruhe und Selbstsicherheit aufgesogen. Das Herz klopfte ihm sichtbar bis zum Hals, er hatte einen roten Kopf, seine Lippen zitterten. Kein Zweifel, diese Flaschenpost hatte eine äußerst traumatische Erinnerung in ihm wachgerufen.

»O Gott«, stammelte er, schloss die Augen, hob die Hand und hielt sie sich vor den Mund.

Seine Freundin nahm seine Hand. »Na, Tryggve. Das musste doch raus. Jetzt ist endlich Schluss damit und alles wird gut.«

Er wischte sich die Tränen ab und wandte sich Carl zu. »Ich hab diesen Brief nie gesehen. Ich hab nur gesehen, wie er geschrieben wurde.«

Er nahm den Brief und las ihn noch einmal. Seine Finger zitterten, und er wischte sich immer wieder die Tränen weg.

»Ich hatte den liebsten und klügsten Bruder der Welt«, sagte er und seine Lippen zitterten. »Es fiel ihm nur ein bisschen schwer, sich auszudrücken.«

Dann legte er den Brief auf den Tisch, verschränkte die Arme vor der Brust und beugte sich leicht vor. »Ja, das fiel ihm schwer.«

Carl wollte ihm eine Hand auf die Schulter legen, aber Tryggve schüttelte den Kopf.

»Können wir morgen darüber sprechen?«, sagte er. »Ich kann jetzt nicht. Sie können heute Nacht auf dem Sofa schlafen. Ich bitte Lillemor, dass sie Ihnen das Bett macht, ist das okay?«

Carl sah zu dem Sofa. Es war ein bisschen zu kurz, aber ungeheuer gut gepolstert.

Das Geräusch von Autoreifen auf einer nassen Fahrbahn weckte Carl. Er streckte sich aus der krummen Haltung und drehte sich zum Fenster um. Die Uhrzeit war nicht auszumachen, es war immer noch ziemlich dunkel. Ihm gegenüber saßen die beiden jungen Menschen Hand in Hand auf abgewetzten Ikea-Sesseln und nickten ihm zu. Die Thermoskanne stand bereits auf dem Tisch, der Flaschenbrief lag daneben.

»Wie Sie wissen, hat mein großer Bruder Poul das geschrieben«, sagte Tryggve, als er sah, wie der Kaffeeduft langsam Carls Lebensgeister weckte.

»Mit auf dem Rücken gefesselten Händen.« Tryggves Augen flackerten, als er das sagte.

Auf dem Rücken gefesselte Hände! Also war Laursens Vermutung der Wahrheit sehr nahegekommen.

»Ich weiß nicht, wie er das geschafft hat«, fuhr Tryggve fort. »Aber Poul war ein sehr hartnäckiger Mensch. Und er konnte gut zeichnen. Das auch.«

Pouls Bruder lächelte traurig. »Sie können sich nicht vorstellen, wie viel es mir bedeutet, dass Sie hierhergekommen sind. Dass ich diesen Brief in Händen halten kann. Pouls Brief.«

Carl blickte auf die Kopie. Tryggve Holt hatte noch ein paar Buchstaben eingetragen. Na, dafür war er mit Sicherheit der Richtige.

Dann trank Carl einen großen Schluck Kaffee. Ohne seine relativ gute Kinderstube hätte er sich an den Hals gegriffen und gutturale Laute ausgestoßen. Verdammt, was war denn das? Pures, rabenschwarzes Koffein!

»Wo ist Poul jetzt?«, fragte er und kniff die Lippen und die Arschbacken zusammen.

»Wo Poul ist?« Tryggve sah Carl traurig an. »Hätten Sie mir diese Frage vor vielen Jahren gestellt, hätte ich Ihnen geantwortet, er sei zusammen mit den hundertvierundvierzigtausend anderen Auserwählten im Paradies. Nun sage ich nur, dass Poul tot ist. Das Letzte, was er tat, war, diesen Brief zu schreiben. Sein letztes Lebenszeichen.«

Er schluckte schwer und hielt einen Moment inne.

»Kaum zwei Minuten, nachdem er die Flasche ins Wasser geworfen hatte, wurde Poul umgebracht«, murmelte er so leise, dass es fast nicht zu hören war.

Carl richtete sich auf. Er hätte sich wohler gefühlt, wenn er diese Nachricht vollständig angezogen erhalten hätte.

»Sie sagen, er wurde ermordet?«

Tryggve nickte.

Carl runzelte die Augenbrauen. »Der Entführer hat Poul ermordet und Sie verschont?«

Lillemor streckte die Hand aus und wischte Tryggve die Tränen von der Wange. Er nickte wieder.

»Ja. Dieser Scheißkerl hat mich verschont, und dafür hab ich ihn seitdem hunderttausendmal verflucht.«

19

Wenn er eine besondere Fähigkeit besaß, dann die, falsche Blicke und aufgesetzte Mienen zu erkennen.

In dem Moment, in dem sich die Familie rund um die flachen Teller auf der Wachstuchdecke versammelte und das Vaterunser betete, wusste er schon genau, ob sein Vater die Mutter wieder geschlagen hatte. Sichtbare Anzeichen gab es keine, er schlug nie direkt ins Gesicht, dazu war er dann doch zu schlau. Er musste ja auf die Gemeinde Rücksicht nehmen. Und seine Mutter spielte mit und saß mit unergründlichem, scheinheiligem Gesicht dabei, genauestens darauf achtend, dass sich die Kinder bei Tisch benahmen und die abgezählte Anzahl Kartoffeln zu den abgezählten Stücken Fleisch aßen. Aber hinter den ruhig blinzelnden Augen lagen Angst und Hass und tiefste Ohnmacht.

Das sah er.

Manchmal sah er auch, wie sich dieser verloren-unschuldige Blick in die Augen seines Vaters schlich, aber das war selten. Eigentlich blieb sein Gesichtsausdruck immer gleich. Um die eiskalten, stechenden Pupillen dieses Mannes zu vergrößern, dazu gehörte weit mehr als die tägliche körperliche Züchtigung.

Ja, so ging es ihm damals schon mit Blicken, und so ging es ihm auch jetzt.

Im selben Moment, als er durch die Tür trat, entdeckte er das Fremde in den Augen seiner Frau. Natürlich lächelte sie. Aber das Lächeln war schief und ihr Blick endete im leeren Raum direkt vor seinem Gesicht.

Wenn sie das Kind nicht so an sich gedrückt hätte, hätte er vielleicht geglaubt, sie sei müde oder habe Kopfweh, so, wie sie dort auf dem Fußboden saß. Aber sie hielt das Kind fest und schien dabei ganz weit weg zu sein.

Das passte nicht zusammen.

»Hallo«, begrüßte er sie und atmete dieses Konglomerat aus Gerüchen des Hauses ein. Aber im Vertrauten fiel ihm ein aromatischer Unterton auf, der ihm fremd vorkam. Eine schwache Witterung von Problemen, von überschrittenen Grenzen.

»Spendierst du eine Tasse Tee?«, fragte er und streichelte ihre Wange. Die war heiß, als hätte sie Fieber.

»Und wie steht's mit dir, altes Haus?« Er nahm seinen Sohn auf den Schoß und sah ihm in die Augen. Die waren klar und fröhlich und müde. Das Lächeln kam unverzüglich.

»Er sieht jetzt aber eigentlich gut aus«, sagte er.

»Ja. Noch bis gestern hatte er ordentlich Schnupfen, aber heute früh war er wieder ganz okay. Du weißt ja, wie das bei Kindern ist.« Sie lächelte kurz, und auch das wirkte fremd.

Als wäre sie in den wenigen Tagen, in denen er weg gewesen war, um Jahre gealtert.

Er hielt, was er versprochen hatte. Liebte sie so heftig wie in der Woche davor. Aber es dauerte länger als sonst. Länger, bis sie sich hingeben und Körper und Kopf trennen konnte.

Anschließend zog er sie an sich und ließ sie an seiner Brust ruhen. Normalerweise hätte sie ihre Finger mit den Haaren auf seiner Brust verflochten und seinen Nacken mit ihren zarten, sinnlichen Fingern gestreichelt. Aber das tat sie alles nicht. Sie schwieg und konzentrierte sich darauf, wieder ruhig zu atmen.

Deshalb fragte er so direkt. »In der Einfahrt steht ein Herrenfahrrad. Weißt du, wem das gehört?«

Sie gab vor zu schlafen.

Aber das tat sie nicht und es war ihm auch vollkommen gleichgültig, was sie geantwortet hätte.

Die Arme hinter dem Kopf verschränkt lag er ein, zwei Stunden im Bett und sah zu, wie der Märzmorgen dämmerte, wie das schwache Licht über die Zimmerdecke glitt und den Raum nach und nach erhellte.

In seinem Kopf war Ruhe eingekehrt. Sie hatten ein Problem. Aber das würde er lösen. Ein für alle Mal.

Wenn sie aufwachte, würde er die Lügen aus ihr herausschälen – Schicht um Schicht.

Das Verhör begann erst richtig, nachdem sie Benjamin im Laufstall abgesetzt hatte. Genau wie erwartet.

Vier Jahre lang hatten sie zusammengelebt, ohne das gegenseitige Vertrauen auf die Probe zu stellen. Heute war es so weit.

»Das Fahrrad ist abgeschlossen, es ist also nicht gestohlen«, sagte er und betrachtete sie mit einem viel zu neutralen Blick. »Jemand hat es mit Absicht dort abgestellt, meinst du nicht auch?«

Sie schob die Unterlippe vor und zuckte die Achseln. Woher sollte sie das wissen, signalisierte sie damit, aber ihr Mann sah weg.

Jetzt spürte sie, wie es unter ihren Achselhöhlen verräterisch feucht wurde. Gleich würde sie Schweißperlen auf der Stirn haben.

»Wenn wir wollten, könnten wir sicher herausfinden, wem das Fahrrad gehört«, sagte er und sah sie an. Dieses Mal mit gesenktem Kopf.

»Glaubst du?« Sie bemühte sich, überrascht zu klingen, nicht überrumpelt. Dann hob sie die Hand zur Stirn und tat so, als ob sie sich kratzte. Ja, die war feucht.

Er sah sie intensiv an. Die Küche wirkte mit einem Mal so eng.

»Wie sollen wir das herausfinden?«, fuhr sie fort.

»Wir können die Nachbarn fragen, ob sie gesehen haben, wer es dort abgestellt hat.«

Sie holte tief Luft. Das würde er mit Sicherheit nicht tun, das wusste sie.

»Ja«, sagte sie. »Das wäre eine Idee. Aber glaubst du nicht, dass es irgendwann von selbst verschwindet? Wir könnten es einfach an die Straße stellen.«

Er lehnte sich etwas zurück. Entspannter. Sie hingegen war alles andere als entspannt. Jetzt fuhr sie sich noch einmal über die Stirn.

»Du schwitzt«, sagte er. »Ist was?«

Sie spitzte die Lippen und atmete langsam aus. Du wirst die Fassung bewahren, ermahnte sie sich. »Ja, ich fühle mich, als hätte ich Fieber. Vielleicht hat Benjamin mich angesteckt.«

Er nickte und neigte den Kopf zur Seite. »Wo hast du übrigens das Ladegerät gefunden?«

Sie nahm sich noch ein Brötchen und zupfte es auseinander. »Draußen auf dem Flur, im Korb mit den Mützen.« Jetzt fühlte sie sich eher auf festem Grund. Nun galt es nur, dort auch zu bleiben.

»Im Korb?«

»Ich wusste nicht, was ich damit machen sollte, nachdem ich das Handy aufgeladen hatte. Deshalb hab ich's dorthin zurückgelegt.«

Wortlos stand er auf. Gleich, wenn er sich wieder setzte, würde er fragen, was das Ladegerät in dem Korb zu suchen hatte. Und sie würde antworten, wie sie es sich zurechtgelegt hatte, dass es doch schon ewig dort lag.

In dem Moment bemerkte sie ihren Fehler.

Das Fahrrad dort draußen in der Einfahrt ruinierte die Geschichte. Er würde die beiden Sachen miteinander in Verbindung bringen, so war er.

Sie starrte ins Wohnzimmer, wo Benjamin im Laufstall

stand und an den Gitterstäben rüttelte. Wie ein Tier, das kämpft, um freizukommen.

Das hatten sie gemeinsam.

Das Ladegerät sah geradezu winzig aus in der Hand ihres Mannes. Als könnte er es mühelos zerdrücken. »Woher hast du das?«, fragte er.

»Ich hab geglaubt, das sei deins«, antwortete sie.

Darauf reagierte er nicht. Dann nahm er also sein Ladegerät mit, wenn er unterwegs war.

»Komm mal mit«, sagte er. »Ich sehe doch, dass du lügst.«

Sie versuchte empört auszusehen, was ihr nicht sonderlich schwerfiel. »Also mal ehrlich, warum sagst du so was? Wenn es nicht dir gehört, dann muss es jemand hier vergessen haben. Vielleicht bei der Taufe oder so.«

Aber sie saß in der Falle.

»Bei der Taufe? Wie kommst du denn darauf? Das ist anderthalb Jahre her!« Offenbar fand er das zum Lachen, aber er lachte nicht. »Wir hatten zehn bis zwölf Gäste. Die meisten davon alte Frauen. Keiner von ihnen hat hier übernachtet, und die wenigsten haben überhaupt ein Handy, da bin ich mir sicher. Und wenn, warum sollten sie ein Ladegerät zu einer Tauffeier mitnehmen? Das macht doch keinen Sinn.«

Sie wollte protestieren, aber er unterbrach sie mit einer Handbewegung.

»Nein, du lügst.« Er deutete aus dem Fenster auf das Fahrrad. »Gehört das Ladegerät ihm? Wann ist er zuletzt hier gewesen?«

Die Schweißdrüsen in den Achselhöhlen reagierten umgehend.

Er packte sie am Arm, seine Hände waren kalt und feucht. Oben bei den Kartons war sie noch unschlüssig gewesen, aber die Art, wie er ihren Arm jetzt festhielt, wie ein Schraubstock, verscheuchte jeden Zweifel. Gleich schlägt er mich, dachte sie. Aber das tat er nicht. Im Gegenteil, als sie nicht antwortete, drehte er sich auf dem Absatz um und knallte die Tür zum Flur hinter sich zu. Dann kam nichts mehr.

Sie stand auf, um zu sehen, ob sein Schatten draußen auf dem Gartenweg erschien. Sobald sie sicher war, dass er das Grundstück verlassen hatte, würde sie sich Benjamin schnappen und weglaufen. Durch den Garten hinunter zur Hecke und dort durch das Loch, das die Kinder des Vorbesitzers hineingeschnitten hatten. In fünf Minuten wären sie drüben bei Kenneth. Und ihr Mann hätte keine Ahnung, wo sie abgeblieben wären.

Anschließend müssten sie nur noch von dort wegkommen.

Aber der Schatten erschien nicht auf dem Gartenweg. Stattdessen tat es oben einen gewaltigen Schlag.

O Gott, dachte sie. Was macht er nun?

Sie sah zu ihrem lachenden, hüpfenden Kind. Konnte sie jetzt schnell mit ihm fliehen? Standen die Fenster oben noch offen? Konnte ihr Mann sie hören? Stand er womöglich am Fenster, um sie zu beobachten?

Sie biss sich in die Oberlippe und sah zur Zimmerdecke. Was machte er dort oben?

Da nahm sie ihre Tasche und leerte die Blechdose mit dem ersparten Haushaltsgeld hinein. Sie traute sich nicht, auf den Flur zu gehen und Benjamins Jacke zu holen. Aber es ging ja wohl auch so, Hauptsache Kenneth war zu Hause.

»Komm, Schatz«, sagte sie und hob den Jungen hoch. Wenn das Gartentor offen war, waren es bis zur Hecke höchstens zehn Sekunden. Die Frage war, ob es das Loch noch gab. Sie hatte es im letzten Jahr gesehen.

Damals war es ziemlich groß gewesen.

20

Als sie Kinder waren, er und seine Schwester, lebten sie in einer ganz anderen Welt. Sobald der Vater die Tür zum Büro hinter sich schloss, blühten sie auf. Dann konnten sie in ihre Zimmer gehen und Gott Gott sein lassen.

Aber es gab auch andere Momente. Wenn sie gezwungen waren, an den Bibelstunden teilzunehmen, oder wenn sie im Gottesdienst zwischen lauter Erwachsenen standen, die ihre Hände ekstatisch himmelwärts reckten und Jubelschreie ausstießen. Dann wendeten sie ihre Blicke nach innen und zogen sich in ihre eigene Wirklichkeit zurück.

Dafür hatten beide ihren jeweils eigenen Weg gefunden. Eva starrte insgeheim die Schuhe und Kleider der Frauen an und machte sich hübsch. Strich über die Falten ihres Plisseerocks, bis sie glänzten. Innerlich war sie eine Prinzessin. Losgelöst von den strengen Blicken und den harten Worten der Welt. Oder eine Fee mit hellen, zarten Flügeln, mit denen sie sich schon beim leisesten Windhauch über die graue Wirklichkeit und die häuslichen Zumutungen erheben konnte.

Wenn Eva auf diese Weise abwesend war, summte sie. Summte mit verzückten Augen und trippelte auf der Stelle. Ihre Eltern, die diese seltsamen Tanzbewegungen für eine ganz persönliche Form der Anbetung hielten, wähnten sie in solchen Momenten sicher in Gottes Hand.

Aber er wusste es besser. Eva träumte von Schuhen und Kleidern und einer Welt voller Spiegel und liebevoller Worte. Er war ihr Bruder. So etwas wusste er eben.

Er selbst träumte von einer Welt mit Menschen, die lachen konnten.

Dort, wo sie lebten, lachte niemand. Lachfalten waren etwas, das er nur in der Stadt sah, und er fand sie hässlich. Nein, sein Leben war ohne Lachen, ohne Freude. Als er fünf Jahre alt war, hatte sein Vater von einem Pfarrer der evangelisch-lutherischen Staatskirche berichtet, den er unter Schimpfen und Flüchen aus seiner Kirche gescheucht hatte. Das war das einzige Mal, dass er ihn hatte lachen hören. Und deshalb brauchte seine kindliche Seele Jahre, ehe sie begriff, dass Lachen etwas anderes sein konnte als schadenfrohes Verhöhnen anderer Menschen.

Doch sobald sie das herausgefunden hatte, wurde er den Ermahnungen und dem Spott seines Vaters gegenüber taub. Und er lernte, sich in Acht zu nehmen.

Er hatte Geheimnisse, die ihn froh machten, aber auch traurig. Unter seinem Bett, ganz hinten unter einem ausgestopften Hermelin, lagen seine Schätze. Zeitschriften mit wilden Bildern und Geschichten. Versandhauskataloge mit Fotos von Frauen, die fast nichts anhatten, die ihn ansahen und lächelten. Er hatte auch Comics, die so lustig waren, dass er jedes Mal wieder lachen musste. Abgegriffene, bunt bedruckte Seiten mit Fettflecken und Eselsohren. Seiten, die Spaß und Nervenkitzel boten, aber keine Gegenleistung verlangten. Er fand sie in den Mülltonnen der Nachbarn, wenn er nach Einbruch der Dunkelheit aus dem Fenster kletterte, und das tat er oft.

Nachts lag er dann unter seiner Bettdecke und lachte glucksend, aber ohne Ton.

In dieser Phase seines Lebens sorgte er dafür, dass die Türen im Haus alle nur angelehnt waren. Damit er wusste, wo sich die verschiedenen Familienmitglieder gerade aufhielten. Damals lernte er, genauestens zu schauen, ob er freie Bahn hatte und seine Trophäen ohne Risiko heimbringen konnte.

Damals lernte er zu lauschen wie eine Fledermaus auf Beutezug.

Zwischen dem Moment, wo er seine Frau im Wohnzimmer zurückgelassen hatte, und dem Moment, wo er sie mit dem Jungen auf dem Arm durchs Gartentor schleichen sah, lagen höchstens zwei Minuten. In etwa das hatte er erwartet.

Sie war ja nicht dumm. Sie war jung und naiv und leicht zu durchschauen, natürlich, aber dumm war sie nicht. Deshalb wusste sie, dass er Verdacht geschöpft hatte, und deshalb hatte sie Angst. Das hatte er in ihrem Gesicht gelesen und an ihrem Tonfall gehört.

Und jetzt wollte sie fliehen.

Sobald sie sich vor ihm sicher fühlte, würde sie reagieren. Es war nur eine Frage der Zeit, er hatte es gewusst. Deshalb stand er nun oben am Fenster und stampfte mit dem Fuß auf den Boden, stampfte und wütete so lange, bis sie fast unten an der Hecke war.

Ja, so leicht konnte man sich Gewissheit verschaffen, und das wurmte ihn, auch wenn er sich längst an die Falschheit der Menschen gewöhnt hatte.

Er sah nach unten zu seiner Frau und seinem Kind. Gleich würden sie durch das Loch in der Hecke und damit aus seinem Leben verschwunden sein.

Obwohl: Die Hecke war wieder gut zugewachsen. Deshalb wartete er noch einen Moment, bevor er mit langen Schritten die Treppe hinunter und durch den Garten rannte.

Sie fiel auf, diese schöne junge Frau in der roten Bluse mit dem Kind auf dem Arm. Folgen konnte er ihr deshalb nicht, auch wenn sie schon weit die Straße hinuntergelaufen war, ehe er sich durch die Hecke gezwängt hatte.

An der Hauptstraße bog sie ab, kam an einer Nebenstraße mit einfacheren Häusern vorbei und glitt dann wieder in das beschauliche Villenviertel mit den Ligusterhecken.

Genau das hatte er nicht erwartet.

Du blöde Kuh, dachte er. Machst du mich in meinem eigenen Revier zum Hahnrei?

In dem Sommer, als er elf wurde, stellte die Gemeinde seines Vaters auf dem Festplatz der Stadt ein Zelt auf. »Wenn das die roten Teufel können«, sagte er, »dann können wir Freikirchler das auch.«

Sie schufteten den ganzen Morgen, um fertig zu werden. Die Arbeit war schwer, und auch andere Kinder mussten mit anpacken. Als sie den Fußboden im Zelt ausgelegt hatten, tätschelte sein Vater allen anderen Kindern den Kopf.

Nur seine eigenen Kinder wurden nicht getätschelt, die bekamen den Auftrag, die Klappstühle aufzustellen.

Und davon gab es viele.

Dann wurde der Jahrmarkt eröffnet. Vier gelbe Heiligenscheine leuchteten über dem Eingang des Zelts und auf der Mittelstange prangte der Leitstern. *Nimm Jesus in die Arme – lass ihn ein,* stand quer über die Seite des Zelts geschrieben.

Und die ganze Gemeinde erschien und lobte das Arrangement, aber das war's dann auch schon. Trotz aller bunten Broschüren, die er und Eva an Gott und die Welt austeilen mussten, setzte kein einziger Außenstehender einen Fuß in das Zelt.

Wenn niemand es sah, ließ sein Vater seine Wut und Frustration an seiner Mutter aus.

»Lauft noch mal los, Kinder«, fauchte er. »Und macht es dieses Mal richtig!«

Am Rand der Tierkinderschau, direkt neben den Krämerbuden, verloren sie sich aus den Augen. Eva konnte sich nicht vom Anblick der Kaninchen losreißen, aber er ging weiter. Nur so konnten sie ihrer Mutter helfen.

Nehmt meine Broschüren, bettelten seine Augen, aber die Menschen gingen weiter. Wenn sie die doch nähmen, dann würde die Mutter heute Abend, wenn sie nach Hause kamen, vielleicht nicht geschlagen werden. Vielleicht weinte sie dann auch nicht die ganze Nacht.

Und so stand er da und hielt Ausschau nach einer freundlichen Seele, von der er sich vorstellen konnte, dass sie ihre

Gottesfurcht mit anderen teilen wollte. Horchte nach einer Stimme, die nach jener Sanftmut und Milde klang, die Jesus gepredigt hatte.

Was er stattdessen hörte, waren Kinder, die lachten. Nicht so ein Lachen, wie er es auf Schulhöfen gehört hatte oder wenn er es riskierte, vor einem Radio- und Fernsehgeschäft stehen zu bleiben und kurz in eine Kindersendung hineinzusehen. Nein, die lachten, dass es sich anhörte, als würden ihre Stimmbänder gleich reißen, und die Leute blieben stehen und sahen zu ihnen hinüber. So hatte er zu Hause unter der Bettdecke noch nie gelacht, und das verlockte ihn.

Da konnten die Stimmen in ihm noch so viel von Zorn und Buße flüstern. Er konnte einfach nicht vorbeigehen.

Es war nur eine kleine Schar, die sich vor einer Bude versammelt hatte, Erwachsene und Kinder in trauter Eintracht. Schiefe rote Buchstaben prangten auf einem weißen Tuch: *Spannende Videofilme – heute zum halben Preis*. Auf einem Brettertisch stand ein Fernseher, kleiner, als er je einen gesehen hatte.

Die Kinder lachten über eines dieser Videos, das in Schwarz-Weiß über den Bildschirm flimmerte. Schon bald lachte er mit. Lachte, dass es im Zwerchfell schmerzte und in dem Teil der Seele, der erst in diesem Augenblick in all seiner Herrlichkeit das Licht der Welt erblickte.

»Mit Chaplin kann eben doch keiner mithalten«, meinte einer der Erwachsenen.

Und alle lachten über den Mann, der dort oben auf dem Bildschirm Pirouetten drehte und boxte. Sie lachten, wenn er seinen Stock schwang und seinen schwarzen Hut lupfte. Lachten, wenn er all den dicken Damen und Herren mit den schwarz umrandeten Augen Grimassen zog. Und er lachte mit ihnen, bis ihm der Bauch wehtat, und niemand gab ihm deshalb einen Klaps auf den Hinterkopf oder nahm überhaupt Notiz von ihm.

Es war absurd, aber dieses wunderbare, unerwartete Erlebnis sollte bald sein Leben und das einer Menge anderer Menschen auf immer verändern.

Seine Frau blickte sich nicht um. Sie sah überhaupt nicht viel. Mechanisch schienen ihre Füße durch das Villenviertel zu laufen, als bestimmten unsichtbare Kräfte den Weg und das Tempo.

Wenn ein Mensch auf diese Weise von der Wirklichkeit abhebt, reicht oft eine Kleinigkeit, um eine Katastrophe herbeizuführen – und ähnlich viel Schaden anzurichten wie ein Schräubchen, das sich in der Tragfläche eines Flugzeugs löst, oder ein Wassertropfen, der im Relais einer Eisernen Lunge einen Kurzschluss verursacht.

Er hatte die Taube bemerkt, die sich direkt über seiner Frau und seinem Sohn auf einem Ast niederließ, gerade als sie die Straße überqueren wollten, und er nahm auch den Klecks wahr, der nach unten fiel und wie Gespensterfinger auf die Gehwegplatten klatschte. Er sah, wie sein Sohn darauf deutete und wie seine Frau nach unten blickte. Und in dem Augenblick, als sie auf die Fahrbahn traten, bog ein Auto um die Ecke und fuhr mit tödlicher Präzision direkt auf die beiden zu.

Er hätte aufschreien können, zur Warnung, aber er tat nichts dergleichen, denn emotional regte sich in dem Moment nichts bei ihm.

Die Bremsen des Autos quietschten und der Schatten hinter der Windschutzscheibe riss das Steuer herum, und die Welt stand still.

Er sah sein Kind und seine Frau vor Schreck zittern und die Köpfe wie in Zeitlupe umdrehen. Das schwere Fahrzeug schleuderte zur Seite, und eine Bremsspur, schwarz wie Kohle auf Zeichenpapier, zog sich quer über die Straße. Dann fing sich der Wagen wieder und fuhr geradeaus weiter. Seine Frau stand wie angegossen am Kantstein und er selbst starr und mit hängenden Armen in einigem Abstand. Gefühle von Schmerz und Zärtlichkeit durchfluteten ihn. Sie gerieten in Widerstreit mit der sonderbaren Form von Rausch, die er bislang nur einmal erlebt hatte, damals, als er zum ersten Mal einen Menschen getötet hatte. Nein, diese Sentimentalität wollte er keinesfalls zulassen.

Er atmete ganz langsam aus und Wärme flutete durch seinen Körper. Aber er stand etwas zu lange dort, denn Benjamin entdeckte ihn, als er den Kopf drehte, um sein Gesicht am Hals seiner Mutter zu vergraben. Er war ganz offensichtlich erschrocken, das war er immer, wenn seine Mutter heftig reagierte. Aber die Lippen hörten auf zu zittern und die Augen strahlten auf, als er seinen Vater sah, und er hob die Arme und lachte.

Da drehte sie sich um und der Ausdruck des eben erlebten Schocks fror auf ihrem Gesicht fest.

Fünf Minuten später saß sie mit abgewandtem Gesicht vor ihm im Wohnzimmer. »Du gehst freiwillig mit nach Hause«, hatte er gesagt. »Wenn nicht, siehst du unseren Sohn nie wieder.«

Und nun waren ihre Augen von Hass und Trotz erfüllt.

Wenn er herausfinden wollte, wohin sie unterwegs gewesen war, dann müsste er schon Gewalt anwenden.

Für ihn und seine Schwester waren es seltene und wunderbare Augenblicke.

Wenn er sich im Schlafzimmer richtig hinstellte, konnte er bis zum Spiegel zehn kleine Schritte trippeln. Die Füße waren nach außen gekehrt, der Kopf wippte von einer Seite zur anderen und der Stock drehte sich in der Luft. Während dieser zehn Trippelschritte war er ein anderer. Nicht der Junge ohne Spielkameraden. Nicht der Sohn des Mannes, vor dem der ganze kleine Ort knickste und buckelte. Nicht das auserwählte Schaf aus der Herde, das Gottes Wort weitertragen und es wie Donnergrollen gegen die Menschen richten sollte. Er war nichts weiter als der kleine Vagabund, der alle zum Lachen brachte, nicht zuletzt sich selbst.

»Mein Name ist Chaplin, Charlie Chaplin«, sagte er und zuckte mit den Lippen unter seinem imaginären Schnurrbart, und Eva fiel vor Lachen fast vom elterlichen Bett. Sie hatte sich schon zweimal so amüsiert, als er seine Nummer abgezogen hatte. Aber dieses Mal war das letzte Mal.

Das letzte Mal überhaupt, dass sie lachte.

Denn eine Sekunde später spürte er die Berührung auf der Schulter. Es bedurfte nur eines Antippens mit dem Zeigefinger und die Luft blieb ihm weg, der Hals wurde trocken. Als er sich umdrehte, war der Schlag seines Vaters schon zu seinem Zwerchfell unterwegs. Aufgerissene Augen unter buschigen Augenbrauen. Kein Laut, nur der Schlag und der nächste und alle, die noch folgten.

Als seine Gedärme zu brennen anfingen und die Magensäure beißend im Hals aufstieg, da zog er sich einen Schritt zurück. Trotzig sah er seinem Vater in die Augen.

»Aha, du heißt also jetzt Chaplin«, flüsterte sein Vater. Der Blick, mit dem er ihn anstarrte, war derselbe, den er am Karfreitag aufsetzte, wenn er seiner Gemeinde den schweren Weg des Jesus von Nazareth nach Golgatha ausmalte. Die Trauer und die Qual der ganzen Welt lagen auf seinen willigen Schultern, daran bestand kein Zweifel, das begriff man auch als Kind.

Dann schlug er wieder zu. Diesmal holte er mit dem Arm weit aus, sonst hätte er ihn nicht erreicht. Auf keinen Fall würde er sich zwingen lassen, einen Schritt auf das trotzige Kind zuzugehen.

»Woher hast du dieses Teufelszeug in deinem Kopf?«

Er blickte nach unten, auf die Füße seines Vaters.

Von nun an würde er nur noch die Fragen beantworten, die er beantworten wollte. Sein Vater mochte schlagen, so viel er wollte, er würde nicht antworten.

»Aha, du antwortest nicht. Dann muss ich dich ja wohl bestrafen.«

Er zerrte ihn am Ohr in sein Zimmer und stieß ihn aufs Bett. »Hier bleibst du, bis wir kommen und dich holen, ist das klar?«

Auch darauf antwortete er nicht. Erstaunt stand der Vater einen Moment da, den Mund leicht geöffnet, als kündigte der Trotz dieses Kindes den Tag des Jüngsten Gerichts oder das Herannahen der alles vernichtenden Sintflut an. Dann fasste er sich.

»Nimm all deine Sachen und leg sie auf den Flur«, sagte er. »Natürlich nicht deine Schuhe, deine Kleidung und dein Bettzeug. Aber alles andere.«

Er zog das Kind aus dem Blickfeld seiner Frau und ließ sie allein zurück. Das blasse Licht, das durch die Jalousien fiel, legte sich in Streifen über ihr Gesicht.

Ohne ihr Kind würde sie nirgends hingehen, das wusste er.

»Er schläft«, sagte er, als er aus dem ersten Stock wieder nach unten kam. »Nun sag mir doch mal, was hier vorgeht.«

»Was hier vorgeht?« Sie drehte langsam den Kopf um. »Sollte nicht ich diese Frage stellen?« Ihre Augen waren dunkel. »Was für einer Arbeit gehst du nach? Womit verdienst du das viele Geld? Tust du etwas Ungesetzliches? Erpresst du Menschen?«

»Menschen erpressen? Wie kommst du denn darauf?«

Sie wandte ihr Gesicht ab. »Das ist egal. Du sollst Benjamin und mich einfach nur gehen lassen. Ich will hier nicht länger sein.«

Er runzelte die Stirn. Sie stellte Fragen. Sie stellte Forderungen. Gab es etwas, das er übersehen hatte?

»Ich sagte: Wie kommst du darauf?«

Sie zuckte die Achseln. »Wie sollte ich nicht darauf kommen? Du bist immer weg. Du redest nicht. Du bewahrst Umzugskartons in einem Zimmer auf, als seien da Heiligtümer drin. Du erzählst Lügengeschichten über deine Familie. Du …«

Nicht er unterbrach sie. Sie unterbrach sich selbst. Sah betreten zu Boden, außerstande, die Worte wieder aufzusammeln, die ihr nie hätten über die Lippen kommen dürfen.

»Du hast dich an meinen Kartons zu schaffen gemacht?« Die Frage kam leise, aber die Erkenntnis brannte wie Feuer unter der Haut.

Sie wusste demnach Sachen über ihn, die sie nicht wissen sollte.

Wenn er sich ihrer nicht entledigte, war er verloren.

Sein Vater sah zu, wie all seine Sachen zu einem Haufen aufgeschichtet wurden. Altes Spielzeug, die Bücher von Ingvald Lieberkind mit den Tierbildern, all die Kleinigkeiten, die er gesammelt hatte. Ein Zweig, mit dem man sich gut am Rücken kratzen konnte, ein Topf mit Krabbenklauen, versteinerten Seeigeln und Donnerkeilen. Alles kam auf den Haufen. Und als er fertig war, zog sein Vater das Bett von der Wand ab und kippte es auf die Seite. Da kamen seine Geheimnisse unter einem plattgedrückten Hermelin zum Vorschein. Illustrierte, Comics, all die sorglosen Momente.

Sein Vater betrachtete die Zeitschriften und Heftchen nur kurz. Dann griff er sie sich und fing an zu zählen. Bei jedem feuchtete er seine Fingerspitzen neu an und zählte weiter. Jedes Heftchen ein Ton. Für jeden Ton einen Schlag.

»Vierundzwanzig Heftchen. Ich frage nicht, wo du die herhast, Chaplin. Das interessiert mich nicht. Du drehst dich jetzt um, und ich schlage dich vierundzwanzigmal, und danach will ich solche Schweinereien nie mehr in diesem Haus sehen, ist das klar?«

Darauf antwortete er nicht. Er sah nur zu dem Haufen hinüber und nahm von jedem Heftchen Abschied.

»Du antwortest nicht? Dann verdoppelt sich die Anzahl der

Schläge. Da wirst du schon lernen, beim nächsten Mal den Mund aufzumachen.«

Aber er lernte es nicht. Trotz langer Striemen auf dem Rücken und starker Blutergüsse am Hinterkopf ließ er seinen Vater erneut nach dem Gürtel greifen. Kein Wort kam über seine Lippen. Kein Wimmern.

Das Schwerste kam allerdings erst zehn Minuten später, als ihm befohlen wurde, unten auf dem Hof ein Streichholz an seine Besitztümer zu halten und sie zu verbrennen. Da nicht zu weinen – das war das Schwerste.

Leicht vorgebeugt stand sie vor den Umzugskartons. Unablässig auf sie einredend hatte ihr Mann sie die Treppe hochgezerrt. Aber sie wollte nichts sagen. Gar nichts.

»Zwei Dinge müssen wir nun klären«, meinte er. »Gib mir dein Handy.«

Sie nahm es aus der Tasche, wohl wissend, dass er dort keine Antwort auf seine Fragen finden würde. Kenneth hatte ihr beigebracht, wie man die Anruflisten löscht.

Er drückte verschiedene Tasten und starrte auf das Display, konnte aber nichts finden. Das freute sie. Es freute sie, dass er nicht erreichte, was er wollte. Was wollte er mit seinem Verdacht jetzt weiter unternehmen?

»Hast du vielleicht gelernt, die Anruflisten zu löschen?«

Sie antwortete nicht. Nahm ihm nur ihr Handy aus der Hand und steckte es wieder in die hintere Hosentasche.

Da deutete er in den engen Raum mit den Umzugskartons. »Sieht ordentlich aus. Hast du gut gemacht.«

Sie atmete leichter. Auch hier konnte er nichts beweisen. Am Ende würde er sie doch gehen lassen müssen.

»Aber nicht gut genug. Da, siehst du?«

Sie blinzelte, während sie sich bemühte, den Raum als Ganzes zu erfassen. Lagen die Mäntel nicht an ihrem Platz? Fiel die Delle im Kartondeckel vielleicht doch auf?

»Siehst du die Striche dort?« Er bückte sich und deutete auf die Vorderseiten zweier Umzugskisten. Ein kleiner schwarzer Strich am Rand des einen Kartons und ein kleiner schwarzer Strich auf dem anderen. Sie schlossen fast direkt an, aber nicht ganz.

»Wenn man die Kartons rausnimmt und sie danach wieder aufstapelt, stehen sie anschließend anders übereinander. Siehst du?« Er deutete auf zwei andere Striche, die auch nicht bündig aufeinandertrafen. »Du hast die Kartons rausgenommen und wieder zurückgeräumt. So einfach ist das. Und jetzt wirst du mir erzählen, was du darin gefunden hast.«

Sie schüttelte den Kopf. »Du bist ja verrückt. Das sind Pappkartons, nichts weiter. Warum sollte ich mich für die interessieren? Die stehen hier, seit wir eingezogen sind. Die sind nur unterschiedlich zusammengesackt.«

Das ist ja noch mal gut gegangen, dachte sie. Die Erklärung war plausibel.

Aber für ihn offenbar nicht plausibel genug, denn er schüttelte den Kopf.

»Okay, dann wollen wir das mal prüfen«, knurrte er und presste sie gegen die Flurwand. Bleib stehen, sonst wirst du es bereuen, sagte sein kalter Blick.

Während er anfing, die mittleren Kartons herauszuzerren, sah sie sich auf dem schmalen Flur um, der im Grunde nichts als toter Raum war: ein Hocker neben der Tür zum Schlafzimmer, eine Vase vor dem Mansardenfenster. Die Schleifmaschine unter der Dachschräge.

Wenn ich ihm den Hocker auf den Hinterkopf schlage …

Sie schluckte und rang die Hände. Wie fest musste sie zuschlagen?

Derweil wuchtete ihr Mann einen Karton aus dem kleinen Zimmer und knallte ihn ihr vor die Füße.

»Schauen wir uns den hier doch mal an. Gleich wissen wir, ob du darin herumgeschnüffelt hast oder nicht.«

Sie starrte hinein, als er den Deckel öffnete. Das war der Karton, der zuunterst und irgendwie mittendrin gestanden hatte. Einer der beiden Kartons aus dem Herzen der Grabkammer. Einer der beiden Kartons, die seine intimsten Geheimnisse bargen: den Zeitungsartikel über sie im Bernstorffpark und die hölzerne Archivbox mit all den Adressen und Informationen über die Familien. Er wusste offenbar ganz genau, wo der stand.

Sie schloss die Augen und bemühte sich, ruhig zu atmen. Wenn es einen Gott gab, dann musste er ihr jetzt helfen.

»Ich weiß nicht, warum du diesen ganzen alten Papierkram hier herausholst. Was hat das alles mit mir zu tun?«

Er kniete sich auf den Boden, zog den ersten Packen Zeitungsausschnitte heraus und legte ihn zur Seite. Wahrscheinlich, damit ich die Zeitungsartikel über mich selbst nicht sehe, falls er mich für unschuldig befindet, dachte sie.

Also hatte sie ihn überzeugt.

Da zog er vorsichtig die hölzerne Archivbox heraus. Er musste sie nicht einmal öffnen, er ließ einfach nur den Kopf sinken und sagte ganz leise: »Warum konntest du meine Sachen nicht in Ruhe lassen?«

Was hatte er gesehen? Was hatte sie übersehen?

Sie starrte auf seinen Rücken und hinüber zu dem Hocker und wieder auf seinen Rücken.

Was hatten die Papiere in dem Holzkasten zu bedeuten? Warum ballte er seine Hand zur Faust, dass die Knochen weiß leuchteten?

Sie fasste sich an den Hals und spürte das Herz klopfen.

Als er sich zu ihr umdrehte, waren seine Augen nur noch Schlitze und sein Blick so voller Abscheu, dass ihr die Luft wegblieb.

Bis zum Hocker waren es immer noch drei Meter.

»Ich bin nicht an deinen Sachen gewesen«, sagte sie. »Warum glaubst du das?«

»Ich glaube es nicht, ich weiß es!«

Sie tat einen kleinen Schritt in Richtung Schemel. Er reagierte nicht.

»Hier!« Er zeigte ihr die Vorderseite des Holzkastens. Da war nichts zu sehen.

»Was soll da sein?«, fragte sie. »Ich sehe nichts.«

Wenn es gleichzeitig schneit und taut, kann man erleben, wie sich die Schneeflocken beim langsamen Sinken zur Erde auflösen. Wie das Leichte und Schöne von der Luft aufgesogen wird, in der es entstanden ist. Wie die Magie jäh schwindet.

Wie eine solche Schneeflocke fühlte sie sich jetzt, als er ihre Beine packte und sie ihr unter dem Körper wegriss. Im Fallen sah sie, wie sich ihr Leben auflöste und alles, was sie kannte, zu Pulver wurde. Sie spürte nicht, wie ihr Kopf auf den Fußboden knallte, nur, dass er ihre Beine immer noch festhielt.

»Nein, an dem Kasten ist nichts zu sehen. Aber da sollte etwas zu sehen sein«, fauchte er.

Sie spürte das Blut an der Schläfe, aber keinen Schmerz. »Keine Ahnung, was du meinst«, hörte sie sich sagen.

»Auf dem Deckel saß ein Draht.« Er beugte den Kopf tief zu ihr herunter und hielt sie weiter fest. »Der ist nicht mehr da.«

»Lass mich los. Ich will aufstehen. Der wird abgefallen sein, ganz einfach. Wann bist du überhaupt zuletzt an diesen Kartons gewesen? Vor vier Jahren? Was passiert alles in vier Jahren?« Dann holte sie so tief Luft, wie sie konnte, und schrie aus Leibeskräften. »Lass mich endlich los!«

Aber er ließ sie nicht los.

Er schleifte sie über den Boden zu dem Raum mit den Kartons. Sie sah den Abstand zum Hocker immer größer werden. Sah den Streifen Blut auf dem Fußboden. Hörte sein Fluchen und Schnaufen, als er ihr den Fuß auf den Rücken stellte, um sie am Boden zu halten.

Sie wollte wieder schreien, bekam aber keine Luft.

Da nahm er den Fuß hoch, packte sie hart unter den Achseln

und schleuderte sie in den Raum. Dort lag sie nun, in dieser Schleusenkammer aus Umzugskartons, blutend und wie gelähmt, zu überrumpelt, um zu reagieren.

Sie registrierte lediglich, dass seine Beine zwei schnelle Schritte zur Seite machten und dass der Karton, der sie verraten hatte, hoch über sie gehoben wurde.

Und dann ließ er ihn schwer auf ihren Brustkorb fallen.

Für einen Moment war alle Luft aus ihr gepresst. Instinktiv hatte sie sich ein klein wenig zur Seite gedreht und ein Bein leicht über das andere gezogen. Schon kam ein zweiter Umzugskarton angeflogen, der ihren Unterarm auf die Rippen drückte und jede Bewegung ihres Körpers unmöglich machte. Und schließlich kam obenauf noch ein dritter.

Drei schwere Umzugskisten.

In Richtung ihrer Füße konnte sie noch die Türöffnung und einen kleinen Ausschnitt des Flurs sehen, aber auch das verschwand, als er den Raum mit einem Kartonstapel auf ihren Unterschenkeln weiter zubaute und ihn schließlich mit einem Stapel auf dem Fußboden unmittelbar vor der Tür verschloss.

Die ganze Zeit sagte er kein Wort. Auch nicht, als er die Tür zuknallte und abschloss.

Sie hatte nicht einmal um Hilfe gerufen. Aber wer sollte ihr auch helfen?

Will er mich hier liegen lassen?, dachte sie. Das Zwerchfell übernahm die Atmung vom Brustkorb. Aus dem Velux-Fenster über ihr drang ein wenig Licht herein. Aber alles, was sie sehen konnte, waren braune Flächen aus Pappe.

Irgendwann, als es draußen schon dunkel war, klingelte das Handy in ihrer Hosentasche.

Klingelte und klingelte, und dann hörte auch das Klingeln auf.

21

Auf den ersten zwanzig Kilometern bis Karlshamn rauchte Carl vier Cecils, um das Zittern nach Tryggve Holts haarsträubendem Kaffee unter Kontrolle zu bekommen.

Hätte er das Verhör doch nur gestern Abend zu Ende gebracht und wäre anschließend sofort nach Hause gefahren. Dann würde er in diesem Moment mit der Zeitung auf dem Bauch gemütlich in seinem Bett liegen, den Duft von Mortens Pfannkuchen in der Nase.

Stattdessen hatte er nur einen üblen Geschmack im Mund.

Samstagmorgen. In drei Stunden war er zu Hause. So lange musste er die Arschbacken noch zusammenkneifen.

Im Radio spielten sie gerade einen Walzer mit Hardangerfiedeln, als das vibrierende Brummen seines Handys dazwischenplatzte.

»Hallo, Kalle. Wo bist'n du?«, fragte die Stimme am anderen Ende.

Carl sah noch mal auf die Uhr. Es war erst neun, das verhieß nichts Gutes. Wann war sein Stiefsohn zum letzten Mal so früh an einem Samstagmorgen wach gewesen?

»Was ist passiert, Jesper?«

Der Junge klang sauer. »Ich halt's nicht mehr aus bei Vigga. Ich zieh wieder nach Hause zurück. Okay?«

Carl drehte das Radio leiser. »Wie, nach Hause? Wach mal auf, Jesper. Vigga hat mir gerade ein Ultimatum gestellt. Sie will nämlich auch wieder nach Hause. Und falls mir das nicht passt, dann verlangt sie, dass das Haus verkauft wird, damit sie mit der Hälfte abziehen kann. Wo zum Teufel willst du also wohnen?«

»Aber das kann sie doch nicht, oder?«

Erstaunlich, wie schlecht der Junge seine eigene Mutter kannte. »Was ist denn los, Jesper? Warum willst du nach Hause? Hast du die Nase voll vom löchrigen Dach der Gartenlaube? Oder musst du womöglich eigenhändig abwaschen?«

Carl lächelte vor sich hin. Hach, so ein paar kleine Spitzen am frühen Morgen, die taten richtig gut.

»Bis zum Gymnasium in Allerød ist es scheißweit. Das ist echt 'ne Zumutung. Und außerdem heult Vigga die ganze Zeit. Hab keinen Bock, mir das nonstop anzuhören.«

»Sie heult? Wieso denn?« Carl bereute seine Frage sofort. Wie idiotisch kann man wohl fragen? »Nein, Jesper, vergiss es. Ich will's gar nicht wissen.«

»Ach Kalle, hör doch auf. So doch nicht! Sie heult jedes Mal, wenn kein Kerl im Haus ist, und zurzeit ist keiner da. Es ist einfach zum Kotzen.«

Derzeit kein Kerl im Haus? Wo war denn der Dichter mit der Hornbrille abgeblieben? Hatte der eine Muse mit größerem Geldbeutel gefunden? Eine, die zwischendurch auch mal die Klappe hielt?

Carl blickte über die triefend nasse Landschaft. Das Navi riet ihm, über Rödby und Bräkne-Hoby zu fahren, aber die Strecke sah kurvig und glatt aus. Wie viele verdammte Bäume standen eigentlich in diesem Land herum?

»Deshalb will sie doch zurück in den Rønneholtpark«, fuhr Jesper fort. »Da hat sie immerhin noch dich.«

Carl schüttelte den Kopf. Was für ein fragwürdiges Kompliment war das denn?

»Okay, Jesper. Nur damit das klar ist: Vigga kommt mir unter gar keinen Umständen wieder ins Haus! Hör mal, ich geb dir 'nen Tausender, wenn du sie davon abbringst.«

»Ach, und wie soll das gehen?«

»Wie? Junge, das liegt doch auf der Hand: Find ihr einen Mann! Zweitausend, wenn du das an diesem Wochenende schaffst. Und dann bekommst du auch die Erlaubnis, zurückzukommen. Sonst nicht.«

Zwei Fliegen mit einer Klappe, Carl war ziemlich zufrieden mit sich, und Jesper am anderen Ende war völlig baff.

»Und noch was. Wenn du zurückkommst, will ich kein Murren hören, dass Hardy bei uns wohnt. Wenn dir die Wohlgerüche nicht passen, kannst du in Viggas Hütte in der Prärie wohnen bleiben.«

Einen Augenblick war es still. Der Gedanke musste erst durch den Teenager-Filter dringen – automatische Abwehr plus Trägheit gepaart mit einer Portion Tag-danach-Apathie.

»Zweitausend, sagst du«, kam es dann. »Okay, ich häng gleich 'n paar Zettel auf.«

»Wie du meinst.« Was die Methode anbelangte, hatte Carl seine Zweifel. Er hätte es effektiver gefunden, wenn Jesper einen Haufen bankrotter Kunstmaler in die Gartenlaube eingeladen hätte. Dann hätten die sich gleich einen Eindruck von dem wunderbaren Atelier verschaffen können, das sie beim Kauf eines gebrauchten Hippiemädchens gratis dazubekämen.

»Und was willst du auf die Zettel draufschreiben?«

»Keine Ahnung, Kalle.« Er überlegte. Es musste was Besonderes sein.

»Vielleicht so was wie: Hallo ihr, meine Mutter ist dufte und sucht einen duften Typ. Missmutige Habenichtse und Hungerleider können gleich zu Hause bleiben.« Er musste selbst lachen. »Na, vielleicht solltest du das noch mal überdenken.«

»O Mann, Kalle!« Jesper ließ wieder dieses Tag-danach-Krächzen hören. »Du kannst gleich zur Bank gehen.« Dann hatte er aufgelegt.

Carl raste weiter durch die Landschaft. Allmählich verblasste Viggas Gartenlaube vor seinem inneren Auge und er nahm wieder die schwedische Landschaft ringsum wahr. Rotbraune Häuser und grasende Kühe im strömenden Regen.

Manchmal brachte mobiles Telefonieren Dinge zusammen, die wirklich nicht zusammengehörten.

Das schwache Lächeln, mit dem Hardy Carl bedachte, als er ins Zimmer kam, wirkte irgendwie bedrückt.

»Wo warst du?«, fragte er leise, während ihm Morten Kartoffelbrei aus dem Mundwinkel wischte.

»Ach, ein Ausflug nach Schweden. Ich bin rüber nach Blekinge gefahren und hab dort übernachtet. Tatsächlich hab ich heute Morgen in Karlshamn vor einer schönen großen Polizeiwache vor verschlossener Tür gestanden. Die sind noch schlimmer als wir. Pech, falls da mal an einem Samstag ein Verbrechen passiert.« Er erlaubte sich ein ironisches Grinsen, aber Hardy fand das gar nicht witzig.

Im Übrigen stimmte das, was Carl sagte, so nicht ganz. Bei der Wache hatte es ein Türtelefon gegeben. *Drücken Sie B und nennen Sie Ihr Anliegen,* hatte auf einem Schild daneben gestanden. Das hatte er auch versucht, aber als ihm der Wachhabende antwortete, hatte er kein Wort verstanden. Daraufhin hatte es der Mann mit der schwedischen Variante von Englisch versucht, und das hatte Carl noch weniger verstanden.

Da war er einfach weggegangen.

Carl klopfte seinem korpulenten Mieter auf die Schulter. »Danke, Morten. Ich übernehme die Fütterung für einen Moment, ja? Sei doch so nett und mach mir in der Zwischenzeit einen Kaffee. Aber bitte nicht zu stark.«

Er sah Mortens Bombe von einem Arsch auf dem Weg in die Küche hinterher. Hatte der in den letzten Wochen nichts als Sahnekäse gegessen? Zwei Traktorreifen waren nichts gegen diesen Hintern.

Dann wandte er sich Hardy zu. »Du siehst traurig aus. Ist was?«

»Morten bringt mich langsam, aber sicher um«, flüsterte Hardy. Er schnappte nach Luft. »Den lieben langen Tag füttert er mich, als gäbe es nichts sonst zu tun. Zwangsernährung nenne ich das. Fettes Essen, wovon ich dauernd scheißen muss. Ich verstehe das nicht, schließlich muss er selbst den Dreck wegmachen. Kannst du ihn nicht bitten, mich in Ruhe zu lassen? Einfach zwischendurch mal?« Als ihm Carl wieder einen Löffel voll in den Mund schieben wollte, schüttelte er den Kopf.

»Und dann dieses Geplapper. Das macht mich wahnsinnig! Paris Hilton und das Thronfolgegesetz und die Ausbezahlung von Pensionen und so ein Mist. Den lieben langen Tag. Was schert es mich? Lauter belanglose Themen, die wie eine dicke Pampe dahinströmen, völlig unsortiert.«

»Kannst du ihm das nicht selbst sagen?«

Hardy schloss die Augen. Okay, er hatte es offenbar versucht. Aber Morten war da eher hartleibig, der änderte sich nicht von eben auf jetzt.

Carl nickte. »Natürlich werde ich mit ihm sprechen, Hardy. Und wie geht es sonst so?«, erkundigte er sich vorsichtig, denn bei der Frage stand man immer gleich mitten in einem Minenfeld.

»Ich hab Phantomschmerzen.«

Carl sah, wie Hardys Adamsapfel mit Schluckbewegungen kämpfte.

»Möchtest du was trinken?« Er nahm die Wasserflasche aus der Halterung neben dem Bett und steckte das gekrümmte Saugrohr behutsam in Hardys Mundwinkel. Wenn Morten und Hardy sich zerstritten, wer sollte das dann den ganzen Tag lang tun?

»Phantomschmerzen? Wo denn?«, fragte Carl.

»In den Kniekehlen, glaube ich. Das ist schwer zu orten. Es fühlt sich aber so an, als würde mich jemand mit einer Stahlbürste bearbeiten.«

»Willst du eine Spritze haben?«

Hardy nickte. Die konnte ihm Morten gleich geben.

»Und was ist mit dem Gefühl in den Fingern und der Schulter? Kannst du das Handgelenk noch bewegen?«

Hardy zog die Mundwinkel herunter. Das war Antwort genug.

»Apropos Phantom. Gab es nicht mal einen Fall, bei dem du mit der Polizei in Karlshamn zusammengearbeitet hast?«

»Warum? Was hat das mit den Phantomschmerzen zu tun?«

»Nichts. Das war nur eine Assoziation. Ich brauche einen Polizeizeichner, der ein Phantombild von einem Mörder anfertigt. Ich hab drüben in Blekinge einen Zeugen, der ihn beschreiben kann.«

»Und?«

»Na, die Sache ist ziemlich eilig, aber die verdammte schwedische Polizei ist inzwischen genauso tüchtig im Schließen von Polizeiwachen wie wir hier. Wie gesagt, stand ich heute früh um sieben vor einem riesigen gelben Gebäude im Erik-Dahlbergsvägen in Karlshamn und gaffte auf ein Schild: *9.00 – 15.00 Uhr. Samstags und sonntags geschlossen.* Das war's dann. An einem Samstag!«

»Aha. Und was soll ich jetzt machen?«

»Du kannst deinen Freund in Karlshamn bitten, dem Sonderdezernat Q in Kopenhagen einen Gefallen zu tun.«

»Woher willst du wissen, dass mein Freund noch in Karlshamn arbeitet? Das ist mindestens sechs Jahre her.«

»Dann ist er eben irgendwo anders. Wenn du mir den Namen nennst, will ich mich schon bis zu ihm durchsurfen. Polizist ist er doch wohl noch? War das nicht so ein richtiger Musterknabe? Na, jedenfalls sollst du ihn nur bitten, den Hörer in die Hand zu nehmen und einen Polizeizeichner anzurufen. Das kann doch nicht so schwer sein. Würdest du das für unseren schwedischen Kollegen etwa nicht machen, wenn er dich fragte?«

Hardys schwere Augenlider verhießen nichts Gutes. »Das wird teuer an einem Wochenende«, sagte er dann. »Falls es überhaupt einen Zeichner in der Nähe deines Zeugen gibt, der dazu bereit ist.«

Carl sah zu dem Kaffeebecher, den Morten ihm auf den Nachttisch gestellt hatte. Wüsste man es nicht besser, könnte man meinen, er hätte den Inhalt einer Kanne Öl zu etwas noch Schwärzerem eingedampft.

»Gut, dass du gekommen bist, Carl«, sagte Morten. »Dann kann ich ja jetzt los.«

»Los? Wo willst du hin?«

»Zum Trauermarsch für Mustafa Hsownay. Um zwei Uhr geht's los. An der S-Bahn-Haltestelle Nørrebro.«

Carl nickte. Mustafa Hsownay, ein weiteres unschuldiges Opfer im Kampf der Rocker- und Einwandererbanden um die Kontrolle des Drogenmarkts.

Morten hob den Arm und wedelte kurz mit einer Fahne, vermutlich der irakischen. Woher auch immer er die haben mochte.

»Ich bin mal mit einem in die Klasse gegangen, der im Mjølnerpark wohnt, der Siedlung, wo Mustafa erschossen wurde.«

Andere hätten bei derart dünnen Solidaritätsargumenten vielleicht gezögert. Nicht so Morten.

Fast lagen sie Seite an Seite. Carl in der gemütlichen Sofaecke mit den Füßen auf dem Couchtisch und Hardy im Krankenbett, den langen gelähmten Körper auf die Seite gelagert. Er hatte die Augen geschlossen, seit Carl den Fernseher eingeschaltet hatte. Der bittere Zug um seinen Mund schien sich langsam zu glätten.

Sie waren wie ein älteres Ehepaar, das in der unvermeidlichen Gegenwart stark geschminkter Nachrichtensprecher gegen Ende des Tages endlich lockerlassen kann. Am Samstagabend einfach nur schlafen. Wenn sie sich jetzt noch an den Händen hielten, wäre das Bild perfekt.

Carl zwang sich, die schweren Augenlider zu heben, und musste feststellen, dass die Nachrichtensendung, auf die er gaffte, die letzte des Tages war.

Dann war es höchste Zeit, Hardy für die Nacht fertig zu machen und selbst ins Bett zu gehen.

Er starrte auf den Bildschirm. Mustafa Hsownays Trauerzug bewegte sich still und würdevoll die Nørrebrogade entlang. Tausende stummer Gesichter glitten an den Kameras vorbei, aus den Fenstern flogen hellrote Tulpen auf den Leichenwagen. Einwanderer aus aller Herren Länder und genauso viele ethnische Dänen begleiteten ihn, viele Hand in Hand.

Der Hexenkessel in Kopenhagen hatte für einen Moment aufgehört zu brodeln. Der Bandenkrieg war nicht der Krieg aller.

Carl nickte vor sich hin. Gut, dass Morten mitging. Aus Allerød waren bestimmt nicht viele dabei. Er selbst ja auch nicht.

»Da steht Assad«, kam es leise von Hardy.

Carl sah ihn an. War er die ganze Zeit wach gewesen?

»Wo?« Er sah auf den Bildschirm und entdeckte im selben Moment Assads runden Kopf in der Menge auf dem Bürgersteig.

Anders als alle anderen hatte er den Blick nicht auf den Leichenwagen gerichtet, sondern nach hinten auf das Gefolge. Sein Kopf bewegte sich unmerklich von einer Seite zur anderen, wie bei einem Raubtier, das seiner Beute durchs Dickicht folgt. Seine Miene war ernst. Dann war das Bild weg.

»Was zum Teufel?«, murmelte Carl mehr zu sich.

»Sah aus wie einer vom Geheimdienst«, grunzte Hardy.

Gegen drei Uhr wachte Carl mit Herzklopfen in seinem Bett auf, die Bettdecke war schwer wie Blei. Kein gutes Gefühl. Wie ein plötzlicher Fieberanfall. Als hätte sich eine Horde Viren auf ihm niedergelassen, die das Nervensystem lähmte.

Er schnappte nach Luft und griff sich an die Brust. Warum empfinde ich jetzt Panik?, dachte er und vermisste eine Hand, nach der er greifen konnte.

Er öffnete die Augen, es war rabenschwarze Nacht.

Sein T-Shirt klebte schweißnass an seinem Körper. Das hatte ich schon mal, dachte er und erinnerte sich an den Kollaps.

Die Schüsse auf ihn, Anker und Hardy draußen auf Amager waren damals der Grund gewesen. Tickte die Zeitbombe etwa immer noch?

Denk an den Vorfall, durchdring ihn gedanklich, dann bekommst du Abstand, hatte ihm Mona während der Krisenbehandlung geraten.

Er ballte die Fäuste und erinnerte sich an die Erschütterungen des Fußbodens, als Hardy getroffen wurde und ihn selbst ein Streifschuss an der Stirn verletzt hatte. An das Gefühl, als Hardy gegen ihn geprallt war und ihn im Fallen mitgerissen und mit Blut besudelt hatte. An Ankers heroischen Versuch, die Verbrecher aufzuhalten, obwohl er schwer verletzt war. Und schließlich an den letzten fatalen Schuss, der Ankers Herzblut in die dreckigen Bodenplanken sickern ließ.

Mehrmals durchdachte er die Situation. Erinnerte sich voller Scham, dass er selbst nichts unternommen hatte, und an Hardys Erstaunen darüber, warum das alles überhaupt passiert war.

Aber das Herzklopfen ließ trotzdem nicht nach.

Verdammte Scheiße, fluchte er mehrere Male, machte das Licht an und nahm sich eine Zigarette. Morgen würde er Mona anrufen und ihr sagen, es wäre wieder schlimm. Er würde sie anrufen und so viel Charme in seine Stimme legen, wie er konnte, plus eine Messerspitze Ohnmacht. Vielleicht würde sie ja mehr als eine Konsultation anbieten. Man durfte schließlich hoffen.

Bei dem Gedanken lächelte er und atmete den Rauch tief ein. Dann schloss er die Augen und spürte sein Herz erneut wie einen hydraulischen Presslufthammer. War er etwa richtig krank?

Mühsam richtete er sich auf und schleppte sich zur Treppe. Mit einem verdammten Herzanfall wollte er doch lieber nicht allein da oben liegen.

An der Treppe brach er zusammen, und dort kam er wieder zu sich, als Morten mit der irakischen Flagge um den Kopf ihn rüttelte.

Die Augenbrauen des Notarztes zeigten, dass sich Carl die Fahrt ins Krankenhaus hätte sparen können. Überanstrengung, lautete kurz und lapidar die Diagnose.

Überanstrengung! Was für eine Beleidigung. Dazu die stereotypen Bemerkungen des Arztes sowie ein paar Pillen, die Carl förmlich umhauten und bis weit in den nächsten Tag ins Land der Träume schickten.

Es war halb zwei, als er am Sonntag aufwachte. Der Kopf war schwer von grässlichen Bildern, aber das Herz schlug normal.

»Du sollst Jesper anrufen«, sagte Hardy drüben von seinem Lager, als Carl schließlich nach unten stolperte. »Bist du okay?«

Carl zuckte die Achseln. »In meinem Oberstübchen rumoren Dinge, die ich nicht kontrollieren kann«, antwortete er.

Hardy versuchte zu lächeln, und Carl hätte sich auf die Zunge beißen mögen. Es war heftig, Hardy immer in der Nähe zu haben. Man musste echt überlegen, ehe man den Mund aufmachte.

»Ich hab über das mit Assad gestern Abend nachgedacht«, sagte Hardy. »Was weißt du eigentlich über ihn, Carl? Solltest du nicht eigentlich längst mal seine Familie getroffen haben? Wäre es nicht an der Zeit, ihn mal zu besuchen?«

»Warum sagst du das?«

»Ist es nicht normal, sich für seine Partner zu interessieren?«

Partner?! Seit wann war Assad sein Partner? »Hardy, ich kenne dich«, sagte er. »Du hast doch irgendwas im Sinn. Spuck's aus, woran denkst du?«

Hardy zog die Mundwinkel in einer Art Lächeln nach unten. Es war doch immer wieder schön, wenn jemand einen richtig verstand.

»Ich meine nur, da im Fernsehen, also da hab ich ihn plötzlich mit anderen Augen gesehen. Als würde ich ihn nicht kennen. Was meinst du, kennst du Assad?«

»Frag mich lieber, ob ich überhaupt jemanden kenne. Wen zum Teufel kenne ich in Wahrheit?«

»Wo wohnt er, weißt du das?«

»Soweit ich weiß, in der Heimdalsgade.«

»Soweit du weißt?«

Wo wohnt er? Wie ist seine Familie? Das war ja das reinste Kreuzverhör. Und leider hatte Hardy recht. Er wusste noch immer einen Dreck von Assad.

»Ich soll Jesper anrufen, hast du gesagt?«, lenkte er ab.

Hardy nickte ganz leicht. Die Geschichte mit Assad, damit war er offenbar noch nicht fertig. Wozu auch immer das gut sein sollte.

Carl griff zum Handy. »Du hast angerufen?«, fragte er Jesper im nächsten Moment.

»Du kannst schon mal die Kohle abheben, Kalle.«

Plötzlich musste Carl heftig blinzeln. Das klang verdammt selbstbewusst.

»Carl! Ich heiße Carl. Jesper, wenn du mich noch einmal Kalle nennst, dann überfällt mich in entscheidenden Momenten temporäre Taubheit. Du bist jetzt also gewarnt.«

»Okay, Kalle.« Jespers Lachen war förmlich zu sehen. »Dann wollen wir doch mal schauen, ob deine Ohren jetzt funktionieren. Ich hab für Vigga einen Kerl gefunden, hörst du?«

»Aha. Und ist der auch zweitausend Kronen wert oder schmeißt sie ihn morgen mit dem Badewasser raus, so wie den Dichter? Denn dann kannst du die Kröten gleich abschreiben.«

»Er ist vierzig, hat einen Opel Vectra, einen Laden und eine Tochter. Die ist neunzehn.«

»Na, so was aber auch. Und wo hast du ihn aufgestöbert?«

»Ich hab in seinem Laden 'nen Zettel aufgehängt. Den allerersten Zettel.«

Na, das war ja leicht verdientes Geld.

»Und warum glaubst du, dass der Kaufmann was für Vigga ist? Sieht er aus wie Brad Pitt?«

»Träum weiter, Kalle. Da müsste sich Pitt erst mal 'ne Woche auf die Sonnenbank legen.«

»Willst du damit sagen, er ist schwarz?«

»Nicht direkt schwarz, aber auch nicht weit entfernt.«

Carl hielt die Luft an, während ihm die restliche Geschichte mit größter Präzision übermittelt wurde. Der Mann war Witwer mit schüchternen braunen Augen. Genau das Richtige für Vigga. Jesper hatte ihn gleich mit zur Laubenkolonie geschleppt, und der Mann hatte Viggas Malereien gelobt und entzückt ausgerufen, die Gartenlaube sei das Gemütlichste, was er je in seinem Leben gesehen habe. Und damit lief die Sache. Im Moment waren sie jedenfalls in der Stadt und aßen in einem Restaurant im Zentrum.

Carl schüttelte den Kopf. Müsste er nicht heilfroh sein? Aber stattdessen machte sich ein mulmiges Gefühl im Bauch breit.

Als Jesper fertig war, klappte er in Zeitlupe sein Handy zusammen. Morten und Hardy starrten ihn an wie zwei Straßenköter in Erwartung von Essensresten.

»Haltet die Daumen, vielleicht sind wir gerade noch auf der Zielgeraden gerettet worden. Jesper hat Vigga mit dem idealen Mann verkuppelt. Scheint so, als könnten wir noch ein bisschen hier wohnen bleiben.«

Morten klatschte begeistert in die Hände. »Nein aber auch!«, rief er. »Und wer ist nun Viggas weißer Prinz?«

»Weiß?« Carl versuchte es auf die lustige Tour, aber irgendwie gelang ihm das nicht. »Jesper zufolge ist Gurkamal Singh Pannu der dunkelste Inder nördlich des Äquators.«

Hörte er da zwei Männer nach Luft schnappen?

An dem Tag waren die Randbezirke Nørrebros von Blau und Weiß und tieftraurigen Mienen geprägt. Noch nie hatte Carl so viele FC-Kopenhagen-Fans auf den Bürgersteigen gesehen, die so sehr ausgeschissenem Apfelmus ähnelten. Überall lagen Fahnen auf dem Boden, es schien, als seien die Bierdosen zu schwer, um sie an den Mund zu heben. Die Schlachtgesänge waren verstummt, und nur vereinzelt tönte ein frustriertes Brüllen durch die Straßen. Wie die Schmerzensschreie von Gnus, deren Herde gerade von Löwen überrannt worden war.

Zwei zu null hatten ihre Fußballhelden gegen Esbjerg verloren. Nach vierzehn Heimsiegen eine Niederlage gegen eine Mannschaft, die das ganze Jahr über nicht ein einziges Auswärtsspiel gewonnen hatte.

Die Stadt lag am Boden.

Carl parkte auf der Heimdalsgade und sah sich um. Seit er hier draußen Streife gegangen war, hatten sich die Läden der Immigranten wie Maulwurfshügel vermehrt. Hier herrschte auch am Sonntag buntes Treiben.

Er fand Assads Namen auf einem Schild an der Haustür und drückte auf den Klingelknopf. Lieber hier umsonst stehen als sich am Telefon eine Absage oder Ausflucht einzufangen. Wenn Assad nicht zu Hause war, würde er zu Vigga hinausfahren. Sie würde ihm schon mitteilen, was in ihrem Kopf derzeit geltendes Recht war.

Nach zwanzig Sekunden hatte immer noch niemand reagiert.

Er trat einen Schritt zurück und sah zu den Balkonen hinauf. Nicht das typische Ghettogebäude, das er erwartet hatte. Erstaunlich wenig Parabolantennen, und Wäsche zum Trocknen war auch nicht aufgehängt.

»Willst du rein?«, fragte ihn eine frische Stimme von hinten und ein blondes Mädchen schloss die Tür auf.

»Danke«, murmelte er und betrat den Betonkasten.

Die Wohnung lag im zweiten Stock. Anders als bei den überbordenden Namensschildern der beiden arabischen Nachbarn stand an Assads Tür sein Name allein.

Carl drückte mehrmals auf den Klingelknopf, wusste aber bereits, dass er vergeblich gekommen war. Dann bückte er sich und klappte den Briefschlitz auf.

Die Wohnung wirkte leer. Bis auf Reklame und einige Umschläge waren nur ausrangierte Ledersessel zu sehen.

»Ey Mann, was machst du da?«

Carl drehte sich um und hatte direkt vor der Nase ein Paar weite, weiße Jogginghosen mit Streifen an den Seiten. Oben aus der Hose ragte ein Bodybuilder mit schulterlangen braunen Locken. Carl richtete sich auf.

»Ich will zu Assad. Weißt du, ob er heute zu Hause war?«

»Der Schiit? Nee, war er nicht.«

»Und die Familie?«

Der Typ neigte den Kopf leicht zur Seite. »Bist du dir sicher, dass du ihn kennst? Bist du nicht der Dreckskerl, der bei Leuten hier im Haus einbricht? Warum hast du durch den Briefschlitz geglotzt?«

Er drückte Carl seinen steinharten Brustkorb in die Seite.

»Hey, Rambo, mal langsam.«

Carl drückte seine Hand gegen das Geflecht aus Bauchmuskeln und suchte in der Innentasche seiner Jacke nach der Dienstmarke.

»Assad ist mein Freund, und das bist du auch, wenn du hier und auf der Stelle meine Fragen beantwortest.«

Der Typ gaffte die Dienstmarke an, die Carl ihm hinhielt.

»Wer will denn schon mit 'nem Kerl mit so 'ner verdammten Marke befreundet sein?«

Er wollte sich wegdrehen, aber Carl griff nach seinem Ärmel.

»Vielleicht bist du so nett und beantwortest meine Frage. Das wäre ...«

»Leck mich doch am Arsch, du Idiot.«

Carl nickte. In ungefähr dreieinhalb Sekunden würde er diesem hirnamputierten Proteinpulverfresser zeigen, wer hier der Idiot war. Breit war er ja vielleicht, aber nicht breit genug, um ihn nicht am Kragen zu packen und ihm mit Verhaftung wegen Beamtenbeleidigung zu drohen.

Da hörte er hinter sich eine Stimme.

»Mensch, Bilal, was soll das denn? Siehst du die Dienstmarke nicht?«

Carl drehte sich um, und da stand einer, der womöglich noch breiter war und im Hauptberuf unübersehbar Gewichtheber. Eine eigenwillige Präsentation von Sportklamotten aus allen Regalen. Wenn dieses gewaltige T-Shirt aus einem normalen Geschäft stammte, dann war dieses Geschäft über alle Maßen gut sortiert.

»Entschuldigen Sie meinen Bruder, der schluckt zu viele Steroide«, sagte er und streckte ihm eine Hand von der Größe einer mittleren Provinzstadt entgegen. »Wir kennen Hafez el-Assad nicht. Ich hab ihn nur zweimal gesehen. Ist das nicht so ein witziger Typ mit rundem Kopf und Knopfaugen?«

Carl nickte und ließ die Riesenpranke los.

»Also mal ehrlich«, fuhr der Mann fort, »ich glaub nicht, dass der hier wohnt. Und auf jeden Fall nicht mit irgendeiner Familie.« Er lächelte. »Wär in einer Einzimmerwohnung wohl auch nicht so witzig.«

Carl fuhr zu Viggas Laubenkolonie. Nachdem er noch zweimal vergeblich versucht hatte, Assad über Handy zu erreichen, stieg er aus. Er holte tief Luft, dann ging er den Gartenweg hinunter.

»Hallo, mein Engel«, flötete sie.

Aus den winzigen Lautsprechern im Wohnzimmer strömte Musik, wie er sie noch nie gehört hatte. Spielte da jemand Sitar oder wurden irgendwelche armen Tierchen gequält?

»Was ist das?«, fragte er, stark versucht, sich die Ohren zuzuhalten.

»Ja, ist das nicht zauberhaft?« Sie machte einige Tanzschritte, die kein Inder mit einiger Selbstachtung als gelungen bezeichnen würde. »Die CD hat mir Gurkamal geschenkt, und ich bekomme noch mehr.«

»Ist er da?« Dumme Frage bei einem Haus mit zwei Zimmern.

Vigga strahlte. »Er ist in seinem Laden. Seine Tochter musste zum Curling und deshalb konnte sie dort nicht länger die Stellung halten.«

»Curling? Na gut. Eine typischere indische Sportart gibt's wohl kaum.«

Sie gab ihm einen Klaps. »Indien, sagst du. Ich sage Punjab, denn von dort kommt er.«

»Na gut. Dann ist er also kein Inder, sondern Pakistani.«

»Nein, er ist Inder. Aber darüber brauchst du dir nicht den Kopf zu zerbrechen.«

Carl ließ sich schwer in einen morschen Korbsessel sinken. »Vigga, das hier ist unhaltbar. Jesper zieht dauernd um, hin und her. Und du drohst erst mit dem einen, dann mit dem anderen. Ich weiß ja kaum, ob mir das Haus, in dem ich wohne, gehört oder nicht.«

»Tja, so ist das nun mal, wenn man immer noch mit der Frau verheiratet ist, mit der man sich seinen Besitz teilt.«

»Genau das meine ich doch. Können wir nicht eine angemessene Abmachung treffen, damit ich dich ausbezahlen kann?«

»Angemessen?« Sie dehnte das Wort so, dass es ausgesprochen fragwürdig klang.

»Ja. Wenn du mir nun deine Hälfte überschreiben würdest und wir uns auf einen Wert von sagen wir zweihunderttausend Kronen einigen, dann könnte ich dich mit zweitausend pro Monat auszahlen. Wäre das nicht angemessen?«

Man konnte ihrer inneren Maschinerie beim Rechnen zusehen. Wenn es um kleinere Summen ging, dann konnte sie sich schon mal gewaltig vertun. Aber kaum hingen genug Nullen dran, dann war sie ein Rechengenie.

»Liebster Freund«, fing sie an, und damit war die Schlacht verloren. »So etwas erledigt man nicht mal schnell beim Tee am Nachmittag. Vielleicht irgendwann, aber dann bräuchte es schon ein etwas größeres Sümmchen. Doch wer weiß, was im Leben noch passiert?« Dann lachte sie völlig unmotiviert, und wie immer wusste er nicht, woran er war.

Er hätte sich gern ein Herz gefasst und vorgeschlagen, dann doch bitte schön einen Anwalt zu nehmen, der sich um alles kümmert. Aber das traute er sich dann doch nicht.

»Aber weißt du was, Carl. Wir sind ja eine Familie, und wir müssen uns gegenseitig unterstützen. Ich weiß doch, dass du mit Hardy, Morten und Jesper gern dort im Rønneholtpark wohnst. Es wäre einfach schade, das kaputtzumachen. Das verstehe ich doch.«

Er sah ihr an, dass sie gleich mit einem Vorschlag kommen würde, bei dem ihm die Luft wegblieb.

»Deshalb hab ich gedacht, dass ich dich und die anderen ein bisschen in Ruhe lassen will.«

Das sagte sie jetzt. Aber was, wenn dieser Gurkenmeier ihr unablässiges Gequatsche und ihre selbst gestrickten Socken leid war?

»Aber dafür sollst du mir auch einen Gefallen tun.«

Eine solche Aussage aus diesem Mund, das konnte unüberschaubare Probleme bedeuten.

»Ich glaube …«, konnte er gerade noch sagen, dann wurde er unterbrochen.

»Meine Mutter hätte gern, dass du sie besuchst. Sie spricht so oft von dir, Carl. Du bist immer noch ihr großer Liebling. Deshalb hab ich mir überlegt, dass du einmal in der Woche nach ihr schauen sollst. Können wir uns darauf einigen? Du kannst gleich morgen anfangen.«

Carl schluckte einmal extra. Bei so was bekam ein Mann einen richtig trockenen Hals. Viggas Mutter! Diese seltsame Frau, die vier Jahre gebraucht hatte, um ihn als Schwiegersohn zu akzeptieren. Diese Frau, die in der festen Überzeugung lebte, Gott habe die Welt ausschließlich zu ihrem höchsteigenen Vergnügen geschaffen.

»Ja, Carl, ich weiß genau, was du denkst. Aber sie ist nicht mehr so schlimm. Nicht, seit sie dement ist.«

Carl holte tief Luft. »Ich weiß nicht, ob es einmal die Woche sein wird, Vigga.« Er registrierte, dass ihre Züge sofort markanter wurden. »Aber ich will es versuchen.«

Sie streckte ihm die Hand hin. Interessanterweise mussten sie sich immer dann die Hand reichen, wenn es ihm schwerfiel, etwas zuzustimmen, das für sie ohnehin nur eine vorübergehende Lösung darstellte.

Carl fuhr zum Park Utterslev Mose und parkte den Wagen in einer Nebenstraße. Dort im Park fühlte er sich sehr allein. Klar gab es bei ihm zu Hause Leben, aber das war nicht seins. Und wenn er auf der Arbeit war, träumte er sich auch weg. Er hatte keine Hobbys und trieb keinen Sport. Er hasste es, seine Freizeit mit fremden Leuten zu verbringen, und um sich in Kneipen Aufmunterung anzutrinken, war er nicht durstig genug.

Und jetzt hatte sich ein Mann mit Turban ein Herz gefasst

und seine Fast-Exfrau schneller erobert, als man sich einen Pornofilm ausleihen konnte.

Nicht einmal mit seinem sogenannten Partner konnte er ausgehen, denn der wohnte nicht an der angegebenen Adresse.

Er atmete langsam den Sauerstoff aus dem Moorsee ein und spürte dabei wieder, wie ihm der Schweiß ausbrach und er an den Armen Gänsehaut bekam. So eine Scheiße! Musste er das jetzt ein zweites Mal durchexerzieren? Zum zweiten Mal in nicht mal vierundzwanzig Stunden.

War er krank?

Er zog sein Handy aus der Tasche und starrte lange auf die Nummer, die er aufgerufen hatte. Da stand bloß Mona Ibsen. Wie gefährlich konnte das werden?

Als er zwanzig Minuten so dagesessen und gespürt hatte, wie das Herzklopfen zunahm, drückte er auf die Taste mit dem grünen Hörer und betete, für eine Krisenbehandlerin möge ein Sonntagabend kein Tabu sein.

»Hallo, Mona«, sagte er leise, als sie sich gemeldet hatte. »Hier ist Carl Mørck. Ich …« Hier hatte er sagen wollen, dass es ihm schlecht ging. Dass er ein Gespräch bräuchte. Aber so weit kam er gar nicht.

»Carl Mørck!«, unterbrach sie ihn. Das klang jetzt erst mal nicht sonderlich kontaktsuchend. »Also hör mal, ich hab auf deinen Anruf gewartet, seit ich wieder zurück bin. Das wird jetzt aber wirklich Zeit.«

Auf ihrem Sofa zu sitzen, in einem Wohnzimmer, das so sehr nach Frau duftete, das war wie damals, als er bei einem Schulausflug hinter ein paar Holzbaracken stand und die Hand eines langgliedrigen Mädchens tief in seiner Hose steckte. Verwirrend, grenzüberschreitend und prickelnd.

Und Mona war nicht irgendeine sommersprossige Bäckerstochter vom Land, das bewiesen seine körperlichen Reaktionen eindeutig. Jedes Mal, wenn er ihre Schritte dort draußen in der Küche hörte, fühlte er dieses gefährliche Klopfen in der Brusttaschenregion. Fehlte nur noch, dass er jetzt hier umkippte.

Sie hatten Höflichkeiten ausgetauscht und ein bisschen über seinen letzten Anfall geredet. Hatten einen Campari Soda getrunken und danach, nun etwas lockerer, noch zwei. Sie hatten über ihre Afrikareise gesprochen und waren kurz davor gewesen, sich zu küssen.

Vielleicht hing das Panikgefühl mit dem Gedanken an das zusammen, was nun eigentlich kommen müsste.

Mona kam mit irgendwelchen kleinen Dreiecken zurück, die sie Abendbrot nannte, aber wer konnte ans Essen denken, wenn sie hier allein waren und ihre Hemdbluse so verdammt stramm saß?

Nun komm schon, Carl, dachte er. Wenn ein Mann, der Gurkenmeier heißt und seinen Bart zu Zöpfen flicht, das kann, dann kannst du es auch.

22

Er hatte seine Frau in ein Gefängnis aus wuchtigen Kartons eingesperrt. Dort würde sie bis zum Ende bleiben müssen. Sie wusste zu viel.

Gut zwei Stunden lang hatte er aus dem kleinen Zimmer ein Schaben und Kratzen gehört und, als er mit Benjamin nach Hause kam, auch halb ersticktes Stöhnen.

Erst jetzt, als er alle Sachen des Jungen ins Auto geladen hatte, war es vollkommen still im Haus.

Er lächelte seinem Sohn im Rückspiegel zu und legte eine CD mit Kinderliedern ein. Nach einer Stunde Fahrt würde er schlafen. So eine Fahrt über Seeland wirkte immer.

Seine Schwester hatte schlaftrunken gewirkt, als er sie anrief. Aber als er erzählte, wie sehr er es schätzen würde, wenn sie sich um Benjamin kümmern könnten, war sie auf einmal hellwach gewesen.

»Ja, du hast richtig gehört«, sagte er. »Du bekommst dreitausend Kronen die Woche. Und ich komme zwischendurch vorbei und sehe nach, ob ihr es ordentlich macht.«

»Du musst immer einen Monat im Voraus bezahlen«, sagte sie.«

»In Ordnung, mache ich.«

»Und du musst uns das, was wir sonst von dir bekommen, auch weiterhin geben.«

Er nickte vor sich hin. Mit dieser Forderung hatte er gerechnet. »Ich werde nichts ändern, entspann dich.«

»Wie lange ist deine Frau in der Klinik?«

»Ich weiß es nicht. Wir müssen sehen, wie es weitergeht. Sie ist sehr krank. Das kann eine Weile dauern.«

Schweigen. Kein Wort des Mitgefühls oder des Bedauerns von Evas Seite. So war seine Schwester nicht.

»Du sollst zu deinem Vater kommen!«, befahl ihm seine Mutter in scharfem Ton. Ihre Haare waren unordentlich und ihr Kleid wirkte wie verkehrt herum angezogen. Also hatte sein Vater sie sich wieder mal vorgeknöpft.

»Warum?«, hatte er gefragt. »Ich muss bis zur Gebetsversammlung morgen die Korintherbriefe fertig lesen, das hat Vater selbst gesagt.«

In kindlicher Naivität hatte er geglaubt, sie würde ihn retten. Sich zwischen sie stellen. Ihn wegziehen aus der erstickenden Umarmung des Vaters, dieses eine Mal Gnade vor Recht ergehen lassen. Das mit Chaplin war doch nur ein Spiel, das ihm gefiel. Damit tat er doch niemandem etwas zuleide. Jesus hatte als Kind doch auch gespielt, das wussten sie doch.

»Jetzt geh schon, und zwar schnell!« Seine Mutter presste die Lippen zusammen und packte ihn am Nacken. Dieser Griff, der ihn so oft schon auf den Weg zu Schlägen und Demütigung geschickt hatte.

»Dann sag ich, dass du nach unserem Nachbarn schaust, wenn er sich auf dem Feld das Unterhemd auszieht«, sagte er.

Sie zuckte zusammen. Das stimmte nicht, und das wussten sie beide. Schon der winzigste Blick in Richtung eines anderen, freien Lebens war ein Schritt in Richtung Hölle. Davon hörten sie in der Gemeinde, bei den Tischgebeten und überhaupt bei jedem Zitat aus dem schwarzen Buch, das stets in der Tasche des Vaters steckte. Satan verbarg sich in den Blicken zwischen den Menschen. Satan verbarg sich im Lächeln und in jeglicher Form von Berührung. Das stand alles in dem schwarzen Buch.

Und nein, es stimmte nicht, dass seine Mutter nach dem Nachbarn schaute, aber dem Vater saß die Hand immer so locker, und nie kam der Zweifel jemandem zugute.

Da sagte seine Mutter mit kalter Stimme etwas, das sie von

nun an auf immer trennte: »Du Teufelsbrut. Möge dich der Teufel nach dort unten ziehen, wo du herkommst. Möge das Fegefeuer deine Haut verkohlen und dir ewige Schmerzen bereiten.« Sie nickte. »Ja, du siehst erschrocken aus, aber Satan hat dich schon geholt. Nun kümmern wir uns nicht mehr um dich.«

Sie zog die Tür auf und schob ihn in den nach Portwein stinkenden Raum.

»Komm her«, sagte sein Vater, während er sich den Gürtel um das Handgelenk wickelte.

Die Gardinen waren vorgezogen, sodass nur ganz wenig Licht eindrang.

Wie eine Salzsäule stand Eva in ihrem weißen Kleid hinter dem Schreibtisch. Er hatte sie anscheinend nicht geschlagen, denn die Ärmel waren nicht aufgekrempelt und ihr Weinen war kontrolliert.

»Na, du spielst also noch immer Chaplin«, sagte sein Vater kurz.

Aus dem Augenwinkel erfasste er, wie Eva versuchte, nicht in seine Richtung zu sehen.

Dann würde es also hart werden.

»Hier sind Benjamins Papiere. Es ist wohl das Beste, ihr habt sie, solange er bei euch ist. Falls er krank wird.«

Er gab dem Schwager die Unterlagen.

»Rechnest du damit, dass er krank wird?« Seine Schwester klang aufgeschreckt.

»Natürlich nicht. Benjamin ist kerngesund.«

Er sah es bereits in den Augen des Schwagers: Sie wollten mehr Geld.

»Ein Junge in Benjamins Alter isst viel«, gab sein Schwager zu bedenken. »Allein schon die Windeln werden tausend Kronen im Monat kosten.« Falls Zweifel daran bestünden, könnten sie das gerne im Internet nachschauen.

Und der Schwager rieb sich die Hände wie der geizige Scrooge in der Weihnachtsgeschichte von Charles Dickens. Fünftausend Kronen extra konnten dabei gut und gerne rausspringen, verrieten diese Hände.

Aber die bekam der Schwager nicht. Sie würden doch nur direkt an einen dieser Prediger weiterwandern, die bewusst ignorierten, welche Gemeinde bezahlte und wofür.

»Wenn es Probleme mit dir und Eva gibt, werde ich unser Arrangement jederzeit revidieren, ist das klar?«

Sein Schwager stimmte unwillig zu, aber seine Schwester war bereits weit weg. Die weiche Haut des Jungen wurde gründlich von Fingern untersucht, die nicht viel Gutes gewöhnt waren.

»Was für eine Haarfarbe hat er jetzt?«, fragte sie, und ihre blinden Augen waren von Freude erfüllt.

»Die gleiche Farbe, wie ich sie als Junge hatte, falls du dich daran erinnerst«, sagte er und notierte für sich, wie die matten Augen auswichen.

»Und ihr verschont Benjamin mit euren verfluchten Gebeten, habt ihr verstanden?«, fuhr er fort. Erst dann gab er ihnen das Geld.

Er sah sie nicken, aber ihr Schweigen gefiel ihm gar nicht.

In vierundzwanzig Stunden würde das Geld kommen. Eine Million Kronen in gebrauchten Scheinen, daran zweifelte er keinen Moment.

Jetzt wollte er zum Bootshaus fahren und nachsehen, ob die Kinder einigermaßen fit waren. Morgen nach der Geldübergabe würde er wieder hinfahren und das Mädchen umbringen. Der Junge würde Chloroform bekommen. In der Nacht zu Dienstag würde er ihn auf einem Feld in der Nähe von Dollerup freilassen.

Er würde Samuel Anweisungen geben, was er seinen Eltern sagen sollte, damit sie wussten, womit sie zu rechnen hatten.

Dass der Mörder seiner Schwester Informanten habe und immer genau wisse, wo sich die Familie gerade befinde. Dass sie genug Kinder hätten, er es also jederzeit wieder tun könne. Sie sollten sich nicht zu sicher fühlen. Beim geringsten Verdacht, dass sie mit irgendjemandem geredet hätten, würde sie das ein weiteres Kind kosten, das sollte Samuel ihnen erzählen. Für diese Drohung galt keine zeitliche Begrenzung. Außerdem sollten sie wissen, dass er sein Äußeres ständig verändere. Der Mensch, den sie zu kennen glaubten, existierte überhaupt nicht.

Das hatte bisher jedes Mal gewirkt. Die Familien hatten ihren Glauben, in den sie sich flüchteten, dort begruben sie ihren Kummer. Die toten Kinder wurden beweint und die lebenden geschützt. Hiobs Geschichte war ihr Anker.

In ihrem Bekanntenkreis würden sie das Verschwinden des Kindes mit Verstoßung begründen. Das taten alle Familien. Aber in diesem Fall war die Erklärung tatsächlich glaubwürdig, denn Magdalena war anders, fast zu strahlend – und das war nicht von Vorteil in diesen Kreisen. Ihre Eltern würden sagen, sie sei irgendwo in Pflege gekommen. Für die Gemeinde wäre der Fall damit erledigt.

Er lächelte.

Bald würde es wieder einen weniger geben von denen, die Gott an die Stelle der Menschen setzten und mit ihrem Fanatismus die Welt verpesteten.

Zum Zusammenbruch der Pfarrersfamilie kam es an einem Wintertag, wenige Monate nach seinem fünfzehnten Geburtstag. In den Monaten davor waren mit seinem Körper sonderbare und unerklärliche Dinge geschehen. Sündige Gedanken, vor denen die Gemeinde warnte, verfolgten ihn auf einmal. Und als sich eines Tages unweit von ihm eine Frau in einem engen Rock bückte, bekam er am selben Abend mit diesem Bild auf der Netzhaut seinen ersten Samenerguss.

Er spürte den Schweiß in den Achselhöhlen. Die Stimme rutschte in alle Richtungen weg. Die Nackenmuskulatur wurde kräftig, und überall sprossen dunkle und borstige Körperhaare.

Plötzlich fühlte er sich wie ein Maulwurf, der sich aus seinem Acker herausgearbeitet hatte und verunsichert ins grelle Tageslicht blinzelte. Wenn er sich anstrengte, konnte er sich schwach in den Jungs der Gemeinde wiedererkennen, die diese Transformation vor ihm durchgemacht hatten. Aber worum es eigentlich ging, das wusste er nicht. Das war kein Thema, in dessen Nähe man in diesem Zuhause kam, mit diesem Vater, der ihre Familie als »Erwählte Gottes« bezeichnete.

Drei Jahre lang hatten sich seine Eltern nur dann an ihn gewandt, wenn es sich gar nicht vermeiden ließ. Sie sahen nicht, dass er sich Mühe gab, sie merkten niemals, wenn er sich in den Gebetsstunden ganz besonders anstrengte. Für sie war er nur ein Spiegel des Teufels namens Chaplin und nichts sonst. Was er auch tat, es war bedeutungslos.

In der Gemeinde galt er als Sonderling, wenn nicht sogar als Besessener, und die Gemeindemitglieder versammelten sich zum Gebet, auf dass nicht alle Kinder werden würden wie er.

Nur Eva war geblieben. Seine kleine Schwester, die ihn gelegentlich im Stich ließ und unter dem Druck des Vaters erzählte, dass er hinter dem Rücken der Eltern schlecht über sie rede und Gottes Wort nicht gehorchen wolle.

Damals hatte sein Vater es sich zur zweiten Mission in diesem Dasein erkoren, ihn zu brechen. Permanente Befehle ohne Ziel und Zweck. Hohn und Schimpf als tägliche Kost, und als Dessert Schläge und Psychoterror.

Anfangs gab es ein paar Menschen in der Gemeinde, bei denen er Trost fand, aber auch das hörte auf. In diesen Kreisen türmten sich Gottes Zorn und Fluch über das Erbarmen der Menschen, und in einem solchen Schatten ist der fromme Mensch sich selbst und Gott der Nächste. Sie kehrten ihm den

Rücken und entschieden sich für die andere Seite. Schließlich blieb ihm nichts anderes übrig, als auch die andere Wange hinzuhalten.

Genau so, wie es die Bibel vorschrieb.

In diesem Schattenheim, wo nichts gedeihen konnte, welkte die Beziehung zwischen Eva und ihm langsam dahin. Lange hatte sie sich immer wieder bei ihm entschuldigt, und lange hatte er den Vater reden lassen und sich taub gestellt. Schließlich fand er auch in ihr keine Unterstützung mehr.

Und an diesem Wintertag nahm das Unheil seinen Lauf.

»Mit dieser Stimme klingst du wie ein quiekendes Schwein«, hatte sein Vater gesagt, ehe sie sich in der Küche zu Tisch setzten. »Und so siehst du auch aus. Wie ein Schwein. Schau doch mal in den Spiegel, dann weißt du, wie hässlich und plump du bist. Schnüffele mal mit deinem scheußlichen Rüssel, dann merkst du selbst, wie du stinkst. Los, geh raus und wasch dich!«

Das war der Stil, in dem er seine Gemeinheiten auszuspucken pflegte. Kleinigkeiten, wie die Aufforderung, sich zu waschen, wurden listig und penetrant vervielfacht. Letztlich lief es immer nach dem gleichen Muster ab. Wenn sein Vater erst mit seinem Sermon fertig war, würde er bestimmt noch von ihm verlangen, sämtliche Wände seines Zimmers abzuscheuern, damit der Gestank verschwände.

Warum also den Stier nicht gleich bei den Hörnern packen?

»Wenn du mit deinem Herumkommandieren so weit bist, soll ich doch bestimmt gleich die Wände in meinem Zimmer mit Lauge abschrubben, oder? Aber das kannst du selbst machen, du Tyrann«, schrie er.

An dem Punkt begann sein Vater zu schwitzen und seine Mutter zu protestieren. Wer war er denn, so mit seinem Vater zu reden?

Seine Mutter, er kannte sie doch, würde versuchen, ihn mürbe zu machen. Sie würde ihn so lange bitten, aus ihrem Leben zu verschwinden, und mit ungerechtfertigten Anwürfen und Vorhaltungen traktieren, bis er es satthatte, die Tür hinter sich zuknallte und die halbe Nacht wegblieb. Diese Taktik hatte sie oft erfolgreich benutzt, wenn sich die Lage zuspitzte. Aber heute nicht.

Er merkte, wie sich sein neuer Körper straffte. Spürte das Blut in der Halsschlagader, die Muskeln. Kam ihm sein Vater mit der geballten Faust zu nahe, würde er Bekanntschaft mit diesem neuen Körper machen.

»Du Schwein, lass mich in Ruhe!«, warnte er. »Ich hasse dich! Wie die Pest! Wenn du doch Blut spucken würdest, du Hurenbock. Bleib mir vom Leib!«

Zu sehen, wie dieser scheinheilige Mensch zusammenstürzte in einer Wolke von Wörtern, die der Teufel selbst in die Welt gebracht hatte, wurde zu viel für Eva. Das scheue Veilchen, das sich hinter der Küchenschürze und den hausfraulichen Verrichtungen verkroch, sprang auf und schüttelte den Bruder.

Er solle ihr Leben nicht noch mehr ruinieren, als er es schon getan habe, schrie sie. Während die Mutter die beiden zu trennen versuchte, machte der Vater einen Satz zur Seite und riss zwei Flaschen aus dem Schrank unter der Spüle.

»Jetzt gehst du nach oben und scheuerst deine Wände mit Lauge ab, wie du es selbst vorgeschlagen hast, du Teufel«, fauchte er. Er war aschfahl. »Und wenn du nicht tust, was ich dir sage, dann sorge ich dafür, dass du dich die nächsten Tage nicht mehr von deinem Lager erheben kannst. Verstanden?«

Dann spuckte ihm der Vater ins Gesicht, drückte ihm die eine Flasche in die Hand und betrachtete höhnisch den Speichel, der ihm vom Kinn tropfte.

Da drehte er den Verschluss von der Flasche und ließ den ätzenden Inhalt auf den Küchenfußboden rinnen.

»Du Satansbraten, was tust du da!«, schrie sein Vater, griff nach der Flasche und wollte sie ihm aus der Hand winden. Dabei spritzte die ätzende Flüssigkeit im hohen Bogen durch die Küche.

Das Brüllen des Vaters war tief und markerschütternd – aber nichts gegen Evas Schrei.

Sie zitterte am ganzen Körper und hielt die Hände vors Gesicht, als wagte sie nicht, es anzufassen. In diesen Sekunden drang die alkalische Lösung in ihre Augen und nahm ihr für immer den Blick auf die Welt.

Und während die Küche erfüllt war vom Weinen der Mutter, dem Schreien der Schwester und seinem eigenen Entsetzen über das, was er angerichtet hatte, stand sein Vater völlig reglos da und starrte auf seine Hände. Deren Haut schlug Blasen von dem ätzenden Mittel, und sein Gesicht wurde erst rot, dann blau.

Plötzlich riss er die Augen auf und griff sich an die Brust, knickte vornüber und rang mit ungläubiger Miene nach Atem. Und als er schließlich zu Boden stürzte, war das Leben, wie sie es kannten, vorbei.

»Herr Jesus Christus, allmächtiger Vater im Himmel, ich ruhe in deiner Hand«, röchelte der Vater mit seiner letzten Luft, und dann war es vorbei. Die Hände lagen wie ein Kreuz auf der Brust, und er lächelte.

Einen Augenblick stand er ganz still, sah das Lächeln auf den erstarrten Gesichtszügen seines Vaters.

Die Rachegelüste, die ihn in den letzten Jahren aufrechterhalten hatten, entbehrten plötzlich ihrer Grundlage. Mit Gott und einem Lächeln auf den Lippen war sein Vater an einem Herzanfall gestorben.

Das war nicht das, wovon er geträumt hatte.

Nur fünf Stunden später war die Familie getrennt, Eva und seine Mutter in der Klinik in Odense, und er im Heim. Dafür sorgten die Gemeindemitglieder und das wurde seine Belohnung für das Leben im Schatten Gottes.

Jetzt fehlte ihm nur noch eines: es allen heimzuzahlen.

23

Der Abend war überwältigend schön, so still und dunkel.

Weit draußen auf dem Fjord glühten auf Segelschiffen noch immer ein paar Lichter und auf den Wiesen südlich des Hauses säuselte der Wind im frühlingszarten Gras. Bald war Sommer und dann würden dort die Kühe weiden.

Er mochte diesen Ort sehr. Eines Tages würde er sich den Vibehof schön gestalten, würde die roten Backsteine säubern, das Bootshaus abreißen und den Pflanzenbewuchs entfernen, der jetzt noch die Aussicht zum Wasser versperrte.

Es war ein schönes kleines Bauernhaus. Hier wollte er einmal alt werden.

Er öffnete die Tür zum Schuppen. An einem Pfosten hing die batteriebetriebene Laterne. Er schaltete sie ein, dann leerte er fast den gesamten Inhalt des Zehn-Liter-Kanisters in den Tank des Generators.

Wenn er im Laufe des ganzen Prozesses an diesem Punkt angelangt war und am Starterseil des Generators zog, machte sich stets ein Gefühl der Zufriedenheit in ihm breit, das Gefühl, die Arbeit gut erledigt zu haben.

Er schaltete die elektrische Deckenbeleuchtung ein und die Laterne aus. Vor ihm stand der alte, riesengroße Öltank, eine Reminiszenz an frühere Tage. Jetzt sollte er wieder in Benutzung genommen werden.

Er reckte sich und hob den Metalldeckel ab; er hatte ihn selbst angefertigt, indem er den Tank oben aufgesägt hatte. Doch ja, er war innen trocken, also war er beim letzten Mal ordentlich ausgeleert worden. Alles war so, wie es sein sollte.

Danach nahm er die Tasche vom Regal über der Tür. Ihr Inhalt hatte ihn über fünftausend Kronen gekostet, aber er war auch Gold wert. Mit dem Gen HPT 54 Night Vision wurde die Nacht zum Tag. Ein ausgezeichnetes Nachtsichtgerät, genau das Modell, das sie in der Armee benutzten.

Nachdem er die Schlaufen über den Kopf gezogen hatte, schob er sich das Gerät vor die Augen und schaltete es ein.

Dann ging er nach draußen, über den gefliesten Weg durch den Matsch aus toten und lebenden Nacktschnecken, und zog den Schlauch, der am Ende des Schuppens heraushing, hinunter zum Wasser. Mit der Brille vor Augen konnte er zwischen Büschen und Schilf problemlos das Bootshaus sehen, ja das gesamte Grundstück konnte er damit überblicken.

Graugrüne Gebäude und Frösche, die bei seinen Schritten um ihr Leben sprangen.

Das Wasser schwappte leise ans Ufer. Bis auf das Brummen des Generators war alles ruhig, als er mit dem Schlauch hinaus ins Wasser watete.

Das schwächste Glied in der Kette war dieser Generator. Früher hatte er ihn die ganze Zeit laufen lassen, aber nach ein paar Jahren hatte er schon nach einer Woche angefangen, Lärm zu machen. Deshalb musste er nun noch einmal zusätzlich zum Haus fahren, um ihn anzuwerfen. Er erwog sogar, ihn ganz auszutauschen.

Die Wasserpumpe hingegen war phantastisch. Früher hatte er den Öltank von Hand mit Wasser auffüllen müssen. Das war nun nicht mehr nötig. Jetzt dauerte es nur eine halbe Stunde, um ihn bis oben hin mit Fjordwasser zu füllen. Er nickte zufrieden und lauschte auf das effektive Plätschern am Schlauchende, begleitet vom Geräusch des Generators. Zeit hatte er genug.

Da wurde er auf die Geräusche aufmerksam, die vom Pfahlhaus herüberdrangen.

Seit er sich den Mercedes angeschafft hatte, konnte er diejenigen, die dort angekettet waren, ohne weiteres überraschen. Der Wagen war zwar teuer gewesen, aber das war nun einmal der Preis für den Komfort und vor allem für einen fast lautlosen Motor. Wohl wissend, dass man im Bootshaus nichts von seiner Anwesenheit ahnte, konnte er sich nun immer bis ganz nahe heranschleichen.

So war es auch dieses Mal.

Samuel und Magdalena waren wirklich besonders. Samuel, weil er ihn an sich selbst in dem Alter erinnerte. Geschmeidig, rebellisch und explosiv. Magdalena hingegen war fast das genaue Gegenteil. Als er sie zum ersten Mal durch das Guckloch im Bootshaus betrachtet hatte, war er erschüttert gewesen, wie sehr sie ihn an das Mädchen erinnerte, in das er verbotenerweise verliebt gewesen war – und daran, wozu das geführt hatte. Geschehnisse, die letztendlich sein Leben komplett verändert hatten. Oh ja, er erinnerte sich nur zu gut an das Mädchen, wenn er Magdalena betrachtete. Sie hatte genau die gleichen leicht schräg stehenden Augen und diese durchscheinende Haut, unter der sich das Geflecht der Adern abzeichnete.

Zweimal hatte er sich bereits dicht ans Haus herangeschlichen und den Teerklumpen herausgezogen, mit dem das Guckloch abgedichtet war. Wenn er mit dem Kopf ganz nahe heranging, konnte er drinnen alles sehen. Die Kinder hockten nur wenige Meter voneinander entfernt. Samuel weit drinnen im Raum, Magdalena an der Tür.

Magdalena weinte viel, aber leise. Wenn in dem schwachen Licht ihre zarten Schultern zu beben anfingen, rüttelte ihr Bruder an seinem Lederriemen, um ihre Aufmerksamkeit auf sich zu lenken. Der Blick seiner warmen Augen sollte sie trösten.

Er war ihr großer Bruder, und er würde alles tun, um sie von diesen Riemen loszubekommen, die so tief in ihre Haut einschnitten. Nur konnte er nichts tun. Deshalb weinte auch er, aber das wusste sie nicht. Das sollte sie nicht sehen. Er wandte kurz den Kopf ab, bis er sich wieder gefasst hatte. Dann sah er wieder zu ihr hin und kasperte ein bisschen, indem er mit dem Kopf nickte und mit dem Oberkörper wackelte.

Genau wie er und seine Schwester, damals, als er Chaplin imitierte.

Er hatte gehört, wie Magdalena dort drinnen hinter dem Klebeband lachte. Einen winzigen Moment lang hatte sie gelacht, dann hatten die Realität und die Angst sie wieder eingeholt.

An diesem Abend kam er zurück, um ihren Durst ein letztes Mal zu stillen. Schon von Ferne hörte er das Mädchen leise singen.

Er legte das Ohr an die Bretterwand des Bootshauses. Sogar trotz des Klebebandes hörte man, wie klar und hell ihre Stimme war. Die Worte kannte er. Die hatten ihn während seiner gesamten Kindheit begleitet, und er hasste sie alle, bis zum letzten Buchstaben.

Näher, mein Gott, zu Dir,
Näher zu Dir!
Drückt mich auch Kummer hier,
Drohet man mir,
Soll doch trotz Kreuz und Pein
Dies meine Losung sein:
Näher, mein Gott, zu Dir,
Näher zu Dir!

Da zog er vorsichtig den Teerklumpen aus dem Guckloch und spähte mit der Nachtsichtbrille ins Innere des Bootshauses.

Mit vorgebeugtem Kopf und hängenden Schultern sah Magdalena kleiner aus, als sie war. Im Rhythmus des Gesangs rollte ihr Körper langsam von einer Seite auf die andere.

Und als sie fertig war, saß sie da und sog in kurzen, heftigen Zügen Sauerstoff durch die Nase ein. Wie bei erschreckten kleinen Tieren meinte man fast zu spüren, wie hart das Herz arbeiten musste, um mit all den Herausforderungen Schritt halten zu können. Mit Hunger und Durst, mit den Grübeleien und der Angst vor dem, was kommen mochte.

Als er seinen grünlichen Nachtsicht-Blick Samuel zuwandte, erfasste er unmittelbar, dass der Junge nicht in gleicher Weise niedergeschlagen und apathisch war wie seine Schwester. Ganz im Gegenteil wetzte er mit dem Oberkörper unablässig an der abgeschrägten Wand entlang. Und keinesfalls, um Clownerien zu veranstalten.

Nein, das schleifende Geräusch, das er gerade noch dem betagten Generator zugeschrieben hatte, kam ganz eindeutig aus Samuels Richtung.

Schlagartig wurde ihm klar, was der Junge vorhatte. Er schabte mit dem Lederriemen an den Planken der Wand entlang. Mühte sich nach Kräften ab, damit der Riemen nachgab.

Vielleicht hatte er einen kleinen Vorsprung am Holz gefunden, vielleicht ein Aststück, an dem er das Leder entlangscheuern konnte.

Er sah jetzt das Gesicht des Jungen klarer. Lächelte er? War er mit seinem Vorhaben schon so weit, dass er Grund dazu hatte?

Das Mädchen hustete etwas. Die letzten Nächte waren feuchtkalt gewesen und hatten an ihr gezehrt.

Wie schwächlich ihr Körper ist, dachte er, als sie sich räusperte. Dann fing sie hinter dem Klebeband wieder an zu singen.

Er war geschockt. Dieses Lied war ein unabänderlicher Bestandteil aller Beerdigungen gewesen, die sein Vater zelebriert hatte.

Bleib bei mir, Herr! Der Abend bricht herein.
Es kommt die Nacht, die Finsternis fällt ein.
Wo fänd ich Trost, wärst Du, mein Gott, nicht hier?
Hilf dem, der hilflos ist: Herr, bleib bei mir!

Wie bald verebbt der Tag, das Leben weicht,
die Lust verglimmt, der Erdenruhm verbleicht;
umringt von Fall und Wandel leben wir.
Unwandelbar bist Du: Herr, bleib bei mir.

Angewidert drehte er sich um und ging zurück zum Schuppen. Dort zog er zwei schwere, anderthalb Meter lange Ketten von ihrem Nagel an der Wand und holte aus der Schublade unter der Hobelbank die beiden Hängeschlösser hervor. Ihm war beim letzten Mal schon aufgefallen, dass die Lederfesseln um den Leib der Kinder allmählich etwas abgewetzt waren. Na, die waren ja auch reichlich gebraucht worden! Aber wenn Samuel so intensiv daran arbeitete, musste Verstärkung her.

Die Kinder blickten verwirrt zu ihm auf, als er das Licht einschaltete und zu ihnen hereinkroch. Verzweifelt rüttelte der Junge in der Ecke noch einmal an seinen Fesseln, aber das nützte nichts. Er trat und protestierte wild hinter dem Klebeband, als ihm die Kette um den Leib gelegt und am Riemen an der Wand befestigt wurde. Aber für wirklichen Widerstand hatte er keine Kraft mehr. Seit Tagen Hunger und dazu die unbequeme Stellung, das hatte ihn ausgezehrt. Richtig jämmerlich sah er aus, wie er dort saß, die Beine schräg unter sich angezogen.

Genau wie die anderen Opfer vor ihm.

Magdalena hatte sofort aufgehört zu singen. Seine Anwesenheit raubte ihr alle Energie. Vielleicht hatte sie geglaubt, die Anstrengungen ihres Bruders würden etwas nützen. Jetzt wusste sie, wie trügerisch ihre Hoffnung gewesen war.

Erst füllte er die Tasse mit Wasser, dann riss er ihr mit einem Ruck das Klebeband vom Mund.

Sie japste, reckte dann aber doch den Hals vor und öffnete den Mund. Die Überlebensreflexe funktionierten noch.

»Magdalena, du darfst nicht so hastig trinken«, flüsterte er.

Sie hob das Gesicht und sah ihm einen Moment in die Augen. Verwirrt und voller Angst.

»Wann kommen wir nach Hause?«, fragte sie und ihre Lippen zitterten. Sie begehrte nicht auf, wurde nicht ausfallend. Stellte nur diese einfache Frage und reckte sich gleich darauf nach mehr Wasser.

»Ein oder zwei Tage wird es noch dauern«, sagte er.

In ihren Augen standen Tränen. »Ich will nach Hause zu meinen Eltern«, weinte sie.

Er lächelte ihr zu und hob die Tasse an ihre Lippen.

Vielleicht spürte sie, was in ihm vorging. Jedenfalls hörte sie auf zu trinken, sah ihn aus großen Augen an und wandte den Kopf dann ihrem Bruder zu.

»Er bringt uns um, Samuel«, sagte sie und ihre Stimme bebte. »Ich weiß es.«

Er drehte den Kopf und sah den Jungen direkt an.

»Deine Schwester ist völlig durcheinander, Samuel«, sagte er mit gedämpfter Stimme. »Natürlich bringe ich euch nicht um. Alles wird gut. Eure Eltern sind wohlhabend und ich bin kein Unmensch.«

Wieder wandte er sich Magdalena zu, die den Kopf hängen ließ, als stünde das Ende ihres Lebens unmittelbar bevor. »Ich weiß so viel von dir, Magdalena.« Behutsam strich er ihr mit dem Handrücken übers Haar. »Ich weiß, dass du dir gern die Haare abschneiden lassen würdest. Dass du gern mehr selbst entscheiden möchtest. Ich habe hier etwas, das ich dir zeigen will«, sagte er, steckte die Hand in die Innentasche seiner Jacke und zog ein buntes Blatt Papier heraus.

»Erkennst du es?«, fragte er.

Er spürte, wie sie zusammenzuckte. Aber sie verbarg ihren Schrecken gut.

»Nein.« Mehr sagte sie nicht.

»O doch, Magdalena. Ich hab dich beobachtet, wenn du im Garten dort in der Ecke gesessen und in das Loch geschaut hast. Das hast du ziemlich oft gemacht.«

Sie wandte den Kopf ab. Schämte sich. Er hatte eine Grenze verletzt.

Jetzt hielt er ihr das Papier vors Gesicht, eine herausgerissene Seite aus einer Illustrierten.

»Fünf berühmte Frauen mit kurzen Haaren«, sagte er und las vor: »Sharon Stone, Natalie Portman, Halle Berry, Winona Ryder und Keira Knightley. Na ja, ich kenne sie nicht, aber das sind doch bestimmt Filmstars, oder?«

Er nahm Magdalenas Kinn und drehte ihr Gesicht zu sich. »Warum ist es verboten, das anzuschauen? Weil sie alle kurze Haare haben? Weil das in eurer Kirche nicht erlaubt ist? Ist das der Grund?« Er nickte. »Ja, ich sehe schon, das ist es. Du hättest auch gern die Haare so kurz, nicht wahr? Du schüttelst den Kopf, aber ich glaube trotzdem, dass du das willst. Aber hör zu, Magdalena. Habe ich deinen Eltern von deinem kleinen Geheimnis erzählt? Nein, habe ich nicht. Also kann ich doch gar nicht so schlimm sein, oder?«

Er zog sich etwas zurück, nahm das Messer aus der Tasche und klappte es auf.

Immer sauber und scharf.

»Mit diesem Messer hier kann ich deine Haare ruckzuck abschneiden.«

Er ergriff eine Strähne und schnitt sie ab.

Das Mädchen zuckte erneut zusammen, und ihr Bruder zerrte und rüttelte an seiner Kette.

»Da!«, sagte er.

Sie wirkte, als hätte er ihr ins Fleisch geschnitten. Kurze Haare waren wirklich tabu für ein Mädchen, das mit dem religiösen Dogma, Haare seien heilig, aufgewachsen war, das merkte man.

Sie weinte, als er ihr den Mund wieder zuklebte. Die Hose und das Papier unter ihr wurden nass.

Jetzt wandte er sich an ihren Bruder und wiederholte die Prozedur mit dem Klebeband und dem Wasser aus der Tasse.

»Und du, Samuel, du hast auch deine Geheimnisse. Du siehst Mädchen nach, die nicht zur Gemeinde gehören. Ich hab dich dabei beobachtet, auf dem Heimweg von der Schule, zusammen mit deinem großen Bruder. Darfst du das denn, Samuel?«

»Ich mach dich alle, wenn ich kann, Gott helfe mir«, stieß der Junge hervor, bevor auch ihm der Mund wieder mit Packband zugeklebt wurde.

So, viel mehr war jetzt nicht zu tun. Und ja, die Entscheidung war richtig. Das Mädchen musste weg.

Sie war, trotz ihrer Träume, deutlich stärker von Ehrfurcht erfüllt. Ihr hatte die Religion mehr zugesetzt. Aus ihr würde vielleicht eine neue Rachel oder eine neue Eva werden.

Musste er mehr wissen?

Nachdem er sie mit dem Versprechen beruhigt hatte, sie freizulassen, sobald ihr Vater bezahlt hätte, ging er zurück zum Schuppen. Der Öltank war jetzt voll genug. Er schaltete die Pumpe ab, rollte den Schlauch zusammen, steckte den Stecker des Industrie-Tauchsieders in den Generator, schaltete den Heizstab ein und ließ ihn in den Tank gleiten. Seiner Erfahrung nach wirkte die Lauge weitaus schneller, wenn die Wassertemperatur über zwanzig Grad lag, und zurzeit musste man noch mit Nachtfrost rechnen.

Der Kanister mit der Lauge stand auf der Palette in der Ecke. Er schraubte ihn auf und kippte den Inhalt in den Öltank. Fürs nächste Mal musste er Nachschub besorgen, stellte er fest.

War das Mädchen erst einmal tot, würde ihre Leiche in den Tank geworfen. Der Körper würde sich binnen weniger Wochen auflösen.

Danach musste er nur mit dem Schlauch zwanzig Meter weit in den Fjord hinauswaten und den Tankinhalt ablassen.

Mit etwas Wind war der Dreck innerhalb eines Tages weit genug hinausgetrieben.

Zweimaliges Ausspülen des Öltanks, und alle Spuren waren beseitigt.

Alles nur eine Frage der Chemie.

24

Sie waren ein ungleiches Paar, wie sie da in Carls Büro standen, Yrsa mit den blutroten Lippen und Assad mit den kriegerischen Bartstoppeln.

Mit jeder Faser strahlte Assad Missbilligung aus. Carl konnte sich nicht erinnern, ihn jemals so empört gesehen zu haben.

»Das darf doch wohl nicht wahr sein! Yrsa sagt, wir kriegen diesen Tryggve nicht nach Kopenhagen? Und was ist mit dem Bericht?«

Carl kniff die Augen zusammen. Das Bild von Mona, die Schlafzimmertür öffnend, erschien regelmäßig auf seiner Netzhaut und brachte ihn jedes Mal aus der Fassung. Eigentlich hatte er den ganzen Morgen an nichts anderes denken können. Und solange er nicht einigermaßen wieder sortiert war, mussten Tryggve und diese verrückte Welt da draußen eben auf Stand-by warten.

»Äh, was?« Carl reckte sich in seinem Bürostuhl. Es war Urzeiten her, dass sich sein Körper dermaßen empfindlich angefühlt hatte. »Tryggve? Nein, der ist noch in Blekinge. Ich hab ihn aufgefordert, nach Kopenhagen zu kommen, hab ihm sogar angeboten, ihn zu fahren. Aber er sagte, er sähe sich dazu nicht imstande. Ich konnte ihn doch nicht zwingen! Du darfst eines nicht vergessen, Assad, der ist in Schweden. Wenn er nicht freiwillig kommt, dann kriegen wir ihn ohne die Hilfe der schwedischen Polizei nicht hierher. Und dafür ist es doch noch etwas zu früh, oder?«

Er hatte damit gerechnet, dass Assad zustimmend nicken würde, aber das tat er nicht. »Ich schreib einen Bericht an

Marcus, ja? Dann werden wir ja sehen. Und davon abgesehen weiß ich nicht, was wir hier und jetzt weiter tun sollen. Es handelt sich schließlich um einen dreizehn Jahre alten Fall, bei dem nie Nachforschungen angestellt wurden. Wir müssen Marcus entscheiden lassen, in wessen Zuständigkeitsbereich das überhaupt fällt.«

Assad runzelte die Brauen, und Yrsa machte es ihm nach. Meinte Carl im Ernst, Dezernat A solle am Ende die Früchte ihrer Arbeit ernten?

Assad warf einen Blick auf seine Armbanduhr. »Wir können jetzt gleich nach oben gehen, dann haben wir's hinter uns. Jacobsen kommt montags immer früh.«

»Okay, Assad.« Carl richtete sich auf. »Aber erst mal müssen wir noch was besprechen.«

Er sah Yrsa an, die sich erwartungsvoll in den Hüften wiegte. Was würde da ans Licht kommen?

»Assad und ich allein, Yrsa.« Er deutete auf seine Augen. »Unter vier Augen, du weißt schon.«

»Ach so.« Sie zwinkerte ihm zu. »Men's talk«, raunte sie und ließ beim Verlassen des Raums eine Wolke aus Parfum zurück.

Stirnrunzelnd betrachtete Carl Assad und schwieg. Vielleicht würde das Assad dazu animieren, von sich aus anzufangen. Aber der sah ihn nur an, als wollte er jeden Moment losrennen und ihm ein Mittel gegen Sodbrennen anbieten.

»Ich bin gestern bei dir draußen gewesen, Assad. Draußen in der Heimdalsgade Nummer 62. Du warst nicht da.«

Auf Assads Wange erschien eine kleine Kuhle, die er auf erstaunliche Weise sogleich in eine Lachfalte umformte. »Das ist ja schade. Warum hast du nicht vorher angerufen?«

»Ich hab's versucht, Assad. Aber du bist nicht ans Handy gegangen.«

»Wirklich schade, das hätte doch nett werden können, Carl. Na, vielleicht ein anderes Mal.«

»Ja. Aber dann doch wohl nicht dort, oder?«

Assad nickte. Versuchte es mit einem leichten Lächeln. »Du meinst, wir sollten uns in der Stadt treffen? Ja, gute Idee.«

»Dann musst du unbedingt deine Frau mitbringen, Assad. Wird wirklich Zeit, dass ich sie mal kennenlerne. Und auch deine Töchter.«

Da zuckte es leicht an Assads Augenlid. Als wenn seine Frau die Letzte wäre, die er an irgendeinen öffentlichen Ort mitschleppen wollte.

»Assad, ich hab dort draußen in der Heimdalsgade mit Leuten gesprochen.«

Jetzt zuckte es auch am anderen Auge.

»Du wohnst dort doch gar nicht, Assad, und zwar schon lange nicht mehr. Und was deine Familie angeht, die hat nie dort gewohnt. Also, wo wohnst du, Assad?«

Assad breitete die Arme aus. »Die Wohnung ist sehr klein, Carl. Zu klein für uns alle.«

»Hättest du mir dann nicht melden müssen, dass du umgezogen bist? Und hättest du nicht versuchen sollen, die kleine Wohnung loszuwerden?«

Assad sah nachdenklich aus. »Da hast du recht, Carl. Das sollte ich wohl mal tun.«

»Und wo wohnst du jetzt also?«

»Wir haben ein Haus gemietet, das ist derzeit ziemlich billig. Viele haben ja sogar zwei Häuser. Der Immobilienmarkt, du weißt schon.«

»Na, das klingt doch super. Aber wo, Assad, wo? Ich brauche eine Anschrift.«

Assad senkte leicht den Kopf. »Also, wir mieten das Haus schwarz, Carl. Sonst wär's zu teuer. Können wir denn nicht die alte Anschrift als Postadresse behalten?«

»Wo, Assad?«

»Na ja, draußen in Holte. Nur ein kleines Haus am Kongevejen. Aber könntest du nicht bitte vorher anrufen, Carl?

Meine Frau mag es nicht so gern, wenn plötzlich unangemeldet Leute vor der Tür stehen.«

Carl nickte. Er würde bei anderer Gelegenheit auf das Thema zurückkommen. »Noch eins. Warum haben die dort in der Heimdalsgade gesagt, du seiest Schiit? Hast du nicht gesagt, du kämst aus Syrien?«

Assad schob seine volle Unterlippe vor. »Ja, und?«

»Gibt es in Syrien überhaupt Schiiten?«

Die buschigen Augenbrauen machten auf der Stirn einen Satz nach oben. »Also wirklich, Carl«, lächelte er nachsichtig. »Schiiten, die kannst du überall finden.«

Eine halbe Stunde später standen sie zusammen mit Marcus Jacobsen, Lars Bjørn und fünfzehn montagsmüden, knurrigen Kollegen im Briefingraum.

Keiner in der Runde war zum Vergnügen hier, das war nur zu offensichtlich.

Marcus Jacobsen gab in groben Zügen wieder, was ihm Carl über den Fall Holt berichtet hatte, denn so war das Prozedere im Dezernat A. Falls es etwas zu fragen gab, konnten die Leute das auf der Stelle tun.

»Von Tryggve Holt, dem jüngeren Bruder des ermordeten Poul Holt, wissen wir, dass die Familie den Entführer kannte. Oder sollen wir ihn besser den Mörder nennen? Besagter Mann jedenfalls hatte eine Zeit lang an den Gebetskreisen teilgenommen, die der Vater, Martin Holt, in Græsted für die Zeugen Jehovas abhielt. Alle hatten erwartet, dass der Mann bald um Aufnahme in die Gemeinde bitten würde.«

»Haben wir Fotos von ihm?«, fragte Vizepolizeikommissarin Bente Hansen, eine aus Carls früherer Gruppe.

Bjørn, der Stellvertreter, schüttelte den Kopf. »Nein. Aber wir haben eine detaillierte Beschreibung seines Aussehens und wir haben einen Namen. Freddy Brink. Obwohl das vermutlich nicht sein richtiger Name ist, das Sonderdezernat Q hat das bereits überprüft. In keinem Melderegister erscheint jemand mit diesem Namen, auf den das beschriebene Alter zutrifft. Deshalb konnten wir die Kollegen aus Karlshamn überzeugen, einen Polizeizeichner zu Tryggve Holt zu schicken. Nun müssen wir das Ergebnis abwarten.«

Marcus Jacobsen hatte sich ans Whiteboard gestellt und notierte dort Stichworte.

»Er entführt die Jungs also am 16. Februar 1996. Das ist ein Freitag. Poul besucht in Ballerup die Ingenieurhochschule, an diesem Tag hat er seinen jüngeren Bruder Tryggve mitgenommen. Der genannte Freddy Brink passt sie mit seinem blauen Lieferwagen ab. Er scheint sich zu freuen, dass sie sich per Zufall so weit entfernt von Græsted treffen. Er bietet ihnen an, sie nach Hause zu fahren. Leider konnte uns Tryggve keine genauere Beschreibung des Autos geben, außer, dass es vorne rund und hinten eckig war.

Die Jungs setzen sich vorn auf die Beifahrersitze. Kurze Zeit später hält dieser Freddy Brink auf einem abseits gelegenen Parkplatz und lähmt beide mit Stromstößen. Tryggve konnte uns nicht sagen, wie er das gemacht hat, aber höchstwahrscheinlich hat er irgendeine Art Elektroschockwaffe benutzt. Danach verfrachtet er sie hinten auf die Ladefläche und presst ihnen ein Tuch aufs Gesicht, das vermutlich mit Chloroform oder Äther getränkt ist.«

»Darf ich hier kurz einhaken? Tryggve Holt war sich bei dem eben beschriebenen Verlauf nicht ganz sicher«, präzisierte Carl. »Er war von dem Stromstoß halb bewusstlos, und was ihm sein Bruder anschließend mitteilen konnte, war begrenzt, denn der Kidnapper hatte beiden den Mund mit Packband zugeklebt.«

»Ja«, fuhr Marcus Jacobsen fort. »Aber wenn ich das richtig verstanden habe, konnte Poul seinem kleinen Bruder den Eindruck vermitteln, sie seien eine Stunde gefahren. Aber darauf sollten wir uns nicht so sehr festlegen. Poul litt an einer Form von Autismus und hatte seine ganz eigene Wahrnehmung der Realität, auch wenn er hochbegabt war.«

»Also vielleicht Asperger? Ich denke dabei an den Wortlaut des Briefs und daran, dass Poul selbst in dieser entsetzlichen Situation, in der er sich befand, Wert darauf legte, das exakte Datum aufzuschreiben. Ist so etwas nicht ziemlich typisch für Menschen mit Asperger-Syndrom?«, fragte Bente Hansen, die mitgeschrieben hatte.

»Ja, vielleicht.« Der Chef nickte. »Nach der Fahrt werden die Jungs in ein Bootshaus gebracht, wo es stark nach Teer und fauligem Wasser riecht. Es ist ein sehr kleines Bootshaus, in dem man kaum aufrecht stehen kann, nur wenn man den Rücken sehr krumm macht. Also keins für Ruder- oder Segelboote, sondern eher eines zum Aufbewahren von Kanus und Kajaks. Dort hält dieser Brink sie vier bis fünf Tage gefangen, ehe er Poul ermordet. Die Zeitangaben stammen von Tryggve, aber wir dürfen dabei nicht vergessen, dass er damals erst dreizehn war und schreckliche Angst hatte. Deshalb schlief er auch die meiste Zeit.«

»Haben wir Informationen zur Topografie?«, fragte Peter Vestervig, einer der Männer aus Viggos Gruppe.

»Nein«, lautete die Antwort des Chefs. »Die Augen der Jungs waren verbunden, als sie ins Bootshaus geführt wurden. Sie konnten also nichts sehen. Aber sie haben ein tiefes Brummen gehört, sagt Tryggve. Das könnten vielleicht Windräder gewesen sein. Der Ton war relativ häufig zu hören, aber manchmal war er nicht so laut. Wahrscheinlich hing das von der Windstärke und -richtung ab.«

Marcus Jacobsen heftete seinen Blick einen Moment auf die Zigarettenpackung vor sich auf dem Tisch. Inzwischen reichte ihm das zum Energietanken. Schön für ihn.

»Wir wissen«, fuhr er fort, »dass das Bootshaus direkt am Wassersaum lag und wahrscheinlich auf Pfählen gebaut war, denn die Wellen schlugen von unten an die Bodenplanken.

Die Tür lag etwa einen halben Meter über dem umgebenden Terrain, sodass man in den Raum mit dem niedrigen Dach kriechen musste. Tryggve hat in einer Ecke tatsächlich Paddel gesehen, was die Vermutung stützt, dass das Bootshaus seinerzeit zur Aufbewahrung von Kajaks oder Kanus errichtet wurde. Und er meint auch, dass es nicht aus einer der Holzsorten gebaut war, die in Skandinavien üblicherweise für solche Häuser verwendet werden. Das Holz sei heller und anders in der Struktur gewesen. Aber davon hören wir später mehr. Laursen, unser alter Freund aus der Technischen Abteilung, hat im Papier der Flaschenpost einen Splitter gefunden, der vermutlich von dem Holzstück stammt, das Poul als Griffel benutzte. Im Augenblick liegt dieser Splitter bei den Experten zur Begutachtung. Vielleicht kann er uns im Hinblick auf die Holzsorte helfen, die für das Bootshaus verwendet wurde.«

»Wie wurde Poul umgebracht?«, fragte einer, der ganz hinten stand.

»Das weiß Tryggve nicht. Ihm wurde vorher ein Stoffsack über den Kopf gezogen. Er hörte Geräusche eines Handgemenges, und als der Sack wieder entfernt wurde, war sein Bruder weg.«

»Woher weiß er dann, dass sein Bruder ermordet wurde?«, hakte der Frager nach.

»Die Geräusche waren mehr als eindeutig.«

»Was für Geräusche?«

»Stöhnen, Flehen, Stolpern, ein dumpfer Schlag und dann nichts mehr.«

»Ein Schlag mit einem stumpfen Gegenstand?«

»Durchaus möglich, ja. Carl, willst du ab hier übernehmen?«

Das war eine Geste des Chefs, die nicht viele in der Runde begrüßten. Alle sahen zu Carl hin. Ginge es nach ihnen, mochte der doch dorthin verschwinden, wo der Pfeffer wuchs. Nach all den Jahren hatten sie die Nase gestrichen voll von ihm.

Carl war das egal. In seiner Hypophyse blubberten noch

die Nachwirkungen einer wilden Nacht. Nach den Mienen all der Langweiler zu urteilen, war er in dieser Versammlung der Einzige, der so wonnevolle Empfindungen erlebt hatte.

Carl räusperte sich. »Tryggve bekam von dem Entführer genaue Instruktionen, was er seinen Eltern erzählen sollte: dass Poul umgebracht worden sei und dass der Mann nicht zögern würde, ein weiteres Mal zuzuschlagen, wenn sie mit irgendjemandem über das Geschehene redeten.«

Ihm fiel Bente Hansens Blick auf. Als Einzige im Raum reagierte sie auf seine Worte. Er nickte ihr zu. Die Dame war immer okay gewesen.

»Ja, das muss für einen Dreizehnjährigen traumatisch gewesen sein«, fuhr Carl direkt an sie gewandt fort. »Später, als Tryggve wieder zu Hause war, erfuhr er, dass der Mörder schon vor der Ermordung zu den Eltern Kontakt aufgenommen und eine Million als Lösegeld verlangt hatte. Geld, das sie auch bezahlten.«

»Die haben bezahlt?«, fragte Bente Hansen. »Vor oder nach dem Mord?«

»Vor dem Mord, soweit ich weiß.«

»Ich verstehe überhaupt nicht, worauf das hier hinausläuft, Carl. Kannst du das kurz erklären?«, fragte Vestervig. Dass die Leute in dieser Runde ehrlich zu erkennen gaben, dass sie etwas nicht kapierten, war selten. Alle Achtung.

»Gern. Die Familie wusste, wie der Mörder aussah, er hatte ja an ihren Versammlungen teilgenommen. Wahrscheinlich hätten die Eltern sowohl ihn wie auch sein Auto und etliches andere ziemlich gut identifizieren können. Aber der Mörder sicherte sich mit seinen Drohungen ab, sodass sie nicht zur Polizei gingen. Die Methode war so simpel wie grausam.«

Ein paar aus der Runde lehnten sich an die Wand. Schon jetzt waren sie mit ihren Gedanken bei den Fällen, die auf ihren Schreibtischen warteten. Bei den Rocker- und Migrantenbanden zum Beispiel, die ihnen momentan wirklich auf die

Nerven gingen. Gestern hatte es noch eine weitere Schießerei in Nørrebro gegeben, die dritte innerhalb einer Woche. Inzwischen wagten sich nicht einmal mehr die Rettungswagen in die Gegend. Die ganze Zeit gab es ernst zu nehmende Drohungen. Mehrere Kollegen hatten höchstpersönlich in schusssichere Westen investiert, und ein paar aus der Runde hier trugen sie unter ihren Pullovern.

Was ging denn sie eine Flaschenpost von 1996 an, wo sie mit dem Aktuellen mehr als genug um die Ohren hatten? Bis zu einem gewissen Grad verstand Carl sie sogar. Aber hatten sie nicht vielleicht selbst Schuld an dem Hochbetrieb? Hatte nicht vielleicht mehr als die Hälfte der hier Anwesenden die Parteien gewählt, die das Land in diese Scheißsituation manövriert hatten? Polizeireform, verfehlte Integrationspolitik. Nein, das hatten sich die Nörgler und Schreihälse selbst zuzuschreiben. Aber ob sie sich noch daran erinnerten, nachts um zwei im Dienstwagen, wenn die Frau zu Hause im Bett lag und von einem Mann träumte, an den sie sich schmiegen konnte?

»Der Entführer sucht sich eine kinderreiche Familie aus«, fuhr Carl fort, während er nach Gesichtern Ausschau hielt, an die zu wenden es sich lohnte. »Eine Familie, die – als Zeugen Jehovas – in vielerlei Hinsicht isoliert in der sie umgebenden Gesellschaft lebt. Eine Familie, die relativ starr in ihren Gewohnheiten verankert ist und ein außerordentlich restriktives Leben führt. Eine Familie, die nicht zuletzt auch noch vermögend ist, nicht wirklich steinreich, aber reich genug. Aus dieser Familie wählt der Mörder zwei Kinder aus, die innerhalb der Kinderschar irgendwie einen besonderen Status haben. Er entführt sie beide, und nachdem das Lösegeld bezahlt ist, ermordet er das eine und lässt das andere frei. Jetzt weiß die Familie, wozu er imstande ist. Der Mörder droht dann, er sei bis in alle Zukunft bereit, ohne Vorwarnung ein weiteres Geschwisterkind umzubringen, sollte er den Verdacht hegen, die Familie habe sich mit der Polizei oder der Gemeinde in Verbindung gesetzt oder versuche auf eigene Faust, ihn zu finden. Die Familie ist eine Million Kronen ärmer, aber die restliche Kinderschar ist am Leben. Und die Familie verschweigt das Unglück, das sie getroffen hat. Sie schweigt, damit der Mörder mit seinen Drohungen nicht ernst macht. Sie schweigt, um wieder ein einigermaßen normales Leben führen zu können.«

»Und das verschwundene Kind?«, rief Bente Hansen dazwischen. »Wie steht's mit der Umgebung? Es muss doch Menschen gegeben haben, denen auffiel, dass plötzlich ein Kind fehlte?«

»Ja, das sollte man meinen. Aber in einer so engen, aufeinander bezogenen Gemeinschaft reagieren nicht viele, wenn man verkündet, man habe das Kind aus religiösen Gründen verstoßen. Auch wenn so eine Entscheidung an sich von einem besonderen Rat gemeinsam getroffen wird. Und in gewissen religiösen Sekten wirkt genau diese Erklärung von der Verstoßung glaubwürdig. Tatsächlich ist es in manchen Sekten nicht gestattet, Kontakt zu einem Verstoßenen zu haben, und deshalb versuchen es die Mitglieder auch gar nicht erst. Die Gemeinde ist in dieser Frage jederzeit solidarisch. Nach dem Mord erklärten die Eltern, sie hätten ihren Sohn Poul verstoßen, hätten ihn fortgeschickt, und zwar richtig weit weg, um nicht mehr an ihn erinnert zu werden. Aus den Augen, aus dem Sinn. Da verstummten auch die Fragen.«

»Ja, aber außerhalb der Gemeinde? Da muss es doch auch welche gegeben haben.«

»Ja, sollte man annehmen. Aber in den meisten Fällen gibt es keinerlei Kontakt zu Menschen außerhalb der Gemeinde. Das ist doch gerade das Teuflische daran, dass der Mörder solche Opfer ausgewählt hat. Eigentlich hat sich nur Pouls Studienberater bei den Eltern nach ihm erkundigt, und das hat zu nichts geführt. Wenn ein Student nicht will, kann man ihn ja nicht an seinen Studienplatz zwingen, oder?«

An der Stelle hätte man eine Stecknadel fallen hören können. Nun hatten es alle begriffen.

»Ja, wir wissen genau, was ihr denkt, und das denken wir auch.« Der Stellvertreter Lars Bjørn sah in die Runde. Wie immer versuchte er, wichtiger auszusehen, als er war. »Wenn dieses schwere Verbrechen nie zur Anzeige gekommen ist und womöglich bewusst in einem so geschlossenen Milieu verübt wurde, dann ist es durchaus möglich, dass es sich wiederholt hat.«

»Das ist ja krank!«, kam es von einem der Neuen.

»Ja, willkommen im Polizeipräsidium.« Das war Vestervig so rausgerutscht, und er bereute es im selben Moment, als Jacobsen ihm einen Blick zuwarf.

»Ich darf betonen, dass wir bislang noch keine drastischen Schlüsse ziehen dürfen«, sagte der Chef. »Aber solange wir nicht mehr wissen, gilt: Kein Wort der Presse gegenüber, ist das klar?«

Alle nickten, besonders Assad.

»Das, was seither in der Familie passiert ist, zeigt ganz klar, wie der Mörder sie in der Hand hatte«, sagte Marcus Jacobsen. »Willst du, Carl?«

»Ja. Tryggve Holt zufolge zog die Familie schon eine Woche nach seiner Freilassung nach Schweden um, nach Lund. Damals bekamen alle Familienmitglieder den Befehl, Poul nie mehr zu erwähnen.«

»Das muss hart gewesen sein für den kleinen Bruder«, warf Bente Hansen ein.

Carl sah Tryggves Gesicht vor sich. Das war es unter Garantie gewesen.

»Wie paranoid die Drohung des Mörders die Familie gemacht hat, zeigte sich jedes Mal, wenn sie jemanden Dänisch sprechen hörten. Deshalb zogen sie von Schonen weiter nach Nordosten, nach Blekinge, und auch dort sind sie noch zweimal umgezogen, bis sie an ihrem jetzigen Wohnort in Hallabro zur Ruhe kamen. Aber der Vater hat alle Familienmitglieder strengstens instruiert, niemals jemanden ins Haus zu lassen, der dänisch spricht, und sich niemals auf Menschen außerhalb der Gemeinde einzulassen.«

»Und dagegen protestierte Tryggve?«, fragte Bente Hansen.

»Ja, und das tat er aus zwei Gründen: Erstens wollte er sich nicht verbieten lassen, über Poul zu sprechen, den er sehr geliebt hat und von dem er auf irgendeine abstruse Weise meint, er habe sein Leben für ihn geopfert. Und zweitens hatte er sich heftig in ein Mädchen verliebt, das nicht zu den Zeugen Jehovas gehört.«

»Und dann wurde er verstoßen«, ergänzte Lars Bjørn. Schließlich waren schon mehrere Sekunden vergangen, seit er seine eigene Stimme gehört hatte.

»Ja, Tryggve wurde verstoßen«, schloss sich Carl an. »Und das ist er nun seit vier Jahren. Er ist ein paar Kilometer weiter nach Süden gezogen, hat Halt in der Beziehung zu der jungen Frau gefunden und begonnen, als Hilfskraft in einer Holzhandlung in Belganet zu arbeiten. Seine Familie hat nie wieder mit ihm gesprochen, obwohl sein Arbeitsplatz ganz in der Nähe seines Elternhauses liegt. Als ich jetzt am Wochenende dort oben war, hat tatsächlich der allererste Kontakt zwischen ihnen stattgefunden, das allererste Gespräch seit dem Bruch. Und da hat der Vater Tryggve enorm unter Druck gesetzt, er solle ja den Mund halten. Und Tryggve hat eingewilligt, soweit ich ihn verstanden habe. Bis zu dem Augenblick, als ich ihm den Flaschenbrief präsentiert habe. Der hat ihn umgehauen – beziehungsweise gezwungen, sich der Realität zu stellen.«

»Hat die Familie nach der Entführung jemals wieder etwas von dem Mörder gehört?«, wollte einer wissen.

Carl schüttelte den Kopf. »Nein, und ich glaube auch nicht, dass das noch geschehen wird.«

»Warum nicht?«

»Seither sind dreizehn Jahre vergangen. Der hat doch wohl anderes zu tun.«

Wieder wurde es erstaunlich still im Raum. Einzig Lis' regelmäßiges Plappern war aus dem Vorzimmer zu hören. Einer musste ja die Telefongespräche annehmen.

»Gibt es irgendwelche Hinweise auf vergleichbare Fälle, Carl? Habt ihr das untersucht?«

Carl sah Bente Hansen dankbar an. Sie war die Einzige im Raum, mit der er im Laufe der Jahre keine ernstlichen Meinungsverschiedenheiten gehabt hatte, und wohl die Einzige in der Gruppe, die sich nie hatte durchsetzen müssen. Sie war einfach von Natur aus energisch und tüchtig. »Ich habe Assad und Yrsa, Roses Vertretung, darangesetzt, Vereine und Selbsthilfegruppen zu kontaktieren, die Sektenaussteigern Unterstützung anbieten. Vielleicht gelingt es uns so, etwas über verstoßene oder weggelaufene Kinder zu erfahren. Das ist eine magere Spur, der wir da nachgehen, aber wenn wir uns direkt an die Gemeinden wenden, erfahren wir gar nichts.«

Einige aus der Runde sahen Assad an, der so, wie er dort stand, aussah wie aus dem Bett gefallen. Voll bekleidet, wohlgemerkt.

»Solltet ihr das nicht ein paar von uns Professionellen überlassen, die davon Ahnung haben?«, fragte einer.

Carl hob die Hand. »Wer hat das gesagt?«

Einer der Männer trat vor. Pasgård hieß er, ein Typ mit Ellenbogen. Irre tüchtig in seinem Job, aber einer von der Sorte, die sofort schubsen und drängeln, um interviewt zu werden, wenn irgendwo eine Fernsehkamera auftaucht. Wahrscheinlich sah er sich selbst in einigen Jahren auf dem Chefsessel.

Carl kniff die Augen zusammen. »Okay, dann sei du, der du ja offenbar so scheißtüchtig bist, doch so nett und lass uns teilhaben an deinen einzigartigen Kenntnissen der dänischen Sektenlandschaft. Würdest du so freundlich sein und uns ein paar Namen nennen? Sollen wir sagen – fünf?«

Der Typ protestierte, aber Jacobsens schräges Lächeln ließ ihm keine Chance.

»Hm.« Er blickte in die Runde. »Zeugen Jehovas. Die Baptisten sind wohl keine Sekte, aber die Unification Church … Scientology … die Satanisten und … Faderhuset.« Siegesgewiss sah er Carl an und nickte den anderen zu.

Carl gab sich Mühe, beeindruckt auszusehen. »Okay, Pasgård, natürlich kann man die Baptisten nicht als Sekte bezeichnen, ebenso wenig übrigens wie die Satanisten, es sei denn, du denkst speziell an die Church of Satan. Dafür musst du also Ersatz bringen. Na, wie sieht's aus?«

Der Typ zog die Mundwinkel nach unten, während ihn alle ansahen. Sämtliche großen Weltreligionen sausten ihm durch den Kopf und wurden verworfen. Man konnte förmlich sehen, wie er lautlos die Worte bildete. Dann kam es endlich: Kinder Gottes, woraufhin vereinzelt applaudiert wurde.

Carl machte mit und klatschte kurz. »Prima, Pasgård. Dann lass uns die Streitaxt hier begraben. Es gibt in Dänemark extrem viele Sekten, sektenähnliche Freikirchen, Guru- und Erweckungsbewegungen, und man kann sie nicht allesamt im Kopf haben. Natürlich nicht.« Er wandte sich Assad zu. »Kann man doch nicht, oder, Assad?«

Der kleine Mann schüttelte den Kopf. »Nein, da muss man zuerst seine Hausaufgaben machen.«

»Und? Hast du das getan?«

»Bin noch nicht fertig, aber ein paar mehr könnte ich schon nennen. Soll ich?« Assad sah zum Chef hinüber und der nickte.

»Okay, da könnte man zum Beispiel die Quäker nennen, die Pfingstbewegung, die Mormonen, die Neuapostolische Kirche, die Evangelikalen, die ganzen neuheidnischen, neoschamanistischen und theosophischen Bewegungen, die Kirche der Gottesmutter, den Vierten Weg, die Emin Foundation, die Divine Light Mission, die Neo-Sannyas-Bewegung, Hare Krishna, Ananda Marga, Sathya Sai Baba, Brahma Kumaris,

Transzendentale Meditation, Livets Ord, Kristushuset, I Mesterens Lys und vielleicht noch Forklarelsens Kirke.« Er holte tief Luft, um wieder zu Atem zu kommen.

Diesmal klatschte keiner. Sie hatten begriffen. Expertise hat viele Facetten.

Carl lächelte kurz. »Es gibt die unterschiedlichsten religiösen Gemeinschaften. Und viele von ihnen verehren einen Führer auf eine Weise, dass sie automatisch nach einer gewissen Zeit zu geschlossenen Einheiten werden. Sowie die richtigen Bedingungen vorliegen, sind das recht beträchtliche Jagdreviere, in denen so ein Psychopath wie der Mörder von Poul Holt auf die Pirsch gehen kann.«

Der Chef der Mordkommission trat einen Schritt vor. »Jetzt habt ihr von einem Fall gehört, der mit einem Mord endete. Nicht in unserem Polizeibezirk, aber nahebei. Und keiner hatte auch nur die leiseste Ahnung, was da vorgefallen ist. Das soll so weit das letzte Wort in der Angelegenheit sein. Carl und seine Helfer machen mit dem Fall weiter.« Er wandte sich Carl zu. »Ihr bittet selbst um die Unterstützung, die ihr braucht.«

Jacobsen wandte sich nun Pasgård zu, dessen kalte Augen bereits wieder hinter den schweren Lidern der Gleichgültigkeit verborgen waren. »Und was dich anbelangt, Pasgård, will ich nur sagen, dass deine Begeisterung beispielhaft ist. Prima, dass du findest, wir seien für diese Aufgabe gut aufgestellt. Aber wir hier oben im zweiten Stock müssen zusehen, dass wir uns auf unsere aktuellen Fälle konzentrieren. Und damit haben wir wohl schon genug zu tun, oder? Was meinst du?«

Der Schwachkopf nickte. Was blieb ihm auch übrig? Alles andere wäre noch dämlicher gewesen.

»Na, aber sei's drum: Da du nun schon findest, wir könnten die Aufgabe besser lösen als das Sonderdezernat Q, sollten wir vielleicht doch noch mal darüber nachdenken. Lass uns also sagen: Okay, einen einzelnen Mann können wir für diesen Fall entbehren. Und da liegt es ja auf der Hand, Pasgård, dass du das bist, wo du doch solches Interesse bekundet hast.«

Carl merkte, wie sein Unterkiefer schlaff wurde und sich die Luft in den Lungen staute. Das durfte doch wohl nicht wahr sein! Was sollten sie denn mit diesem Heini anfangen?

Marcus Jacobsen erfasste das Dilemma mit einem Blick. »Ich hab gehört, dass auf dem Papier des Briefes eine Fischschuppe gefunden wurde. Pasgård, kannst du nicht dafür sorgen, dass wir erfahren, um welchen Fisch es sich handelt und in welchen Gewässern – im Umkreis von einer Stunde Fahrtzeit von Ballerup – er sich tummelt?«

Der Chef der Mordkommission ignorierte Carls aufgerissene Augen. »Und dann noch eins, Pasgård: Denk dran, dass 1996 an diesem Gewässer eine Windkraftanlage oder etwas, das ähnliche Geräusche erzeugt, gestanden haben kann. Alles klar?«

Carl atmete erleichtert auf. Diese Aufgaben konnte Pasgård mit Kusshand übernehmen.

»Ich hab keine Zeit«, sagte Pasgård. »Jørgen und ich sind dabei, draußen in Sundby von Tür zu Tür zu gehen.«

Jacobsen sah zu der Ecke, wo der Typ im Kleiderschrankformat stand. Er nickte. Das passte gut.

»Dann wird Jørgen wohl zwei Tage allein zurechtkommen müssen«, sagte Jacobsen. »Nicht wahr, Jørgen?«

Der kräftige Mann zuckte die Achseln. Er war nicht begeistert. Die Familie, die endlich wissen wollte, wer ihren Sohn überfallen hatte, war das sicher auch nicht.

Jacobsen wandte sich an Pasgård. »Zwei Tage, dann hast du diesen kleinen Job doch erledigt, oder?«

Das Exempel des Chefs war damit statuiert.

Wenn du unbedingt jemandem ans Bein pinkeln musst, dann solltest du das nicht gegen den Wind tun.

25

Das denkbar Schrecklichste, das passieren konnte, war eingetreten, und Rachel war wie gelähmt vor Angst.

Satan hatte sich in ihrer Mitte offenbart und sie für ihren Leichtsinn bestraft. Wieso hatten sie einem wildfremden Menschen ihre beiden Lieblinge mitgegeben? Und noch dazu an diesem heiligen Tag? Sie hätten gestern still zusammen in der Bibel lesen und sich auf die beglückende Sinnesruhe vorbereiten sollen, wie sie das am Sabbat immer taten. Sie hätten in der Ruhestunde mit gefalteten Händen darauf warten sollen, dass sich der Geist der Gottesmutter auf sie senkt und ihnen Frieden verleiht.

Und jetzt? Jetzt deutete Gottes Arm drohend auf sie. Allen Versuchungen, denen die Jungfrau Maria widerstanden hatte, waren sie erlegen. Auf Schmeicheleien waren sie hereingefallen, auf leere Worte, die Verkleidungen des Teufels.

Und prompt hatte die Strafe sie ereilt. Seit einer Nacht und einem halben Tag waren Magdalena und Samuel bereits in den Händen des Sünders, und sie konnte nichts tun.

Rachel spürte die Erniedrigung so deutlich wie damals, als die Soldaten sie vergewaltigt hatten und niemand ihr zu Hilfe gekommen war. Aber damals konnte sie selbst handeln, das konnte sie heute nicht.

»Du musst das Geld beschaffen, Joshua«, flehte sie. »Wie auch immer. Du musst!«

Ihrem Mann ging es miserabel, das sah man. Das Weiße in seinen Augen und seine Gesichtsfarbe waren fast eins. »Rachel, wir haben keins! Du weißt doch, dass ich vorgestern die Steuernachzahlung geleistet hab. Eine Million, extra weit vor der Frist. Damit die uns den niedrigen Zinssatz berechnen und nicht den hohen, so wie wir's immer machen.« Er vergrub den Kopf in den Händen. »Wie wir's immer machen, in Jesu Namen. Genau wie wir's immer machen!«

»Joshua, du hast gehört, was er am Telefon gesagt hat. Er bringt sie um, wenn wir das Geld nicht auftreiben.«

»Dann müssen wir eben die Gemeinde um Hilfe bitten.«

»Nein!« Sie schrie so laut, dass die jüngste Tochter im Zimmer nebenan zu weinen begann. »Er hat unsere Kinder genommen, und du bringst sie uns zurück, hast du gehört? Und zwar so, dass keine Menschenseele davon erfährt. Wirklich niemand! Sonst sehen wir sie nicht lebend wieder, das weiß ich.«

Er wandte ihr den Kopf zu. »Woher weißt du das, Rachel? Vielleicht blufft er nur? Vielleicht sollten wir einfach zur Polizei gehen.«

»Zur Polizei! Hast du denn keine Angst, dass er jemanden dort auf der Wache besticht? Kannst du denn ausschließen, dass er davon erfährt?«

»Ich weiß nur, dass auf unsere Freunde aus der Gemeinde absoluter Verlass ist. Die würden niemals etwas verraten. Und sie würden uns Geld geben. Gemeinsam würden wir die Summe sicher zusammenkriegen.«

»Und wenn er nun da draußen steht, wenn du zu ihnen läufst? Oder wenn er Helfer in der Gemeinde hat, von denen wir nichts wissen? Sein wahres Gesicht haben wir schließlich auch nicht erkannt. Woher willst du wissen, dass es nicht noch andere von der Sorte in der Gemeinde gibt? Woher, Joshua?«

Sie sah hinüber zur Tür, wo sich ihre jüngste Tochter mit rot verweinten Augen an den Türrahmen klammerte und sie angstvoll ansah.

»Joshua, finde eine Lösung, schnell«, flehte sie und stand auf. Sie ging zu ihrer kleinen Tochter, kniete sich vor sie und umfasste ihr Köpfchen.

»Verzweifle nicht, Sarah. Jesu Mutter wacht über Magdalena und Samuel. Bete du nur fleißig, damit hilfst du ihnen. Und wenn das hier passiert ist, weil wir etwas getan haben, das wir nicht hätten tun dürfen, dann wird uns vergeben, wenn wir beten. Bete du nur, mein Schatz, bete.«

Sie sah, wie ihre Tochter zusammenfuhr, als sie das Wort »vergeben« hörte. Ihre Augen verrieten, wie sehr sie sich nach Vergebung sehnte. Sie hatte etwas auf dem Herzen, aber ihr Mund blieb verschlossen.

»Was hast du denn, Sarah? Willst du Mama etwas sagen?«

Da begannen Sarahs Lippen zu zittern und die Mundwinkel gingen langsam nach unten.

»Hat es mit dem Mann zu tun?«

Das Mädchen nickte stumm, und jetzt liefen die Tränen.

Unbewusst hielt Rachel die Luft an. »Was ist es denn? Na komm schon, sag's mir.«

Der schroffe Tonfall erschreckte die Kleine, aber die Zunge löste sich. »Ich hab etwas gemacht, was ich nicht durfte.«

»Was hast du denn gemacht, Sarah? Sag es nur.«

»Ich hab in der Ruhestunde ins Fotoalbum geschaut, als ihr alle mit den Bibeln in der Küche wart. Entschuldige, Mama. Ich weiß, das war dumm von mir.«

»Ach, Sarah.« Sie ließ das Köpfchen wieder los. »War es nur das?«

Ihre Tochter schüttelte den Kopf. »Und da hab ich auch das Foto von dem Mann gesehen, der Magdalena und Samuel mitgenommen hat. Ist es deshalb passiert? Hätte ich es ihm ansehen müssen, wenn er der Teufel ist?«

Rachel atmete ganz tief ein. »Da ist ein Foto von ihm?«

Sarah schniefte. »Ja. Vor dem Gemeindehaus. Als wir bei Johannas und Dinas Einsegnungsfest alle davorstanden.«

»Wo ist das Foto, Sarah? Zeig es mir. Jetzt gleich!«

Gehorsam holte die Kleine das Album und zeigte auf das Foto.

Ach, dachte Rachel. Wozu soll das gut sein? Das bringt doch nichts.

Mit Abscheu betrachtete sie das Foto. Zog es aus der Hülle. Strich ihrer Tochter übers Haar und beruhigte sie, indem sie ihr versicherte, ihr sei vergeben. Dann nahm sie das Foto mit in die Küche und warf es auf den Küchentisch, ihrem reglos dasitzenden Mann vor die Nase.

»Hier, Joshua. Da ist dein Widersacher.« Sie deutete auf einen Kopf in der hintersten Reihe. Es war ihm gelungen, hinter den Davorstehenden gewissermaßen in Deckung zu gehen und nicht in die Kamera zu sehen. Wenn man es nicht besser wüsste, könnte er irgendwer sein.

»Morgen in aller Frühe gehst du zum Finanzamt und sagst, dass deine überpünktliche Steuernachzahlung ein Fehler gewesen sei. Dass wir das Geld unbedingt wiederhaben müssten, weil wir sonst Konkurs gingen. Hast du verstanden, Joshua? Morgen früh als Allererstes!«

Als sie Montagmorgen durchs Fenster sah, ging hinter der Kirche von Dollerup eben die Sonne auf. Lange, zitternde Strahlen im Morgendunst. Gottes Schöpfung in all ihrer Herrlichkeit. Wie konnte etwas so unendlich Schönes ihr gebieten, ein solches Kreuz zu tragen? Und wie konnte sie sich erlauben, eine solche Frage zu stellen? Die Wege Gottes waren unergründlich, das wusste sie doch.

Sie presste die Lippen zusammen, um das Weinen zu unterdrücken. Dann faltete sie die Hände und schloss die Augen.

Die ganze Nacht schon hatte Rachel gebetet, wie so oft in der Geborgenheit der Gemeinde. Aber dieses Mal wollte sich der Frieden nicht einstellen. Denn das war die Zeit der Prüfungen, Hiobs Schicksalsstunde. Der Schmerz schien ihr unermesslich.

Die Sonne war hinter einer Wolkendecke verschwunden, als Joshua sich auf den Weg zum Rathaus machte, um dort Unterstützung für Kroghs Landmaschinenverleih zu finden und die Steuerzahlung vorerst zurückzubekommen. Da war Rachel mit ihren Kräften fast schon am Ende.

»Josef, du kannst heute nicht in die Schule, du musst dich um Miriam und Sarah kümmern«, hatte sie zu ihrem Ältesten gesagt. Sie selbst konnte die Mädchen heute nicht unterrichten, sie musste sich sammeln.

Mit Joshua hatte sie das weitere Vorgehen abgesprochen. Wenn er wieder zurück war – mochte Gott ihn nicht mit leeren Händen heimkommen lassen! –, sollte er den Scheck bei der Vestjysk Bank einzahlen und dort bitten, Teilbeträge auf ihre jeweiligen Konten zu überweisen, und zwar an Nordea, Danske Bank, Jyske Bank, Sparekassen Kronjylland, Arbejdernes Landsbank und Almindelig Brand Bank. Das würde dann einer Barauszahlung bei jeder Bank von etwa hundertfünfundsechzigtausend Kronen entsprechen, und das müsste ohne weitere Fragen möglich sein. Und falls einige der Geldinstitute neue Banknoten auszahlten, mussten sie die eben bearbeiten und zerknittern und dann unter die gebrauchten Scheine mischen.

Rachel reservierte Sitzplätze für den Intercity, der um 19.29 Uhr in Odense ankam, und für den anschließenden Schnellzug von Odense nach Kopenhagen. Dann wartete sie auf ihren Mann. Sie hatte ihn gegen zwölf, ein Uhr erwartet, aber er war schon um halb elf wieder da.

»Hast du das Geld, Joshua?«, bestürmte sie ihn, obwohl sie auf den ersten Blick sah, dass er es nicht hatte.

»Es hat nicht geklappt, Rachel. Ich wusste es von Anfang an.« Seine Stimme drohte zu versagen. »Die von der Kommune würden uns gern unterstützen, aber das Konto ist das des Finanzamts, und bei denen geht so was nicht so schnell. Es ist entsetzlich!«

»Aber du hast doch Druck gemacht, Joshua, oder? Du hast doch bestimmt Druck gemacht? Großer Gott, die Zeit läuft uns davon. Die Banken schließen um sechzehn Uhr.« Sie war völlig aufgelöst. »Was hast du ihnen erzählt? Sag schon!«

»Ich hab gesagt, ich bräuchte das Geld dringend. Es sei ein Fehler meinerseits gewesen, es überhaupt eingezahlt zu haben. Dass mein Computer Probleme macht und ich den Überblick verloren habe. Dass bei Überweisungen auf unsere Konten etwas schiefgelaufen sei und dass gleichzeitig Rechnungen in meinem System verschwunden seien, die ich nicht einkalkuliert hatte. Dann habe ich noch gesagt, dass mich ein paar Lieferanten heute gemahnt hätten und dass wir einige der wichtigsten verlieren würden, wenn ich nicht umgehend zahle. Dass die Lieferanten ihrerseits enorm unter Druck stünden, wegen der Finanzkrise, und dass sie gezwungen seien, ihre Erntemaschinen wieder abzuholen, um sie anderen Kunden anzubieten. Ich habe ihnen gesagt, dass ich meine Leasingvorteile verlieren und dass uns das viel Geld kosten würde. Dass der Zeitpunkt auch für uns kritisch sei.«

»O Gott, Joshua. War es nötig, das so kompliziert zu machen? Warum denn das?«

»Das war das, was mir eingefallen ist.« Er ließ sich schwer auf einen Stuhl fallen und legte die leere Aktentasche auf den Tisch. »Ich bin auch fix und fertig, Rachel. Ich kann einfach nicht so klar denken wie sonst. Ich hab heute Nacht auch nicht geschlafen.«

»Mein Gott. Und was nun, was machen wir?«

»Wir müssen uns an unsere Gemeinde wenden, was sonst?«

Sie presste die Lippen zusammen und sah Magdalena und Samuel vor sich. Die armen unschuldigen Kinder, was hatten sie getan? Womit hatten sie diesen bitteren Kelch verdient?

Sie hatten sich versichert, dass ihr Gemeindepfarrer zu Hause war, hatten gerade die Mäntel angezogen und wollten eben zu ihm gehen, da klingelte es an der Haustür.

Wenn es nach Rachel gegangen wäre, hätten sie nicht geöffnet. Aber ihr Mann war zu konfus.

Sie kannten die Frau nicht, die mit einer Mappe in der Hand vor ihrer Tür stand. Und sie wollten auch nicht mit ihr sprechen.

»Isabel Jønsson. Ich komme von der Kommune«, sagte sie und trat auf den Flur.

Da wagte Rachel, Hoffnung zu schöpfen. Die Frau hatte bestimmt Papiere dabei, die sie unterschreiben sollten. Sie hatte doch noch alles ordnen können. Dann war ihr Mann also gar nicht so dumm gewesen.

»Kommen Sie herein. Wir setzen uns hier in die Küche«, sagte sie erleichtert.

»Ich sehe, Sie wollen gerade gehen. Ich muss Sie nicht jetzt stören. Ich kann morgen wiederkommen, wenn Ihnen das besser passt.«

Rachel merkte, wie sich die düsteren Wolken zusammenzogen, als sie sich an den Küchentisch setzten. Also war sie doch nicht hier, um ihnen bei der Wiederbeschaffung des Geldes zu helfen. Denn dann müsste sie doch wissen, wie eilig sie es hatten.

»Ich bin als EDV-Beauftragte in der Unternehmensberatungsgruppe tätig. Soweit ich meine Kollegen im Rathaus verstanden habe, gibt es ernste Probleme mit Ihrer EDV-Anlage. Deshalb hat man mich zu Ihnen geschickt.« Sie lächelte und gab ihnen ihre Visitenkarte. *Isabel Jønsson, EDV-Beauftragte, Kommune Viborg* stand da. Das war nun das Letzte, was sie im Augenblick brauchten.

»Wissen Sie was«, griff Rachel ein, da ihr Mann schwieg. »Das ist schrecklich nett von Ihnen, aber im Moment passt es nicht so gut, wir haben es sehr eilig.«

Sie hatte geglaubt, dass die Frau daraufhin aufstehen würde, aber stattdessen saß die da wie angenagelt und stierte vor sich hin. Wollte sie das Recht der Öffentlichkeit, sich einzumischen, mit aller Macht durchsetzen? Das durfte ja wohl nicht wahr sein!

Da stand Rachel auf und bedachte ihren Mann mit einem harten Blick. »Wir müssen jetzt los, Joshua, wir haben's eilig.« Sie wandte sich der Frau zu. »Ja, wenn Sie uns bitte entschuldigen.«

Aber die Frau machte immer noch keine Anstalten, aufzustehen. Da fiel Rachel auf, wo die Frau hinstarrte. Sie hatte das Foto im Blick, das Sarah gefunden hatte. Das Foto, das seitdem auf dem Küchentisch gelegen und sie daran erinnert hatte, dass es in jeder Schar einen Judas geben konnte.

»Kennen Sie den Mann?«, fragte die Frau.

Sie sahen sie verwirrt an. »Welchen Mann?«, fragte Rachel.

»Den da.« Die Frau drückte einen Finger unter den Kopf des Mannes.

Rachel witterte Ungemach. Genau wie an jenem entsetzlichen Nachmittag im Dorf bei Baobli, als die Soldaten nach dem Weg gefragt hatten.

Der Tonfall, die Situation.

Nichts war, wie es sein sollte.

»Ich muss Sie jetzt bitten zu gehen«, wiederholte Rachel. »Wir haben es eilig.«

Aber die Frau rührte sich nicht von der Stelle. »Kennen Sie ihn?«, fragte sie nur.

Nun, so war es dann also. Noch ein Teufel war auf sie gehetzt worden. Noch ein Teufel in Gestalt eines Engels.

Händeringend stellte sich Rachel vor sie. »Glauben Sie, ich weiß nicht, wer Sie sind? Glauben Sie, ich weiß nicht, dass das Schwein Sie geschickt hat? Und jetzt sitzen Sie hier nicht länger rum! Gehen Sie endlich! Sie wissen doch ganz genau, dass wir keine Zeit zu vergeuden haben.«

Da spürte sie plötzlich, wie es einen Ruck in ihr tat und alles in ihr zusammenbrach. Wie sie plötzlich die Tränen nicht mehr zurückhalten konnte. Wie Wut und Ohnmacht drohten, sie zu überwältigen. »Verschwinden Sie endlich!«, schrie sie mit geschlossenen Augen, die Fäuste vor der Brust geballt.

Da stand die Frau auf und trat ganz dicht neben sie. Nahm ihre Schultern und schüttelte sie sanft, bis sich ihre Blicke trafen. »Ich weiß zwar nicht, was hier los ist. Aber eines weiß ich: Wenn jemand diesen Mann hasst, dann ich.«

Rachel öffnete die Augen, und sie konnte es erkennen: Hinter dem ruhigen Blick dieser Frau schwelte der Hass.

»Was hat er getan?«, fragte Isabel Jønsson. »Sagen Sie mir, was er Ihnen angetan hat, dann sage ich Ihnen, was ich über ihn weiß.«

Die Frau hatte schlechte Bekanntschaft mit ihm gemacht, das war sofort zu spüren. Aber konnte ihnen das helfen? Rachel bezweifelte es. Helfen konnte einzig und allein Geld, und auch dafür war es bald zu spät.

»Was wissen Sie? Sagen Sie schnell, wir müssen los!«

»Er heißt Mads Fog. Mads Christian Fog.«

Rachel schüttelte den Kopf. »Uns hat er gesagt, er heiße Lars. Lars Sørensen.«

Die Frau nickte langsam. »Okay. Dann sind wohl beide Namen falsch. Kennengelernt habe ich ihn nämlich als Mikkel Laust. Aber ich habe einen Blick in seine Papiere werfen können und auch eine Adresse von ihm. Da ist er als Mads Christian Fog gemeldet. Ich glaube, das ist sein richtiger Name.«

Rachel schnappte nach Luft. Hatte die Gottesmutter ihre Gebete erhört? Sie sah der Frau tief in die Augen. Konnte man ihr wirklich vertrauen?

»Von welcher Adresse sprechen Sie?« Joshua kapierte die Zusammenhänge offenkundig nicht. Seine Gesichtsfarbe war inzwischen bläulich weiß.

»Irgendwo in Nordseeland, in der Nähe von Skibby. Ferslev, heißt der Ort. Ich hab die Adresse zu Hause.«

»Woher wissen Sie das alles?« Rachels Stimme zitterte. Sie

wollte der Frau so gern glauben, aber war sie wirklich vertrauenswürdig?

»Er hat bis Samstag bei mir gewohnt. Ich hab ihn am Samstagmorgen rausgeworfen.«

Rachel hielt sich die Hand vor den Mund. Das wurde ja immer entsetzlicher! Da war dieser Teufel also direkt von der Frau zu ihnen gekommen.

Nervös sah sie auf die Uhr, zwang sich aber zuzuhören, wie dieser Irre die EDV-Beraterin ausgenutzt hatte. Wie er sie mit seiner gespielt zuvorkommenden Art für sich eingenommen hatte. Wie er von einem Augenblick zum anderen die Persönlichkeit gewechselt hatte.

Zu allem, was die Frau sagte, konnte Rachel nicken. Sie erkannte all das wieder. Und als die Frau fertig war, sah Rachel ihren Mann an. Einen Moment lang schien er weit weg zu sein, so als versuche er, das Ganze aus einer anderen Perspektive zu sehen, aber dann nickte er. Ja, sagten seine Augen, sie sollten sich der Frau anvertrauen. Sie hatten ein gemeinsames Anliegen.

Da nahm Rachel Isabels Hand. »Das, was ich Ihnen jetzt sage, dürfen Sie niemandem weitererzählen, ja? Jedenfalls nicht jetzt. Und Ihnen erzählen wir es auch nur, weil wir glauben, dass Sie uns helfen können.«

»Wenn es sich um etwas Kriminelles handelt, kann ich nichts garantieren.«

»Das tut es. Aber nicht wir sind die Kriminellen, sondern der Kerl, den Sie rausgeworfen haben.« Sie holte tief Luft. Erst da merkte sie, wie ihre Stimme bebte. »Uns ist das Schlimmste passiert, was passieren kann: Er hat zwei unserer Kinder entführt, und wenn Sie das jemandem erzählen, bringt er die Kinder um!«

Zwanzig Minuten waren vergangen. Noch nie in ihrem Leben hatte sich Isabel so lange in einem Zustand des Schocks befunden. Überdeutlich erkannte sie die Zusammenhänge. Dieser Mann, der bei ihr gelebt und den sie eine Weile als möglichen zukünftigen Lebensgefährten betrachtet hatte, dieser Mann war ein Monster und mit Sicherheit zu allem fähig. Im Nachhinein konnte sie es förmlich spüren. Wie sich seine Hände an ihrem Hals ein bisschen zu stark anfühlten, zu versiert. Wie sein Eindringen in ihr Leben mit etwas Pech hätte fatal enden können. Und ihr wurde der Mund trocken, als sie an den Augenblick dachte, wo sie ihm enthüllte, dass sie Informationen über ihn gesammelt hatte. Wenn er ihr nun sofort an die Gurgel gegangen wäre? Wenn sie gar nicht mehr dazu gekommen wäre, ihm zu sagen, dass sie die Informationen an ihren Bruder weitergegeben hatte? Wenn er gemerkt hätte, dass sie nur bluffte? Dass sie ihrem Bruder nie im Leben ihre Beziehungskatastrophen anvertrauen würde?

Sie wagte nicht, den Gedanken weiterzudenken.

Und nun stand sie diesen schockierten Leuten gegenüber und litt mit ihnen. Oh, wie sie den Kerl hasste! In diesem Moment schloss sie einen Pakt mit sich selbst. Er durfte nicht davonkommen! Ausgeschlossen, dass ein solcher Unmensch ungeschoren davonkam!

»Ich helfe Ihnen«, sagte sie. »Mein Bruder ist Polizist. Zwar bei der Verkehrspolizei, aber immerhin. Wir könnten ihn dazu bringen, eine Fahndung einzuleiten. Auf die Weise wäre die Meldung innerhalb kürzester Zeit übers ganze Land verbreitet. Ich hab das Kennzeichen des Lieferwagens und könnte alles ziemlich genau beschreiben.«

Aber die Frau ihr gegenüber schüttelte den Kopf. Sie hätte gern zugestimmt, das war offensichtlich, wagte es aber nicht. »Ich hab vorhin gesagt, dass niemand von der Sache erfahren darf, und Sie haben es versprochen«, sagte sie. »Wir haben nur noch vier Stunden, bis die Banken schließen, und bis dahin müssen wir eine Million in bar besorgt haben. Wir können nicht länger hier rumsitzen.«

»Bitte hören Sie mir zu. Es dauert weniger als vier Stunden, um zu seinem Haus in Ferslev zu fahren, wenn wir sofort aufbrechen.«

Wieder schüttelte die Frau den Kopf. »Warum glauben Sie, dass er die Kinder dorthin gebracht hat? Das wäre doch das Dümmste, was er tun kann. Die Kinder können überall in Dänemark sein. Er kann sie sogar über die Grenze gebracht haben. Da unten kontrolliert doch keiner mehr. Begreifen Sie?«

Isabel nickte. »Ja, Sie haben recht.« Sie wandte sich an Joshua. »Haben Sie ein Handy? Ist das aufgeladen?«

Er zog ein Telefon aus der Tasche. »Ja, hier«, sagte er.

»Und Sie, Rachel, haben Sie auch eins?«

Die nickte nur.

»Und wenn wir uns nun aufteilen? Joshua versucht, das Geld zu beschaffen, und wir beide fahren nach Seeland. Jetzt gleich!«

Die Eheleute sahen sich einen Moment an. Dieses ungleiche Paar, das sie so gut verstehen konnte. Schließlich war sie selbst Mutter, und obwohl ihre Kinder längst mit beiden Beinen im Leben standen, wurde sie ihre Sorge um sie doch nie ganz los. Wie entsetzlich mochte es da sein, wenn man plötzlich eine Entscheidung treffen musste, von der das Leben seiner Kinder abhing?

»Uns fehlt eine Million«, sagte der Mann. »Die Firma ist sehr viel mehr wert, aber wir können nicht einfach zur Bank gehen und die dort bitten, uns auszuzahlen, schon gar nicht in bar. Vielleicht wäre das vor ein, zwei Jahren noch gegangen, als die Zeiten anders waren. Aber heute nicht. Deshalb müssen wir uns an unsere Gemeinde wenden. Das ist zwar riskant, aber dennoch die einzige Möglichkeit, an das Geld zu kommen.« Eindringlich sah er sie an. Er atmete unregelmäßig, hatte blaue Lippen. »Es sei denn, Sie können uns helfen. Und ich glaube, das können Sie, wenn Sie wollen.«

Hier sah Isabel zum ersten Mal den Menschen hinter dem Unternehmer, der dafür bekannt war, seine Firma tipptopp in Schuss zu halten, und der als einer der besten Steuerzahler Viborgs galt.

»Rufen Sie Ihre Vorgesetzten an«, fuhr er mit bedrückter Miene fort, »und bitten Sie sie, beim Finanzamt anzurufen. Sagen Sie, wir hätten fälschlicherweise eingezahlt und bräuchten das Geld dringend zurück. Können Sie das tun?«

Plötzlich hatte sie den Ball in der Hand.

Vor drei Stunden, als sie zur Arbeit gekommen war, hatte sie sich immer noch nicht wieder gefangen. Sie war gekränkt gewesen und übel gelaunt und hatte sich in Selbstmitleid gewälzt. Und jetzt? Jetzt schien dieser Gefühlszustand auf einmal Lichtjahre entfernt, denn in diesem Moment spürte sie die Kraft, alles erreichen zu können, was sie wollte. Und wenn es sie den Job kosten sollte. Oder noch mehr.

»Ich werde mich dafür einsetzen«, versprach sie. »Ich beeile mich, aber es kann trotzdem eine Weile dauern.«

26

»Ja, Laursen«, sagte Carl abschließend zu dem ehemaligen Polizeitechniker. »Nun wissen wir also, wer den Brief geschrieben hat.«

»Puh, was für eine schreckliche Geschichte.« Laursen atmete tief durch. »Du sagst, du hättest Sachen aus Poul Holts Besitz mitgebracht. Falls sich daran noch DNA-Spuren befinden, könnten wir überprüfen, ob es sich bei dem Blut, mit dem der Brief geschrieben wurde, um Pouls handelt. Wenigstens das. Und zusammen mit der Aussage des Bruders, dass er umgebracht wurde, hätten wir damit immerhin einen Anhaltspunkt für eine Anklage. Obwohl ein Fall ohne Leiche ja immer eine zweifelhafte Geschichte ist, das weißt du selbst. Na, und dann muss sich natürlich auch noch ein Verdächtiger finden.«

Laursen sah sich die durchsichtigen Plastikbeutel an, die Carl aus der Schublade holte.

»Poul Holts kleiner Bruder Tryggve hat ein paar von Pouls Sachen aufgehoben, die beiden standen sich sehr nahe. Tryggve hat die Sachen mitgenommen, als er zu Hause rausflog. Ich habe ihn überzeugt, sie uns zu überlassen.«

Laursen wickelte ein Taschentuch um seine Pranke und nahm Carl die Sachen ab.

»Die hier können wir nicht gebrauchen«, sagte er und legte ein Paar Sandalen und ein T-Shirt zur Seite. »Aber das hier vielleicht.«

Er untersuchte die Kappe gründlich. Ein ganz gewöhnliches weißes Cap mit blauem Schirm und der Aufschrift *JESUS RULES!*

»Seine Eltern haben ihm nicht erlaubt, die zu tragen. Aber

Poul liebte sie, sagte Tryggve, und deshalb versteckte er sie tagsüber unterm Bett und schlief damit.«

»Hat die noch jemand anders als Poul auf dem Kopf gehabt?«

»Nein, danach hab ich Tryggve natürlich gefragt.«

»Okay. Dann haben wir hier seine DNA.« Laursen deutete mit einem dicken Finger auf ein paar Haare, die sich oben unter der Kappe versteckten.

»Das ist ja toll!« Assad war mit einem Stapel Papiere in der Hand hinter die beiden getreten. Sein Kopf leuchtete wie eine Glühbirne, aber wohl kaum, weil Laursen da war. Worauf mochte er gestoßen sein?

»Danke, Laursen«, sagte Carl. »Ich weiß, dass du da oben mit Frikadellen und so mehr als genug zu tun hast. Aber wenn du es bist, der ein bisschen Druck macht, flutscht hier im System alles sehr viel leichter.«

Carl gab ihm die Hand. Nun wurde es wirklich Zeit, dass er sich mal auf den Weg in die Kantine machte und Laursens neuen Kollegen erzählte, was für einen Teufelskerl sie bei sich im Team hatten.

»He!«, sagte Laursen und sah in die Luft. Dann schwang er seinen bombastischen Arm und griff quasi ins Nichts. Einen Moment stand er so, lächelte mit geballter Faust und machte dann eine Bewegung, die in etwa so aussah, als würde er einen Ball auf den Boden werfen. Den Bruchteil einer Sekunde später stampfte er mit dem Fuß auf. Dann lächelte er wieder. »Ekelhaftes Viehzeugs«, sagte er und hob den Fuß, sodass alle die riesige Schmeißfliege sehen konnten, die dort als schöner großer Matschfleck lag.

Dann ging er.

Assad rieb sich die Hände, als die Geräusche von Laursens Schritten verklangen. »Das läuft alles wie geschmiert, Carl. Sieh mal.«

Er knallte den Stapel Papiere auf den Tisch und deutete auf

das oberste Blatt. »Hier haben wir die gemeinsame Nennung zwischen den Bränden, Carl.«

»Die was?«

»Die gemeinsame Nennung.«

»Den gemeinsamen Nenner, Assad. Der Nenner. Welchen gemeinsamen Nenner?«

»Hier. Mir wurde das klar, als ich den Jahresabschluss von JPP durchgesehen habe. Die haben sich Geld von einer Privatbank geliehen, die RJ-Invest heißt, und das ist sehr wichtig.«

Carl schüttelte den Kopf. Für seinen Geschmack zu viele Abkürzungen. JPP?

»JPP, ist das die Firma draußen in Emdrup, die abgebrannt ist?«

Assad nickte und tippte wieder auf den Namen, dabei wandte er sich zum Flur. »Yrsa, kommst du mal? Ich zeige Carl gerade, was wir rausgefunden haben.«

Carl spürte, wie sich seine Stirn in Falten legte. Hatte diese merkwürdige Yrsa statt ihrer eigentlichen Aufgaben schon wieder alles Mögliche andere gemacht?

Er hörte, wie sie über den Gang stampfte. Ihr strammer Schritt würde einem ganzen Regiment amerikanischer Marinesoldaten Minderwertigkeitskomplexe einjagen. Wie brachte sie das fertig, wo sie doch höchstens fünfundfünfzig Kilo wog?

Sie schob sich durch die Tür und hatte die Papiere bereit, noch ehe sie stillstand. »Hast du das von der RJ-Invest erzählt, Assad?«

Er nickte.

»Das sind die, die JPP Geld geliehen hatten, und zwar eine Weile vor dem Brand.«

»Hab ich schon erklärt, Yrsa«, sagte Assad.

»Okay. Und RJ-Invest hat viel Geld«, fuhr sie fort. »Derzeit haben die ein Kreditportfolio von über fünfhundert Millionen Euro. Kein schlechter Schnitt für eine Firma, die erst 2004 registriert wurde, was?«

»Fünfhundert Millionen, wer hat das in unserer Zeit nicht?«, brummte Carl.

Vielleicht sollte er ihnen in diesem Zusammenhang seinen Gesamtbestand an Wollflusen zeigen.

»Na, 2004 hatte RJ-Invest jedenfalls noch nicht so viel auf der hohen Kante. Da haben sie einen Kredit bei AIJ Ltd. aufgenommen, die ihrerseits 1995 ihr Startkapital von der MJ AG geliehen haben, die wiederum einen Kredit von der TJ Holding hatten. Kannst du erkennen, was sie miteinander verbindet?«

Hielt sie ihn für blöd, oder was?

»Vielleicht das J, Yrsa? Aber wofür steht das?« Carl grinste. Na, jetzt hatte er ihr aber den Wind aus den Segeln genommen.

»Jankovic«, antworteten Assad und Yrsa wie aus einem Mund.

Assad breitete den Papierstapel vor ihm aus: die Unterlagen aller vier Firmen, bei denen es gebrannt hatte und bei denen Brandleichen gefunden worden waren. Jahresabschlüsse für die Zeit von 1992 bis 2009. Und in allen vier Abschlüssen waren die Kreditgeber mit einem roten Marker unterstrichen.

Kreditgeber mit J.

»Versucht ihr, mir zu sagen, dass hinter all den kurzfristigen Krediten, die diese Firmen aufnahmen, ehe sie abbrannten, mehr oder weniger dieselbe Bank stand?«

»Ja!«, kam es wieder im Chor.

Carl betrachtete die Abschlüsse genauer. Das war wahrhaftig ein Durchbruch.

»Okay, Yrsa«, sagte er. »Du sammelst mal alle Informationen über diese vier Banken, die du bekommen kannst. Wofür stehen die Buchstaben, wisst ihr das?«

Yrsa lächelte wie ein Hollywood-Star, der sonst nichts zu bieten hat. »RJ: Radomir Jankovic. AIJ: Abram Ilija Jankovic, MJ: Milica Jankovic und TJ: Tomislav Jankovic. Vier Geschwister. Drei Brüder und die Schwester Milica.«

»Okay. Leben sie hier im Land?«

»Nein.«

»Sondern?«

»Nirgendwo, kann man sagen.« Yrsa zog die Schultern bis an die Ohren hoch.

Sie und Assad sahen aus wie zwei Schulkinder, die sich heimlich ein paar Kilo Feuerwerkskörper in die Ranzen gestopft hatten.

»Nein, Carl, um es kurz zu machen: Alle vier sind seit mehreren Jahren tot.«

Natürlich waren sie tot. Was konnte man auch sonst erwarten?

»Sie haben sich in Serbien einen Namen gemacht, als der Krieg ausbrach.« Nun übernahm Yrsa wieder. »Vier Geschwister, die immer Waffen liefern konnten, zu stattlichen Preisen. Das waren ein paar ganz Schlimme.« Sie stieß ein Glucksen aus, das ein Lacher sein sollte.

»Ja, Untertreibung hilft dem Verständnis, sagt man nicht so?«, tönte Assad.

Falscher konnte man wohl kaum liegen.

Carl betrachtete die glucksende Yrsa. Woher hatte dieses absonderliche Wesen all diese Informationen? Konnte sie auch noch Serbisch?

»Ihr wollt vermutlich darauf hinaus, dass ein äußerst zweifelhaftes Vermögen hier im Westen in legale Kreditgeschäfte kanalisiert wurde, oder? Aber hört mal her, ihr beiden. Wenn der Fall tatsächlich so liegt, dann finde ich, sollten wir ihn an unsere Kollegen oben weiterreichen. Die verstehen ein bisschen mehr von Wirtschaftskriminalität.«

»Zuerst musst du dir aber das hier ansehen, Carl.« Yrsa wühlte in ihrer Tasche. »Wir haben ein Foto der vier Geschwister. Es ist alt, aber trotzdem.«

Sie legte das Foto vor ihn hin.

»Aha«, sagte er und nahm den Eindruck von vier gemästeten Angusrindern in sich auf. »Eine kräftige Familie, meine Herren! Waren die nebenbei auch noch Sumo-Ringer?«

»Schau genau hin, Carl«, sagte Assad. »Dann weißt du, was wir meinen.«

Er folgte Assads Blick. Die vier Geschwister saßen ordentlich nebeneinander an einer gedeckten Tafel, weißes Tischtuch, Kristallgläser. Alle hatten sie die Hände ordentlich auf der Tischkante platziert, wie von einer strengen Mutter angeordnet, die außerhalb des Fotos stand. Vier Paar kräftige Hände – und alle trugen sie am linken kleinen Finger einen Ring. Die Ringe schnitten tief ins Fleisch ein. Klar, bei der Leibesfülle.

Carl blickte auf und sah seine Mitarbeiter an, zwei der merkwürdigsten Individuen, die je durch die Gänge dieses schreckenerregenden Gebäudes gelaufen waren. Und diese beiden hatten soeben einen Fall in eine völlig neue Dimension erhoben. Einen Fall, der im Grunde nicht mal ihrer war.

Verdammt surreal, das alles.

Eine Stunde später wurde erneut in Carls Aufgabenverteilung herumgewühlt. Der Anruf kam vom Stellvertreter, von Lars Bjørn. Einer seiner Leute war unten im Archiv gewesen und hatte ein Gespräch zwischen Assad und dieser Neuen mit angehört. Was war denn das schon wieder? Hatten die einen Zusammenhang zwischen den Brandfällen gefunden?

Carl wiederholte kurz, worum es ging, während der Torfstecher am anderen Ende bei jedem zweiten Wort Brummlaute von sich gab, um zu zeigen, dass er Carls Ausführungen folgte.

»Bist du so freundlich und schickst Hafez el-Assad nach Rødovre hinüber, damit er Antonsen informiert? Wir werden mit den Bränden hier in der Stadt weitermachen. Aber diesen alten Fall dürft ihr aufklären, wo ihr damit nun schon mal angefangen habt«, sagte Lars Bjørn gönnerhaft.

Das war das Ende des Friedens.

»Ich glaub ehrlich gesagt nicht, dass Assad dazu Lust hat.«

»Na, dann musst du's eben selbst machen.«

Bjørn, dieser Schweinehund, der kannte ihn einfach zu gut.

»Carl, das ist doch nicht dein Ernst? Das ist doch nur ein Scherz, oder?« Assads Lachgrübchen zwischen den Bartstoppeln waren tief, aber sie verschwanden blitzschnell.

»Du nimmst den Dienstwagen, Assad. Gib acht auf das Gaspedal, wenn du draußen im Roskildevej bist. Unsere Freunde von der Verkehrspolizei haben wieder Starenkästen aufgestellt.«

»Also, ich finde, das ist total dämlich. Entweder übernehmen wir alle Brandfälle oder gar keinen.« Er nickte nachdrücklich beim Sprechen, doch Carl reagierte gar nicht darauf, sondern reichte ihm einfach nur die Autoschlüssel.

Als Assad und seine unverständlichen Flüche endlich in Richtung Treppe verschwanden, kam Yrsas schrilles Geträller vom Ende des Korridors gleich viel besser zur Geltung. Fünf Oktaven im freien Fall. Wie man in solchen Momenten doch Roses vergleichsweise sporadisches Schmollen vermissen konnte! Was zum Teufel machte Frau Goldlocke denn jetzt schon wieder?

Er erhob sich schwerfällig und trat auf den Flur.

Natürlich. Sie stand doch wahrhaftig schon wieder dort vor der Wand und begaffte den Riesenbrief.

»Du bist etwas zu spät dran, Yrsa. Tryggve Holt hat seine Deutung des Briefs bereits geliefert. Glaubst du nicht, dass er dafür besser geeignet ist als jeder andere? Und glaubst du nicht, dass wir jetzt genug wissen? Was sollte da sonst noch stehen, das uns bei unseren Nachforschungen weiterhelfen könnte? Nichts, oder? Also, geh in dein Büro und mach was Gescheites. Das, was wir besprochen haben.«

Sie hörte erst mit Singen auf, als er mit seinem Sermon fertig war. »Komm mal her, Carl«, sagte sie und zog ihn in ihr rosa Himmelreich.

Sie platzierte ihn vor Roses Schreibtisch, wo eine Kopie von Tryggves Deutung der Flaschenpost lag.

»Sieh dir das an. Bei den ersten Zeilen sind wir uns alle einig.«

HILFE
Wir wurden am 16. Februar 1996 entführt – An der Bushaltestelle Lautrupvang in Ballerup – Der Mann ist 1,8_ groß, hat kurze Haare ...

»Kannst du mir folgen?«

Carl nickte.

»Danach schlägt Tryggve folgenden Wortlaut vor.«

... böse blaue Augen und eine Narbe am rechten ___ –

»Tja, leider wissen wir immer noch nicht, wo er diese Narbe hat«, ging Carl dazwischen. »Die ist Tryggve nicht aufgefallen, und er hat auch mit Poul nicht darüber geredet. Aber Poul sind genau solche Sachen immer ins Auge gestochen, hat Tryggve gesagt. Kleine Schönheitsfehler bei anderen glätteten vielleicht seinen eigenen? Aber red weiter.«

Sie nickte.

Er fährt einen blauen Lieferwagen – Unsere Eltern kennen ihn – Er heißt Freddy und was mit B – Er hat uns gedroht und Strom verpasst – Er bringt uns um –

»Tja, das macht doch alles zusammen ziemlich stark den Eindruck, als könnte das stimmen.« Carl schwieg und sah zur Decke. Da oben lief schon wieder so eine eklige Schmeißfliege herum und lachte ihn aus. Er sah sie sich genauer an. Saß auf einem Flügel nicht ein kleiner Klecks Tipp-Ex? Er schüttelte benommen den Kopf. Tatsächlich! Das hier war die Fliege, nach der er mit der Tipp-Ex-Flasche gezielt hatte. Wo zum Teufel hatte die sich denn in der Zwischenzeit versteckt?

»Wir sind uns also einig, dass Tryggve bei dem Geschehen anwesend und bei Bewusstsein war«, fuhr Yrsa unverdrossen fort. »Dieser Abschnitt des Briefes handelt von den äußeren Kennzeichen des Mannes. Ergänzen wir das durch Tryggves Angaben, haben wir eine ziemlich gute Personenbeschreibung beisammen. Jetzt fehlt uns nur noch die Phantomzeichnung der Schweden.«

Sie deutete auf die Zeile darunter. »Bei den nächsten Sätzen bin ich mir nicht so sicher. Die Frage ist, ob dort tatsächlich das steht, was wir glauben. Lies mal laut, Carl.«

»Laut lesen? Das kannst du selbst machen.« War er Mitglied der königlichen Schauspieltruppe, oder was?

Sie klopfte ihm auf die Schulter und kniff ihm obendrein in den Arm. »Komm schon, Carl. Dann wird dir der Inhalt klarer.«

Resigniert schüttelte er den Kopf und räusperte sich. Dieses verrückte Huhn.

Er hat erst mir und dann meinem Bruder einen Lappen vor den Mund gepresst – Wir sind fast 1 Stunde gefahren und jetzt irgendwo am Wasser – In der Nähe brummen Windräder – Hier stinkt es – Befreit uns – Schnell – Mein Bruder ist Tryggve 13 Jahre – Und ich bin Poul 18 –
Poul Holt

Sie klatschte lautlos mit den Fingerspitzen.

»Sehr hübsch, Carl. Ja, ich weiß, dass sich Tryggve bei den meisten Sachen sicher ist. Aber das mit den Windrädern, kann das nicht auch was anderes sein? Ebenso einige der anderen Wörter. Und wenn sich hinter den fehlenden Buchstaben nun doch mehr versteckt, als man sich zurechtphantasieren kann?«

»Poul und Tryggve haben das Geräusch überhaupt nicht diskutiert, wie sollten sie auch, mit dem Klebeband vorm Mund. Aber Tryggve konnte sich daran erinnern, dass sie zwischendurch mal so ein tiefes Brummen hörten«, sagte Carl. »Außerdem meinte Tryggve, Poul sei bei so was wie Geräuschen und Technik immer sehr gut gewesen. Aber es stimmt schon: Letztlich kann das Geräusch sonst was gewesen sein.«

Carl sah Tryggve vor sich, dort drüben in Schweden, verweint und still, wie er im Licht des frühen Morgens den Flaschenbrief zum wiederholten Mal las.

»Der Brief hat einen starken Eindruck auf Tryggve gemacht. Er hat mehrfach gesagt, dass das alles so typisch sei für seinen großen Bruder. Überhaupt keine Zeichensetzung, nur ein paar Gedankenstriche. Und dass Poul immer schrieb, wie er sprach. Den Brief zu lesen sei wie ihn sprechen zu hören.«

Carl verscheuchte das Bild aus seinem Sinn. Ganz klar: Sie mussten Tryggve dazu bringen, nach Kopenhagen zu kommen, sobald er sich von dem Erlebnis erholt hatte.

Yrsa runzelte die Stirn. »Hast du Tryggve eigentlich gefragt, ob es in den Tagen, als sie im Bootshaus saßen, überhaupt windig war? Habt ihr, du oder Assad, in den Wetteraufzeichnungen nachgesehen? Habt ihr beim Meteorologischen Institut nachgefragt?«

»Mitte Februar? Da stürmt es doch immer. Damit die Windräder sich drehen, braucht's doch nicht viel.«

»Na ja, trotzdem. Habt ihr gefragt?«

»Leite die Frage an Pasgård weiter, Yrsa. Der untersucht das mit den Windrädern. Aber im Augenblick habe ich eine andere Aufgabe für dich.«

Sie setzte sich auf die Schreibtischkante. »Ich weiß, was du sagen willst. Ich soll jetzt mit den Vereinen und Selbsthilfegruppen für Sektenaussteiger reden, stimmt's?« Sie zog ihre Handtasche heran und fischte daraus eine Tüte Chips. Und noch ehe Carl seine Antwort formuliert hatte, war die Tüte bereits aufgerissen und der Inhalt halb zermalmt.

Man kam aus dem Staunen nicht raus.

Als er in seinem Büro das Wetterarchiv des Dansk Metereologisk Institut öffnete, musste er feststellen, dass es nur bis 1997 zurückreichte. Also rief er im Institut an, stellte sich vor, formulierte seine einfache Frage und rechnete mit einer einfachen Antwort.

»Können Sie mir sagen, wie das Wetter in den Tagen nach dem 16. Februar 1996 war?«

Sekunden später kam bereits die Antwort.

»Am 18. Februar wurde Dänemark von einem extremen Schneesturm heimgesucht. Das Land war drei bis vier Tage nahezu von der Außenwelt abgeschnitten, die deutsch-dänische Grenze wurde sogar dichtgemacht«, sagte die Frau am anderen Ende.

»Tatsächlich? Und das gilt auch für Nordseeland?«

»Das gilt fürs ganze Land. Aber am schlimmsten war es im Süden. Im nördlichen Dänemark waren die Straßen in weiten Gebieten trotz allem befahrbar.«

Warum zum Teufel hatten sie sich nicht schon früher nach dem Wetter erkundigt?

»Es war also sehr stürmisch, sagen Sie?«

»Ja, allerdings, das war es.«

»Und wie ist das bei einem solchen Wetter mit Windrädern?«

Die Frau antwortete nicht gleich. »Sie wollen wissen, ob der Sturm zu stark war für einen Betrieb der Anlagen?«

»Äh, ja, das meinte ich wohl. Glauben Sie, man muss die Windräder bei solchem Wetter anhalten?«

»Tja, ich bin keine Windradexpertin, aber ja, natürlich muss man die Windräder an solchen Tagen anhalten. Die würden ja sonst förmlich auskugeln.«

An der Stelle fischte sich Carl eine Zigarette aus der Packung und bedankte sich. Was mochten die Kinder in dem Bootshaus bloß gehört haben? Die hatten da drinnen festgesessen und gefroren und konnten nicht nach draußen sehen. Hatten sie denn überhaupt etwas von dem Sturm mitbekommen?

Carl suchte Pasgårds Handynummer heraus und gab sie ein.

»Ja«, antwortete der. Das klang extrem unfreundlich, dabei war es nur ein einzelnes Wort.

»Carl Mørck hier. Hast du überprüft, wie das Wetter in der Zeit war, als die Kinder eingesperrt waren?«

»Noch nicht. Kommt aber noch.«

»Kannst du dir sparen. In den letzten drei der fünf Tage, die sie in dem Bootshaus saßen, hatten wir Schneesturm.«

»Na so was.«

Wie – na so was? Typische Pasgård-Bemerkung.

»Vergiss die Windräder, Pasgård. Der Wind war zu stark.«

»Ja, aber du sagst drei der fünf Tage. Was ist mit den ersten beiden?«

»Tryggve hat mir erzählt, dass er dieses Brummen an allen fünf Tagen gehört hat, an den letzten dreien etwas schwächer. Das könnte sich durch den Sturm erklären. Der hat das Geräusch vermutlich gedämpft.«

»Ja, vielleicht.«

»Ich fand nur, dass du das wissen solltest.«

Carl lachte innerlich. Mit Sicherheit ärgerte sich Pasgård grün und blau, dass er das nicht herausgefunden hatte.

»Du musst also nach einer anderen Geräuschquelle forschen«, fuhr er fort. »Nach einem anderen Brummen. Was ist übrigens mit der Fischschuppe, gibt's da schon was?«

»Mal sachte. Die liegt im Moment zum Mikroskopieren draußen im Biologischen Institut in der Abteilung für Meeresbiologie.«

»Zum Mikroskopieren?«

»Ja, oder was die da machen. Dass es eine Forelle ist, weiß ich schon. Jetzt scheint die ganz große Frage zu sein, ob es eine Meerforelle ist oder eine Fjordforelle.«

»Das sind doch ziemlich unterschiedliche Fische?«

»Unterschiedlich? Nee, das glaub ich nicht. Eine Fjordforelle ist bestimmt nichts anderes als eine Meerforelle, die nicht mehr weiterschwimmen wollte und einfach dort geblieben ist, wo sie war. Im Fjord.«

Puh!, dachte Carl. Yrsa, Assad, Rose, Pasgård. Für einen einzigen Vizepolizeikommissar war das fast zu viel.

»Eins noch, Pasgård. Ruf doch mal Tryggve Holt an und frag, ob er weiß, wie das Wetter in den Tagen war, als sie gefangen gehalten wurden.«

Er hatte kaum aufgelegt, da klingelte das Telefon.

»Antonsen«, mehr sagte die Stimme nicht. Allein der Tonfall reichte, um in Habachtstellung zu gehen.

»Gerade sind sich dein Gehilfe und Samir Ghazi hier auf der Wache in die Haare geraten und haben sich geprügelt. Wären wir nicht selbst die Polizei, hätten wir einen Notruf schalten müssen. Sei doch bitte so freundlich und hol diesen Irren umgehend hier ab.«

27

Wenn Isabel Jønsson gebeten wurde, etwas zu ihrer Biografie zu erzählen, was selten vorkam, sagte sie immer, sie sei im Tupperware-Land aufgewachsen. In der Obhut von netten Eltern mit Vauxhall und Einfamilienhaus. Beide hatten eine solide Ausbildung und ihre Ansichten unterschieden sich kaum je von denen der anderen Spießbürger, die tagein, tagaus mit den Aktentaschen unterm Arm zur Arbeit fuhren. Eine behütete Kindheit, wohlerzogen, bazillenfrei und vakuumverpackt. Jeder in der kleinen Familie kannte seinen Platz. Keine Ellenbogen auf dem Tisch. Und die Eltern nickten zustimmend und sagten »bitte sehr« und »danke gleichfalls«, und als Isabel ihren Realschulabschluss hatte, gratulierten sie und drückten ihr die Hand. Und ihr Bruder ging zum Militär, obwohl er durch das Losverfahren vom Wehrdienst befreit war.

So hatten sich im Lauf der Jahre Verhaltensmuster eingeschliffen, die sie nur in den Momenten ablegen konnte, wenn sie sich einem starken Mann in die Arme warf oder, wie jetzt, hinters Steuer ihres Ford Mondeo setzte. Als Spitzengeschwindigkeit war zweihundertfünf angegeben, aber ihrer schaffte zweihundertzehn. Und nachdem sie und Rachel von der Landstraße auf die E 45 abgebogen waren, durfte er das beweisen.

Das Navi gab an, sie seien um 17.05 Uhr am Ziel. Aber Isabel hatte vor, diese Zeit zu unterbieten.

»Ich mach einen Vorschlag«, sagte sie zu Rachel, die neben ihr saß und ihr Handy umklammert hielt. »Du darfst dich aber nicht aufregen, versprichst du das?«

»Ich versuch's«, kam leise die Antwort.

»Wenn wir ihn oder deine Kinder in Ferslev nicht antreffen, bleibt vermutlich nichts anderes übrig, als ihm das zu geben, was er verlangt.«

»Stimmt. Darüber haben wir doch schon gesprochen.«

»Es sei denn, wir gewinnen mehr Zeit.«

»Wie meinst du das?«

Isabel ignorierte das Gestikulieren der aufgebrachten Autofahrer, als sie sich, ohne die Geschwindigkeit zu drosseln, blinkend durch den Verkehr schlängelte.

»Ich meine … bitte, du darfst jetzt nicht ausflippen, Rachel. Ich meine, wir wissen nicht, wie sicher deine Kinder sind, Rachel, auch wenn wir ihm das Geld geben. Weißt du, was ich meine?«

»Ich glaube, dass sie dann sicher sind.« Rachel betonte jedes einzelne Wort. »Wenn wir ihm das Geld geben, lässt er sie frei. Wir wissen schon viel zu viel über ihn, als dass er sich etwas anderes trauen würde.«

»Halt, Rachel. Genau das ist mein Punkt. Wenn ihr das Geld abliefert und die Kinder zurückbekommt, was sollte euch dann davon abhalten, ihn anschließend bei der Polizei anzuzeigen? Verstehst du, was ich meine?«

»Ich bin sicher, dass er eine halbe Stunde später mit dem Geld außer Landes ist. Was wir anschließend tun, wird dem völlig egal sein.«

»Glaubst du? Aber der ist nicht dumm, Rachel, das wissen wir beide. Das Land zu verlassen, bietet keine Garantie. Denn die meisten werden trotzdem geschnappt.«

»Ja, aber was dann?« Rachel rutschte unruhig auf dem Sitz hin und her. »Bitte fahr doch etwas langsamer«, bat sie leise. »Wenn wir in eine Verkehrskontrolle geraten, nehmen sie dir den Führerschein ab.«

»Na, das ist dann eben so. Dann musst du halt ans Steuer. Du hast doch wohl einen Führerschein, oder?«

»Klar.«

»Also dann.« Isabel überholte einen chromblitzenden BMW, in dem lauter dunkelhäutige junge Männer saßen, die ihre Baseballcaps verkehrt herum aufgesetzt hatten.

»Wir können nicht warten«, fuhr sie fort. »Jetzt kommt das, was ich meine: Wir wissen nicht, was er tun wird, wenn er das Geld bekommt, und wir wissen auch nicht sicher, was er tut, wenn er es nicht bekommt. Deshalb müssen wir ihm die ganze Zeit einen Schritt voraus sein. Wir müssen die Kontrolle haben, nicht er. Verstehst du?«

Rachel schüttelte so heftig den Kopf, dass Isabel es sehen konnte, obwohl ihre Augen starr geradeaus auf die Fahrbahn gerichtet waren.

»Nein, ich verstehe gar nichts.«

Isabel fuhr sich mit der Zunge über die Lippen. Wenn das hier nicht klappte, dann war das ihre Schuld. Dabei hatte sie im Moment das Gefühl, dass alles, was sie sagte oder tat, absolut richtig und zwingend notwendig war.

»Wenn sich erweist, dass die Adresse, zu der wir gerade fahren, tatsächlich stimmt, dann sind wir dem Schwein viel dichter auf den Fersen, als es ihm lieb sein kann. Damit müssten für ihn die schlimmsten Albträume wahr werden. Er wird dann mit aller Macht in seinem psychopathischen Gehirn die Stelle suchen, wo er einen Fehler gemacht hat. Bei eurem nächsten Schritt wird er deshalb schwer verunsichert sein, verstehst du? Das wird ihn angreifbar machen, und genau das brauchen wir.«

Sie überholten fünfzehn Autos, ehe Rachel antwortete.

»Darüber können wir später reden, ja? Im Moment würde ich am liebsten ruhig hier sitzen.«

Als sie auf der Autobahnbrücke über den Kleinen Belt rasten, warf Isabel einen Blick zu ihr hinüber. Kein Laut kam über Rachels Lippen und trotzdem bewegte sich ihr Mund unablässig. Die Augen hatte sie geschlossen, und ihre Hände umklammerten noch immer das Handy, sodass die Knöchel weiß hervortraten.

»Du glaubst wirklich an Gott?«, fragte Isabel.

Eine Weile herrschte Schweigen. Rachel wollte vermutlich erst ihr Gebet beenden, ehe sie die Augen öffnete.

»Ja, das tue ich. Ich glaube an die Gottesmutter und dass sie da ist, um unglücklichen Müttern wie mir Schutz zu bieten. Deshalb bete ich zu ihr, und ich bin sicher, dass sie mich erhört.«

Isabel runzelte die Stirn, schwieg aber und nickte nur.

Alles andere wäre zu gemein gewesen.

Ferslev lag inmitten von Feldern nahe dem Isefjord. Das Dorf strahlte in vielerlei Hinsicht eine unbekümmerte Idylle aus – ein krasser Gegensatz zu dem, was sich ihrer Vermutung nach in irgendeinem Winkel des Orts verbarg.

Sie näherten sich der fraglichen Adresse, und Isabel merkte, wie ihr Herz schneller schlug. Von weitem schon konnten sie erkennen, dass das Haus hinter den vielen Bäumen von der Straße her kaum zu sehen war. Da packte Rachel Isabel am Arm.

Rachel war kreidebleich. Unablässig strich sie sich über die Wangen, als wollte sie so den Blutkreislauf in Gang halten. Sie hatte die Lippen fest zusammengepresst und Schweißperlen auf der Stirn.

»Halt hier an, Isabel«, keuchte sie, als sie zu einer Hecke kamen. Schwerfällig stieg sie aus. Ganz offensichtlich ging es ihr nicht gut. Am Straßengraben fiel sie auf die Knie. Jedes Mal, wenn sie sich erbrach, stöhnte sie laut auf. Das ging so lange, bis der Magen offenbar ganz leer war. In dem Moment, als sie sich wieder aufrichtete, raste ein Mercedes an ihnen vorbei.

»Bist du in Ordnung?«, fragte Isabel, als könnte sie sich die Antwort nicht selbst geben.

»So«, sagte Rachel, als sie sich wieder ins Auto setzte und den Mund mit dem Handrücken abwischte. »Und was jetzt?«

»Wir fahren einfach zum Haus. Er glaubt doch, mein Polizistenbruder sei über alles informiert. Falls das Schwein da oben ist, lässt er die Kinder gehen, sobald er mich sieht. Was anderes traut der sich dann nicht mehr, der wird dann nur noch sehen, dass er wegkommt.«

»Aber du musst das Auto so parken, dass er nicht das Gefühl hat, wir würden ihm den Weg versperren«, sagte Rachel. »Ansonsten riskieren wir, dass er ausrastet und irgendwas Verzweifeltes tut.«

»Da irrst du dich, glaube ich. Nein, im Gegenteil. Wir stellen den Wagen quer. Dann muss er über die Felder weg. Wenn er mit dem Auto abhauen kann, riskieren wir, dass er deine Kinder mitnimmt.«

Rachel sah so aus, als würde ihr gleich wieder schlecht werden. Aber sie schluckte ein-, zweimal kräftig und hatte sich wieder gefangen.

»Rachel, ich bin mir da ganz sicher. Du kennst dich mit so was nicht aus, und ich zum Glück auch nicht. Ich fühle mich auch nicht besonders gut. Aber jetzt machen wir das so.«

Rachels Augen waren feucht, als sie Isabel ansah, aber ihr Blick war kalt. »Ich hab in meinem Leben mehr erlebt, als du dir vorstellen kannst«, erwiderte sie erstaunlich hart. »Ich hab Angst, ja, aber nicht um mich. Es darf einfach nicht schiefgehen.«

Isabel parkte den Wagen quer über dem Feldweg, und dann stellten sie sich mitten auf den Hof und warteten ab, was geschehen würde.

Die Tauben auf dem Dach gurrten, und eine leichte Brise fuhr durch das Laub und das Gras. Sonst war auf diesem Hof weit und breit kein Zeichen von Leben zu vernehmen, abgesehen von ihren eigenen, tiefen Atemzügen.

Die Fenster des alten Bauernhauses wirkten dunkel. Vielleicht, weil sie so schmutzig waren, vielleicht, weil von innen irgendwelche Gardinen vorgezogen waren, das ließ sich so nicht sagen. Vor der Hauswand stand altes, rostiges Gartengerät. An allem, was aus Holz war, blätterte die Farbe ab. Das Ganze wirkte tot und unbewohnt – und beunruhigend.

»Na komm«, sagte Isabel und steuerte direkt auf den Eingang zu. Sie hämmerte zwei-, dreimal gegen die Tür. Dann trat sie einen Schritt zur Seite und klopfte an die Scheibe daneben. Aber nichts rührte sich.

»Heilige Muttergottes. Wenn sie da drinnen sind, versuchen sie womöglich, mit uns Kontakt aufzunehmen«, sagte Rachel, die langsam aus ihrer Trance erwachte. Aus einem Impuls heraus griff sie nach einer Hacke mit abgebrochenem Schaft, die an der Hausmauer lehnte, und schlug resolut die Scheibe neben der Haustür ein.

Es war unverkennbar, dass sie im Alltag viel mit praktischen Dingen zu tun hatte, so wie sie anschließend die Hacke schulterte und das Fenster aufhebelte. Und es war auch unverkennbar, dass sie bereit war, das Gerät gegen den Entführer zu richten, falls er sich dort drinnen mit den Kindern verschanzte. Er würde gut daran tun, seine nächsten Schritte sorgfältig zu überlegen.

Sie gingen durch das Haus, und Isabel hielt sich dicht hinter Rachel. Außer vier oder fünf Gasflaschen im Flur standen im Erdgeschoss nur wenige Möbelstücke, und die waren strategisch so vor den Fenstern platziert, dass sie bei einem Blick von außen durch die Gardinenlücken den Eindruck erwecken konnten, das Haus sei bewohnt. Nichts, außer Staub überall. Kein Papier, keine Reklame, keine Anzeigenblättchen, keine leeren Verpackungen, keine Küchenhandtücher, keine Bettwäsche, nichts. Nicht einmal Toilettenpapier.

Hier wohnte niemand.

Dann fanden sie die steile Treppe ins obere Stockwerk. Vorsichtig stiegen sie die schmalen Stufen hinauf.

Holzfaserplatten an allen Wänden. Hauchdünne Trennwände. Tapeten in allen Mustern und Farben. Die reinste

Geschmacksverirrung – oder Mangel an Geld. In den drei Räumen gab es nur ein einziges Möbelstück, einen hellgrün gestrichenen, schlichten Kleiderschrank, dessen Farbe überall abblätterte. Seine Tür war nur angelehnt.

Als Isabel die Gardinen aufzog, drang gedämpftes Nachmittagslicht in den Raum. Sie öffnete die Tür des Kleiderschranks und schnappte nach Luft.

Er musste gerade hier gewesen sein, denn die meisten Kleidungsstücke auf den Bügeln hatte er getragen, als er bei ihr wohnte. Die Wildlederjacke, die hellgraue Jeans und die Hemden von Esprit und Morgan. Garantiert nichts, was man an einem so ärmlichen Ort wie diesem hier erwartete.

Auch Rachel war zusammengezuckt, und Isabel verstand, warum. Der Geruch seines Aftershaves, schon allein davon konnte einem schlecht werden.

Sie zog eines der Hemden heraus und untersuchte es schnell. »Die Sachen sind nicht gewaschen, also haben wir jetzt seine DNA, falls wir die brauchen sollten.« Sie deutete auf ein Haar am Hemdkragen. Bei der Farbe war das garantiert nicht ihres. »Komm, wir nehmen die mit«, fuhr sie fort. »Auch wenn ich's nicht glaube, aber vielleicht finden wir ja doch was in den Taschen.«

Als sie kurz darauf aus dem Fenster sah, entdeckte sie im Kies vor der Scheune die Spuren. Sie waren ihr vorher nicht aufgefallen, aber von hier oben sah man deutlich, dass vor dem Scheunentor die Steine zu zwei parallelen Spuren gepresst waren, und die wirkten ausgesprochen frisch.

Sorgfältig zog sie die Gardinen wieder zu.

Die Glasscherben ließen sie im Flur liegen, sie zogen nur die Tür hinter sich ins Schloss. Draußen sahen sie sich rasch um. Im Gemüsegarten, auf den Feldern, zwischen den Bäumen, nirgends fiel ihnen etwas Ungewöhnliches auf. Deshalb konzentrierten sie sich gleich auf das Vorhängeschloss am Scheunentor.

Isabel deutete auf die Hacke, die Rachel immer noch über der Schulter trug, und Rachel nickte. Sie brauchte keine fünf Sekunden, um das Schloss aufzubrechen.

Als sie das Tor aufstießen, schnappten beide nach Luft.

Vor ihnen in der Scheune stand der Lieferwagen. Beide erkannten den hellblauen Renault Partner, das Nummernschild stimmte.

Rachel begann leise zu beten. »Lieber Gott, lass bitte meine Kinder nicht tot in diesem Auto liegen. Liebe Muttergottes, ich flehe dich an. Lass sie nicht da drinnen liegen.«

Isabel hatte keine Zweifel. Der Raubvogel war mit seiner Beute davongeflogen. Sie probierte es an der hinteren Tür des Lieferwagens. Er hatte sich noch nicht einmal die Mühe gemacht abzuschließen, so sicher fühlte er sich in seinem Versteck.

Dann legte sie die Hand auf die Kühlerhaube. Die war noch warm.

Da ging sie auf den Hof und starrte durch die Bäume zu der Stelle, wo Rachel sich übergeben hatte. Entweder war er dort langgefahren oder zum Wasser. Jedenfalls war er noch nicht lange weg.

Sie waren zu spät gekommen! Wohl um Haaresbreite.

Rachel, die neben ihr stand, begann zu zittern. Die Aufregung der langen Autofahrt, all der Kummer, für den es keine Worte gab, all der Schmerz, der sich in ihrem Gesicht und ihrer Körperhaltung spiegelte, all diese Gemütsbewegungen entluden sich da schlagartig in einem Schrei, der die Tauben vom Dach auffliegen ließ. Am Ende lief ihr der Rotz aus der Nase und die Mundwinkel waren von Spucke weiß.

Der Entführer war nicht da. Und die Kinder waren weg, trotz aller Gebete.

Isabel nickte ihr still zu. Ja, es war entsetzlich.

»Rachel, es tut mir leid, aber ich glaube, ich hab das Auto gesehen, als du dich übergeben hast«, sagte sie behutsam. »Es war ein Mercedes. So ein schwarzer. Die Sorte, von der es Tausende gibt.«

Lange standen sie ganz still da, während das nachmittägliche Licht schwächer wurde.

Und was nun?

»Du und Joshua, ihr solltet ihm das Geld nicht geben«, sagte Isabel schließlich. »Ihr dürft nicht zulassen, dass er die Bedingungen diktiert. Wir müssen Zeit gewinnen.«

Rachel sah Isabel an wie eine Abtrünnige, wie eine, die auf alles spuckte, an das Rachel glaubte und wofür sie stand. »Zeit gewinnen? Ich hab keine Ahnung, wovon du sprichst, und ich bin mir nicht mal sicher, ob ich es wissen will.«

Rachel sah auf die Uhr. Sie hatten denselben Gedanken.

Bald schon würde Joshua mit einem Beutel voller Geldscheine in Viborg den Zug besteigen. Damit war für Rachel ihr Versuch, den Entführer zu verfolgen und zu überrumpeln, erledigt. Jetzt gab es nur noch eine Option, und die war simpel: Sie würden das Geld abliefern und im Gegenzug die Kinder in Empfang nehmen. Punktum! Eine Million war zwar eine Menge Geld, aber die würden sie irgendwie verschmerzen. Und Isabel sollte ja nicht versuchen, noch einmal daran zu rütteln. Das strahlte Rachel in aller Deutlichkeit aus.

Isabel seufzte. »Rachel, bitte hör doch mal. Wir haben ihn alle beide kennengelernt. Etwas Furchtbareres als diesen Kerl kann man sich nicht vorstellen. Denk nur daran, wie er uns hinters Licht geführt hat. Wie sternenweit alles, was er gesagt hat, von der Wahrheit entfernt war.« Sie ergriff Rachels Hände. »Er hat sich deinen Glauben und meine kindische Verblendung zunutze gemacht. Er hat unsere verletzlichsten Punkte, unsere innersten Gefühle für sich ausgenutzt. Und wir haben ihm geglaubt. Begreifst du? Wir haben ihm geglaubt und er hat gelogen! Das kannst du nicht leugnen. Weißt du, worauf ich hinauswill?«

Natürlich wusste sie es, sie war ja nicht dumm. Aber Rachel

konnte in diesem Augenblick keinen Zusammenbruch riskieren. Sie konnte ihren blinden Glauben nicht in den Staub werfen, nicht in dieser Situation und nicht so schnell, das sah Isabel. Erst musste sie noch einmal bis in die Tiefe vorstoßen, aus der alle Urinstinkte kamen. Musste hinunter in die Hölle, um frei denken und alle Argumente und Konzepte aus der Welt ihres Glaubens beiseiteschieben zu können. Eine entsetzliche Reise zur Erkenntnis. Und Isabel litt mit ihr.

Als Rachel die Augen wieder öffnete, war klar zu sehen, dass sie nun wusste, was wirklich Sache war. Dass ihre Kinder womöglich nicht einmal mehr am Leben waren. Nicht einmal das.

Sie atmete tief durch und drückte kurz Isabels Hände. Sie war bereit. »Was hast du dir überlegt?«, fragte sie.

»Wir tun, was er gesagt hat«, antwortete Isabel. »Wenn das Licht blinkt, werfen wir den Beutel aus dem Zug, genau wie befohlen. Aber ohne Geld. Und wenn er ihn aufhebt und öffnet, findet er darin Gegenstände aus dem Haus hier, die ihm beweisen, dass wir hier waren.«

Sie bückte sich und hob das Vorhängeschloss und die Kette auf und wog beides in der Hand.

»Wir tun das hier und etwas von seinen Klamotten in den Beutel und dann legen wir einen Zettel dazu, der ihm sagt, dass wir ihm auf der Spur sind. Dass wir wissen, wo er sich aufhält, dass wir seinen Decknamen kennen und seinen Rückzugsort beobachten. Dass wir ihn immer weiter einkreisen und es nur eine Frage der Zeit ist, bis wir ihn haben. Wir schreiben, sein Geld solle er kriegen, aber er müsse sich erst etwas überlegen, damit wir vollständig sicher sein können, dass wir die Kinder wohlbehalten wiederbekommen. Vorher passiert nichts. Wir müssen ihn unter Druck setzen, sonst behält er das Heft in der Hand.«

Rachel senkte den Blick. »Isabel«, sagte sie. »Wir stehen hier in Nordseeland mit dem Vorhängeschloss und den Klamotten, hast du das vergessen? Wir erreichen den Zug in Viborg nicht mehr rechtzeitig. Wir sitzen nicht in dem Zug, wenn der Kerl zwischen Odense und Roskilde das Licht aufblitzen lässt.« Dann richtete sie den Blick auf Isabel und schrie ihr ihre Frustration mitten ins Gesicht. »Wie sollen wir ihm dann bitte schön den Beutel hinwerfen? Wie?«

Isabel nahm ihre Hand. Die war eiskalt. »Rachel«, sagte sie ruhig. »Wir schaffen das. Wir fahren jetzt nach Odense und dort auf dem Bahnsteig treffen wir Joshua. Wir haben jede Menge Zeit.«

Für den Bruchteil einer Sekunde sah Isabel da plötzlich eine ganz andere Rachel. Das war nicht die Mutter, deren Kinder in der Hand eines Entführers waren, nicht diese Provinznudel vom platten Land. Sie hatte überhaupt nichts Provinzielles und Betuliches mehr. Sie war wie ausgewechselt. Eine Frau, die Isabel nicht kannte.

»Warum will er, dass wir in Odense umsteigen?«, fragte Rachel. »Hast du dir das mal überlegt? Gibt es nicht jede Menge anderer Möglichkeiten? Garantiert werden wir überwacht. Garantiert steht auf dem Bahnhof in Viborg einer und einer in Odense.« Dann änderte sich ihr Ausdruck wieder. Ihr Blick schien nach innen gerichtet zu sein. Fragen konnte Rachel offenbar noch stellen, aber für Antworten reichte es nicht mehr.

Isabel überlegte. »Nein, das glaube ich nicht«, sagte sie schließlich. »Er will euch nur unter Druck setzen. Ich bin mir sicher, dass er die Sache allein durchzieht.«

»Wie kannst du dir da so sicher sein?« Rachel sah sie nicht an.

»Weil er so ist. Der ist ein Kontrollfreak. Der weiß haargenau, was er tun muss und wann. Und er kalkuliert alles haarklein. Der war nur wenige Sekunden in dieser Bodega, und schon hatte er mich als Opfer ausgemacht. Und nur wenige Stunden später konnte er bei mir in haargenau dem richtigen

Augenblick für Orgasmen sorgen. Konnte Frühstück zubereiten und Worte sagen, die ich den ganzen Tag lang im Ohr hatte. Jede Bewegung war Teil seines Plans, und alles, was für sein Vorhaben notwendig war, handhabte er wirklich virtuos. Der kann nicht mit anderen zusammenarbeiten. Außerdem würde das Lösegeld dann nicht reichen. Das wäre zu wenig. Und der will mit niemandem teilen.«

»Und was, wenn du dich irrst?«

»Ja, was dann? Ist das nicht egal? Wir sind es doch, die heute Abend ein Ultimatum stellen, nicht er. Der Beutel dient dazu, unsere Geschichte zu untermauern. Ihm unter die Nase zu reiben, dass wir in seinem Versteck gewesen sind.«

Isabel sah sich auf dem heruntergekommenen Grundstück um. Wer war dieser Mann, der andere Menschen ausspionierte? Warum machte er das alles? Mit seinem guten Aussehen, seinem scharfen Verstand und seinen manipulatorischen Fähigkeiten war er doch der perfekte Karrieretyp. Der hatte doch ganz andere Möglichkeiten.

Völlig unverständlich.

»Sollen wir fahren?« Isabel konnte nicht länger untätig herumstehen. »Du kannst deinen Mann von unterwegs anrufen und ihm die Situation erklären. Und dann diktieren wir, was in dem Brief stehen soll, den wir mit in den Beutel stecken.«

Rachel schüttelte den Kopf. »Ich weiß nicht. Ich hab Angst. Also, ich kann dir ja ziemlich weit folgen. Aber würde das den Entführer nicht zu sehr unter Druck setzen? Wird er nicht aufgeben und einfach abhauen?« Jetzt zitterten ihre Lippen. »Und was ist dann mit den Kindern? Geht das nicht auf Kosten von Samuel und Magdalena? Vielleicht droht er, sie zu verletzen oder sonst irgendwas Entsetzliches. Man hat so viel gehört.« Die Tränen liefen ihr über die Wangen. »Und wenn er ihnen was antut, Isabel, was machen wir dann? Was machen wir dann, kannst du mir das sagen?«

28

»Was zum Teufel war da in Rødovre los, Assad? Dass Antonsen so rumzetert, hab ich wirklich noch nie erlebt.«

Assad rutschte auf dem Stuhl hin und her. »Kümmer dich einfach nicht weiter drum, Carl. Das war bloß ein Missverständnis.«

Missverständnis? Vielleicht war der Ausbruch der Französischen Revolution auch nur ein Missverständnis?

»Dann musst du mir aber erklären, wie ein sogenanntes Missverständnis dazu führen kann, dass sich zwei erwachsene Männer in einer dänischen Polizeiwache auf dem Boden wälzen und gegenseitig an die Birne boxen.«

»An was boxen?«

»Die Birne, das bedeutet Kopf. Herrje, Mann, du musst doch selbst wissen, warum du Samir Ghazi geschlagen hast. Na los, rück raus damit, Assad. Ich will eine anständige Erklärung. Woher kennt ihr euch?«

»Also, wir kennen uns gar nicht.«

»Komm schon, Assad, was soll das? Man prügelt doch nicht einfach so auf einen Wildfremden los. Hat das was mit Familienzusammenführung zu tun oder mit Zwangsheirat oder irgendwelchen verdammten Ehrbegriffen? Dann spuck es aus. Wir müssen das klären, sonst kannst du nicht hierbleiben. Denk dran, dass Samir der Polizeibeamte ist, und nicht du.«

Jetzt war Assad eindeutig gekränkt. »Ich kann auf der Stelle gehen, wenn dir das lieber ist.«

»Ich hoffe wirklich für dich, dass mein altes freundschaftliches Verhältnis zu Antonsen ihn davon abhält, die Sache weiterzuverfolgen.« Carl lehnte sich über den Tisch. »Assad, wenn ich dich was frage, dann musst du mir antworten. Und wenn du dich weigerst, weiß ich, dass etwas nicht stimmt. Vielleicht sogar so sehr nicht stimmt, dass es für deinen Aufenthalt hier im Land weiterreichende Konsequenzen haben kann als nur den Verlust deines Scheißarbeitsplatzes. Wenn du mich fragst.«

»Willst du etwa gegen mich ermitteln?« Assad wirkte wie die personifizierte beleidigte Leberwurst.

»Hat das was damit zu tun, dass ihr, du und Samir, früher mal zusammengerasselt seid? In Syrien zum Beispiel?«

»Nein, nicht in Syrien. Samir ist Iraker.«

»Dann gibst du also zu, dass ihr was miteinander am Laufen habt? Obwohl ihr euch nicht kennt?«

»Ja, Carl. Willst du jetzt nicht bitte aufhören, mich auszufragen?«

»Vielleicht. Aber wenn du nicht willst, dass ich Samir Ghazi selbst um eine Darstellung dieser Prügelei bitte, dann musst du mir schon ein, zwei Worte dazu sagen, damit ich mich beruhigen kann. Und im Übrigen solltest du dich künftig unter allen Umständen von Samir fernhalten.«

Assad sah eine Weile vor sich hin. Dann nickte er. »Ich bin schuld daran, dass einer von Samirs Verwandten umkam. Ich wollte das nicht, Carl, das musst du mir glauben. Ich hab's nicht mal gewusst.«

Carl schloss für einen Moment die Augen.

»Hast du dir hierzulande irgendwann mal was Kriminelles zuschulden kommen lassen?«

»Nein, Carl, das sichere ich dir.«

»Versichere, Assad. Das versicherst du mir.«

»Okay, also das tue ich.«

»Dann liegt dieser Vorfall also lange zurück?«

»Ja.«

Carl nickte. Vielleicht war Assad ja ein andermal eher zum Plaudern aufgelegt.

»Hat jemand Lust, sich das hier anzusehen?« Yrsa platzte ohne Vorwarnung ins Zimmer. Sie sah tatsächlich einmal ernst aus, als sie ihnen das Blatt Papier hinhielt. »Das kam vor zwei Minuten als Fax von der schwedischen Polizei in Rønneby. So sah er also aus.«

Sie legte das Fax vor sie auf den Tisch. Ganz klar, diese Phantomzeichnung war nicht durch bloßes Zusammenbasteln von Gesichtselementen am Computer erstellt worden. Das hier war echt. Richtig gutes Handwerk, mit Schatten und allem. Eine gute Zeichnung von einem Männergesicht, das man auf den ersten Blick sogar harmonisch hätte nennen können, das aber bei genauerem Hinsehen auch etliches an Disharmonie ausstrahlte.

»Der sieht aus wie mein Vetter«, kam es trocken von Yrsa. »Der züchtet in Randers Schweine.«

»So hatte ich ihn mir nicht vorgestellt«, bemerkte Assad.

Carl ging es genauso. Kurze Koteletten. Dunkler markanter Oberlippenbart, am Lippenrand exakt gestutzt. Das Haar etwas heller, schnurgerader Seitenscheitel, kräftige Augenbrauen, die über der Nase fast zusammenstießen, normale, durchschnittlich volle Lippen.

»Wir müssen damit rechnen, dass die Zeichnung ziemlich weit von der Realität abweicht. Denkt dran, dass Tryggve zur Zeit des Geschehens erst dreizehn war und dass seitdem genauso viele Jahre vergangen sind. Wer weiß, wie exakt Tryggves Erinnerung noch ist und wie sehr sich der Mann in der Zwischenzeit verändert hat. Aber wie alt würdet ihr ihn hier schätzen?«

Sie wollten etwas sagen, aber Carl unterbrach sie. »Schaut genau hin. Der Oberlippenbart macht ihn vielleicht älter, als er ist. Und schreibt dann euren Vorschlag hier auf.«

Er riss drei Blätter von seinem Block ab und gab jedem eins.

»Denkt mal, der da hat Poul umgebracht«, sagte Yrsa. »Man meint fast, der hätte jemanden getötet, den man kannte.«

Carl notierte seinen Vorschlag und nahm die Zettel der beiden entgegen.

Auf zweien stand siebenundzwanzig, auf dem dritten zweiunddreißig.

»Wir meinen, er ist siebenundzwanzig, und du glaubst, dass er älter ist, Assad. Warum?«

»Nur wegen denen da.« Assad legte die Finger auf zwei Striche, die von der rechten und linken Augenbraue schräg nach unten führten. »Das sind keine lachenden Falten.«

Er verzog sein Gesicht zu einem breiten Lächeln und deutete auf seine äußeren Augenwinkel, die sich ganz zusammengezogen hatten. »Da, seht ihr. Die gehen direkt auf die Wangen. Und jetzt, seht hin.«

Er zog die Mundwinkel herunter und sah nun aus wie eben gerade, als Carl ihn in die Mangel genommen hatte. »Ist jetzt nicht genau da eine Falte?« Er deutete auf eine Stelle neben seinen Augenbrauen.

»Doch«, meinte Yrsa und versuchte die Grimassen nachzuahmen, »aber die fällt einem nicht so leicht auf.« Sie tastete die Haut um ihre Augenbrauen ab.

»Das liegt nur daran, dass ich so ein fröhlicher Mensch bin. Das ist der Mörder nicht. Mit so einer Falte wird man entweder geboren oder man bekommt sie, weil man nicht so fröhlich ist. Und das dauert, bis die kommt. Meine Mutter war nicht so fröhlich, und sie hat sie erst mit fünfzig bekommen.«

»Vielleicht hast du recht, vielleicht nicht«, sagte Carl. »Aber wir sind uns wohl einig, dass er ungefähr das Alter hat, das wir geraten haben. So alt hat ihn Tryggve übrigens auch geschätzt. Das heißt, wenn er noch lebt, ist er heute vermutlich zwischen vierzig und fünfundvierzig.«

»Können wir das Bild nicht einscannen und ihn dann ein paar Jahre altern lassen?«, fragte Yrsa. »Das kann man mit dem Computer doch machen, oder?«

»Na klar. Aber der Schuss kann auch in die falsche Richtung

losgehen und führt dann womöglich in die Irre. Wir wollen uns lieber an das Bild hier halten. Ein ziemlich gut aussehender Mann. Etwas mehr als durchschnittlich attraktiv und recht maskulin. Aber gleichzeitig ist sein Stil eher zurückhaltend, ja konservativ. Typ Büroangestellter.«

»Ich finde, der sieht eher wie ein Soldat aus oder wie ein Polizeibeamter«, meinte Yrsa.

Carl nickte. Der konnte alles und nichts sein. So war es meistens.

Er sah zur Decke, wo diese Scheißfliege schon wieder herumbrummte. Ob er der Verwaltung nahelegen sollte, in einen Streifen Fliegenpapier zu investieren? Das käme sie deutlich billiger, als wenn er selbst zur Waffe griff.

Er riss sich los und sah zu Yrsa. »Lass das Foto kopieren und schick es an sämtliche Polizeibezirke. Weißt du, wie das geht?«

Sie zuckte die Achseln.

»Noch eins, Yrsa. Zeig mir den Text, ehe er abgeschickt wird.

»Was für einen Text?«

Er seufzte. In mancher Hinsicht war sie phantastisch. Aber kein Vergleich zu Rose, das nicht. »Du musst den Fall beschreiben, Yrsa. Unseren Verdacht darlegen, dass der Mann einen Mord begangen hat. Dass wir wissen wollen, ob ein Mann dieses Aussehens schon mal in irgendeiner Weise mit dem Gesetz in Konflikt geraten ist. Ob jemand Kenntnis davon hat.«

»Wohin führt uns das, Carl? Wo ist da der Zusammenhang, hast du eine Idee?« Lars Bjørn runzelte die Stirn und schob das Foto der vier Geschwister Jankovic zurück zu Marcus Jacobsen.

»Wohin euch das führt? Wenn ihr mit euren Brandstiftungsfällen weiterkommen wollt, führt euch das dahin, dass ihr eure Verbrecherkarteien mal nach Serben mit solchen Ringen durchsucht, wie ihn die vier Fettklöße auf dem Foto tragen. Vielleicht findet ihr ja einen von der Sorte in den dänischen Archiven. Aber ich an eurer Stelle würde *pronto* die Polizeibehörde in Belgrad kontaktieren.«

»Du meinst also, dass die Leichen, die wir an den Brandstätten gefunden haben, Serben mit Verbindung zur Familie Jankovic sind? Und dass die Ringe diese Zugehörigkeit markieren?«, hakte der Chef nach.

»Ganz genau das. Und wegen der Missbildungen des kleinen Fingerknöchels glaube ich, dass sie sozusagen mit diesen Ringen auf die Welt kommen.«

»Ein Verbrecherkartell?«, schob Bjørn nach.

Carl schenkte ihm ein dümmliches Lächeln. Was war der Mann doch schnell an so einem bitteren Montag.

Marcus Jacobsen saß neben Bjørn und stierte sehnsüchtig auf seine halb leere Zigarettenpackung, die flachgedrückt vor ihm auf dem Tisch lag. »Ja, wir sollten mal bei unseren serbischen Kollegen nachforschen. Wenn es sich so verhält, wie du annimmst, dann wird man in dieses Kartell mehr oder weniger hineingeboren. Weißt du auch, wer heute für diese Kreditgeschäfte verantwortlich zeichnet? Die vier Gründer leben ja nicht mehr, wenn ich das richtig verstanden habe.«

»Yrsa sitzt dran. Das ist eine Aktiengesellschaft, die sich mehrheitlich immer noch im Besitz von Leuten namens Jankovic befindet.«

»Also eine serbische Mafia, die Geld verleiht.«

»Ja. Wir wissen, dass die abgebrannten Firmen alle irgendwann einmal Kredite bei der Familie aufgenommen hatten. Wir wissen allerdings nicht, was es mit den Leichen auf sich hat. Das überlassen wir euch – zu treuen Händen.« Carl lächelte und schob ein weiteres Foto über den Tisch. »Und hier haben wir den potenziellen Mörder von Poul Holt. Netter Knabe, was?«

Marcus Jacobsen betrachtete ihn gleichgültig. Er hatte in seinem Leben mehr als genug Mörder gesehen.

»Wenn ich Pasgård richtig verstanden habe, hat er heute einen Durchbruch in dem Fall erzielt«, bemerkte Jacobsen. »Dann hat es ja doch genützt, dass ihr ein bisschen Unterstützung bekommen habt.«

Carl runzelte die Stirn. Was zum Teufel sollte das denn heißen?

»Was für einen Durchbruch?«

»Ach, hat er dir das noch gar nicht mitgeteilt? Na, dann schreibt er bestimmt gerade an seinem Bericht.«

Zwanzig Sekunden später stand Carl in Pasgårds Büro, einem düsteren Gelass. Das Foto seiner dreiköpfigen Familie sollte es wohl etwas aufhellen, aber stattdessen erinnerte es nur daran, wie unglaublich unpersönlich Beamtenstuben sein konnten.

»Was hast du rausgefunden?«, fragte Carl.

Pasgård griff weiter in die Tasten. »In zwei Minuten hast du den Bericht, und dann bin ich mit dem Fall fertig.«

Zwei Minuten, das klang so übertrieben musterschülerhaft, dass Carl reflexhaft abwinkte, aber tatsächlich drehte sich der Mann zwei Minuten später mit dem Bürostuhl um und sagte: »Da. Du kannst den Bericht auf dem Bildschirm lesen, ehe ich ihn ausdrucke. Dann kannst du gleich selbst korrigieren, falls dir etwas unklar ist.«

Pasgård und Carl hatten ungefähr zur selben Zeit im Präsidium angefangen. Und obwohl sich Carl wahrhaftig nie bemüht hatte, es irgendwem recht zu machen, hatte er doch häufiger die guten Jobs bekommen. Was einem Arschkriecher wie Pasgård ein ständiger Dorn im Auge war.

Insofern war Pasgårds säuerliches Lächeln, als Carl den Bericht las, nur der schlecht verhohlene Ausdruck seiner gewaltigen Freude.

Als er fertig war, drehte sich Carl zu ihm um.

»Gute Arbeit, Pasgård.« Mehr sagte er nicht.

»Musst du nach Hause, Assad, oder kannst du heute Abend ein paar Stunden länger bleiben?« Hundert zu eins, dass er nicht anders als mit Ja zu antworten wagte.

Assad lächelte. Er fasste die Anfrage sicher als Versöhnungsangebot auf. Es ging weiter im Text. Alle Diskussionen über Samir Ghazi und Assads tatsächlichen Wohnort waren erst mal auf Eis gelegt.

»Yrsa, du kommst auch mit. Ich setze dich dann zu Hause ab. Wir müssen sowieso in die Richtung.«

»Über Stenløse? Nein, Herr im Himmel, das wollt ihr sicher nicht. Nein, ich nehme den Zug. Ich fahr liebend gern Zug.« Sie knöpfte den Mantel zu und hängte sich das Handtäschchen aus Krokoimitat über die Schulter. Offenkundig war ihre Garderobe heute von alten englischen Spielfilmen inspiriert, dazu passten auch die braunen Wanderschuhe mit den klobigen, halbhohen Absätzen.

»Nein, heute fährst du mal nicht Zug, Yrsa«, sagte Carl. »Wenn ihr nichts dagegen habt, möchte ich euch gern während der Fahrt über den neuesten Stand informieren.«

Immer noch etwas unwillig nahm Yrsa auf dem Rücksitz Platz. Mit übergeschlagenen Beinen, die Tasche auf dem Schoß, thronte sie im Fond – fast wie eine Königin, die mit einem einfachen Vierergespann abgespeist wird. Der Duft ihres Parfums hing binnen kurzem unter der verräucherten Decke.

»Pasgård hat Antwort vom Institut für Meeresbiologie erhalten. Dabei sind mehrere interessante Einzelheiten herausgekommen. Zum einen steht nun fest, dass die Schuppe von einer Fjordforelle stammt, die man, wie der Name schon sagt, meist in Fjorden antrifft, und zwar dort, wo sich Süßwasser und Meerwasser mischen.«

»Und was ist mit dem Schleim?«, fragte Yrsa.

»Vielleicht von Miesmuscheln oder Fjordkrabben. Das ist nicht mit Sicherheit zu sagen.«

Assad auf dem Beifahrersitz nickte. Er schlug die erste Seite von Kraks Nordseeland-Straßenatlas auf und legte den Finger auf die Übersichtskarte. »Okay. Hier hab ich sie. Roskildefjord und Isefjord. Aha! Ich wusste gar nicht, dass die zwei oben bei Hundested zusammenkommen.«

»Nee, nee«, kam es da vom Rücksitz. »Ihr habt doch wohl nicht vor, beide Buchten abzusuchen, oder? Das ist ja Wahnsinn!«

»Du sagst es.« Carl warf ihr durch den Rückspiegel einen Blick zu. »Aber wir haben uns mit einem ortsansässigen Segler verbündet, der auch in Stenløse wohnt. Assad, du erinnerst dich bestimmt an ihn von dem Doppelmord in Rørvig. Thomasen. Das war der, der den Vater der Ermordeten kannte.«

»Ach klar, der. Der hieß irgendwas mit K. Das war der mit dem dicken Bauch.«

»Ja, genau. Der hieß Klaes. Klaes Thomasen von der Dienststelle in Nykøbing. Sein Schiff liegt in Frederikssund, und er kennt die Fjorde wie seine Westentasche. Er nimmt uns auf eine Rundtour mit. Uns bleiben gerade noch ein paar Stunden, bevor es dunkel wird.«

»Wir sollen Boot fahren?« Assad klang plötzlich kleinlaut.

»Ja, das müssen wir wohl, wenn wir nach einem Bootshaus suchen, das ins Wasser ragt.«

»Also, das hab ich nicht so gern, Carl.«

Das überhörte Carl einfach. »Außer dem Lebensraum der Fjordforellen spricht noch etwas anderes dafür, in den Fjordmündungen nach dem Bootshaus zu suchen. Ich gebe es nur ungern zu, aber Pasgård hat doch ordentlich gearbeitet. Nachdem die Meeresbiologen ihre Proben genommen haben, hat er den Brief heute Morgen an die Technik geschickt, damit die das Papier und vor allem die Schatten darauf untersuchen, von denen Laursen gesprochen hat. Und da hat sich gezeigt, dass es sich bei den Schatten um Druckerschwärze handelt. Zwar nur minimal, aber immerhin.«

»Ich hab gedacht, die Schotten hätten das alles schon überprüft«, sagte Yrsa.

»Ja, schon. Die haben allerdings in erster Linie die Buchstaben auf dem Papier untersucht, nicht so sehr das Papier selbst. Na, jedenfalls haben die von der Technischen Abteilung heute Vormittag festgestellt, dass auf dem gesamten Papierfetzen Druckerschwärze zu finden ist.«

»Nur die Schwärze oder stand da noch was?«

Carl musste lächeln. Einmal hatten er und die anderen Jungs auf dem Marktplatz von Brønderslev gekniet und einen Fußabdruck angestarrt. Vom Regen leicht verwischt, aber doch noch deutlich von den anderen zu unterscheiden. Sie konnten erkennen, dass in die Spitze der Sohle Buchstaben eingeritzt waren, aber es dauerte, bis sie darauf kamen, dass der Abdruck die Buchstaben spiegelverkehrt auf dem Boden abbildete. *PEDRO* hatte dort gestanden. Und sehr bald kursierte die Geschichte, dass die Schuhe wohl einem der Männer aus der Maschinenfabrik Pedershaab gehörten, der Angst hatte, dass ihm sein einziges Paar Arbeitsschuhe gestohlen würde. Wenn die Jungs danach draußen im Freibad ihre Sachen in die Schränke einschlossen, dachten sie immer an den armen Pedro.

So war Carls Interesse an Detektivarbeit damals geweckt worden, und im Moment kam er sich irgendwie wieder vor wie am Ausgangspunkt.

»Sie haben herausgefunden, dass die Druckerschwärze eine spiegelverkehrte Schrift auf dem Flaschenbrief hinterlassen hat. Das eigentliche Fischpapier war nicht bedruckt, es musste also geraume Zeit eine Zeitung auf dem Papier gelegen und abgefärbt haben.«

»Du meine Güte.« Yrsa lehnte sich so weit vor, wie es die übergeschlagenen Beine erlaubten. »Und was stand da?«

»Tja, wären die Buchstaben nicht so groß gewesen, hätte es wohl nicht geklappt, aber so wie ich sie verstanden habe, kamen sie mit viel Raten schließlich darauf, dass dort ›Frederikssund Avis‹ steht. Und das ist eine Wochenzeitung, die gratis verteilt wird, habe ich rausgefunden.«

An dieser Stelle hatte er mit einem Begeisterungssturm Assads gerechnet. Aber der sagte gar nichts.

»Begreift ihr nicht? Damit ist das Gebiet doch gewaltig eingegrenzt, wenn wir davon ausgehen, dass dieses Stück Papier in einer Umgebung gelegen hat, wo man die Gratiszeitung im Briefkasten hat. Ohne diese Eingrenzung könnte das Bootshaus doch an jedem x-beliebigen Punkt der nordseeländischen Küste liegen. Wisst ihr eigentlich, wie viele Kilometer das sind?«

»Nein«, kam es einsilbig vom Rücksitz.

Carl wusste es auch nicht.

Da klingelte sein Handy. Er sah aufs Display und ihm wurde ganz warm.

»Mona.« Sein Tonfall war plötzlich ein völlig anderer. »Schön, dass du anrufst.«

Er spürte, wie Assad neben ihm sich anders hinsetzte. Vielleicht schöpfte er gerade Hoffnung, dass sein Chef doch noch nicht ganz verloren war.

Carl versuchte, sie für diesen Abend einzuladen, aber darauf ging sie nicht ein. Nein, dieses Mal sei ihr Anruf rein beruflicher Natur, sagte sie und lachte so perlend, dass Carls Puls sofort davongaloppierte. Sie habe im Moment Besuch von einem Kollegen und der würde sich in der Tat sehr gern mit Carl über seine Traumata unterhalten.

Carl runzelte die Stirn. Aha. Das würde er in der Tat gern? Was zum Teufel gingen Monas Kollegen seine Traumata an? Die hatte er sich doch mühsam für sie aufgehoben.

»Mir geht es ausgezeichnet, Mona. Das wird also nicht nötig sein«, sagte er und sah ihre warmen Augen vor sich.

Wieder lachte sie. »Ja, ja, wie ich hören kann, hat die gestrige Nacht deine Stimmung aufgehellt, aber vorher, Carl, da ging's dir nicht sonderlich gut, oder? Und ich kann dir ja nicht immer Rund-um-die-Uhr-Beistand bieten.«

Er schluckte. Allein schon bei dem Gedanken kam ihm das Zittern. Warum denn eigentlich nicht, wollte er sie fragen, riss sich aber am Riemen.

»Gut, dann machen wir das so.« Meine Liebste, hätte er beinahe hinzugefügt, entdeckte aber rechtzeitig Yrsas aufmerksame und entzückte Augen im Rückspiegel. Da besann er sich.

»Dein Kollege kann morgen gern kommen. Aber wir haben zu tun, er wird also nicht lange bleiben können, ja?«

Sie verabredeten nichts für ein Treffen zu Hause. Verdammter Mist!

Aber morgen dann. Hoffte er.

Er klappte das Handy zu und lächelte Assad gezwungen an. Beim Anblick morgens im Spiegel hatte er sich noch wie der reinste Don Juan gefühlt. Das Gefühl war verpufft.

»O Mona, Mona, Mona, wann kommt der Tag, an dem ich einfach deine Hand nehme? An dem wir einfach davonlaufen – wir beide?«, trällerte Yrsa auf dem Rücksitz.

Assad zuckte regelrecht zusammen. Hatte er sie noch nie singen hören? Na, das wurde aber Zeit. Ihre Singstimme war eine Nummer für sich.

»Das kannte ich noch nicht.« Assad drehte sich kurz zum Rücksitz um und nickte anerkennend. Dann verstummte er wieder.

Carl schüttelte den Kopf.

So eine Scheiße! Wenn Yrsa das mit Mona wusste, dann wussten es alle. Er hätte den Anruf einfach nicht annehmen sollen.

»Wer hätte das gedacht«, sagte Yrsa in dem Moment.

Carl sah in den Rückspiegel. »Wer hätte was gedacht?«, fragte er, bereit zum Gegenangriff.

»Frederikssund. Stell dir nur mal vor, dass der Kerl Poul

Holt hier in der Nähe von Frederikssund ermordet hat.« Yrsa sah vor sich hin.

Puh, dachte Carl, die denkt schon nicht mehr an die Mona-Geschichte. Und ja, er wusste, was sie meinte. Frederikssund war nicht weit von dort, wo sie wohnte.

Das Böse kennt bei Städten keinen Unterschied.

»Hm, warum glaubst du eigentlich nicht, dass es weiter südlich war? Dort liest man die Zeitung doch sicher auch.«

»Da hast du recht. Oder jemand hat sie aus der Gegend um Frederikssund mitgenommen. Aber irgendwo müssen wir doch anfangen, oder? Und das hier wirkt logisch. Meinst du nicht auch, Assad?«

Sein Nachbar sagte nichts. Vermutlich war er schon seekrank.

»Hier.« Yrsa deutete auf den Bürgersteig. »Setz mich einfach hier ab.«

Carl sah auf das Navi. Nur noch ein kurzes Stück auf dem Byvej und dem Ejner Thygesens Vej, dann kam schon Sandalparken, wo sie wohnte. Warum dann hier anhalten?

»Wir sind doch gleich da. Das macht keine Mühe.«

Er merkte, dass sie am liebsten dankend abgelehnt hätte. Stattdessen druckste sie herum: Sie müsse noch einkaufen, aber na ja, das müsse sie dann wohl eben später tun.

»Ich komme einen Moment mit rein, Yrsa, wenn das okay ist. Ich möchte Rose gern begrüßen und ihr was sagen.«

Er sah genau, wie sich die Falten auf Yrsas gekalktem Gesicht ausbreiteten. »Nur einen Moment«, ergänzte er, um ihr den Wind aus den Segeln zu nehmen.

Er parkte vor Nummer 19, sprang aus dem Wagen und öffnete Yrsa die Tür. »Bleib du einfach hier, Assad«, sagte er.

»Ich glaube nicht, dass Rose zu Hause ist«, sagte Yrsa auf der Vortreppe. Sie wirkte auf einmal entspannter als sonst. Wie nach einer Prüfung, wenn man den Prüfungsraum verlässt und weiß, man war nicht ganz schlecht.

»Warte hier draußen, Carl«, sagte sie, als sie die Wohnungstür aufschloss. »Vielleicht liegt sie noch im Bett. Das kommt manchmal vor.«

Während Yrsa drinnen nach Rose rief, sah Carl, dass auf dem Namensschild nur Knudsen stand.

Yrsa rief noch ein paarmal, dann kam sie zur Tür zurück.

»Nein, Carl. Sie ist offenbar nicht da, vielleicht ist sie einkaufen gegangen. Soll ich ihr was ausrichten?«

Carl schob die Tür leicht an, sodass er einen Fuß in den Flur stellen konnte. »Nein. Weißt du was, ich schreib ihr schnell einen Zettel. Hast du ein Stück Papier für mich?«

Mit einer Geschicklichkeit, die viele Jahre Berufserfahrung verriet, arbeitete er sich auf dem fremden Terrain immer weiter vor. Wie eine Schnecke, die unmerklich gleitend ihr Haus weiterbewegt. Man konnte nicht sehen, dass sich seine Füße bewegten, man konnte nur feststellen, dass sie auf einmal mehrere Meter zurückgelegt hatten und man ihn unmöglich so schnell wieder loswerden konnte.

»Es ist etwas unordentlich«, entschuldigte sich Yrsa, noch immer im Mantel. »Rose räumt nie auf, wenn es ihr so geht. Besonders, wenn sie den ganzen Tag allein ist.«

Sie hatte recht. Der Flur war ein einziges Durcheinander von Jacken und Mänteln, alten Verpackungen und Stapeln alter Wochenzeitungen.

Carl sah ins Wohnzimmer. Ob das Roses Domäne war? Dieser Raum war meilenweit von dem entfernt, wie er sich das Zuhause einer Hardcore-Punkerin vorgestellt hatte. Nein, das hier sah eher nach Hippie aus. Nach jemandem, der gerade mit einem Rucksack voller Plunder von den Bergen Nepals herabgestiegen war. Seit damals, als Carl mal mit einem Mädchen aus Vrå ins Bett gegangen war, hatte er nichts Vergleichbares mehr gesehen. Räucherstäbchen, große Schalen aus Messing und Kupfer mit Elefanten und allen möglichen Voodoo-Hoodoo-Figuren. An den Wänden Batiktücher und Rindsleder auf den Stühlen. Fehlte nur noch eine zerrissene amerikanische Flagge, und schon wäre man rückwärts in die Siebziger katapultiert. Und über allem eine dicke Schicht Staub. Bis auf die Wochenzeitungen und Illustrierten verriet nichts, aber auch gar nichts, die Schwestern Yrsa und Rose als Urheber dieses anachronistischen Sammelsuriums.

»Na komm, so unordentlich ist es doch gar nicht.« Carl ließ die Augen über ungespültes Geschirr und leere Pizzakartons wandern. »Wie viel Platz habt ihr hier?«

»Dreiundachtzig Quadratmeter. Außer dem Wohnzimmer gibt es noch zwei Zimmer, für jede von uns eins. Vielleicht hast du recht, und es ist nicht so schlimm. Allerdings solltest du mal die Zimmer sehen.«

Sie lachte. Aber hinter der Fassade hätte sie ihm lieber eine Axt über den Schädel gezogen, als ihn noch zehn Zentimeter näher an die intimen Gemächer heranzulassen. Genau das wollte sie ihm auf ihre etwas verwickelte Weise zu verstehen geben. So viel Erfahrung hatte er nun doch mit Frauen.

Carl versuchte das eine oder andere Objekt in dem Raum zu entdecken, das nicht ins Bild passte. Wollte man die Geheimnisse von Menschen ergründen, musste man immer nach den Dingen Ausschau halten, die irgendwie anders waren, die aus dem Rahmen fielen.

Und ein solches hatte er schnell entdeckt: ein nackter Kopf aus Styropor, einer von denen, auf die man Hüte oder Perücken hängt, und außerdem eine Porzellanschale voller Pillengläser. Er trat einen Schritt näher, um die Namen der Präparate zu entziffern und zu schauen, auf wessen Namen sie verschrieben waren. Aber Yrsa trat dazwischen und gab ihm ein Blatt Papier.

»Da kannst du dich hinsetzen und deinen Zettel schreiben.« Sie deutete auf den einzigen Esstischstuhl, über dessen Rückenlehne keine Wäsche hing. »Wenn Rose zurückkommt, gebe ich ihn ihr.«

»Wir haben nicht mehr als anderthalb Stunden, Carl. Nächstes Mal müsst ihr etwas früher kommen«, erklärte Klaes Thomasen.

Carl nickte und wandte sich dann Assad zu. Der kauerte wie eine in die Ecke gedrängte Maus in der Kajüte des Schiffes. In der knallroten Schwimmweste wirkte er total verloren. Wie ein nervöses Kind am ersten Schultag. Ohne jedes Vertrauen darauf, dass ihn der dicke alte Skipper, der Pfeife paffend am Ruder saß, vor dem sicheren Tod retten könnte, in den ihn die fünf Zentimeter hohen Wellen gewiss bald ziehen würden.

Carl schaute auf die Karte in der Plastikhülle.

»Anderthalb Stunden«, wiederholte Klaes Thomasen. »Und wonach suchen wir eigentlich genau?«

»Nach einem Bootshaus, das wahrscheinlich weit abseits jeglicher Straßen liegt und das man, obschon es ins Wasser hinausragt, wohl selbst vom Fjord aus kaum erkennen kann. Ich dachte, dass wir zunächst mal von der Brücke in Frederikssund bis hinaus nach Kulhuse fahren. Glaubst du, wir kommen noch weiter?«

Der pensionierte Polizist schob die Unterlippe vor und klemmte die Pfeife zwischen die Zähne. »Na ja, das hier ist kein Speedboot«, murmelte er. »Macht nur sieben Knoten in der Stunde. Kann mir vorstellen, dass unser Gast hier genau das zu schätzen weiß, oder, Assad? Geht's dir gut, da drinnen?«

Schon jetzt wirkte Assads dunkle Hautfarbe wie nach einer Behandlung mit Wasserstoffperoxid. Dabei waren sie gerade erst losgeschippert.

»Sieben Knoten? Das entspricht etwa dreizehn Stundenkilometern, oder? Dann schaffen wir es ja nicht mal bis Kulhuse und zurück, ehe es dunkel wird. Ich hatte gehofft, wir könnten bis zur anderen Seite von Hornsherred kommen, vielleicht sogar bis nach Orø und zurück.«

Thomasen schüttelte den Kopf. »Ich kann meine Frau bitten, uns in Dalby Huse auf der anderen Seite abzuholen, aber weiter kommen wir nicht. Und da fahren wir das letzte Stück auch schon im Halbdunkel.«

»Und was wird dann aus dem Schiff?«

Er zuckte die Achseln. »Tja. Wenn wir heute nicht finden, was wir suchen, kann ich morgen zum Spaß ja weiterfahren. Du weißt doch: Bei Gegenwind rostet ein alter Polizist nicht ein.«

Den Spruch hatte er wohl selbst erfunden.

»Da gibt es noch was, Klaes. Die beiden Brüder, die in dem Bootshaus festsaßen, haben ein tiefes Brummen gehört. Wie von einem Windrad oder etwas in der Art. Sagt dir das was?«

Thomasen nahm die Pfeife aus dem Mund und sah Carl an. Seine Augen ähnelten denen eines englischen Schweißhundes. »Es hat viel Ärger gegeben wegen etwas, das hier in der Gegend ›niederfrequentes Brummen‹ genannt wird, das sind sogenannte Niederfrequenzwellen. Das könnte passen, denn die Diskussion reicht bis in die Mitte der Neunziger zurück.«

»Und was genau ist darunter zu verstehen?«

»Ja, eben genau so ein Brummen. Irgendein sehr tiefes und total nerviges Geräusch. Lange Zeit glaubte man, in dem Stahlwalzwerk in Frederiksværk den Sündenbock zu haben. Nur wurde das damals hinfällig, als das Werk eine Zeit lang geschlossen war, das Brummen aber blieb.«

»Das Stahlwalzwerk. Liegt das nicht draußen auf einer Halbinsel?«

»Doch ja, aber diese Niederfrequenzwellen werden noch sehr weit von ihrer Quelle entfernt registriert. Bis zu zwanzig Kilometer, behaupten manche. Jedenfalls gab es Klagen in Frederiksværk und Frederikssund und sogar in Jægerspris auf der anderen Seite des Fjords.«

Die Regentropfen schienen auf der Wasserfläche zu hüpfen. Alles wirkte so friedlich. Segelboote, Scharen von Möwen, Häuser im Schutz von Büschen und Bäumen und fruchtbare Weiden und Felder. Und in dieser vom Wasser geprägten, idyllischen Landschaft unerklärliche tiefe Brummlaute. Hinter den Fassaden der hübschen Häuser lebten Menschen, die durchdrehten.

»Wenn wir die Quelle des Geräusches und seine Reichweite nicht kennen, können wir damit überhaupt nichts anfangen«, sagte Carl. »Ich hatte vor, die Verbreitung der Windkrafträder hier in der Gegend zu prüfen, aber nun ist ja nicht klar, ob die dafür überhaupt in Frage kommen. Vieles deutet nämlich darauf hin, dass sämtliche Windräder an den entsprechenden Tagen stillstanden. Das wird echt schwierig.«

»Sollten wir dann nicht einfach nach Hause fahren?«, kam es aus der Kajüte.

Carl warf einen Blick auf Assad. War das der Mann, der sich prügelnd mit Samir Ghazi auf dem Boden gewälzt hatte? Der Türen mit einem Tritt öffnen konnte und Carl einmal das Leben gerettet hatte? Dann hatte sich für ihn in den letzten fünf Minuten viel verändert.

»Musst du kotzen?«, fragte Thomasen.

Assad schüttelte den Kopf. Das zeigte nur, wie wenig der Mann sich mit Seekrankheit auskannte.

»Da, nimm.« Carl gab ihm ein Fernglas. »Atme ruhig und gleichmäßig und folge den Bewegungen des Schiffs. Und versuch die Küste dort im Auge zu behalten.«

»Ich gehe von dieser Bank nicht weg«, murmelte Assad.

»Das ist in Ordnung. Du kannst die Küste ja durchs Fenster sehen.«

»Ich glaube, den Küstenstreifen hier braucht ihr nicht zu berücksichtigen«, meinte Thomasen und steuerte auf die Mitte des Fjords zu. »Dort hinten ist ein kleiner Sandstrand, und vielfach reichen die Felder fast bis ans Wasser. Wenn wir eine Chance haben wollen, müssen wir bis rauf nach Nordskoven, denn dort wächst bis zur Küste dichter Wald. Allerdings wohnen dort auch einige Leute, das macht es wieder schwieriger, ein Bootshaus vor Blicken zu schützen.«

Er deutete zur Landstraße, die der östlichen Küstenlinie des Fjordes in Nord-Süd-Richtung folgte. Dörfer, die sich mit flachen Äckern ablösten. Auf dieser Seite des Fjords hatte sich Poul Holts Mörder jedenfalls nicht verstecken können.

Carl sah auf die Karte. »Wenn die These stimmt, dass sich die Fjordforellen oben am Eingang der Fjorde aufhalten und sich das Bootshaus nicht hier im Roskildefjord befindet, dann muss es doch drüben auf der anderen Seite von Hornsherred im Isefjord sein. Aber wo? Der Karte nach kann es gar nicht so viele Möglichkeiten geben. Dort ist ganz einfach zu viel Landwirtschaft, die Felder reichen bis direkt an den Fjord. Wo kann man da ein Bootshaus verstecken? Und drüben am anderen Ufer, bei Holbæk, oder oben in Odsherred kann es wohl auch nicht sein, denn bis dorthin fährt man deutlich länger als eine Stunde vom Ort der Entführung in Ballerup.« Plötzlich kamen ihm Zweifel. »Oder?«

Thomasen zuckte die Achseln. »Nein, das glaube ich nicht. Das dauert wohl etwa eine Stunde bis da hinauf.«

Carl holte tief Luft. »Dann wollen wir hoffen, dass die These mit der Lokalzeitung, diesem ›Frederikssund Avis‹, stimmt. Ansonsten wird's schwierig.«

Er setzte sich neben Assad, der wirklich elend aussah. Er zitterte leicht, war graugrün im Gesicht und sein Doppelkinn war durch das verstärkte Schlucken in ständiger Bewegung. Das Fernglas presste er trotzdem an die Augen.

»Gib ihm etwas Tee, Carl. Meine Frau wird es nicht mögen, wenn er die Sitzbezüge vollkotzt.«

Carl zog den Korb zu sich und schenkte ein, ohne Assad zu fragen. »Hier, Assad, trink einen Schluck.«

Der senkte das Fernglas, sah den Tee an und schüttelte den Kopf. »Ich übergebe mich nicht, Carl. Ich muss nur aufstoßen, und das schlucke ich wieder runter.«

Carl riss die Augen auf.

»Ja, wenn man auf einem Dromedar durch die Wüste reitet,

geht es einem auch so. Davon kann man im Magen ziemlich müde werden. Wenn man sich da übergibt, verliert man zu viel Wasser, und das ist dumm in der Wüste. Deshalb.«

Carl klopfte ihm auf die Schulter. »In Ordnung, Assad. Du hältst einfach Ausschau nach dem Bootshaus und ich kümmere mich um mich selbst.«

»Ich halte nicht Ausschau nach dem Bootshaus, weil wir das nicht finden.«

»Was soll das heißen?«

»Ich glaube, das ist zu gut versteckt. Und nicht zwangsläufig zwischen Bäumen. Das kann sich genauso gut unter einem Haufen Erde oder Sand befinden oder unter einem Haus oder zwischen irgendwelchen Büschen. Du weißt doch, das war nicht sehr hoch.«

Carl nahm das zweite Fernglas. Wenn sein Kumpel nicht mehr zurechnungsfähig war, musste er eben selbst ran.

»Wenn du nicht nach dem Bootshaus Ausschau hältst, Assad, wonach suchst du denn dann?«

»Nach dem, was so brummt. Ein Windrad oder irgendwas anderes, das solche Geräusche macht.«

»Das wird schwierig.«

Einen Augenblick sah Assad ihn an, als sei er seine Gesellschaft gründlich leid. Dann musste er so heftig aufstoßen, dass Carl sicherheitshalber etwas abrückte. Als er fertig war, sagte Assad mit schwacher Stimme: »Hast du gewusst, Carl, dass der Rekord, an einer Mauer zu sitzen, als wäre man ein Stuhl, bei etwas mehr als zwölf Stunden liegt?«

Carl merkte selbst, dass er wie ein wandelndes Fragezeichen aussah.

»Hast du gewusst, dass der Rekord im ununterbrochenen Stehen bei siebzehn Jahren und zwei Monaten liegt?«

»Unmöglich!«

»Na ja, aber so ist es nun mal. Das war ein indischer Guru, der hat nachts im Stehen geschlafen.«

»Aha. Nein, Assad, das wusste ich nicht. Was willst du mir damit sagen?«

»Na ja, nur, dass manches schwerer aussieht, als es ist, und manches sieht eben leichter aus.«

»Ja? Und?«

»Wir finden jetzt den Brummton und dann reden wir nicht mehr darüber.«

Was für ein abgedrehter Gedankengang!

»Na gut. Aber ich glaube trotzdem nicht, dass der Typ siebzehn Jahre gestanden hat.« Carl war echt angenervt.

»Okay, aber weißt du was, Carl?« Assad sah ihn ernst an und musste noch einmal aufstoßen, bevor er sich das Fernglas wieder vor die Augen klemmte. »Das ist dann deine eigene Sache.«

Sie lauschten und hörten das Tuckern der Fischkutter und der Segelboote, die unter Motor liefen, und das Brummen von Motorrädern auf der Landstraße und von einem einmotorigen Flugzeug, das Luftaufnahmen der umliegenden Anwesen machte, um dem Finanzamt Anhaltspunkte für die Steuerschätzung zu liefern. Aber kein Geräusch, das so konstant war, und auch kein Geräusch, das die Menschen der »Bürgerinitiative gegen niederfrequentes Brummen« empören konnte.

Klaes Thomasens Frau holte sie in Hundested ab, und Thomasen selbst versprach, Gott und die Welt nach dem Bootshaus zu befragen. Der Revierförster von Nordskoven könnte so was wissen, meinte er. Und die Mitglieder der umliegenden Segelclubs auch. Er selbst würde die Suche am nächsten Tag fortsetzen, denn der versprach sonnig und trocken zu werden.

Als sie schließlich Richtung Süden fuhren, sah Assad auf dem Beifahrersitz noch immer elend aus.

Carl konnte die Sorge von Thomasens Frau um ihre Sitzbezüge plötzlich sehr gut nachvollziehen.

»Wenn du merkst, dass du dich übergeben musst, sagst du Bescheid, ja?«

Assad nickte geistesabwesend.

Carl wiederholte seine Bemerkung, als sie durch Ballerup rollten.

»Ja, vielleicht könnte ich tatsächlich eine kleine Pause gebrauchen«, sagte Assad nach ein paar Minuten.

»Okay. Kannst du noch zwei Minuten warten? Ich hab unterwegs was zu erledigen. Wir müssen sowieso über Holte fahren. Dann kann ich dich direkt nach Hause bringen.«

Darauf erhielt er keine Antwort.

Carl sah auf die Straße. Inzwischen war es dunkel. Es war fraglich, ob sie ihn überhaupt einlassen würden.

»Ich möchte Viggas Mutter besuchen, verstehst du? Das hab ich mit Vigga abgesprochen. Die Mutter wohnt hier ganz in der Nähe in einem Pflegeheim.«

Assad nickte. »Ich wusste nicht, dass Vigga noch eine Mutter hat. Wie ist sie? Ist sie süß?«

An sich eine einfache Frage, aber so schwer zu beantworten, dass Carl beinahe die rote Ampel übersehen hätte.

»Carl, kannst du mich anschließend nicht einfach auf der Wache absetzen? Du musst doch sowieso in nördliche Richtung. Von dort geht ein Bus direkt bis vor meine Haustür.«

Doch ja, Assad wusste, wie er seine Anonymität und die seiner Familie wahren konnte.

»Nein, Sie können Frau Alsing jetzt nicht besuchen, es ist zu spät für sie. Kommen Sie morgen vor vierzehn Uhr wieder, am besten gegen elf. Dann ist sie am muntersten«, sagte die Nachtwache.

Carl zog seine Dienstmarke aus der Tasche. »Ich bin nicht nur als Privatmann hier. Das hier ist mein Assistent Hafez el-Assad. Es dauert nicht lange.«

Die Altenpflegerin schaute verblüfft auf die Marke und dann auf dieses Wesen, das auf wackeligen Beinen neben Carl stand. So etwas bekam das Personal im Bakkegården nicht alle Tage zu sehen.

»Also, ich glaube, sie schläft. Sie hat in letzter Zeit ziemlich nachgelassen.«

Carl sah auf die Uhr. Es war zehn nach neun. Da begann der Tag für Viggas Mutter doch erst, wovon redete diese Frau? Man hatte doch nicht umsonst über fünfzig Jahre im Kopenhagener Nachtleben gekellnert. Nein, so dement konnte sie gar nicht sein.

Halb freundlich, halb unwillig wurden sie zu den Wohnungen der Demenzkranken geführt, bis vor Karla Margarethe Alsings Tür.

»Sie sagen Bescheid, wenn Sie gehen wollen und man Ihnen wieder aufschließen soll, ja? Gleich da unten sind Mitarbeiter«, sagte die Pflegerin und deutete den Flur hinunter.

Sie fanden Karla zwischen Bergen von Pralinenschachteln und Haarspangen. Mit ihrem langen, ungekämmten grauen Haar und dem lässigen Kimono ähnelte sie einer alternden Hollywood-Diva, der die Endlichkeit ihrer Karriere noch nicht aufgegangen war. Sie erkannte Carl sofort und posierte zurückgelehnt, zwitscherte seinen Namen und erzählte ihm, wie entzückend es sei, dass er nun dort stünde. Viggas exaltierte Art kam wahrlich nicht von ungefähr.

Assad würdigte die Dame keines Blicks.

»Kaffee?«, fragte sie und schenkte einen Schluck aus der Thermoskanne ohne Deckel in eine Tasse ein, die schon mehr als einmal benutzt worden war. Carl wehrte sich, sah aber die Sinnlosigkeit dieses Unterfangens ein. Da wandte er sich an Assad und reichte ihm die Tasse. Wenn einer abgestandenen kalten Kaffee brauchen konnte, dann er.

»Na, du hast es ja nett hier«, sagte Carl und sah sich in der Möbellandschaft um. Vergoldete Rahmen, geschwungene Mahagonimöbel und Brokat. Davon hatte es in Karla Margarethe Alsings erlauchten Sphären immer reichlich gegeben.

»Und womit vertreibst du dir so die Zeit?« Er rechnete mit einer Belehrung, wie schlecht die Fernsehprogramme seien und wie schwer ihr das Lesen falle.

»Die Zeit vertreiben?« Sie bekam einen geistesabwesenden Ausdruck. »Ach, bis auf den hier ab und zu mal auszuwechseln …«, sie unterbrach sich mitten im Satz und zog unter ihrem Rückenkissen einen orangefarbenen Dildo mit allen möglichen und unmöglichen Noppen hervor, »… kann man doch fast nichts mehr machen.«

Carl hörte, wie im Hintergrund Assads Kaffeetasse auf der Untertasse wackelte.

29

Mit jeder Stunde, die verging, schwanden ihre Kräfte. Nachdem das Geräusch des Autos in der Ferne verklungen war, hatte sie aus vollem Hals geschrien. Aber nach jedem Schrei spürte sie deutlicher, wie schwer es ihr fiel, die Lungen wieder mit Luft zu füllen. Die Last der Kartons war einfach zu groß. Nach und nach wurde ihre Atmung flacher.

Sie wand ihre rechte Hand ein bisschen hervor, sodass sie mit den Nägeln am Karton vor ihrem Gesicht kratzen konnte. Allein schon das Geräusch zu hören, ließ sie hoffen. Etwas konnte sie also doch tun.

Als sie mehrere Stunden so gelegen hatte, fehlte ihr endgültig die Kraft zum Schreien. Nun ging es nur noch darum, am Leben zu bleiben.

Vielleicht erbarmte er sich ihrer.

Nach ein paar Stunden rief sie sich das Gefühl zu ersticken ins Gedächtnis. Diese Mischung aus Panik und Ohnmacht und in gewisser Weise auch Erleichterung. Sie kannte das Gefühl von früher. Damals, als sie noch ganz klein war, hatte sich ihr Vater, dieser gedankenlose Kleiderschrank von einem Mann, auf sie gesetzt und die Luft aus ihr gepresst.

»Na, kannst du dich befreien?«, hatte er immer gerufen und gelacht. Für ihn war es nur ein Spiel, aber für sie war es erschreckender, bitterer Ernst gewesen.

Aber da sie ihren Vater trotzdem liebte, sagte sie nichts.

Und plötzlich eines Tages war er nicht mehr da. Die Spiele gab es nun nicht mehr, aber die Erleichterung darüber hatte sich nicht einstellen wollen. Mit einer Schlampe abgehauen, sagte ihre Mutter. Ihr lieber süßer Papa war mit einer

Schlampe weggelaufen. Jetzt tobte er mit anderen, neuen Kindern.

Als sie ihrem Mann begegnet war, hatte sie allen und jedem erzählt, er erinnere sie an ihren Vater.

»Das solltest du dir auf keinen Fall wünschen, Mia«, hatte ihre Mutter gesagt.

Ja, das hatte sie gesagt.

Nachdem sie nun schon vierundzwanzig Stunden eingeklemmt unter den Kartons lag, wusste sie, dass sie sterben musste.

Sie hatte seine Schritte draußen auf dem Flur gehört. Er hatte eine Weile vor der Tür zu der Kammer gestanden und gehorcht, dann war er gegangen.

Du hättest stöhnen sollen, dachte sie. Vielleicht hätte er dem Ganzen dann ein Ende gemacht.

Ihre linke Schulter hatte aufgehört wehzutun. Genau wie der Arm war sie vollkommen gefühllos. Aber die Hüfte, auf der die größte Last lag, peinigte sie in jeder Sekunde. In den ersten Stunden dieser klaustrophobischen Umklammerung hatte sie geschwitzt, aber das tat sie nun nicht mehr. Einzig und allein Urin hatte ihr Körper abgesondert, der ihr warm über die Schenkel gelaufen war.

Da lag sie nun in einer Pfütze aus Urin und versuchte, sich einen Millimeter zu drehen, damit sich der Druck vom rechten Knie, auf dem die Last der Kisten ruhte, ein klein wenig auf den Schenkel verlagern konnte. Auch wenn es ihr nicht gelang, so hatte sie doch das Gefühl, als ob. Wie damals, als sie sich den Arm gebrochen hatte und nur außen am Gips kratzen konnte.

Sie erinnerte sich an die Tage und Wochen, als sie und ihr Mann glücklich miteinander gewesen waren. An die allererste Zeit, als er ihr zu Füßen gelegen und alles getan hatte, was sie wollte.

Und nun brachte er sie um. Brachte sie einfach um, ohne zu zögern, ohne jegliches Gefühl.

Wie oft mochte er das schon getan haben? Sie wusste es nicht.

Sie wusste nichts.

Sie *war* nichts.

Wer wird sich an mich erinnern, wenn ich tot bin?, dachte sie und streckte die Finger ihrer rechten Hand aus, als würde sie ein Kind streicheln. Benjamin nicht, er ist noch zu klein. Meine Mutter, natürlich. Aber was ist in zehn Jahren, wenn es sie nicht mehr gibt? Wer wird sich dann noch an mich erinnern? Niemand – außer dem, der mir das Leben genommen hat. Keiner außer ihm. Und vielleicht noch Kenneth.

Das war das Schlimmste. Dass sie sterben musste, war schlimm, klar, aber dass sich nach ihrem Tod niemand an sie erinnern würde, das war das Schlimmste. Deshalb musste sie schlucken, obwohl ihr Mund völlig trocken war, und sie weinte ohne Tränen, bis ihr gequältes Zwerchfell zitterte.

In wenigen Jahren würde sie vergessen sein.

Zwischendurch klingelte manchmal das Handy, und die Vibrationen in der hinteren Hosentasche ließen sie hoffen.

Wenn die Töne verklungen waren, lag sie eine Stunde oder zwei da und lauschte auf die Geräusche im Haus. Und wenn Kenneth nun dort draußen stand? Wenn er nun Verdacht geschöpft hatte? Das musste er doch, oder? Er hatte doch gesehen, wie erschüttert sie bei seinem Besuch gestern war.

Dann hatte sie ein bisschen geschlafen. Als sie plötzlich aufwachte, war ihr ganzer Körper gefühllos. Nur noch das Gesicht war lebendig. Nun war sie nur noch Gesicht. Die Nase war wie ausgetrocknet, um die Augen juckte es. Blinzeln in der Dunkelheit. Das war alles. Mehr war nicht übrig von ihr.

Da bemerkte sie, weshalb sie aufgewacht war. War das Kenneth? Oder träumte sie? Sie schloss die Augen und lauschte intensiv. Da war jemand.

Sie hielt die Luft an und lauschte wieder. Doch, das war Kenneth. Sie öffnete den Mund, keuchte. Er stand unten am Fenster neben der Haustür und rief. Er rief ihren Namen, sodass ihn nun die gesamte Nachbarschaft kannte. Und sie spürte, wie sich ein Lächeln auf ihren Lippen ausbreitete und wie sie sich zu einem allerletzten Schrei sammelte. Dem Schrei, der sie retten sollte. Dem Schrei, auf den hin der Soldat dort unten reagieren würde.

Und sie schrie so laut sie konnte.

So lautlos, dass nicht einmal sie selbst es hörte.

30

Die Soldaten kamen am Spätnachmittag. Sie fuhren in einem verbeulten Jeep vor. Einer von ihnen schrie, die Anhänger von Samuel Doe hätten in der Dorfschule Waffen versteckt und sie solle ihnen das Waffenversteck zeigen.

Die Haut der Männer glänzte. Auf ihre Beteuerung, sie habe mit dem Krahn-Regime von Samuel Doe nichts zu tun und wisse nichts von Waffen, reagierten sie eiskalt.

Rachel, oder genauer Lisa, wie sie damals hieß, und ihr Freund hatten den ganzen Tag Schüsse gehört. Es kursierte das Gerücht, dass die Nachhut von Taylors Guerillatruppen gründlich und blutig ans Werk ging. Deshalb hatten sie ihre Flucht vorbereitet. Wer wollte schon abwarten, um zu sehen, ob weißhäutige Menschen vom Blutdurst des künftigen Regimes verschont blieben.

Ihr Freund war in den ersten Stock gegangen, um das Jagdgewehr zu holen, und die Soldaten hatten sie überrumpelt, als sie einige Bücher der Schule ins Nebengebäude bringen wollte. An dem Tag hatten so viele Häuser gebrannt, sie wollte sich nur absichern.

Und dann standen sie vor ihr, diese Männer, die den ganzen Tag gemordet hatten und die nun die Anspannung, die sich in ihren Körpern aufgestaut hatte, loswerden mussten.

Was die Männer miteinander sprachen, konnte sie nicht verstehen, aber die Augen der Soldaten hatten ihre eigene Sprache. Sie war am falschen Ort. Viel zu jung und viel zu leicht zu haben in diesem leeren Schulraum.

Mit letzter Kraft sprang sie zur Seite, hin zur Fensteröffnung, aber da hatten die Männer sie schon an den Knöcheln gepackt. Sie zogen sie zurück und traten sie so lange, bis sie still am Boden lag.

Drei Köpfe tanzten einen Augenblick lang in ihrem Blickfeld, dann fielen zwei Leiber über sie her.

Aus Übermut und Machtgefühl heraus lehnte der dritte Soldat seine Kalaschnikow an die Wand und half den anderen, ihr die Beine auseinanderzuzerren. Sie hielten ihr den Mund zu, und hysterisch lachend drangen sie einer nach dem anderen in sie ein. Sie atmete fieberhaft durch die verklebten Nasenlöcher, ganz kurz hörte sie ihren Freund neben sich stöhnen. Sie hatte Angst um ihn. Angst, die Soldaten könnten ihn hören und kurzen Prozess machen.

Aber der Freund stöhnte nur ganz leise. Darüber hinaus reagierte er überhaupt nicht.

Als sie Minuten später im Staub auf dem Fußboden lag und zur Tafel sah, an die sie erst zwei Stunden zuvor *I can hop, I can run* geschrieben hatte, war ihr Freund mit seinem Gewehr verschwunden. Es wäre im Übrigen ein Leichtes für ihn gewesen, die schwitzenden Soldaten zu erschießen. Die lagen jetzt mit aufgeknöpften Hosen neben ihr und verschnauften.

Aber er war nicht für sie da gewesen, und er war es auch dann nicht, als sie aufsprang und das Maschinengewehr des schwarzen Mannes packte und eine lange Salve abschoss. Die Leiber der Männer zerrissen in der Salve, ein Inferno aus Schreien, warmem Blut, Staub und Pulverrauch füllte den Raum.

Ihr Freund war für sie da gewesen, als alles gut war. Als das Leben leicht und der Tag hell war. Aber er war nicht da, als sie die zerfetzten Leiber hinaus auf den Misthaufen schleppte und mit Palmwedeln bedeckte, auch nicht, als sie Blut und Fleischfetzen von den Wänden abwusch.

Unter anderem deshalb musste sie weg.

Das war der Tag, bevor sie sich zu Gott bekannte und ihre Schuld so tief bereute. Aber das Versprechen, das sie sich selbst an jenem Abend gab, als sie das Kleid abstreifte und verbrannte und sich im Schritt wusch, bis sie wund war, dieses Versprechen vergaß sie nie.

Sollte der Teufel ein zweites Mal ihren Weg kreuzen, dann würde sie die Sache selbst in die Hand nehmen.

Übertrat sie dabei Gottes Gebot, würde das eine Sache zwischen ihr und IHM sein.

Während Isabel das Gaspedal durchtrat und ihr Blick zwischen Straße, Navi und Rückspiegel hin- und herwanderte, schwitzte Rachel urplötzlich nicht mehr. Von einer Sekunde zur anderen hörten ihre Lippen auf zu zittern und beruhigte sich ihr Herzschlag. Dunkel erinnerte sie sich daran, wie sich Angst in Zorn umwandeln ließ. Und als sie den heißen Atem der NPFL-Soldaten wieder auf ihrer Haut spürte und die gelblichen Augäpfel vor sich sah, biss sie entschlossen die Zähne zusammen.

Damals hatte sie gehandelt, also konnte sie das auch jetzt.

Sie wandte sich an ihre Chauffeurin. »Wenn wir Joshua die Sachen abgeliefert haben, dann übernehme ich das Steuer, einverstanden?«

Isabel schüttelte den Kopf. »Das geht nicht, Rachel. Du kennst mein Auto nicht. Alles Mögliche funktioniert nicht richtig. Das automatische Abblendlicht geht nicht. Die Handbremse hält nicht. Der Wagen übersteuert.«

Sie zählte noch mehr Defekte auf, aber das kümmerte Rachel alles nicht. Offenbar traute Isabel es der heiligen Rachel auf dem Beifahrersitz nicht zu, es ihr hinter dem Steuer gleichzutun. Dann musste sie eben eines Besseren belehrt werden.

Die beiden trafen Joshua in Odense auf dem Bahnsteig. Er war grau im Gesicht und fühlte sich miserabel.

»Mir gefällt überhaupt nicht, was ihr da sagt!«

»Nein, Joshua. Aber Isabel hat recht. Wir machen es so. Der Kerl muss wissen, dass wir ihm auf den Fersen sind. Hast du das Navi mit, wie besprochen?«

Er nickte. Seine Augen waren gerötet. »Ich scheiß auf das Geld«, sagte er.

Rachel packte entschlossen seinen Arm. »Das Geld spielt überhaupt keine Rolle. Nicht mehr. Du befolgst nur seine Anweisungen. Wenn er das Lichtsignal gibt, schmeißt du den Beutel raus, aber die Sporttasche mit dem Geld behältst du. In der Zwischenzeit folgen wir dem Zug so gut es geht. Du musst gar nichts machen, du sollst uns nur durchgeben, wo der Zug ist, wenn wir dich fragen. Klar?«

Er nickte mechanisch, schien aber alles andere als überzeugt.

»Gib mir die Tasche mit dem Geld«, sagte seine Frau. »Ich vertraue dir nicht.«

Er schüttelte den Kopf, sie hatte ihn also durchschaut.

»Komm, mach schon«, rief sie, aber er weigerte sich immer noch. Da gab sie ihm eine Ohrfeige, hart und zielgenau unter das rechte Auge. Und noch ehe er begriff, was da gerade passiert war, hatte Isabel schon nach der Tasche gegriffen.

Rachel nahm den Beutel und stopfte die Sachen des Entführers hinein, bis auf das Hemd mit den Haaren. Obenauf das Vorhängeschloss, die Kette und den Brief, den Joshua geschrieben hatte.

»Hier. Und mach alles genau so, wie wir's besprochen haben. Sonst kriegen wir die Kinder nie wieder zu sehen. Glaub mir, ich weiß das.«

Mit dem Zug Schritt zu halten war schwieriger, als Rachel geglaubt hatte. Zwar hatten sie direkt hinter Odense zunächst einen Vorsprung, aber schon bei Langeskov wurde es eng. Joshuas Angaben waren beunruhigend, und die Kommentare, die Isabel beim Abgleichen der GPS-Positionen von sich gab, wurden zunehmend hektischer.

»Rachel, wir müssen die Plätze tauschen! Du hast nicht die Nerven für so was!«

Selten hatten Worte so unmittelbar auf Rachel gewirkt. Sie

trat das Gaspedal durch und hatte den Wagen im Nu bis zum Äußersten ausgefahren. Außer dem Motorgeräusch war jetzt nichts mehr zu hören.

»Ich sehe den Zug!«, rief Isabel, als sich die Bahnlinie und die Autobahn E 20 kreuzten. Dann wählte sie Joshuas Handynummer und hörte gleich darauf seine Stimme.

»Du musst links aus dem Fenster schauen, Joshua, wir sind schon ein Stückchen vor euch«, sagte sie. »Aber die Autobahn macht auf den nächsten Kilometern eine riesige Kurve, dann bist du eine Weile vorn. Wir versuchen dich auf der Belt-Brücke einzuholen, auch wenn das knapp werden könnte. Wir müssen ja auch noch durch die Mautstation.« Sie hörte sich seinen Kommentar an. »Hat er dich angerufen?«, fragte sie noch, bevor sie das Handy zuklappte.

»Was sagt er?«, drängte Rachel.

»Er hat immer noch keinen Kontakt zu dem Entführer. Und es klang so, als ginge es ihm nicht gut. Er kann sich einfach nicht vorstellen, dass wir es rechtzeitig schaffen. Er hat irgendetwas gestammelt von wegen, es sei vielleicht auch egal, ob wir es schaffen. Hauptsache, der Entführer kapiert die Botschaft des Briefs.«

Rachel presste die Lippen zusammen. Egal, von wegen! Sie würden vor Ort sein, wenn das Stroboskoplicht aufblitzte. Sie würden da sein, und dann würde dieser Psychopath, der ihre Kinder mitgenommen hatte, sehen, wozu sie imstande war.

»Du sagst ja gar nichts«, ließ sich Isabel vernehmen. »Dabei hat er doch recht. Wir können es nicht schaffen.« Ihre Augen klebten förmlich am Tacho. Mehr ging einfach nicht. »Schon allein wegen der Belt-Brücke. Dort ist nicht nur viel Verkehr, dort sind auch jede Menge Kameras. Und die Schranken für die Brückenmaut.«

Rachel überlegte einen Moment, während sie sich mit der Lichthupe Platz auf der Überholspur verschaffte.

»Mach dir darüber keine Gedanken, Isabel«, sagte sie dann.

31

Isabel war entsetzt.

Entsetzt über Rachels Rasen und ihre eigene Unfähigkeit, sie davon abzubringen.

Nur noch zwei-, dreihundert Meter bis zu den Schlagbäumen auf der Brücke, aber Rachel bremste nicht ab. Gleich waren nur noch dreißig Stundenkilometer erlaubt, und sie fuhren hundertfünfzig. Vor ihnen donnerte der Zug mit Joshua durch die Gegend, und den wollte Rachel erreichen, koste es, was es wolle.

»Langsamer, Rachel, langsamer!«, schrie Isabel, als die Mautschalter vor ihnen auftauchten. »Jetzt brems doch!«

Aber Rachel umklammerte das Lenkrad, gefangen in ihrer eigenen Welt. Sie musste ihre Kinder retten. Alles andere war bedeutungslos.

Sie sahen die Brückenwächter an den LKW-Durchfahrten mit den Armen fuchteln. Vor ihnen scherten zwei Autos hektisch zur Seite aus.

Dann rasten sie krachend durch die Schranke. Splitter von allem Möglichen stoben zur Seite und prasselten gegen die Windschutzscheibe.

Wäre ihr Ford Mondeo ein paar Jahre jünger oder zumindest besser instand gehalten, dann hätten die explodierenden Airbags sie aufgehalten. »Die sind defekt, soll ich sie auswechseln?«, hatte der Mechaniker gefragt und gleich hinzugefügt, dass das nicht billig sei. Lange hatte Isabel bereut, dankend abgelehnt zu haben. Jetzt nicht mehr. Hätten sich die Airbags bei dem Tempo geöffnet, das sie im Moment vorlegten, dann hätten sie die Aktion an dieser Stelle abbrechen können. Nun erinnerten an diesen unstatthaften Übergriff auf öffentliches Eigentum nur eine Riesenbeule auf der Kühlerhaube und ein hässlicher Riss, der sich langsam über die Windschutzscheibe ausbreitete.

Hinter ihnen herrschte hektische Aktivität. Wenn die Polizei noch immer nicht mitbekommen hatte, dass ein Auto, registriert auf ihren Namen, eine Schranke der Belt-Brücke durchbrochen hatte, dann schlief da jemand tief und fest.

Isabel atmete schwer aus und gab noch einmal Joshuas Nummer ein. »Wir sind jetzt über die Brücke. Wo bist du?«

Er gab ihr die Koordinaten durch und sie verglich sie mit den eigenen. Er konnte nicht sehr weit weg sein.

»Ich hab ein ungutes Gefühl«, sagte er. »Ich meine, was wir tun, ist falsch.«

Sie beruhigte ihn so gut sie konnte, aber das schien nicht zu helfen.

»Ruf an, wenn du das Licht siehst«, verabschiedete sie sich und legte auf.

Kurz vor der Abfahrt 41 sahen sie auf der linken Seite den Zug. Eine Perlenreihe aus Lichtern, die durch die dunkle Nacht glitt. Im dritten Wagen saß ein Mann, dessen Herz enormem Stress ausgesetzt war.

Wann würde dieses Schwein Joshua kontaktieren?

Isabel drückte das Handy an sich, während sie an Halsskov vorbei in Richtung Abfahrt 40 zischten. Kein Aufblinken.

»Die Polizei in Slagelse hält uns ganz sicher an, Rachel. Warum bist du durch die Schranke gerast?«

»Du sieht doch den Zug da hinten. Das könntest du nicht, wenn ich abgebremst und für zwanzig Sekunden gehalten hätte. Deshalb!«

»Ich kann den Zug nicht sehen.« Isabel schaute auf die Karte auf ihrem Schoß. »Verdammt, Rachel. Der Zug fährt jetzt eine Kurve nordwärts und dann durch Slagelse. Wenn er das

Blinkzeichen zwischen Forlev und Slagelse gibt, haben wir keine Chance. Es sei denn, wir verlassen die Autobahn hier, sofort!«

Während sich Isabel noch umdrehte, verschwand die Abfahrt 40 hinter ihnen.

Sie biss sich auf die Lippe. »Rachel, wenn es so ist, wie ich glaube, dann wird Joshua das Lichtsignal gleich sehen. Direkt vor Slagelse kreuzen drei Landstraßen die Bahnstrecke. Die Stelle ist ideal, um einen Sack Lösegeld einzusammeln. Aber wir kommen nicht von der Autobahn runter, wir sind gerade an der Ausfahrt vorbeigefahren.«

Sie sah, dass sie gewissermaßen ins Schwarze getroffen hatte: Wieder nahmen Rachels Augen diesen verzweifelten Ausdruck an. Und fast im selben Moment bremste sie scharf ab und lenkte den Wagen auf den Standstreifen.

»Ich fahre rückwärts«, sagte sie.

War sie jetzt völlig durchgedreht? Isabel haute auf den Knopf der Warnblinkanlage und atmete ein paarmal tief durch.

»Hör mal, Rachel«, sagte sie so ruhig wie sie konnte. »Joshua wird es schon schaffen. Wir müssen nicht da sein, wenn er den Beutel abwirft. Joshua hat recht. Der Kerl wird uns sowieso kontaktieren, sobald er merkt, was der Beutel enthält«, sagte Isabel. Aber Rachel reagierte nicht. Sie war innerlich auf einer ganz anderen Spur, und Isabel verstand sie.

»Ich fahre hier auf dem Standstreifen zurück«, wiederholte Rachel.

»Das tust du nicht!«

Aber sie war schon dabei.

Isabel streifte den Sicherheitsgurt ab und drehte sich um. Scheinwerferpaare sausten ihr wie aufgereiht entgegen. »Rachel, bist du wahnsinnig? Du bringst uns um! Damit ist Samuel und Magdalena auch nicht geholfen!«

Aber Rachel antwortete nicht. Mit heulendem Motor raste sie im Rückwärtsgang zurück.

Da entdeckte Isabel die Blaulichter, die vier-, fünfhundert Meter hinter ihnen auf einer Hügelkuppe auftauchten.

»Stopp!«, schrie sie und Rachel nahm sofort den Fuß vom Gas.

Auch sie hatte das Problem erfasst. Die Schaltung krachte, als sie direkt vom Rückwärtsgang in den ersten Gang wechselte. Binnen weniger Sekunden war sie wieder auf hundertfünfzig.

»Bete, dass Joshua nicht gleich anruft, weil er den Beutel abgeworfen hat. Dann haben wir vielleicht wieder eine Chance, gleichauf zu kommen. Aber du musst die Ausfahrt 38 nehmen, auf keinen Fall die 39«, mahnte Isabel. »Da steht bestimmt schon die Polizei, um uns in Empfang zu nehmen. Nimm die 38, dann fahren wir auf der Landstraße weiter, die ist sowieso näher an der Bahnlinie. Bis nach Ringsted verlaufen die Schienen nur durch Felder, weitab der Autobahn.«

Sie schnallte sich wieder an und saß die nächsten zehn Kilometer stocksteif da, die Augen auf den Tacho geheftet. Die Einsatzwagen hinter ihnen waren offenbar nicht auf ein solches Tempo eingestellt.

Als sie die Ausfahrt 39 in Richtung Slagelse Zentrum erreichten, war die Straße zur Stadt hin von Blaulichtern erhellt. Zusätzliche Streifenwagen aus Slagelse würden sicher jeden Moment eintreffen.

Sie bekam leider recht.

»Sie sind irgendwo da vorne, Rachel. Gib Gas, wenn du kannst!«, rief sie und wählte Joshuas Nummer.

»Joshua, wo bist du jetzt?«

Aber Joshua antwortete nicht. Was hatte das zu bedeuten? Dass er den Beutel schon abgeworfen hatte? Oder etwas viel Schlimmeres? Saß dieses Schwein womöglich mit ihm im Zug? Auf die Idee war sie bisher gar nicht gekommen. War das denkbar? War die ganze Geschichte mit dem Stroboskoplicht und dem Beutel nichts als ein Ablenkungsmanöver? Hatte der Kerl den Beutel bereits und wusste, dass er kein Geld enthielt?

Sie warf einen Blick auf die Rückbank zu der Sporttasche mit dem Geld.

Was würde der Kerl mit Joshua machen?

Sie erreichten die Ausfahrt 38 in dem Augenblick, als Blaulichter auf der Gegenfahrbahn auftauchten. Rachel berührte die Bremsen nicht mal, als sie mit quietschenden Reifen auf die Landstraße 150 abbog und dabei um Haaresbreite ein anderes Auto streifte.

Isabel spürte, wie ihr der Schweiß den Rücken hinunterlief. Die Frau neben ihr war nicht nur verzweifelt. Sie war ganz einfach verrückt.

»Hier auf der Landstraße entkommst du der Polizei nicht, Rachel. Die brauchen doch einfach nur deinen Rücklichtern hinterherzufahren!«

Rachel schüttelte den Kopf und schob sich so dicht an das vor ihr fahrende Auto heran, dass sich die Stoßstangen fast berührten.

»Jetzt«, sagte sie ganz ruhig und schaltete die Scheinwerfer aus, »sehen sie mich nicht mehr.«

Sehr clever. Und wie vorteilhaft, dass das automatische Abblendlicht nicht funktionierte.

Deutlich konnten sie durch die Heckscheibe des Wagens vor ihnen die Silhouetten zweier Menschen erkennen, deren hektisches Gestikulieren auf Panik schließen ließ.

»Bei der nächstbesten Gelegenheit bieg ich ab«, sagte Rachel.

»Dann musst du das Licht wieder einschalten.«

»Lass mich in Ruhe und schau lieber aufs Navi. Wann kommt der nächste Abzweiger, der keine Sackgasse ist? Wir müssen hier runter, ich kann hinten die Polizei kommen sehen.«

Isabel drehte sich um. Tatsächlich. Nur vier-, fünfhundert Meter hinter ihnen, gleich bei der Autobahnabfahrt.

»Da!«, rief Isabel. »Da, wo das Schild ist.«

Rachel nickte. Die Lichtkegel des Wagens vor ihnen hatten das Schild erfasst. *Vedbysønder* stand da.

Rachel stieg in die Bremsen und riss den Wagen herum. Ohne Licht ins Dunkel.

»Okay«, sagte sie und rollte im Leerlauf an einer Scheune und ein paar Gebäuden vorbei. »Wir halten hier hinter dem Hof, da sehen sie uns nicht. Ruf Joshua an, ja?«

Isabel blickte zurück. Die zuckenden Blaulichter verliehen der Landschaft etwas Gespenstisches.

Dann gab sie Joshuas Nummer ein, diesmal voller banger Ahnungen.

Zweimal hörte sie das Freizeichen, dann ging er ran.

»Ja.« Mehr sagte er nicht.

Isabel signalisierte Rachel, dass er abgenommen hatte.

»Hast du den Beutel rausgeworfen?«

»Nein.« Er klang angestrengt.

»Was ist los, Joshua? Sind Leute in der Nähe?«

»Nur einer, der sitzt mir im Abteil gegenüber, arbeitet aber mit Kopfhörern. Das ist okay«, sagte er kurzatmig. »Mir geht's einfach nicht gut. Ich muss die ganze Zeit an die Kinder denken, es ist alles so furchtbar.«

»Joshua, bitte versuch, ruhig zu bleiben.« Leichter gesagt als getan, das war ihr klar. »Nicht mehr lange, dann ist es überstanden. Wo ist der Zug jetzt? Gib mir mal die Koordinaten.«

Er las sie von seinem Navi ab. »Wir verlassen gerade die Stadt«, sagte er.

Das hatte sie vermutet. Der Zug konnte nicht weit entfernt sein.

»Duck dich!«, befahl Rachel, als die Streifenwagen auf der Landstraße vorbeirasten. Als ob jemand sie auf die Entfernung sehen könnte.

Aber die zwei Insassen aus dem Auto vor ihnen konnten jeden Moment angehalten werden. Die würden aussagen, dass diese Wahnsinnigen, die sie ohne Licht verfolgt hatten, plötzlich von der Landstraße abgebogen seien. Und die Streifenwagen würden umgehend wenden.

»Hey! Ich sehe den Zug!«, rief Isabel.

Rachel schreckte auf. »Wo?«

Isabel deutete in südliche Richtung, weg von der Landstraße. Besser konnte es gar nicht sein. »Da hinten! Fahr los!«

Rachel schaltete die Scheinwerfer ein, beschleunigte in Rekordzeit und nahm die beiden Kurven durch den Ort in einem Schwung. Und plötzlich sahen sie in einiger Entfernung das Lichtband des Zuges die Straße kreuzen.

»O Gott, jetzt sehe ich das Licht aufblitzen!«, rief Joshua aufgeregt ins Handy. »O Gott im Himmel, beschütze uns, bewahre uns!«

»Hat er's gesehen?«, rief Rachel, die den Aufschrei aus dem Handy gehört hatte.

Isabel nickte, und Rachel neigte leicht den Kopf. »O du gebenedeite Gottesmutter. Umfange uns mit deinem heiligen Licht und zeige uns den Weg zu deiner Herrlichkeit. Nimm uns als deine Kinder an und wärme uns an deinem Herzen.« Sie atmete in einem Stoß aus und trat das Gaspedal durch.

»Das Licht ist direkt vor mir, ich öffne jetzt das Fenster«, war aus dem Telefon zu hören. »So. Ich lege das Handy jetzt auf den Sitz. O Gott, o Gott.«

Im Hintergrund hörte Isabel Joshua schnaufen. Er klang wie ein müder, überforderter alter Mann.

Sie spähte konzentriert in die Dunkelheit, konnte das blinkende Licht jedoch nicht sehen. Es musste genau hinter dem Zug sein.

»Die Landstraße kreuzt die Schienen dort hinten zweimal, Rachel. Ich bin mir sicher, dass er auf derselben Straße unterwegs ist wie wir«, rief sie. Sie hörte, wie sich Joshua plagte, den Beutel aus dem Fenster zu wuchten.

»Ich lass jetzt los!«, rief er im Hintergrund.

»Wo ist er, Joshua? Kannst du ihn sehen?«, fragte Isabel.

Jetzt hatte er das Handy wieder am Ohr. Seine Stimme war klar und deutlich zu hören. »Ja, ich sehe sein Auto. Das hält direkt am Waldrand, da, wo sich die Straße auf die Schienen zubewegt.«

»Schau auf der anderen Seite aus dem Fenster. Rachel macht ein Signal mit der Lichthupe.« Isabel gab Rachel ein Zeichen, die vorgebeugt hinterm Steuer klemmte und angestrengt in die Dunkelheit starrte.

»Kannst du uns sehen, Joshua?«

»Ja!«, schrie er. »Ich sehe euch oben bei der Brücke. Ihr fahrt genau auf uns zu. Ihr seid jeden Augenbl...«

Isabel hörte ihn aufstöhnen, dann einen Knall, als wenn das Handy auf den Boden gefallen wäre.

»Ich sehe das Stroboskoplicht!«, rief Rachel.

Sie raste über die Brücke und weiter die schmale Straße entlang. Nur noch ein paar hundert Meter.

»Joshua, was macht er jetzt?«, rief Isabel, aber Joshua antwortete nicht. Vielleicht war das Handy im Fallen zugeklappt.

»Heilige Muttergottes, vergib mir meine Sünden«, leierte Rachel neben ihr, als sie in der Kurve an zwei Häusern, einem Hof und einem weiteren Haus, das schon nahe an den Schienen stand, vorbeisausten. Dann erfasste ihr Fernlicht den Wagen.

Er parkte in einer Kurve etwa zweihundert Meter entfernt, nur fünfzig Meter hinter den Schienen. Neben dem Wagen stand der Kerl und wühlte in etwas herum, vermutlich dem Beutel. Er trug eine helle Hose und oben herum etwas Dunkles. Wenn man es nicht besser wüsste, könnte man ihn für einen Touristen halten, der sich verfahren hatte.

Im selben Moment, als ihr Fernlicht ihn anstrahlte, hob er

den Kopf. Auf die Entfernung konnte man seinen Gesichtsausdruck nicht erkennen, aber ihm mussten zig Gedanken durch den Kopf schießen. Wie kamen seine Sachen in den Beutel? Vielleicht hatte er den Brief schon gesehen, der obenauf lag. Jedenfalls musste er wissen, dass kein Geld drin war. Und nun dieser Scheinwerfer, der auf ihn zuraste.

»Ich fahr in ihn rein!«, schrie Rachel, während der Mann den Beutel ins Auto warf und selbst auf den Fahrersitz sprang.

Sie waren bis auf wenige Meter heran, da drehten seine Reifen nicht mehr durch, sondern griffen und zogen ihn auf die Fahrbahn.

Es war ein dunkler Mercedes, genau wie der, den Isabel in Ferslev gesehen hatte, als Rachel sich übergeben musste.

Die Straße führte in dichten Wald hinein. Das Geräusch der aufheulenden Motoren fing sich unter den Baumkronen. Der Mercedes war neuer als der Ford. Es würde nicht leicht sein, ihm zu folgen. Und wozu sollte das auch gut sein?

Isabel sah zu Rachel, die hoch konzentriert das Steuer umklammerte. Was zum Teufel stellte sie sich vor?

»Halt doch Abstand, Rachel!«, brüllte sie. »Bald kommen die Streifenwagen hinter uns mit Verstärkung. Die helfen uns. Wir werden ihn schon kriegen. Die sperren irgendwo die Straße ab.«

»Hallo«, tönte es plötzlich aus dem Handy, das sie noch in der Hand hielt. Die Stimme war fremd, eine Männerstimme.

»Ja.« Isabels Augen waren auf die roten Rücklichter vor ihnen geheftet, aber alles andere in ihr wandte sich dieser Stimme zu. Enttäuschungen und Niederlagen vieler Jahre hatten sie gelehrt, schon bei Kleinigkeiten sofort mit dem Schlimmsten zu rechnen. Warum war das nicht Joshua?

»Wer sind Sie?«, fragte sie barsch. »Ein Komplize?«

»Entschuldigen Sie, haben Sie gerade mit dem Mann telefoniert, dem dieses Handy gehört?«

Isabel spürte, wie ihre Stirn eiskalt wurde. »Ja, das war ich.«

Rachel neben ihr zuckte zusammen. Aber sie ging nicht vom Gas und bemühte sich weiter, den Wagen auf der schmalen Straße zu halten. Trotzdem wurde der Abstand zu dem Mercedes immer größer.

»Es tut mir leid, Ihnen das sagen zu müssen, aber Ihr Gesprächspartner ist gerade umgekippt und ...«

»Was sagen Sie da? Wer sind Sie?«, unterbrach Isabel die Stimme aus dem Handy.

»Ich habe nur hier im Abteil gesessen und gearbeitet, als es passierte. Es tut mir außerordentlich leid, aber ich bin mir ziemlich sicher, dass er tot ist.«

»Isabel!«, rief Rachel. »Was ist da los? Mit wem redest du?«

»Danke«, sagte Isabel zu dem Mann und klappte das Handy zu.

Sie ließ den Blick von Rachel zu den Bäumen draußen wandern, die bei dem Tempo zu einer grauen Masse verschmolzen. Ein plötzlich auftauchendes Reh oder nasses Laub auf der Fahrbahn würde ihnen jetzt das Genick brechen. Das konnte ganz schnell gehen. Wie sollte sie Rachel da mitteilen, was sie gerade gehört hatte? Wer konnte ahnen, wie sie reagieren würde? Ihr Mann war vor wenigen Sekunden gestorben, und sie raste wie eine Wilde durch die Finsternis.

Isabel war in ihrem Leben oft deprimiert gewesen. Die Einsamkeit lag wie ein Schatten auf ihr, und dunkle Winterabende hatten sie zu düsteren Gedanken verführt. Im Moment ging es ihr nicht so. Denn nun, wo sie von Rachsucht wie besessen war und Verantwortung für das Leben zweier junger Menschen spürte, wusste Isabel, dass sie leben wollte. Egal, wie schrecklich diese Welt auch sein mochte, sie wusste, dass sie darin ihren Platz finden konnte.

Die Frage war nur, ob das auch für Rachel galt.

Da wandte diese sich ihr zu. »Nun sag schon, Isabel. Was ist passiert?«

»Ich glaube, Rachel, dein Mann hatte einen Schlaganfall.« Vorsichtiger konnte sie es nicht ausdrücken.

Aber Rachel ahnte, dass ein Teil des Satzes unterdrückt in der Luft hing, das spürte Isabel.

»Ist er tot? O Gott, Isabel, ist er tot?«

»Ich weiß es nicht.«

»Was hat der Mann gesagt? Jetzt sag schon, Isabel …« Sie drehte sich abrupt zu ihrer Beifahrerin um und der Wagen begann zu schlingern.

Isabel hob die Hand, um sie Rachel auf den Arm zu legen, unterbrach sich aber selbst in der Bewegung. »Achte auf die Straße, Rachel«, sagte sie. »Im Augenblick geht es nur um deine Kinder. Um sie allein.«

»Nein!« Rachel begann am ganzen Körper zu zittern. »Nein! Das ist nicht wahr! O Muttergottes, sag, dass das nicht stimmt!«

Schluchzend umklammerte sie das Steuer. Kurz hatte Isabel den Eindruck, Rachel würde aufgeben und anhalten, aber dann lehnte sie sich mit einem Ruck zurück und trat das Gaspedal durch.

Am Straßenrand tauchte ein Schild auf, *Lindebjerg Lynge* war darauf zu lesen, aber Rachel dachte gar nicht daran, das Tempo zu verringern. Die Straße leitete sie in einem großen Bogen an einer Häusergruppe vorbei und führte dann wieder durch Wald.

Jetzt, das sah man, fühlte sich der Kerl vor ihnen unter Druck. In einer Kurve geriet sein Wagen ins Schlingern. Rachel beschwor die Gottesmutter, ihr zu vergeben, falls sie gleich Gottes Gebot brach und um der guten Sache willen einen Menschen umbrachte.

»Du bist wahnsinnig!«, schrie Isabel. »Du fährst fast zweihundert!« Einen Augenblick erwog sie, einfach den Schlüssel abzuziehen.

O Gott, nein, dann blockiert die Lenkung, schoss es ihr

durch den Kopf. Also klammerte sie sich, auf das Schlimmste gefasst, mit beiden Händen am Sitz fest.

Als sie zum ersten Mal auf den Mercedes auffuhren, flog Isabels Kopf nach vorn und in einem widerlichen Ruck sofort nach hinten. Aber der Mercedes hielt sich auf der Straße.

»Okay!«, brüllte Rachel. »Das macht dir also keinen Eindruck, du Satan.« Und mit Wucht krachte sie gleich noch einmal gegen die Stoßstange des vorderen Wagens. Ihre Kühlerhaube war jetzt eingedrückt. Diesmal hatte Isabel zwar die Nackenmuskeln angespannt, aber nicht an die gewaltige Kraft des Sicherheitsgurts gedacht.

»Jetzt halt endlich an!«, schrie sie und spürte dabei die Schmerzen im Brustkorb. Aber Rachel hörte nicht. Sie war wie in Trance.

Der Mercedes schlingerte kurz auf den Seitenstreifen, aber sofort griffen die Räder wieder und brachten den Wagen auf die Straße zurück, die für ein paar Meter vom gelblichen Licht eines großen Hofes erhellt war.

Und da passierte es.

Im selben Moment, als Rachel erneut auf den Kofferraum des Wagens auffahren wollte, machte der Mann ein überraschendes Manöver, zog den Wagen auf die linke Spur und stieg in die Bremsen, dass die Reifen quietschten. Der Ford flog vorbei, und nun waren sie plötzlich vorn.

Isabel spürte Rachels Panik, und da es keinen Wagen mehr vor ihnen gab, der die Wucht auffangen konnte, gerieten nun sie ins Schleudern. Die Vorderräder drehten zur Seite, sie korrigierte, bremste ab, aber zu wenig, und im selben Moment war Metall auf Metall zu hören, als der andere in die Seite des Fords krachte.

Entsetzt drehte sich Isabel zu der zersplitterten Seitenscheibe und der Tür um, die weit bis auf den Rücksitz eingedrückt war. Da sah sie den Mercedes noch einmal von hinten auf sie zurasen. Auch wenn der untere Teil seines Gesichts im

Schatten lag, erkannte sie ganz deutlich die Augen des Mannes, und ihr kam es vor, als läge ein Ausdruck von Gewissheit darin.

Alles, was nicht hätte passieren dürfen, war eingetreten.

Als er schließlich ein letztes Mal zustieß, verlor Rachel die Kontrolle über den Wagen. Der Rest waren Schmerzen und ein letzter Blick auf die Welt dort draußen in der Dunkelheit.

Stille. Isabel kam kopfüber im Sicherheitsgurt hängend zu sich. Neben ihr lag Rachel. Leblos, blutend, die Lenkradsäule in den Leib gebohrt.

Isabel wollte den Kopf drehen, aber der gehorchte nicht. Dann musste sie husten, und da spürte sie, wie ihr das Blut in den Rachen lief und aus der Nase tropfte.

Komisch, wieso tut das nicht weh, dachte sie noch, und eine Sekunde später explodierte ihr Körper in Tausende Schmerzimpulse. Sie wollte schreien, konnte aber nicht. Jetzt sterbe ich, dachte sie und hustete Blut.

Sie sah, wie sich ein Schatten mit festem Schritt dem Auto näherte. Der wollte ihnen nichts Gutes.

Sie versuchte, die Gestalt zu fokussieren, aber das Blut, das ihr übers Gesicht lief, hinderte sie daran. Wenn sie blinzelte, fühlte sich das an, als hätte sie Sandpapier unter den Augenlidern.

Erst als er so nahe war, dass sie hören konnte, was er sagte, erkannte sie das Stück Metall, das er in der Hand hielt.

»Isabel«, sagte er. »Dich hier zu sehen, damit hab ich nun überhaupt nicht gerechnet. Warum musstest du dich auch einmischen? Schau dir an, was dabei rausgekommen ist.«

Er ging in die Hocke und spähte durchs Seitenfenster. Vermutlich überlegte er, von wo aus er sie am besten tödlich treffen konnte.

Sie probierte erneut, den Kopf zu drehen, um den Kerl deutlicher zu sehen, aber ihre Muskeln blieben schlaff.

»Es gibt andere, die dich kennen«, stöhnte sie und spürte einen stechenden Schmerz im Unterkiefer.

Er lächelte. »Mich kennt niemand.«

Er ging einmal um das Auto herum. Auf der anderen Seite bückte er sich und betrachtete Rachel. »Na, um die muss ich mich wohl nicht mehr kümmern. Umso besser.«

Plötzlich richtete er sich auf. Isabel hörte die Sirenen und sah den Schein der Blaulichter auf seinen Beinen. Unwillkürlich trat er ein paar Schritte zurück.

Da verlor sie das Bewusstsein.

32

Inzwischen stank es so sehr nach versengtem Gummi, dass er noch vor Roskilde auf einem Parkplatz anhielt. Erst drückte er den ramponierten Kotflügel vorne rechts vom Reifen weg, dann umrundete er den Wagen, um das Ausmaß der Schäden zu begutachten. Doch erstaunlicherweise fielen die auf den ersten Blick gar nicht so sehr auf.

Sobald sich die Aufregung etwas gelegt hatte, musste er das Auto in Ordnung bringen lassen. Alle Spuren, aber auch wirklich alle, mussten beseitigt werden. Vielleicht von einem Mechaniker in Kiel oder im schwedischen Ystad, je nachdem.

Er steckte sich eine Zigarette an und las den Brief, der im Beutel gelegen hatte.

Eigentlich war das der besondere Moment, auf den er immer wartete: hier, wo die Autos vorbeirasten, in der Dunkelheit zu stehen und zu wissen, wieder einmal getan zu haben, was getan werden musste. Zu wissen, dass im Beutel das Geld lag und nun nur noch die Sache im Bootshaus erledigt werden musste.

Aber diesmal war nichts wie sonst. Der Schock steckte ihm immer noch in den Knochen. Der Schock, der ihn getroffen hatte, als er neben den Schienen auf der Landstraße stand und in dem Beutel statt des Geldes einen Brief und seine eigenen Sachen fand.

Sie hatten ihn betrogen.

Er sah den demolierten Ford Mondeo vor sich. Diese fromme Trine hatte nur bekommen, was sie verdiente. Geschah ihr recht! Aber das mit Isabel, das wurmte ihn.

Wie sich das entwickelt hatte, das hatte er sich selbst zuzuschreiben, das war von Anfang an sein Fehler gewesen. Hätte er sich doch bloß auf seinen Instinkt verlassen. Hätte er sie doch gleich in Viborg umgebracht, als sie ihm auf die Schliche gekommen war.

Aber wer hätte ahnen können, dass es eine Verbindung zwischen Rachel und Isabel gab? Schließlich lagen etliche Kilometer zwischen Dollerup und Isabels Reihenhaus in Viborg. Was zum Teufel hatte er übersehen?

Er inhalierte den Rauch tief und hielt ihn so lange unten in der Lunge, wie er konnte. Kein Geld. Und das alles nur wegen ein paar törichter Fehler, die er sich selbst zuzuschreiben hatte. Wegen törichter Fehler und einem unseligen Zusammentreffen. Und jetzt hing alles an Isabel. Im Moment wusste er nicht mal, ob sie tot war. Wären ihm vorhin, nach dem Crash, auch nur zehn Sekunden mehr geblieben, dann hätte er ihr den Wagenheber über den Schädel gezogen.

Dann könnte er jetzt sicher sein.

Nun musste er hoffen, dass die Natur das Ihre tat. Der Unfall war heftig gewesen. Der Ford hatte mit voller Wucht einen Baum gerammt und sich dann mindestens zehnmal überschlagen. Das schrille Kreischen von eingedrücktem Metall, das über Asphalt rutscht, klang ihm immer noch im Ohr. Wie sollten sie das überlebt haben?

Er griff sich an den pochenden Hinterkopf. Diese Scheißweiber. Warum hatten sie nicht einfach seine Anweisungen befolgt?

Er schnipste die Kippe in die Hecke, setzte sich auf den Beifahrersitz, legte den Sack auf seinen Schoß und zog die Sachen heraus.

Das Vorhängeschloss und die Kette von der Scheune in Ferslev. Außerdem ein paar Klamotten aus dem Schrank dort. Und obendrein dieser verdammte Brief.

Er las ihn noch einmal. Der erforderte zweifellos eine massive Reaktion. Die, die ihn geschrieben hatten, wussten schlicht und einfach zu viel.

Aber sie hatten sich sicher gefühlt, und das war ihr Fehler gewesen. Hatten geglaubt, nun seien die Rollen vertauscht, nun könnten sie ihn erpressen. Tja, das hatte sie wahrscheinlich das Leben gekostet, aber das musste er erst nachprüfen.

Somit konnten ihm nur noch der Mann, Joshua, und eventuell Isabels Bruder, dieser Polizist, gefährlich werden.

Eventuell. Ein Wort mit verhängnisvollem Klang.

Er blieb noch eine Weile sitzen und überdachte die Situation. Das Scheinwerferlicht der vorüberfahrenden Autos huschte wie in Wellen über den Parkplatz.

Ob die Polizei wohl hinter ihm her war? Als die den Unfallort erreicht hatten, war er bereits mehrere hundert Meter entfernt gewesen. Und selbst als ihm auf dem Weg zur Autobahn die Verstärkung mit heulenden Sirenen entgegengekommen war, hatte sich keiner von denen für einen gemächlich dahinrollenden Mercedes interessiert.

Natürlich würden sie die Spuren des Zusammenstoßes an Isabels Wagen finden. Aber von wem? Wie sollten sie ihn je aufspüren?

Nein, für ihn ging es nun zuallererst um Rachels Mann, diesen Joshua. Von dem musste er das Geld einfordern. Außerdem musste er alles beseitigen, was die Verfolger auf seine Spur bringen konnte. Letztendlich lief es darauf hinaus, dass er sein Unternehmen von Grund auf neu aufbauen musste.

Er seufzte. Das Jahr hatte sich bisher nicht sonderlich gut angelassen.

Insgesamt zehn Fälle hatte er auf diese Weise durchziehen wollen. Und er war gut gewesen. Die Millionen der ersten Jahre waren vernünftig angelegt gewesen und hatten ordentlich Rendite abgeworfen. Aber dann war die Finanzkrise gekommen und hatte seine Aktienbestände ruiniert.

Selbst ein Kidnapper und Mörder unterlag den Mechanismen des freien Markts. Und nun musste er mehr oder weniger wieder bei null anfangen.

»Verdammte Scheiße«, murmelte er, als ihm noch ein weiterer Aspekt einfiel.

Wenn seine Schwester nicht wie üblich ihr Geld bekam, hatte er ein zusätzliches Problem. Aus der Kindheit gab es Altlasten, in denen jemand herumwühlen konnte. Namen, die nicht ans Licht kommen durften.

Das auch noch.

Als er aus der Erziehungsanstalt entlassen wurde, hatte seine Mutter einen neuen Mann. Die Gemeindeältesten hatten ihn unter den Witwern ausgesucht. Ein Schornsteinfegermeister, der zwei Mädchen in Evas Alter mit in die Ehe brachte. Einen stattlichen Mann nannte ihn der neue Pfarrer, ohne Rücksicht auf die Realität.

Anfangs schlug der Stiefvater nicht. Aber als seine Mutter weniger Schlaftabletten nahm und sich ihm im Bett fügte, erhielt sein Temperament größeren Spielraum.

»Möge der Herr sein Angesicht über dir erheben und dir Frieden schenken.« Mit diesen Worten endete er immer, wenn er eine seiner Töchter verdroschen hatte. Und diese Worte bekamen sie häufig zu hören, seine leiblichen Nachkommen. Fand er, dass eine von ihnen das Wort des Herrn übertreten hatte, dann bestrafte er sie. Dabei hatten in der Regel nicht sie etwas falsch gemacht, sondern ihr Stiefbruder. Sei es, dass er ein Amen vergessen hatte, sei es, dass er beim Tischgebet leicht gelächelt hatte. Jedenfalls kaum einmal etwas anderes als solcher Kram. Aber diesen großen, starken Jungen anzurühren, traute sich der Kaminkehrer nicht. So weit wagte er sich dann doch nicht vor.

Anschließend kam regelmäßig der moralische Kater, und das war noch beinahe das Schlimmste. Bei seinem Vater hatte man wenigstens immer gewusst, woran man war, der hatte nie einen Moralischen gekriegt. Der Stiefvater hingegen streichelte den Mädchen die Wangen und entschuldigte sich für seinen Jähzorn und ihren bösen Bruder. Und dann ging er ins Büro, zog den »Gottesmantel« über, wie sein Vater den Ornat genannt hatte, und betete zu Gott, er möge diese unschuldigen Mädchen behüten. Als wären sie die reinsten Engel!

Eva würdigte er keines Wortes, nie. Ihre blinden Augen, diese weiß glänzenden Augäpfel, fand er eklig, und das spürte sie.

Keines der Kinder verstand ihn. Sie verstanden nicht, warum er seine beiden eigenen Mädchen bestrafte, wo er doch dem Stiefsohn gegenüber nur Hass und der Stieftochter gegenüber nur Geringschätzung empfand! Und keines der Kinder konnte verstehen, warum ihre Mutter nicht eingriff. Aber vor allem – warum zeigte sich Gott in den Taten dieses Mannes als so böse und so himmelschreiend ungerecht?

Eine Zeit lang verteidigte Eva den Stiefvater. Aber das hörte auf, als er die Stiefschwestern so furchtbar schlug, dass sie die Spuren ertasten konnte.

Ihr Bruder verhielt sich abwartend. Er sammelte gewissermaßen Kraft für die Endabrechnung, die eines Tages kommen würde. Und zwar dann, wenn sie es am wenigsten erwarteten.

Damals waren sie vier Kinder, Mann und Frau. Heute waren nur noch Eva und er übrig.

Aus dem Handschuhfach nahm er die Klarsichthülle mit den Informationen über die Familie. Dort stand auch Joshuas Handynummer.

Er würde ihn anrufen und mit der Realität konfrontieren: dass seine Frau und ihre Mitverschworene unschädlich gemacht und als Nächstes seine Kinder an der Reihe seien, falls das Geld nicht innerhalb von vierundzwanzig Stunden an einem neuen Ort abgeliefert würde. Und dass auch er, Joshua, umgebracht würde, falls er abermals Außenstehende in die Sache hineinzog.

Er sah das rötliche Gesicht des gutmütigen Familienvaters

vor sich. Der Mann würde zusammenklappen und alles tun, was er verlangte. Das sagte ihm seine Erfahrung.

Er wählte die Nummer und wartete. Seinem Empfinden nach dauerte es zu lange, bis abgenommen wurde.

»Ja, hallo?«, sagte eine Stimme, die er nicht sofort mit Joshua in Verbindung brachte.

»Könnte ich bitte mit Joshua sprechen?« Scheinwerferlicht glitt hinter ihm auf den Parkplatz.

»Mit wem spreche ich?«

»Ist das nicht das Handy von Joshua?«, entgegnete er.

»Nein, ist es nicht. Sie haben sich sicher verwählt.«

Er sah auf sein Handy. Nein, hatte er nicht. Was war hier los?

Da fiel es ihm ein. Der Name!

»O ja, Entschuldigung. Ich sage Joshua, so nennen wir ihn alle. Aber er heißt ja Jens Krogh, bitte entschuldigen Sie, das vergisst man manchmal. Kann ich ihn sprechen?«

Er saß ganz still und starrte vor sich hin. Der Mann am anderen Ende schwieg. Das verhieß nichts Gutes. Wer zum Teufel war das?

»Ah ja«, sagte die Stimme dann schließlich. »Und mit wem spreche ich?«

»Mit seinem Schwager.« Das war ein Schuss aus der Hüfte. »Könnten Sie ihn mir jetzt bitte geben?«

»Nein, tut mir leid. Sie sind mit der Polizei in Roskilde verbunden, Sie sprechen mit Polizeiassistent Leif Sindal. Sie sagen, Sie sind sein Schwager. Wie heißen Sie?«

Die Polizei? Hatte der Idiot die Polizei informiert? War der denn total durchgedreht?

»Die Polizei? Ist Joshua etwas zugestoßen?«

»Dazu kann ich Ihnen nichts sagen, wenn Sie mir nicht Ihren Namen nennen.«

»Ich heiße Søren Gormsen«, sagte er da. So lautete seine Regel. Gib bei der Polizei immer ungewöhnliche Namen an.

Dann glauben sie dir. Dann meinen sie, das könnten sie überprüfen.

»Aha«, kam dann. »Søren Gormsen, können Sie uns Ihren Schwager beschreiben?«

»Ja, das kann ich. Er ist ein großer, kräftiger Mann. Halbglatze. Achtundfünfzig Jahre, trägt immer eine olivgrüne Weste und …«

»Søren Gormsen«, unterbrach ihn der Polizist. »Wir wurden gerufen, weil Jens Krogh leblos in einem Zug aufgefunden wurde. Wir haben einen Kardiologen hier bei uns. Es tut mir leid, aber ich muss Ihnen mitteilen, dass Ihr Schwager soeben für tot erklärt wurde.«

Er ließ die Worte nachklingen, ehe er seine Frage stellte. »O nein. Das ist ja entsetzlich. Was ist denn passiert?«

»Wir wissen es nicht. Einem Mitreisenden zufolge ist er einfach umgefallen.«

Konnte das eine Falle sein?

»Wohin lassen Sie ihn bringen?«

Er hörte den Polizisten und den Arzt im Hintergrund reden. »Eine Ambulanz holt ihn ab. Man wird höchstwahrscheinlich eine Obduktion verlangen.«

»Dann bringen Sie Joshua nach Roskilde ins Krankenhaus?«

»Wir verlassen den Zug erst in Roskilde, ja.«

Er bedankte sich, drückte sein Bedauern aus und stieg aus dem Auto, um das Handy abzuwischen und es dann in die Hecke zu werfen. Für den Fall, dass das eben alles gestellt war.

»Hey, Sie!«, hörte er hinter sich. Er drehte sich um und sah zwei Männer aus dem Auto steigen, das in der Zwischenzeit hinter ihm geparkt hatte. Litauische Nummernschilder, uralte Jogginganzüge und extrem magere Gesichter. Das verhieß nichts Gutes.

Sie kamen direkt auf ihn zu, ihre Absicht war klar. Gleich würden sie ihn zu Boden reißen und seine Taschen leeren. Ganz offenkundig war das ihre Art des Broterwerbs.

Er hielt die Hand warnend hoch und deutete auf das Handy. »Hier!«, rief er und schleuderte es dem einen entgegen. Gleichzeitig sprang er seitlich nach vorn und trat dem anderen in den Schritt, sodass der stöhnend zu Boden ging und sein Springmesser fallen ließ.

Zwei Sekunden später hatte er das Messer aufgehoben und es dem Liegenden zweimal in den Unterleib gerammt und dem anderen in die Seite.

Dann hob er sein Handy auf und warf es zusammen mit dem Messer so weit ins Gebüsch, wie er konnte.

Das Leben hatte ihn gelehrt, als Erster zuzuschlagen.

Er überließ die zwei blutenden Gestalten sich selbst und gab auf seinem Navi den Bahnhof von Roskilde ein.

Nur acht Minuten bis dorthin.

Der Krankenwagen hatte eine Weile gewartet, ehe sie mit der Trage kamen. Er versteckte sich in der Reihe der Neugierigen, die auf die Umrisse von Joshuas leblosem Körper unter der Decke starrten. Als er den Polizisten sah, der die Trage begleitete und Joshuas Mantel und Tasche trug, war er sicher.

Joshua war tot. Das Geld verloren.

»Scheiße, Scheiße, Scheiße!« Er fluchte unaufhörlich, während der Mercedes Kurs auf Ferslev nahm. Das war die ganzen Jahre eine so gute Deckadresse gewesen. Seine Anschrift, sein Name, sein Lieferwagen, alles, was zu der Person gehörte, als die er auftrat, war mit diesem alten Bauernhaus verbunden. Und damit war jetzt Schluss, das Haus war nicht länger sicher. Isabel kannte das Kennzeichen des Lieferwagens und hatte es an ihren Bruder weitergegeben. Und der Eigentümer des Wagens war mit diesem Haus verknüpft.

Als er das Dorf erreichte und zwischen den Bäumen auf das alte Anwesen zufuhr, hatte sich die übliche Abendruhe über die Gegend gesenkt. Das Dorf wirkte völlig verlassen, wahrscheinlich hockten die Einwohner allesamt vorm Fernseher. Nur im Wohngebäude eines Hofs weit draußen zwischen den Feldern waren ein paar hell erleuchtete Fenster zu sehen. Von dort würde vermutlich der Notruf ausgehen.

Zunächst besah er sich, wie Rachel und Isabel in die Scheune und das Haupthaus eingebrochen waren. Dann ging er systematisch sämtliche Zimmer durch und entfernte Dinge, die womöglich einen Brand überstehen würden: einen kleinen Spiegel, eine Schachtel mit Nähzeug, den Erste-Hilfe-Kasten.

Danach fuhr er den Lieferwagen aus der Scheune, setzte rückwärts rund ums Haus und steuerte ihn dann mit Karacho in das große Wohnzimmerfenster, von dem aus man so einen guten Blick über die Felder hatte.

Beim Splittern des Glases flogen ein paar Vögel auf, das war alles.

Er umrundete das Haus noch einmal, bevor er mit der Taschenlampe hineinging. Perfekt, dachte er, als er die rückwärtige Hälfte und die platten Hinterreifen des Lieferwagens auf dem Laminat sah. Auf Zehenspitzen tappte er über die Glasscherben, öffnete die Heckklappe, nahm den Reservekanister heraus und verteilte auf dem Fußboden zwischen Wohnzimmer und Küche, im Flur und im ersten Stock gleichmäßig Benzin.

Dann schraubte er den Tankdeckel des Lieferwagens auf, riss ein Stück Gardine ab, tauchte die Hälfte in das Benzin auf dem Boden und steckte sie dann in den Einfüllstutzen.

Einen Moment lang stand er auf dem Hof und sah sich um. Schließlich zündete er den Rest der Gardine an und warf ihn in die Benzinpfütze auf dem Flur, dort, wo die Gasflaschen standen.

Als der Benzintank des Lieferwagens mit einem ohrenbetäubenden Knall in die Luft flog, war er mit dem Mercedes schon bei der Landstraße angekommen. Nach weiteren anderthalb Minuten waren die Gasflaschen an der Reihe. Die Explosionen waren so heftig, dass er glaubte, sehen zu können, wie das Dach abhob.

Erst als er das Einkaufszentrum des Ortes hinter sich gelassen und wieder freie Sicht über die Felder hatte, hielt er am Straßenrand und blickte zurück.

Der Hof brannte lichterloh. Die Funken flogen hoch auf wie beim Johannisfeuer. Sicher war der Brand kilometerweit zu sehen. Nicht mehr lange, und die Flammen würden die Zweige erreichen und alles miteinander verschmelzen.

Tja. Aus dieser Ecke war nun nichts mehr zu befürchten.

Der Feuerwehr würde nur die Feststellung bleiben, dass nichts zu retten war.

Man würde von wahnwitzigen Streichen Halbwüchsiger sprechen.

Das tat man draußen auf dem Land oft.

Er stellte sich vor die Tür des Zimmers, in dem seine Frau unter Kartons begraben lag. Noch einmal konstatierte er in einer Mischung aus Wehmut und Zufriedenheit, dass alles totenstill war. Sie beide hatten es gut miteinander gehabt. Sie war schön und sanft und eine gute Mutter, da gab es nichts. Auch hier hatte er es sich selbst zuzuschreiben, dass es nicht funktioniert hatte. Ehe er sich noch einmal eine Frau suchte, mit der er zusammenleben wollte, musste er dafür sorgen, dass alles, was in jenem Raum lagerte, vom Erdboden verschwand. Bisher hatte die Vergangenheit wie Mehltau über seinem Leben gelegen, aber in Zukunft durfte sie das nicht mehr. Ein paar Entführungen würde er noch durchziehen, dann würde er sein Haus verkaufen und sich schließlich weit weg von hier zur Ruhe setzen. Vielleicht konnte er bis dahin lernen, wie man lebte.

Er lag einige Stunden auf dem Ecksofa und ging die Aufgaben durch, die vor ihm lagen. Den Vibehof mit dem Bootshaus konnte er behalten, das stand fest. Aber für das Haus in Ferslev musste er sich Ersatz suchen. Ein kleines abgelegenes

Haus, irgendwo. Wo kein Mensch hinkam. Am besten eines, dessen Besitzer in der Gegend als Außenseiter verschrien war. Irgendein Alter, der sich selbst versorgte und niemandem zur Last fiel. Wahrscheinlich würde er diesmal weiter südlich suchen müssen. Als er die Gegend von Næstved erkundet hatte, waren ihm ein paar geeignete Häuser aufgefallen, aber erfahrungsgemäß war die endgültige Auswahl nicht leicht.

Der Besitzer des alten Hofs in Ferslev hatte perfekt gepasst. Niemand interessierte sich für ihn, und er selbst interessierte sich noch weniger für andere Menschen. Er hatte die meiste Zeit seines Lebens in Grönland gearbeitet, und er hatte eine Freundin in Schweden. Wenn man im Dorf nach ihm fragte, hatte es immer geheißen: »Soviel ich weiß«. Dieses herrlich vage Soviel-ich-weiß hatte ihn auf die Spur gebracht. Das sei ein Mann, der allein zurechtkam und von dem Geld lebte, das er in einem früheren Leben verdient hatte, hieß es. Sie nannten ihn einen Sonderling, und damit war sein Todesurteil unterschrieben.

Jetzt war es zehn Jahre her, dass er diesen Sonderling umgebracht hatte, und seither hatte er sorgfältig darauf geachtet, alle Fensterbriefumschläge, die durch den Briefschlitz ins Haus fielen, zu öffnen und zu bezahlen. Nach ein paar Jahren hatte er Strom und Müllabfuhr abgemeldet und seither war niemand mehr gekommen. Ausweis und Führerschein – mit dem Namen des Mannes, aber mit neuen Fotos und einem glaubwürdigeren Geburtsdatum versehen – hatte er sich von einem Fotografen in Vesterbro anfertigen lassen. Ein guter Mann, der Wort gehalten hatte und der das Fälschen als Kunstform betrachtete – wenn sich die Rembrandt-Schüler schuldig gemacht hatten, dann doch auch nur auf Geheiß des Meisters! Ein wahrer Künstler.

Zehn Jahre hatte ihn der Name Mads Christian Fog begleitet, und das war nun leider vorbei.

Jetzt war er wieder einfach Chaplin.

Als er sechzehneinhalb war, verliebte er sich in eine seiner beiden Stiefschwestern. Sie war unglaublich zart und ätherisch, hatte eine hohe Stirn und eine so durchscheinende Haut, dass die Adern an den Schläfen zu sehen waren. Ganz anders als das grobe Genmaterial seines Stiefvaters und auch ganz anders als seine eigene derbe Mutter.

Er wollte sie küssen, sie in den Arm nehmen und in ihren Augen versinken, aber er wusste, das war strengstens verboten. In den Augen Gottes waren sie echte Geschwister und Gottes Augen waren in diesem Haus allgegenwärtig.

Schließlich verlustierte er sich mit jenen sündhaften Freuden, die man ganz für sich allein haben konnte, abends unter der Bettdecke oder mit einem heimlichen Blick auf die Stiefschwester. Dazu brauchte er nur auf den Dachboden zu steigen und durch die Ritzen in den Dielen über ihrem Zimmer zu spähen.

Dabei erwischten sie ihn eines Tages sozusagen auf frischer Tat. Er hatte auf dem Fußboden gelegen und die Gelegenheit abgepasst, die Schöne in ihrem dünnen Nachthemd zu betrachten, als sie ihren Blick plötzlich nach oben richtete und ihn entdeckte. Sein Schock war so groß, dass er den Kopf mit einem Ruck zurückzog und dabei gegen einen Dachsparren schlug, wo sich ein vorstehender Nagel hinter seinem Ohr durch die Haut bohrte.

Sie hörten ihn auf dem Dachboden stöhnen, und das war's dann.

In einem Anfall von Gottesfurcht petzte seine Schwester Eva bei Mutter und Stiefvater. Was ihre blinden Augen nicht sehen konnten, war die an Gehässigkeit grenzende Wut, die ihr Bericht bei den Eltern auslöste.

Zunächst verhörten sie ihn unter Androhung ewiger Verdammnis, aber er gestand nicht. Gestand nicht, dass er dem Bild seiner Träume aufgelauert hatte, um es unbekleidet zu sehen. Wie sollten ihn auch ihre Drohungen zum Sprechen bringen? Drohungen dieser Art hatte er schon viel zu oft gehört.

»Dann hast du es dir selbst zuzuschreiben«, brüllte sein Stiefvater und sprang ihn von hinten an. Er war völlig überrumpelt. Der Stiefvater war vielleicht nicht stärker, aber er drehte seine Arme auf den Rücken und hielt sie mit eisernem Griff fest.

»Nimm das Kreuz«, rief er seiner Frau zu. »Schlag ihm den Teufel aus dem verdorbenen Leib! Schlag ihn, bis alle Sünden ausgetrieben sind!«

Er sah ihren wilden Blick und er sah, wie sie das Kruzifix erhob. Als der erste Schlag fiel, spürte er ihren muffigen Atem im Gesicht.

»Im Namen der Herrlichkeit Gottes!«, rief sie und hob das Kruzifix noch einmal. Auf ihrer Oberlippe sammelten sich Schweißperlen, und der Stiefvater packte noch fester zu, während er stöhnte und unablässig sein »Im Namen des Allmächtigen« wiederholte.

Nach zwanzig Schlägen auf Schultern und Oberarme trat seine Mutter zurück. Schwer atmend und erschöpft.

Von da an gab es keinen Weg zurück.

Seine beiden Stiefschwestern standen weinend im Zimmer nebenan. Sie hatten alles gehört und schienen aufrichtig geschockt zu sein. Eva hingegen ließ sich nichts anmerken, obwohl garantiert auch sie alles mitgekriegt hatte. Unbeirrt machte sie mit ihrer Blindenschrift weiter, aber die verbitterten Gesichtszüge konnte sie nicht verstecken.

Am selben Abend tat er heimlich Schlaftabletten in den Abendkaffee der Eltern. Und als es Nacht geworden war und beide tief schliefen, nahm er ein Glas und löste sämtliche Pillen in Wasser auf. Es dauerte, bis er die Eltern auf den Rücken gedreht und ihnen den Pillenbrei eingeflößt hatte. Aber Zeit hatte er mehr als genug.

Er wischte das Pillenglas ab, presste die Finger des Stiefvaters darum, nahm zwei Wassergläser, wiederholte das Prozedere mit den Fingern beider, stellte jedes Glas auf den jeweiligen Nachttisch und goss etwas Wasser hinein. Dann zog er die Tür hinter sich zu.

»Was hast du da drinnen gemacht?«, hörte er eine Stimme.

Er sah in die Dunkelheit vor sich. Hier war Eva im Vorteil. Sie war eine Vertraute der Nacht und hatte ein Gehör so scharf wie ein Hund.

»Nichts. Ich wollte nur um Entschuldigung bitten, aber sie schlafen tief und fest. Ich glaube, sie haben Schlaftabletten genommen.«

»Dann hoffe ich, dass sie gut schlafen«, entgegnete sie nur.

Am nächsten Morgen wurden die Leichen abgeholt. Der Skandal wegen der Selbstmorde war groß in dem kleinen Ort. Eva schwieg. Vielleicht ahnte sie bereits, dass dieses Unglück und der Umstand, dass ihr Bruder auch an ihrer Blindheit schuld war – worüber er sich auf seine stille Weise grämte –, für sie eine Absicherung vor einem Leben in Armut sein würde.

Was die Stiefschwestern anging, so suchten sie ein paar Jahre später die Ewigkeit. Sie gingen Hand in Hand ins Wasser, und die See nahm sie auf. Damit waren sie von allen schmerzlichen Erinnerungen befreit. Aber er und Eva waren das nicht.

Der Tod der Eltern lag nun mehr als fünfundzwanzig Jahre zurück. In der Zwischenzeit hatte er noch weit mehr Menschen ereilt, die das Wort »Nächstenliebe« im Rahmen der mannigfaltigen Ausprägungen des Fanatismus falsch gedeutet hatten.

Zur Hölle mit ihnen allen. Zur Hölle mit denen, die da glaubten, sich im Namen Gottes über alle anderen erheben zu können.

Wie sehr er sie hasste! Und wie sehr er sich wünschte, sie allesamt von der Erde zu entfernen!

Er zog den Schlüssel für den Lieferwagen und den für das Haus in Ferslev von seinem Schlüsselring, sah sich gründlich um und ließ beide unter die oberste Mülltüte in der Mülltonne des Nachbarn gleiten.

Dann ging er zurück und leerte seinen Briefkasten.

Die Reklame flog sofort in den Papierkorb, den Rest warf er auf den Esstisch. Zwei Fensterbriefumschläge, die beiden Tageszeitungen und ein kleiner, handgeschriebener Zettel mit dem Logo des Bowlingclubs.

Natürlich stand nichts in den Zeitungen, das konnten sie nicht geschafft haben. Der regionale Radiosender hingegen war schon auf dem neuesten Stand. Zunächst brachten sie etwas über zwei Litauer, die sich bei Streitigkeiten untereinander übel zugerichtet hatten. Dann folgte die Geschichte von dem Unfall der Frauen. Viel wurde nicht gesagt, aber genug. Es war von einem Unfall nach mehrstündiger Wahnsinnsfahrt die Rede, bei der unter anderem eine Mautschranke auf der Großen-Belt-Brücke durchbrochen worden war. Dann wurde der Ort des Unfalls erwähnt, das Alter der Frauen und dass beide schwer verletzt waren. Namen wurden keine genannt. Aber die Möglichkeit wurde erwähnt, dass Fahrerflucht im Spiel sein könne.

Er loggte sich im Internet ein und suchte nach weiteren Informationen. In der Online-Ausgabe einer der großen Tageszeitungen stand, dass beide Frauen nach Operationen in der Nacht noch immer in Lebensgefahr schwebten. Man rätselte, was es mit der wilden Fahrt über die Belt-Brücke auf sich hatte. Ein namentlich genannter Arzt aus der Notaufnahme des Rigshospitals sprach sich pessimistisch über ihren Zustand aus.

Dennoch war er äußerst beunruhigt.

Er informierte sich auf der Website des Rigshospitals, was sie dort machten und wie. Schließlich schaute er sich den Übersichtsplan der Stationen an und überlegte, wo die beiden jetzt liegen könnten.

Bis auf weiteres musste er sich auf dem Laufenden halten, was den Zustand der Frauen anbelangte.

Dann nahm er den Zettel mit dem Logo des Bowlingclubs zur Hand und las ihn.

Hab heute vorbeigeschaut, war aber keiner da. Gruppenturnier Mittwoch, 19.30 Uhr, ist eine halbe Stunde vorverlegt auf 19.00 Uhr. Denk an die Siegerkugel anschließend! Oder hast du vielleicht schon genug Bowlingkugeln, haha?! Kommt ihr vielleicht alle beide? Noch mal haha. LG, Papst, stand da.

Er sah zur Zimmerdecke, wo seine Frau im oberen Stockwerk lag. Wenn er ein paar Tage wartete, bevor er die Leiche mit zum Bootshaus nahm, könnte er sie alle drei auf einmal loswerden. Noch ein paar Tage ohne Wasser, dann würden die Kinder dort auf jeden Fall von selbst sterben. Tja, so sollte es wohl geschehen. Im Grunde hatten ihre Eltern das doch so entschieden.

So was Idiotisches. So viele Anstrengungen für nichts.

33

Er hatte zwar die nächtliche Unruhe unten im Wohnzimmer gehört, aber dass der Notarzt wieder mal da gewesen war, hatte er nicht mitbekommen.

»Hardy hat etwas Wasser in der Lunge«, erklärte Morten. »Das Atmen fällt ihm schwer.« Er klang besorgt. Seine munteren, dicken Gesichtszüge wirkten irgendwie eingefallen.

»Ist es was Ernstes?«, fragte Carl.

»Der Arzt will, dass Hardy einige Tage zur Beobachtung ins Rigshospital geht, damit sein Herz und so untersucht werden kann. Es besteht auch die Gefahr einer Lungenentzündung. Das ist für einen Mann in Hardys Lage irre gefährlich.«

Carl nickte. Natürlich durften sie kein Risiko eingehen.

Er strich seinem Freund übers Haar.

»Ach Mensch, Hardy, was für ein Mist! Warum habt ihr mich nicht geweckt?«

»Ich hab Morten gesagt, das soll er nicht«, flüsterte Hardy. Er sah traurig aus. »Ihr lasst mich doch wiederkommen, wenn sie mich entlassen, ja?«

»Aber klar, alter Knabe. Ohne dich macht es hier doch gar keinen Spaß mehr.«

Hardy lächelte schwach. »Ich glaub nicht, dass Jesper das auch findet. Er wäre heilfroh, das Wohnzimmer wieder so vorzufinden wie früher, wenn er heute Nachmittag kommt.«

Heute Nachmittag? Das hatte Carl glücklich verdrängt.

»Na, ich bin jedenfalls nicht da, Carl, wenn du von der Arbeit kommst. Morten fährt mit mir ins Krankenhaus, ich bin also in guten Händen. Wer weiß, vielleicht komme ich ja eines Tages wieder?« Nach Atem ringend, bemühte er sich zu lächeln. »Carl, mir geht die ganze Zeit etwas durch den Kopf«, sagte er.

»Dann schieß los.«

»Kannst du dich an den Fall von Børge Bak erinnern, als sie die Leiche einer Prostituierten unter der Langebro-Brücke fanden? Sie war ertrunken. Auf den ersten Blick sah es aus wie ein Unfall, vielleicht sogar Selbstmord, aber das war es nicht.«

Carl erinnerte sich sehr genau daran. Eine Schwarze. Kaum älter als achtzehn. Sie war vollständig nackt – bis auf einen Ring um das eine Fußgelenk, geflochten aus Kupferdrähten. Nichts, was einem sonderlich auffiel, denn solche Ringe trugen viele afrikanische Frauen. Dasselbe galt für die vielen Einstiche an den Armen. Typisch für Prostitution und Drogen, und nicht besonders ungewöhnlich für afrikanische Mädchen in Vesterbro.

»Ihr Zuhälter hat sie umgebracht, war das nicht so?«, fragte Carl.

»Nein, die ist von denen umgebracht worden, die sie an den Zuhälter verkauft hatten.«

Genau, jetzt entsann er sich wieder.

»Die Geschichte erinnert mich an eure Fälle mit den verkohlten Leichen.«

»Aha. Du denkst dabei an den Kupferring am Fußgelenk?«

»Genau.« Er kniff zweimal die Augen zusammen, das Signal für ein Nicken. »Das Mädchen wollte nicht mehr auf den Strich gehen. Sie wollte nach Hause, hatte aber noch nicht genug Geld verdient, deshalb kam das nicht in Frage.«

»Und deshalb wurde sie umgebracht.«

»Ja. Diese afrikanischen Mädchen glauben an Voodoo, aber dieses Mädchen nicht. Deshalb war das System bedroht. Und deshalb musste sie verschwinden.«

»Den Ring haben sie also dazu benutzt, um die anderen Prostituierten daran zu erinnern, dass man sich nicht ungestraft auflehnt, weder gegen seinen Boss noch gegen Voodoo.«

Wieder kniff Hardy die Augen zweimal zusammen. »Ja. Jemand hatte Haare und Federn und allen möglichen Krimskrams in den Ring geflochten. Die anderen afrikanischen Mädchen verstanden die Botschaft sofort, alle.«

Carl wischte sich den Mund ab. Ganz klar, Hardy hatte da mal wieder einen guten Riecher bewiesen.

Jacobsen wandte Carl den Rücken zu und sah hinunter auf die Straße. Das tat er oft, wenn er sich konzentrierte. »Hardy meint also, dass die Brandopfer Geldeintreiber waren, die die fälligen Zinsen und Tilgungsraten von den fraglichen Firmen kassieren mussten, dies aber offenbar nicht nachdrücklich genug taten. Und weil die Gelder nicht so reinkamen, wie sie sollten, hat man sie umgebracht?«

»Ja. Das Kartell hat an denen Exempel statuiert – für die übrigen Geldeintreiber. Und die Firmen, die sich Geld geliehen hatten, konnten sich mithilfe der ausgeschütteten Versicherungssumme bei ihren Kreditgebern von den Schulden freikaufen. Zwei Fliegen mit einer Klappe.«

»Falls diese Serben die Versicherungssummen einziehen, müsste es also eine oder zwei Firmen geben, die kein Geld für den Wiederaufbau haben«, resümierte Jacobsen.

»Ja.«

Der Chef der Mordkommission nickte. Gut möglich, dass es so einfach war. Und so bestialisch. Aber die ost- und südosteuropäischen Banden waren ja auch nicht gerade für Weichherzigkeit bekannt.

»Weißt du was, Carl? Ich glaube, mit dieser Theorie machen wir erst mal weiter.« Er nickte. »Ich setze mich sofort mit Interpol in Verbindung. Die sollen uns helfen, ein paar Antworten aus den Serben herauszubekommen. Bedanke dich doch bitte in meinem Namen bei Hardy. Wie geht es ihm übrigens? Hat er sich bei dir eingelebt?«

Carl überlegte. Eingelebt? Das war wohl zu viel gesagt.

»Ach ja, übrigens. Noch ein kleiner Tipp.« Marcus Jacobsen hielt ihn an der Tür auf. »Die Gewerbeaufsicht schaut heute bei euch unten vorbei.«

»Na so was. Und woher weißt du das? Ich hab immer geglaubt, die wollen einen mit ihrem Besuch überraschen.«

Der Chef lächelte. »Ja, aber sind wir nicht die Polizei? Wir *wissen* so was.«

»Yrsa, du musst heute oben im zweiten Stock sitzen, klar?«

Anscheinend hörte sie das nicht. »Ich wollte mich für den Zettel bedanken, den du gestern bei uns hinterlassen hast. Also von Rose«, sagte sie.

»Ah ja. Und was hat sie geantwortet? Kommt sie bald zurück?«

»Dazu hat sie sich nicht geäußert.«

Deutlicher konnte es wohl nicht gesagt werden.

Aber er war noch nicht fertig mit Yrsa.

»Wo ist Assad?«, fragte er.

»Er sitzt in seinem Büro und ruft ehemalige Sektenmitglieder an. Ich übernehme derweil die Selbsthilfegruppen und Vereine.«

»Gibt es viele davon?«

»Nein, ich bin bald durch. Und danach helfe ich Assad bei seinen Aussteigern.«

»Gute Idee. Wie findet ihr die?«

»Über alte Pressemeldungen. Es gibt genug.«

»Wenn du in den zweiten Stock übersiedelst, nimm Assad mit, ja? Die Gewerbeaufsicht steht demnächst vor der Tür.«

»Wer?«

»Die Gewerbeaufsicht. Die mit dem Asbest.«

An ihrer Anzeigentafel leuchtete nichts auf.

»Hallo!« Er schnipste mit den Fingern. »Bist du wach?«

»Selbst hallo. Und jetzt erklär mir endlich, wovon du sprichst. Asbest? Kann das nicht Rose gewesen sein?«

War das Rose gewesen?

Herr im Himmel, bald wusste er selbst nicht mehr, wer er war.

Carl überlegte gerade, ob er einen Stuhl in die Zimmermitte schieben sollte, um endlich die Fliege an ihrem Lieblingsplatz unter der Decke zu erwischen, als Tryggve Holt anrief.

»Waren Sie mit der Phantomzeichnung zufrieden?«, fragte Tryggve.

»Ja. Und Sie?«

»Durchaus. Aber ich rufe an, weil mich die ganze Zeit ein dänischer Polizeibeamter anruft. Pasgård heißt er. Ich hab ihm erzählt, was ich weiß. Würden Sie jetzt bitte so freundlich sein, ihm zu sagen, er ginge mir mächtig auf die Nerven und möge mich in Ruhe lassen?«

Mit dem größten Vergnügen, dachte Carl.

»Natürlich, ich werde dafür sorgen, dass das aufhört. Aber wäre es okay, wenn ich Ihnen zuerst ein paar Fragen stelle, Tryggve?«

Der Mann klang nicht begeistert, aber er sagte auch nicht Nein.

»Wir glauben nicht an die Windräder, Tryggve. Können Sie das Geräusch vielleicht etwas genauer beschreiben?«

»Hm, wie soll ich das beschreiben?«

»Wie tief war der Ton?«

»Das weiß ich wirklich nicht.«

Carl gab einen Brummton von sich. »War er so tief?«

»Ja, könnte sein, so ungefähr.«

»Aber das war ja nicht sonderlich tief.«

»Na, dann war er's eben nicht. Ich würde ihn jedenfalls tief nennen.«

»Klang er metallisch?«

»Wie, metallisch?«

»War das ein weicher Ton, oder hatte er eher was Hartes?«

»Keine Ahnung. Eher hart, glaube ich.«

»Also vielleicht wie ein Motor?«

»Ja, vielleicht. Aber ununterbrochen, tagelang.«

»Und bei dem Unwetter wurde er nicht schwächer?«

»Doch, ein bisschen, aber nicht viel. Das hab ich diesem Pasgård doch alles schon erzählt. Jedenfalls das meiste. Können Sie nicht mit ihm reden? Ich ertrage es einfach nicht, immer wieder an diese Geschichte erinnert zu werden.«

Dann wende dich an einen Psychologen, dachte Carl und sagte: »Das verstehe ich gut, Tryggve.«

»Aber ich hab auch noch aus einem anderen Grund angerufen. Mein Vater ist in Dänemark.«

»Aha?« Carl zog seinen Notizblock heran. »Wo?«

»Er ist zu einer Besprechung im Landesbüro der Zeugen Jehovas in Holbæk. Hat irgendwas damit zu tun, dass er woandershin entsandt werden will. Ich glaube, er hat Angst wegen Ihnen. Er hält es einfach nicht aus, dass in der alten Geschichte rumgestochert wird.«

Darin seid ihr euch ja einig, mein Freund, dachte Carl. »Aha? Und was können die Zeugen Jehovas in Dänemark da ausrichten?«, fragte er.

»Was die ausrichten können? Die könnten ihn doch zum Beispiel nach Grönland entsenden oder auf die Färöer.«

Carl runzelte die Stirn. »Woher wissen Sie das eigentlich, Tryggve? Reden Sie wieder mit Ihrem Vater?«

»Nein. Henrik, mein kleiner Bruder, hat es mir verraten. Und das erzählen Sie bitte nicht weiter, okay? Sonst hat er es demnächst echt schwer.«

Nach dem Telefonat saß Carl ganz still da und sah auf die Uhr. In einer Stunde und zwanzig Minuten sollte Mona mit diesem tiefbohrenden Superpsychologen aufkreuzen. Warum wollte sie, dass er sich dem aussetzte? Rechnete sie etwa damit, dass er urplötzlich quietschvergnügt aufspringen und rufen würde, Halleluja, es verursacht mir keine Schweißausbrüche mehr, dass mein alter Kollege vor meinen Augen erschossen wurde, während ich keinen Finger gekrümmt hab?

Er schüttelte den Kopf. Wäre es nicht Mona, dann würde er schon dafür sorgen, dass diesem Seelenklempner die Fragelust verging.

Es klopfte vorsichtig an der Tür. Laursen stand mit einer kleinen Plastiktüte davor.

»Zedernholz«, sagte er nur und warf die Tüte mit dem Splitter aus dem Flaschenbrief auf den Schreibtisch. »Du musst nach einem Bootshaus aus Zedernholz suchen. Wie viele Bootshäuser in Nordseeland sind in den Jahren vor der Entführung aus diesem Holz gebaut worden? Nicht viele, das kann ich dir verraten, denn damals hat man druckimprägniertes Holz benutzt. Das war noch, ehe die Baumärkte wie Pilze aus dem Boden schossen und Herrn und Frau Dänemark einredeten, das sei nicht mehr fein genug.«

Carl blickte auf den Splitter. Zeder?

»Wer sagt, dass das Bootshaus aus demselben Material gemacht sein muss, wie der Splitter, mit dem Poul Holt geschrieben hat?«

»Niemand. Aber die Möglichkeit ist gegeben. Ich finde, du solltest mit den Holzhändlern der Gegend reden.«

»Hervorragende Arbeit, Tomas, ehrlich. Aber das Haus kann doch locker zwei, drei Generationen alt sein. Und in Dänemark müssen Abrechnungen nur fünf Jahre aufbewahrt werden. Kein Baumarkt und kein Holzhändler wird dir sagen können, wer vor etwa zehn Jahren eine nicht unbeträchtliche Menge Zedernholz gekauft hat, und schon gar nicht vor zwanzig Jahren. So was klappt nur im Film. In der Realität kommt das einfach nicht vor.«

»Dann hätte ich mir das ja sparen können«, lächelte Laursen. Als wüsste der gerissene Hund nicht genau, wie diese Information nun unkontrolliert im Schädel seines ehemaligen Kollegen herumrollte und munter Fragen produzierte: Wie konnten sie diese Information nutzen? Wie mussten sie dabei vorgehen?

»Im Übrigen kann ich dir noch erzählen, dass die da oben im Dezernat A ordentlich am Rotieren sind«, fuhr Laursen fort.

»Wie?«

»Die haben es geschafft, dass der Besitzer einer der brandgeschädigten Firmen zusammengebrochen ist. Er sitzt da oben im Vernehmungsraum und macht sich vor Angst in die Hose. Er fürchtet, dass die Typen, bei denen er sich Geld geliehen hat, ihn jetzt umlegen.«

Carl brauchte einen Moment, um die Information zu verarbeiten. »Ich glaube, dazu hat er auch allen Grund.«

»Ah ja. Carl, du wirst jetzt übrigens einige Tage nichts von mir hören. Ich mache eine Fortbildung.«

»Sollst du jetzt vielleicht lernen, wie man für Heime kocht?« An der Stelle lachte er womöglich etwas zu laut.

»Ja. Wie hast du das erraten?«

Jetzt sah Carl Laursens Blick, einen Blick, der ihm früher schon aufgefallen war. Draußen an den Tatorten, wo die Leichen gefunden wurden und die weißen Overalls in der Mehrheit waren.

Dieser schmerzerfüllte Blick, den Laursen eigentlich hinter sich gelassen haben müsste, war wieder da.

»Was ist los, Tomas? Haben sie dich gefeuert?«

Er nickte. »Nicht wie du denkst. Aber die Kantine schafft es nicht. Hier drinnen arbeiten achthundert Menschen, aber die haben keine Lust, oben bei uns zu essen. Deshalb soll die Kantine geschlossen werden.«

Carl runzelte die Stirn. Er selbst hatte nicht zu jener Elite gehört, die nach langjährigem loyalem Kantinenbesuch mit einer extra Scheibe Zitrone zum Fischfilet belohnt wurde, aber trotzdem. Wenn sie das Ding da oben dichtmachten, das Kasino, das Personalrestaurant, die Kantine, den Fresstempel oder wie auch immer sie diesen Haufen Esstische und Dachschrägen, an denen man sich den Kopf stieß, zu nennen beliebten, dann sah es schlecht aus.

»Der Laden macht dicht?«

»Ja. Aber da die Polizeipräsidentin verlangt, es müsse eine Kantine geben, wird der Betrieb jetzt outgesourct. Lone und alle anderen, darunter auch ich, sollen Brote schmieren, bis uns irgendein Kerl im Namen des Liberalismus dazu zwingt, arbeitslos zu werden oder von morgens bis abends Salat zu schneiden.«

»Und da haust du lieber gleich ab?«

Laursen rang seinen gezeichneten Gesichtszügen ein Lächeln ab. »Abhauen? Ach, verdammt, nein. Man hat mir eine Fortbildung bewilligt, sodass ich anschließend berechtigt bin, mich um die Leitung des Betriebs zu bewerben. Zum Teufel mit dem Mist.«

Carl begleitete Tomas Laursen ein Stück die Treppe hinauf. Im zweiten Stock fand er Yrsa in lebhaftem Palaver mit Lis. Wer geiler sei, George Clooney oder Johnny Depp. Wer auch immer die sein mochten.

»Hier wird ja echt geschuftet«, bemerkte er angesäuert. Pasgård eilte gerade von der Kaffeemaschine zu seinem Büro.

»Danke für die Arbeit, die du geleistet hast, Pasgård«, sagte er. »Hiermit bist du von dem Fall entbunden.«

Der Typ sah ihn misstrauisch an. Er ging wohl automatisch davon aus, dass alle anderen genauso viele faule Tricks ausbrüteten wie er selbst.

»Nur noch eine Aufgabe, Pasgård, dann kannst du mit Jørgen weiter durch Sundby ziehen und Türklingeln stimmen. Sei doch bitte so nett und sorge dafür, dass Poul Holts Vater zur Vernehmung ins Präsidium gebracht wird. Martin Holt soll sich zurzeit im Landesbüro der Zeugen Jehovas in Holbæk aufhalten. Stenhusvej 28, falls du das nicht wissen solltest.« Er sah auf die Uhr. »Mir würde es gut passen, ihn in genau zwei Stunden hier zu haben. Er wird sicher protestieren, aber schließlich handelt es sich trotz allem um einen Mordfall, bei dem er Kronzeuge ist.«

Carl machte auf dem Absatz kehrt. Er konnte die Proteste der Polizei in Holbæk schon hören. Allmächtiger! Ins Allerheiligste der Zeugen Jehovas hineinplatzen! Aber Martin Holt würde schon freiwillig mitkommen. Von zwei Übeln war das schlimmere mit Sicherheit, seine Lügen über die Verstoßung des eigenen Sohns vor seinen Glaubensbrüdern und -schwestern einräumen zu müssen. Die Welt außerhalb der Sekte angelogen zu haben, war eine Sache. Etwas ganz anderes war es, die Eingeweihten hintergangen zu haben.

Seinen syrischen Assistenten fand Carl an einem Schreibtisch auf dem Flur vor Jacobsens Büro. Irgendein alter Computer, den man schon vor Jahren ins Depot verbannt hatte, brummte vor ihm auf dem Tisch. Im Gegenzug hatten sie ihm aber ein verhältnismäßig neues Handy zur Verfügung gestellt. Wirklich prima Arbeitsbedingungen.

»Bist du fündig geworden, Assad?«

Der hob abwehrend die Hand. Erst mal schnell fertig aufschreiben. Bloß den Gedanken noch notieren, ehe er sich wieder verflüchtigte. Das kannte Carl nur zu gut von sich selbst.

»Das ist schon komisch, Carl. Wenn ich mit Leuten rede, die aus einer Sekte ausgestiegen sind, dann meinen die gleich, ich will sie für eine neue anwerben. Glaubst du, mit meinem Akzent stimmt was nicht?«

»Hast du einen Akzent, Assad? Ist mir noch gar nicht aufgefallen.«

Assad sah auf und hatte dieses Funkeln in den Augen. »Ach Carl, du machst dich über mich lustig.« Warnend streckte er den Zeigefinger in die Höhe. »Aber mich nimmt man nicht so leicht hoch.«

»Also gibt es überhaupt nichts, was uns weiterbringt«, resümierte Carl und nickte. Assads Schuld war das jedenfalls nicht. »Na ja, vielleicht liegt das einfach daran, dass es nichts zu finden gibt. Vielleicht war es ja tatsächlich nur eine Einzeltat, oder?«

Assad lächelte. »Carl, nun nimmst du mich schon wieder hoch. Natürlich hat der Entführer mehr als einmal zugeschlagen. Ich sehe dir doch an, dass du das auch denkst.«

Er hatte recht. Daran konnte wohl kaum ein Zweifel bestehen. Eine Million Kronen war viel Geld, aber so viel dann auch wieder nicht. Jedenfalls nicht, wenn man einzig und allein davon lebte. Da lag es doch nahe, dass man mit der Geschäftsidee in Serie ging.

»Mach du einfach weiter, Assad. Im Moment gibt es sowieso nichts anderes zu tun.«

Als Carl zur Empfangstheke kam, waren Lis und Yrsa noch immer in ihr chauvinistisches Gequatsche vertieft, wie richtige Männer auszusehen hatten. Diskret klopfte er mit dem Knöchel auf die Tischplatte.

»Da Assad beim Durchtelefonieren der Sektenaussteiger eine Solonummer dreht, hab ich eine neue Aufgabe für dich, Yrsa. Und wenn der Brocken zu groß ist, dann hilfst du doch sicher, Lis, oder?«

»Das musst du nicht, Lis«, kam es muffig aus Frau Sørensens Ecke. »Herr Mørck gehört zu einem anderen Dezernat. Davon, dass du ihm zur Hand gehen sollst, steht nichts in deiner Arbeitsplatzbeschreibung.«

»Das kommt darauf an ...«, entgegnete Lis und sah Carl mit einem dieser Blicke an, die sie offenbar auf der heißen USA-Reise mit ihrem Mann perfektioniert hatte. Den Blick hätte Mona mal sehen sollen. Dann würde sie vielleicht ein bisschen mehr um ihren neuen Fang kämpfen.

Aus purem Selbstschutz heftete er seine Augen auf Yrsas rote Lippen.

»Yrsa. Du überprüfst bitte, ob du das Bootshaus auf Luftaufnahmen des Katasteramtes finden kannst. Schau dir alle Luftbilder für die Grundstücksvermessung in den Kommunen Frederikssund, Halsnæs, Roskilde und Lejre an. Und die Strandflächen um den gesamten Hornsherred. Du findest sie bestimmt auf den Websites der Kommunen, sonst bitte sie, dir die Aufnahmen zu mailen. Und wenn du schon mal dabei bist, bitte sie auch um Karten, auf denen sämtliche Windkrafträder der Region verzeichnet sind.«

»Ich dachte, wir seien uns einig, dass sie wegen des Sturms stillgestanden haben.«

»Korrekt, aber überprüft werden müssen sie trotzdem.«

»Na, diesen Kleinmist schafft sie allein«, sagte Lis. »Und was hast du für mich Schönes?« Ihr Blick traf ihn direkt im Unterleib. Was zum Teufel sollte er auf diese doppeldeutige Frage antworten? In aller Öffentlichkeit?

»Äh. Du könntest vielleicht bei den Bauämtern der Kommunen anfragen, ob sie der Errichtung von Bootshäusern an der Küste in der Zeit vor 1996 zugestimmt haben, und wenn ja, wo.«

Lis wiegte sich in den Hüften. »Sonst nichts? Na, das ist ja schnell gemacht.« Dann wandte sie ihm ihr außerordentlich attraktives Jeanshinterteil zu und stolzierte zum Telefon.

Sie war wirklich schwer zu schlagen.

34

Die Provinz Helmand war Kenneths höchstpersönliche Hölle. Der Wüstenstaub sein Albtraum. Einmal im Irak und zweimal in Afghanistan. Das war mehr als genug.

Jeden Tag schickten ihm seine Kameraden Mails. Darin stand viel von Kameradschaft und was für eine super Zeit man habe, aber kein Wort davon, was wirklich los war. Jeder wollte einfach überleben. Darauf lief alles hinaus.

Deshalb war es für ihn vorbei, das spürte er. Ein Schrotthaufen an einer Straße. Ein falscher Ort im Dunkeln. Ein falscher Ort am helllichten Tag. Es gab doch Bomben. Das Auge am Zielfernrohr. Glück war kein Begleiter, mit dem zu rechnen war.

Und deshalb saß er nun hier in seinem kleinen Haus in Roskilde und bemühte sich, seine Sinne zu betäuben, zu vergessen und einfach weiterzumachen.

Er hatte getötet, aber das hatte er niemandem gesagt. Es war nur ein schneller Treffer gewesen. Nicht einmal seine Kameraden hatten es gesehen. Eine Leiche, weit weg von all den anderen, das war seine Leiche. Genau in die Luftröhre getroffen und ziemlich jung. Bei ihm war das furchteinflößende Kennzeichen der Taliban-Krieger nur ein bisschen Flaum an Kinn und Wangen.

Nein, das hatte er niemandem gesagt, nicht einmal Mia.

Wenn man atemlos vor Verliebtheit ist, fällt einem so etwas nicht als Erstes ein.

Als er Mia zum ersten Mal sah, war ihm klar, dass sie ihn dazu bringen könnte, bedingungslos zu kapitulieren.

Sie hatte ihm tief in die Augen geschaut, als er ihre Hand

nahm. Schon da war es um ihn geschehen gewesen, und er hatte sich ihr vollkommen ergeben. Tief verborgene Sehnsüchte und Hoffnungen waren plötzlich ans Licht gekommen. Und sie hatten sich mit allen Sinnen zugehört und wussten, das konnte nicht das letzte Mal gewesen sein.

Sie hatte gezittert, als sie ihm erzählte, wann sie ihren Mann zurückerwartete. Auch sie war bereit, ein neues Leben anzufangen.

Am Samstag hatten sie sich zum letzten Mal gesehen. Er war spontan vorbeigekommen. Mit der Zeitung unterm Arm, wie sie es abgesprochen hatten.

Sie war allein, wirkte aber trotzdem aufgelöst, ließ ihn nur ungern eintreten und wollte ihm nicht sagen, was passiert war. Offenbar wusste sie auch noch nicht, was der Tag bringen würde.

Hätten sie wenige Sekunden mehr Zeit gehabt, dann hätte er sie gebeten, mit ihm zu kommen. Das Nötigste zu packen, Benjamin auf den Arm zu nehmen und wegzugehen.

Sie hätte Ja gesagt, wenn ihr Mann nicht in dem Augenblick in die Einfahrt gefahren wäre, davon war er überzeugt. Und zu Hause bei ihm hätten sie Zeit gehabt, gemeinsam all die Knoten in ihren verkorksten Leben zu lösen.

Stattdessen hatte er Hals über Kopf verschwinden müssen. Durch die Hintertür. Wie ein scheuer Hund war er im Dunkeln verschwunden. Ohne sein Fahrrad.

Seither hatte ihn der Gedanke daran nicht eine Sekunde losgelassen.

Inzwischen waren drei Tage vergangen. Jetzt war Dienstag, und seit der unangenehmen Überraschung vom Samstag war er mehrfach beim Haus gewesen. Er hätte ohne weiteres Mias Mann begegnen können. Aus heiterem Himmel hätten Unannehmlichkeiten entstehen können. Aber er hatte keine Angst mehr vor anderen Menschen, nur Angst vor sich selbst. Denn was würde er mit dem Mann anstellen, wenn sich zeigte, dass er Mia etwas zuleide getan hatte?

Aber als er hinging, war das Haus leer, ebenso wie das Mal darauf. Und trotzdem zog ihn die ganze Zeit etwas dorthin. Eine Ahnung erwachte in ihm und wurde immer stärker. Wie dieser Instinkt, der ihn gewarnt hatte, als einer seiner Freunde auf eine Gasse zusteuerte, in der wenige Sekunden später zehn der Ortsansässigen getötet wurden. Er hatte einfach gewusst, dass sie nicht in diese Straße hineingehen durften, genau wie er jetzt wusste, dass sich in diesem Haus Geheimnisse verbargen, die nie ans Licht kämen, wenn er nicht nachhalf.

Deshalb stand er vor der Haustür und rief ihren Namen. Wären sie in Urlaub gefahren, hätte sie ihm davon erzählt. Wäre sie nicht mehr an ihm interessiert gewesen, hätten ihre Augen nicht so geglänzt und wären ihm ausgewichen.

Nein, sie war an ihm interessiert, und nun war sie verschwunden. Sie ging nicht einmal ans Handy. In den ersten Stunden glaubte er, sie wagte nicht, abzunehmen, weil sich ihr Mann in der Nähe aufhielt. Dann redete er sich ein, der Mann habe ihr das Handy weggenommen und wüsste, wer er war.

Soll er doch kommen, wenn er weiß, wo ich wohne, sagte er zu sich. Das würde ein ungleicher Kampf.

Dann war der gestrige Tag gekommen, und da beschlich ihn zum ersten Mal das Gefühl, die Antwort könnte ganz anders lauten.

Denn ihn hatte ein Laut überrascht, und der Soldat in ihm hatte gelernt, auf überraschende Laute zu reagieren. Töne mochten noch so schwach sein, manchmal signalisierten sie, dass binnen Sekunden alles anders aussehen konnte. Töne konnten Tod bedeuten, wenn man sie nicht beachtete.

Einen solchen Ton hörte er, als er vor ihrem Haus stand und ihr Handy anrief.

Das Handy, das hinter dem Mauerwerk schwächer als schwach klingelte.

Da hatte er sein Handy zugeklappt und gelauscht. Jetzt war nichts mehr zu hören.

Er hatte noch einmal Mias Nummer eingegeben und einen Moment gewartet. Da kam der Ton wieder. Ihr Handy, das er eben gerade angerufen hatte, lag irgendwo hinter diesen geschlossenen Dachfenstern und klingelte.

Er hatte einen Augenblick dort gestanden und überlegt.

Natürlich war es möglich, dass sie es absichtlich zurückgelassen hatte. Aber das glaubte er nicht.

Sie nannte es ihre Rettungsleine zum Rest der Welt, und eine solche Rettungsleine kappte man nicht ohne weiteres.

Das wusste er aus eigener Erfahrung.

Seither war er noch einmal da gewesen und hatte das Handy dort oben hinter dem Velux-Fenster über der Haustür gehört. Nichts Neues. Warum dann dieser hartnäckige Verdacht, dass etwas nicht stimmte?

War das der Soldat in ihm, der Gefahr witterte? Oder war es nur die Verliebtheit, die ihn blind machte für die Möglichkeit, er könnte in ihrem Leben bereits ein abgeschlossenes Kapitel sein?

Trotz aller Fragen und aller denkbaren Antworten ließ ihn dieses Gefühl auch weiterhin nicht los.

Im Haus gegenüber saßen zwei alte Menschen hinter den Gardinen und beobachteten ihn. Sobald er Mias Namen rief, waren sie da. Vielleicht sollte er sie fragen, ob sie etwas gesehen hatten?

Es dauerte, ehe sie öffneten, und sie waren offensichtlich nicht erfreut, ihn zu sehen.

Ob er die Familie auf der anderen Seite nicht endlich in Ruhe lassen könnte, fragte die Frau.

Er versuchte zu lächeln und zeigte ihnen dann, wie sehr seine Hände zitterten. Zeigte, wie viel Angst er hatte und wie sehr er sich Hilfe wünschte.

Sie sagten, der Mann sei in den letzten Tagen mehrmals

zu Hause gewesen. Auf jeden Fall habe sein Mercedes dort gestanden, aber die Frau und das Kind hätten sie schon einige Tage nicht mehr gesehen.

Er dankte ihnen, bat sie, ein bisschen darauf zu achten, was passierte, und gab ihnen seine Telefonnummer.

Als die Tür hinter ihm ins Schloss fiel, wusste er, dass sie nicht anrufen würden. Schließlich war das nicht seine Frau.

Ein letztes Mal gab er ihre Nummer ein, und ein letztes Mal klingelte es oben in dem Zimmer.

Mia, wo bist du?, dachte er, zunehmend beunruhigt.

Ab morgen wollte er mehrfach täglich am Haus vorbeigehen.

Falls nichts passierte, das ihn wieder beruhigte, wollte er die Polizei informieren.

Nicht, weil er etwas Konkretes in der Hand gehabt hätte.

Aber was konnte er sonst tun?

35

Federnder Gang. Ein maskulines Gesicht mit Falten an den richtigen Stellen. Offenkundig teure Garderobe.

Neben dieser genialen Kombination fühlte sich Carl wie etwas, das die Katze ins Haus geschleppt hatte.

»Also, das ist Kris«, stellte Mona den Mann vor und erwiderte Carls Andeutung einer Umarmung etwas zu knapp.

»Kris und ich waren zusammen in Darfur. Kris ist Spezialist für Kriegstraumata und arbeitet viel für Ärzte ohne Grenzen, nicht wahr, Kris?«

Sie sagte »wir waren zusammen in Darfur«. Nicht »wir haben zusammen in Darfur gearbeitet«. Um zu verstehen, was das hieß, musste man kein verdammter Psychologe sein. Er hasste den parfumstinkenden Lackaffen schon jetzt.

»Ich bin einigermaßen gut über den Fall informiert«, sagte Kris und zeigte etwas zu regelmäßige, etwas zu weiße Zähne. »Mona hat sich bei ihren Vorgesetzten rückversichert, dass sie mich unterrichten durfte.«

Bei ihren Vorgesetzten rückversichert, was für ein Scheiß ist das denn?, dachte Carl. Wie wär's, mich zu fragen?

»Ist das für Sie auch okay?«

Na, das kam jetzt ein bisschen spät. Er sah zu Mona, die Kris' Worte mit einem entzückenden Lächeln herunterspielte. Also echt!

»Ja, natürlich«, antwortete er. »Ich hab volles Vertrauen, dass Mona tut, was für alle das Beste ist.«

Er lächelte den Mann an und Mona bemerkte es. Gutes Timing.

»Man hat mir dreißig Stunden bewilligt, um Sie wieder in

die Spur zu bringen. Ich hab Ihren Chef so verstanden, dass Sie Gold wert sind.« Er lachte leicht. Also bekam er sicher zu viel für die Stunde.

»Dreißig Stunden, sagen Sie?« Sollte er mit diesem Großmaul alles in allem mehr als zwei volle Tage zusammenhocken? Hatte der nicht alle Latten am Zaun?

»Na, wir müssen natürlich erst mal sehen, wie hart es Sie getroffen hat. Aber dreißig Stunden sind in den meisten Fällen reichlich genug.«

»Ach ja?«

Das darf doch alles nicht wahr sein, dachte Carl.

Sie setzten sich vor ihn. Mona mit ihrem wunderbaren Lächeln.

»Wenn Sie an Anker Høyer, Hardy Henningsen und sich selbst dort draußen in dieser Baracke auf Amager denken, wo Sie angeschossen wurden, welches Gefühl überkommt Sie dann als Erstes?«

Carl lief es eiskalt über den Rücken. Was er fühlte?

Trance. Slow Motion. Arme, die wie gelähmt waren.

»Dass es lange her ist«, sagte er.

Dieser Kris nickte und zeigte, wie er sich seine Lachfalten zugelegt hatte. »Immer bereit zu blitzschnellen Paraden, wie? Aber ich bin gewarnt worden. Ich wollte nur sehen, ob's stimmt.«

Was zum Teufel war das denn? Spielten sie jetzt Boxen? Das konnte ja spannend werden.

»Wissen Sie, dass Hardy Henningsens Frau die Scheidung eingereicht hat?«

»Nein. Davon hat Hardy nichts gesagt.«

»Soweit ich weiß, hat sie eine gewisse Schwäche für Sie gezeigt. Aber Sie haben ihre Annäherungen zurückgewiesen. Ich glaube, sie sagte, Sie seien gekommen, um sie zu unterstützen. Das verrät mehr Tiefgang bei Ihnen, als Ihre hartgesottene Fassade glauben machen soll. Was sagen Sie dazu?«

Carl runzelte die Stirn. »Was um Himmels willen hat Minna Henningsen mit dem hier zu tun? Sagen Sie, reden Sie hinter meinem Rücken mit meinen Freunden? Das schätze ich verdammt noch mal gar nicht.«

Der Typ wandte sich an Mona. »Da siehst du's. Genau, wie ich es vorhergesehen habe.« Sie lächelten sich an.

Noch ein falsches Wort und er würde dem Scheißkerl die Zunge drei-, viermal um seinen Hals wickeln. Die würde sich gut machen neben dem Goldkettchen im V-Ausschnitt.

»Jetzt haben Sie Lust, mich zu schlagen, nicht wahr, Carl? Mir eine in die Fresse zu hauen, mich zur Hölle zu schicken, sehe ich.« Er sah Carl so direkt in die Augen, dass ihn das Hellblaue darin beinahe umschloss.

Dann änderte sich sein Blick. Er wurde ernst. »Ganz ruhig, Carl. Ich stehe wirklich auf Ihrer Seite, und es geht Ihnen dreckig, das weiß ich.« Er hob die Hand und bremste ihn. »Und übrigens, wenn Sie sich im Moment fragen, mit wem hier im Raum ich am liebsten vögeln möchte, dann sind Sie das.«

Carl sackte kurz der Unterkiefer ab.

Ganz ruhig, hatte er gesagt. Natürlich beruhigte es ihn ungemein, zu wissen, wo der Kerl stand, aber okay fand er die Situation trotzdem nicht.

Nachdem sie den Therapieablauf festgelegt hatten, verabschiedeten sich die beiden, und Mona legte ihren Kopf so dicht an seinen, dass Carl die Knie weich wurden.

»Wir sehen uns doch heute Abend bei mir, oder? Gegen zehn? Kannst du zu Hause abhauen oder musst du dich um deine Jungs kümmern?«, flüsterte sie.

Vor seinem inneren Auge sah Carl, wie sich Monas nackter Körper vor Jespers aufsässige Visage schob.

Was für eine herrlich unkomplizierte Wahl.

»Ja, dachte ich's mir doch, dass ich hier unten Leute antreffe«, sagte der Aktentaschenträger und streckte Carl eine Hand entgegen, die schon ganz schlaff war von jahrelanger Papierschieberei. »John Studsgaard, Gewerbeaufsicht.«

Hielt ihn der Kerl für dement? Es war kaum eine Woche her, seit er zum letzten Mal hier gewesen war.

»Carl Mørck«, stellte er sich vor. »Vizepolizeikommissar des Sonderdezernats Q. Was verschafft mir die Ehre?«

»Nun, eine Sache ist der Asbest hier unten.« Er deutete den Gang hinunter zu der provisorischen Trennwand. »Eine andere Sache ist die, dass die Räumlichkeiten hier unten nicht als Arbeitsplatz für die Angestellten des Polizeipräsidiums genehmigt sind. Und jetzt sitzen Sie doch wieder hier.«

»Nun hören Sie mir mal zu, Studsgaard. Lassen Sie uns Klartext reden. Seit Sie das letzte Mal hier waren, wurde auf den Straßen zehnmal geschossen. Es gab zwei Tote. Der Haschmarkt ist außer Rand und Band. Der Justizminister hat zweihundert Polizisten abkommandiert, die wir nicht haben. Zweitausend haben ihre Arbeit verloren, die Steuerreform schröpft diejenigen, die eh nichts haben, die Lehrer bekommen Prügel von den Schülern, in Afghanistan sterben junge Kerle, die Leute müssen Bankrott anmelden, die Renten sind nichts mehr wert und die Banken gehen Pleite, wenn sie nicht die Leute übers Ohr hauen. Und derweil saust der Staatsminister rum und sucht sich auf Kosten der Steuerzahler einen neuen Job. Warum zum Teufel kümmern Sie sich dann darum, ob ich hier oder hundert Meter weiter in einem anderen Keller sitze, wo alles Mögliche erlaubt ist? Kann es nicht …«, er holte tief Luft, »… scheißegal sein, wo ich sitze, Hauptsache ich mache meine Arbeit?«

Herr Studsgaard hatte geduldig neben ihm gestanden und sich die Suada angehört. Als Carl fertig war, klappte er seine Aktentasche auf und zog einen Bogen Papier heraus. »Darf ich mich hier hinsetzen?«, fragte er und deutete auf einen der Stühle vor dem Schreibtisch. »Wir kommen ja nicht um einen Bericht herum, den ich schreiben muss«, sagte er trocken.

»Durchaus möglich, dass der Rest des Landes aus der Spur läuft, aber dann ist es doch umso besser, wenn ein paar von uns die Spur halten.«

Carl seufzte. Wo er recht hat, hat er recht, dachte er.

»Okay, Studsgaard. Tut mir leid, dass ich eben ein bisschen laut geworden bin. Ich bin einfach irrsinnig gestresst. Natürlich haben Sie recht.«

Der Bürofritze hob den Kopf und sah ihn an.

»Ich will gerne mit Ihnen zusammenarbeiten. Können Sie mir sagen, was wir tun müssen, um diese Räume hier als Arbeitsplätze genehmigt zu bekommen?«

Der Mann legte den Stift hin. Jetzt kam wohl eine längere Vorlesung darüber, dass das unmöglich sei und dass die Krankenhäuser so viele arbeitsplatzgeschädigte Menschen auf Dauer gar nicht aufnehmen könnten.

»Ganz einfach. Sie bitten Ihren Chef, einen Antrag zu stellen. Dann kommt ein anderer zum Inspizieren und erteilt die Genehmigung.«

Carls Kopf schoss vor. Dieser Mann war wahrhaftig erstaunlich.

»Können Sie mir mit diesem Antrag helfen?«, fragte Carl, ergebener, als er es vorgehabt hatte.

»Ja, da müssen wir noch mal an die Tasche ran«, lächelte Herr Studsgaard und reichte Carl ein Formular.

»Wie lief es mit der Gewerbeaufsicht?«, fragte Assad.

Carl zuckte die Achseln. »Ich hab ihm den Kopf gewaschen, da wurde er ganz zahm.«

Den Kopf gewaschen? Es war deutlich zu sehen, dass diese Formulierung Assad nicht wirklich weiterhalf.

»Und wie sieht's bei dir aus, Assad?«

Der nickte. »Ich hab von Yrsa einen Namen bekommen, den ich angerufen habe. Das war ein Mann, der früher Mitglied bei Kristushuset war. Kennst du Kristushuset?«

Carl schüttelte den Kopf. Keine Ahnung.

»Die sind äußerst sonderbar. Die glauben, dass Jesus mit einem Raumschiff zurück auf die Erde kommt und Leben aus allen möglichen Welten mitbringt, mit dem wir Menschen uns pflanzen sollen.«

»Fortpflanzen. Du meinst bestimmt fortpflanzen.«

Er zuckte die Achseln. »Der Mann hat gesagt, dass Kristushuset letztes Jahr viele Anhänger verloren hat. Dass es eine Menge Ärger gab. Aber von denen, die er kennt, ist niemand verstoßen worden. Er hat allerdings von einem Paar gehört, das noch Mitglied in dieser Sekte ist und sein Kind verstoßen hat. Er meint, das sei fünf bis sechs Jahre her.«

»Und was ist an der Information besonders?«

»Der Junge war erst vierzehn.«

Carl sah seinen Stiefsohn Jesper vor sich. Der hatte auch schon mit vierzehn seine eigenen Ansichten gehabt.

»Okay, das ist bestimmt nicht normal. Aber ich sehe dir an, dass dir noch was anderes im Kopf herumspukt, Assad.«

»Ich weiß nicht, Carl. Ist nur ein Bauchgefühl.« Er klopfte auf sein korpulentes Mittelstück. »Hast du gewusst, dass Verstoßungen bei religiösen Sekten in Dänemark wirklich sehr selten sind? Außer bei den Zeugen Jehovas.«

Carl zuckte die Achseln. Verstoßen werden oder durch Eiseskälte vertrieben, was machte das für einen Unterschied? Er kannte da oben, wo er herkam, jemanden, der in seinem eigenen Elternhaus, einem Mormonen-Haushalt, so willkommen war wie 'ne Horde Grippeviren. War das etwa keine Verstoßung?

»Auf die eine oder andere Weise passiert es doch«, sagte Carl. »Offen nach außen verkündet oder unausgesprochen.«

»Ja, unausgesprochen.« Assad hob einen Zeigefinger in die Höhe. »Kristushuset ist extrem fanatisch, da wird den Leuten mit allem Möglichen gedroht, aber an sich verstoßen sie keinen, hab ich erfahren.«

»Und was heißt das?«

»Es waren Vater und Mutter selbst, die das Kind aus dem Haus gejagt haben, sagt der, mit dem ich geredet habe. Die Eltern wurden dafür von der Gemeinde kritisiert, aber das war denen egal.«

Ihre Augen begegneten sich. Jetzt spürte Carl, wie sich das Bauchgefühl auch bei ihm meldete.

»Hast du die Adresse dieser Leute bekommen?«

»Nur eine alte Adresse, wo die nicht mehr wohnen. Lis untersucht das gerade.«

Um Viertel vor zwei rief einer der wachhabenden Beamten unten bei Carl an. Zwei Polizisten aus Holbæk hätten gerade auf seine Veranlassung hin einen Mann zum Verhör gebracht. Was sollten sie jetzt mit ihm machen? Das war Poul Holts Vater.

»Schickt ihn zu mir runter, aber passt auf, dass er nicht abhaut.«

Fünf Minuten später standen zwei grüne Polizisten, leicht desorientiert, mit dem Mann draußen auf dem Korridor.

»Das war ja nicht leicht zu finden«, sagte der eine in einem Dialekt, über dem mit Großbuchstaben Westjütland geschrieben stand.

Carl nickte ihnen zu und bot Martin Holt mit einer Handbewegung an, sich zu setzen. »Bitte nehmen Sie Platz.«

Er wandte sich an die beiden Polizisten. »In dem kleinen Büro gegenüber sitzt mein Assistent. Der wird euch gern eine Tasse Tee machen, Kaffee würde ich nicht empfehlen. Ich gehe davon aus, dass ihr bleibt, bis ich fertig bin. Dann könnt ihr Martin Holt mit zurücknehmen.«

Weder die Aussicht auf Tee noch auf die Wartezeit schien den beiden sonderlich zu behagen, um es freundlich auszudrücken.

Martin Holt sah anders aus als neulich an der Haustür in

Hallabro. Da war er halsstarrig gewesen, jetzt wirkte er erschüttert.

»Woher wussten Sie, dass ich in Dänemark bin?« Das war das Erste, was er sagte. »Überwachen Sie mich?«

»Martin Holt, ich kann mir vorstellen, was Sie und Ihre Familie in den vergangenen dreizehn Jahren durchgemacht haben. Sie müssen wissen, dass wir hier im Dezernat mit Ihnen, Ihrer Frau und Ihren Kindern großes Mitgefühl haben. Wir wollen Ihnen nichts Böses, davon hatten Sie schon mehr als genug. Aber Sie müssen auch wissen, dass wir keine Mittel und Wege scheuen werden, um den Mörder von Poul zu ergreifen.«

»Poul ist nicht tot. Er ist irgendwo in Amerika.«

Wenn dieser Mann wüsste, wie sehr sein Körper verriet, dass er log, dann hätte er wohl lieber den Mund gehalten. Die Hände, die sich verkrampften. Der Kopf, der unmerklich zurückwich. Die Pause vor dem Wort »Amerika«. Das und vier, fünf andere Sachen fielen Carl auf, der dafür ein unbestechliches Auge hatte nach jahrelanger Arbeit mit jenem Teil der dänischen Bevölkerung, der es mit der Wahrheit nicht so genau nahm.

»Haben Sie je daran gedacht, dass andere Menschen in derselben Situation gewesen sein könnten wie Sie?«, fragte Carl. »Dass Pouls Mörder noch immer auf freiem Fuß ist? Dass er vor und nach Poul gemordet haben kann?«

»Ich sagte doch, dass Poul in Amerika ist. Hätte ich Kontakt zu ihm, würde ich Ihnen sagen, wo er sich aufhält. Kann ich jetzt gehen?«

»Jetzt vergessen wir mal die Welt da draußen. Ich weiß, dass es bei Ihnen Dogmen und Regeln gibt. Aber wenn Sie eine Möglichkeit sähen, mich ein für alle Mal loszuwerden, dann würden Sie die Gelegenheit doch beim Schopf packen, stimmt's?«

»Sie können gern die Beamten dort drüben holen. Hier handelt es sich um ein großes Missverständnis. Ich habe schon in Hallabro versucht, Ihnen das klarzumachen.«

Carl nickte. Der Mann hatte noch immer Angst. Dreizehn Jahre voller Angst hatten ihn gegenüber jedem Versuch abgehärtet, ein Loch in die Glasglocke zu schlagen, unter die er sich mit seiner Familie zurückgezogen hatte.

»Wir haben mit Tryggve gesprochen«, sagte Carl und schob dabei die Phantomzeichnung zu dem Mann hinüber. »Wie Sie sehen, haben wir bereits ein Gesicht des Täters. Ich hätte gern Ihre Darstellung des Falls, vielleicht kann uns das weiterbringen.« Er pflanzte seinen Finger so nachdrücklich auf die Zeichnung, dass Martin Holt erschrocken zusammenzuckte.

»Ich versichere Ihnen eines. Kein Außenstehender weiß, dass wir ihm so dicht auf den Fersen sind. Sie können also ganz beruhigt sein.«

Martin Holt riss sich von der Zeichnung los und sah Carl in die Augen. Seine Stimme zitterte. »Glauben Sie, es wird leicht, der Ältestenschaft der Zeugen Jehovas zu erklären, warum mich die Polizei vor aller Augen aus dem Königreichssaal herausgeholt hat? Glauben Sie nicht, dass auch andere wissen, was los ist? Ihr seid ja nicht unbedingt diskret.«

»Sie hätten mich ja in Schweden ins Haus lassen können, dann wäre das hier nicht nötig gewesen. Ich bin die lange Strecke bis dorthin gefahren, weil ich Hilfe wollte bei der Suche nach Pouls Mörder.«

Martin Holt ließ die Schultern sinken und blickte wieder auf die Zeichnung. »Das ist ziemlich gut getroffen«, sagte er. »Aber seine Augen waren nicht so engstehend. Mehr habe ich Ihnen nicht zu sagen.«

Carl stand auf. »Ich werde Ihnen etwas zeigen, was Sie noch nie gesehen haben.« Er bat ihn, ihm zu folgen.

Aus Assads Raum war Lachen zu hören. Dieses eigentümliche polternde Lachen der Westjütländer, das ursprünglich vermutlich dazu gedient hatte, den Motorenlärm eines Kutters im Sturm zu übertönen. Doch ja, Assad hatte wahrlich das Zeug zu einer Stimmungskanone. Carl brauchte sich also nicht zu beeilen.

»Schauen Sie sich mal an, wie viele unaufgeklärte Fälle wir hier haben«, sagte er, und Martin Holt richtete seinen Blick auf Assads Aktensystem an der Wand. »Jeder dieser Fälle steht für ein schreckliches Verbrechen, und der Kummer, den es mit sich gebracht hat, ist mit Sicherheit nicht kleiner als Ihrer.«

Er sah zu Martin Holt, aber der wirkte vollkommen unbeeindruckt. Diese Fälle waren nicht seine Sache, und die Opfer waren nicht seine Brüder und Schwestern. Kurz gesagt: Alles, was außerhalb des Dunstkreises der Zeugen Jehovas lag, war ihm so fremd, dass es für ihn nicht existierte.

»Wir hätten uns jeden anderen dieser Fälle herausgreifen können, ist Ihnen das bewusst? Aber wir haben uns den Fall Ihres Sohnes vorgenommen. Und ich werde Ihnen zeigen, warum.«

Unwillig ging Poul Holts Vater die letzten Meter mit. Wie ein zum Tode Verurteilter auf dem Weg zum Schafott.

Im Flur deutete Carl auf die riesige Kopie des Flaschenbriefs. »Deshalb«, sagte er und zog sich ein paar Schritte zurück.

Lange stand Martin Holt dort und las den Brief. Seine Augen glitten so langsam über die Zeilen, dass man mitverfolgen konnte, an welcher Stelle er sich gerade befand. Und als er mit Lesen fertig war, begann er von vorn. Da konnte man beobachten, wie eine stattliche Erscheinung langsam in sich zusammensackte. Ein Mensch, der Prinzipien über alles stellte. Aber auch ein Mensch, der versuchte, seine übrigen Kinder zu schützen, und sei es mit Schweigen und Lügen.

Und nun stand er dort und nahm die letzten Worte seines toten Sohns in sich auf. So unbeholfen sie waren, sie gingen ihm unmittelbar zu Herzen. Plötzlich jedenfalls zuckte er zusammen, trat einen Schritt zurück, hob die Hände und stützte sich an der Wand ab. Sonst wäre er umgefallen. Denn hier erklang der Hilfeschrei seines Sohns so laut wie die Posaunen von Jericho – und er hatte ihm nicht helfen können.

Carl ließ Martin Holt eine Weile dort stehen und still weinen. Schließlich trat der Mann vor und legte vorsichtig eine zitternde Hand auf den Brief seines Sohns. Ganz langsam ließ er die Finger über das Papier gleiten, von Wort zu Wort, so hoch, wie er reichen konnte.

Dann sank sein Kopf zur Seite. Der Schmerz von dreizehn Jahren löste sich.

Als Carl ihn wieder in sein Büro gebracht hatte, bat Martin Holt um ein Glas Wasser.

Danach berichtete er, was er wusste.

36

»Nun sind die Truppen wieder vereint!«, brüllte Yrsa auf dem Korridor, eine Sekunde, ehe sie um ein Haar mit Carl zusammenstieß. Ihre Locken standen in alle Himmelsrichtungen ab. Sie schien sich wirklich beeilt zu haben, wieder nach unten in den Keller zu kommen.

»Sagt, dass ihr mich liebt!«, zwitscherte sie und knallte einen Stapel Luftaufnahmen vor Carl auf den Tisch.

»Hast du das Bootshaus gefunden?«, rief Assad aus seinem Besenschrank auf der anderen Flurseite.

»Nein. Ich hab viele Wassergrundstücke mit Häusern gefunden, aber keins direkt mit Bootshaus. Ich hab die Fotos in der Reihenfolge geordnet, in der ich sie näher anschauen würde, wenn ich ihr wäre. Die Häuser, die ich meine, hab ich eingekringelt.«

Carl nahm den Stapel und zählte ihn durch. Das soll doch der Teufel holen, dachte er, fünfzehn Bögen und kein Bootshaus.

Dann überprüfte er die Daten. Die meisten Fotos stammten vom Juni 2005.

»Hallo?«, sagte er. »Diese Fotos sind alle neun Jahre nach dem Mord an Poul Holt aufgenommen worden, Yrsa. In der Zeit kann so ein Bootshaus doch schon zigmal abgerissen worden sein.«

»Zigmal?« Assads Gesicht war ein großes Fragezeichen.

»Das sagt man so, Assad.« Carl holte tief Luft. »Liegen uns ältere Luftaufnahmen als diese hier vor?«

Yrsa blinzelte ein paarmal. Ob er sie auf den Arm nehmen wolle, sollte das wohl ausdrücken.

»Weißt du was, Herr Vizepolizeikommissar«, sagte sie.

»Wenn das Bootshaus in der Zwischenzeit abgerissen worden ist, ist das doch eigentlich ziemlich egal, oder?«

Er schüttelte den Kopf. »Nein, Yrsa, ist es nicht. Es könnte doch sein, dass das Haus dem Mörder immer noch gehört, und dann könnte es doch sein, dass wir ihn dort zu fassen kriegen, oder? Also wieder rauf zu Lis, ältere Fotos auftreiben.«

»Von diesen fünfzehn Ausschnitten?« Sie deutete auf den Stapel.

»Nein, Yrsa, von der gesamten Küstenlinie da oben, und zwar vor 1996. Das ist doch wohl nicht so schwer zu kapieren.«

Sie zupfte an ihren Locken. Als sie kehrtmachte und zurücktrottete, war sie lange nicht mehr so übermütig wie vorher.

»Da ist's ihr schwergefallen, nett zu bleiben«, sagte Assad und wedelte mit der Hand durch die Luft, als hätte er sich an irgendwas verbrannt. »Hast du gesehen, wie sie sich geärgert hat, dass sie nicht selbst an das Datum gedacht hat?«

Carl hörte es summen und beobachtete, wie die Schmeißfliege an der Decke landete. Jetzt ging das wieder los.

»Was soll's, Assad, die kriegt sich wieder ein.«

Assad schüttelte den Kopf. »Na ja, Carl, egal wie hart du dich auf den Zaunpfahl setzt, wenn du aufstehst, tut dir der Arsch weh.«

Carl runzelte die Stirn. Er hatte keinen Schimmer, was das Bild bedeuten sollte.

»Sag mal, Assad«, flüchtete er sich ins Allgemeinere, »kreisen alle deine Redewendungen ums Arschloch?«

Assad lachte. »Ich kenne auch ein paar ohne. Das sind die schlimmsten.«

Okay. Falls man so etwas in Syrien unter Humor verbuchte, konnten seine Lachmuskeln getrost pausieren, wenn er mal das Pech haben sollte, dorthin eingeladen zu werden.

»Und was hat dir Martin Holt beim Verhör erzählt?«

Carl zog seinen Block heran. Da stand nicht viel, aber das wenige war brauchbar.

»Martin Holt ist, anders als ich erwartet hatte, kein unsympathischer Mann«, sagte Carl. »Euer großer Brief da draußen hat ihn auf den Boden geholt.«

»Und auf einmal wollte er über Poul sprechen?«

»Ja. Eine halbe Stunde ohne Unterbrechung, wobei es ihm schwerfiel, seine Stimme unter Kontrolle zu halten.« Carl zog eine Zigarette aus der Brusttasche und drehte und wendete sie eine Weile. »Verdammt, was hatte der Mann für ein Redebedürfnis! Er hat seit Jahren nicht über seinen großen Sohn gesprochen. Das hatte ihn einfach zu sehr geschmerzt.«

»Und was steht da auf deinem Zettel, Carl?«

Carl zündete sich mit Wonne seine Zigarette an und dachte dabei an Jacobsens ungedeckten Nikotinbedarf. Tja, wenn man Pech hatte, wurde man ein so hohes Tier, dass man nicht mal mehr Herr seiner selbst war. So hoch hinaus wollte er mit Sicherheit nicht.

»Martin Holt fand unsere Phantomzeichnung ziemlich treffend. Aber die Augen des Entführers seien zu engstehend und die Haare an den Ohren länger. Und der Schnurrbart schien ihm zu groß.«

»Sollen wir das ändern lassen?«, fragte Assad und wedelte den Rauch weg.

Carl schüttelte den Kopf. Tryggves Beschreibung konnte genauso gut stimmen wie die des Vaters. Jedes Auge nahm anders wahr.

»Das Wichtigste an Martin Holts Aussage war, dass er ganz genau berichten konnte, wo und wie die Geldübergabe stattfand. Das Geld musste in einen Sack gesteckt und aus dem Zug geworfen werden. Der Entführer hat mit einem Stroboskoplicht geblinkt, und …«

»Was ist ein Stroboskoplicht?«

»Was das ist?« Carl seufzte. »Na, so eine Art Blinklicht, wie in den Diskotheken. Das blinkt wie ein Blitz.«

»Ach so!« Assad strahlte. »Und dann sieht es aus, als wenn

man ruckweise herumhüpft, wie in den alten Filmen. Ja, das kenne ich.«

Carl betrachtete seine Zigarette. Schmeckte die nach Sirup, oder was?

»Holt konnte ziemlich genau angeben, wo die Übergabe stattfand«, fuhr er fort. »Und zwar an einer Strecke, wo die Straße ganz nahe an der Eisenbahnlinie von Slagelse nach Sorø verläuft.« Carl nahm seine Karte und zeigte Assad die Stelle. »Genau hier auf dem Stück zwischen Vedbysønder und Lindebjerg Lynge.«

»Gut gewählt«, sagte Assad. »Dicht an der Eisenbahn und nicht so weit bis zur Autobahn, sodass man schnell wegkommt.«

Carl besah sich die Karte genauer. Ja, Assad hatte recht. Die Stelle war perfekt.

»Wie hat es der Kidnapper geschafft, dass Pouls Vater dorthin kam?«, fragte Assad.

Carl nahm die Zigarettenpackung und betrachtete sie forschend. Tatsächlich, da klebte dieser verdammte Sirup dran.

»Martin Holt wurde angewiesen, einen bestimmten Zug von Kopenhagen nach Korsør zu nehmen und auf das Stroboskoplicht zu achten. Er sollte auf der linken Zugseite in einem Abteil der ersten Klasse sitzen und beim Aufblitzen des Lichts den Sack mit dem Geld aus dem Fenster werfen.«

»Und wie hat er erfahren, dass Poul ermordet wurde?«

»Wie? Er bekam per Telefon die Information, wo er die Kinder aufsammeln könne. Aber als er und seine Frau zu der Stelle kamen, lag dort nur Tryggve auf dem Feld. Bewusstlos. Irgendetwas hatte er bekommen, wahrscheinlich Chloroform. Tryggve hat seinen Eltern dann erzählt, dass Poul ermordet worden war und dass sie noch mehr Kinder verlieren würden, wenn sie auch nur das kleinste Wort über die Entführung verlauten ließen. Außer der entsetzlichen Nachricht von Pouls Tod machte Tryggves Schock über das, was er hatte erleben müssen, den stärksten Eindruck auf Martin Holt und seine Frau.«

Assad zog die Schultern bis an die Ohren hoch und schüttelte sich. »Wenn das meine Kinder gewesen wären …« Er zog den Zeigefinger über den Kehlkopf und ließ den Kopf zur Seite fallen.

Carl hatte keinerlei Zweifel, was Assad damit meinte. Dann sah er wieder auf seinen Block. »Ja, am Ende erzählte mir Martin Holt noch etwas, das sich als nützlich erweisen könnte.«

»Und was?«

»Am Autoschlüssel des Entführers hing eine kleine Bowlingkugel mit einer 1 darauf.«

Das Telefon auf Carls Schreibtisch klingelte. Wahrscheinlich Mona, die sich für sein Entgegenkommen bedanken wollte.

»Vizepolizeikommissar Carl Mørck«, polterte Klaes Thomasen am anderen Ende, »ich will dir nur sagen, dass wir das gute Wetter heute Morgen ausgenutzt haben. Meine Frau und ich haben die restliche Route abgetuckert. Soweit wir es beurteilen können, ist vom Wasser aus nichts zu sehen, aber an mehreren Stellen war der Bewuchs bis zum Ufer sehr dicht, uneinsehbar. Diese Stellen haben wir auf der Karte markiert.«

Wieder mal hätten sie ein bisschen vom guten alten Glück brauchen können.

»In welcher Gegend ist die Wahrscheinlichkeit deiner Meinung nach denn am größten?«, fragte Carl und drückte die Zigarette im Aschenbecher aus.

»Tja.« Man konnte hören, wie Thomasen am anderen Ende an seiner Pfeife zog und paffte. Also stand er noch immer auf der Mole. »Wahrscheinlich sollten wir uns auf Østskov unten bei Sønderby sowie auf Bognæs und das Waldgebiet Nordskoven konzentrieren. Da gab es mehrere Stellen, wo die Vegetation bis ins Wasser reichte. Aber, wie gesagt, wir haben nichts gefunden, das mit Sicherheit passt. Nachher rede ich mit dem Revierförster von Nordskoven. Mal abwarten, ob uns das weiterbringt.«

Carl hatte sich die drei Örtlichkeiten notiert und bedankte sich. Versprach, Thomasens alte Kollegen zu grüßen. Die arbeiteten zwar schon seit mehreren Jahren nicht mehr im Präsidium, aber das musste Thomasen ja nicht wissen. Damit war der Austausch an Höflichkeiten abgeschlossen.

»Null«, sagte Carl, als er sich Assad zuwandte. »Nichts Konkretes von Thomasen. Allerdings deutete er an, dass an diesen drei Stellen hier eine Möglichkeit bestehen könnte.« Er zeigte sie Assad auf der Karte. »Wir müssen abwarten, ob Yrsa etwas Brauchbares für uns hat, und das dann abgleichen. Derweil kannst du mit deinen Sachen weitermachen.«

Nach einer halben Stunde erquickender Entspannung mit den Füßen auf dem Tisch holte ihn ein Kitzeln unter der Nase zurück in die harte Wirklichkeit. Verärgert schüttelte Carl den Kopf und schlug die Augen auf. Da erlebte er sich selbst als Gravitationspunkt für ein Geschwader grün-bläulicher Schmeißfliegen. Sie waren offenkundig auf der Suche nach etwas anderem als dem Zuckerkram auf der Zigarettenpackung.

»Scheißfliegen!«, rief er und schlug um sich. Jetzt reichte es ihm endgültig.

Er spähte in seinen Abfallkorb, obwohl es Wochen her war, seit er zuletzt etwas hineingeworfen hatte. Der Abfall lag immer noch da. Aber Organisches, von dem man sich vorstellen könnte, dass es gierige Schmeißfliegen anlockte, war nicht dabei.

Carl ging auf den Korridor, wo eine weitere Fliege unterwegs war. Ob womöglich eine von Assads exotischen Mahlzeiten zum Leben wiedererweckt war? Vielleicht hatte sein Tahin angefangen zu krabbeln? Oder in dem nach Rosenwasser stinkenden Turkish-Delight waren Fliegeneier mitimportiert worden, aus denen es jetzt munter schlüpfte?

»Weißt du, woher diese ganzen Fliegen kommen?«, herrschte er Assad an, noch ehe er dessen Streichholzschachtel von einem Büro betreten hatte.

Der Geruch dort drinnen war durchdringend. Weit entfernt von dem gewöhnlichen Zuckerstandard. Es stank eher so, als habe Assad mit einem Zippo-Feuerzeug gespielt.

Assad hob abwehrend eine Hand. Hoch konzentriert saß er mit dem Telefonhörer am Ohr da. »Ja«, sagte er mehrmals. »Aber wir sind nun mal gezwungen, vorbeizukommen und es uns selbst anzusehen«, fügte er hinzu. Seine Stimme klang jetzt etwas tiefer und er sah auch würdevoller aus als gewöhnlich. Er verabredete eine Zeit und legte dann auf.

»Ich hab gefragt, ob du weißt, woher all diese Fliegen kommen?«, wiederholte Carl und deutete auf ein paar Exemplare, die sich auf einem hübschen Plakat mit Dromedaren und Sanddünen niedergelassen hatten.

»Carl, ich glaub, ich hab eine Familie gefunden.« Assad sah skeptisch aus. Wie einer, der seinen Lottoschein anschaut und feststellt, dass alle Zahlen mit dem Sechser übereinstimmen. Wie einer, der beinahe schmerzlich einsehen muss, dass gerade der Traum seines Lebens in Erfüllung geht.

»Eine was?«

»Eine Familie, die in der Hand unseres Entführers war. Glaube ich.«

»Sind das die von Kristushuset, von denen du erzählt hast?«

Er nickte. »Lis hat sie gefunden. Neue Adresse und neuer Name, aber das sind sie. Sie hat es im Register der Personennummern überprüft. Vier Kinder. Und der Jüngste, Fleming, war vor fünf Jahren vierzehn.«

»Hast du sie direkt gefragt, wo der Junge heute ist?«

»Nein. Das fand ich nicht so schlau.«

»Und was war das eben, als du sagtest, wir müssten vorbeikommen und uns selbst überzeugen?«

»Na, ich hab der Frau nur gesagt, wir kämen vom Finanzamt und würden uns wundern, dass ihr jüngster Sohn offenbar als einziges ihrer Kinder nicht emigriert ist, aber nie eine Steuererklärung eingereicht hat. Dabei sei er doch schon längst achtzehn.«

»Assad, das geht doch nicht. Wir können uns doch nicht für Beamte ausgeben, die wir nicht sind. Woher weißt du das übrigens mit der Steuererklärung?«

»Gar nicht, hab ich mir ausgedacht.« Er tippte sich mit dem Finger auf die Nase.

Carl schüttelte den Kopf – obwohl, die Idee war schon ganz gut. Wenn Menschen nicht gerade ein Verbrechen begangen hatten, gab es nichts, das sie nervöser machte als der Gedanke ans Finanzamt.

»Wohin müssen wir? Und wann?«

»Nach Tølløse, so heißt der Ort. Die Frau sagt, ihr Mann käme um halb fünf nach Hause.«

Carl sah auf die Uhr. »Okay, wir fahren zusammen dorthin. Gute Arbeit, Assad, das war wirklich gut.«

Carl lächelte eine Millisekunde und deutete dann auf die Fliegenzusammenkunft auf dem Plakat. »Assad, raus damit. Hast du hier etwas rumliegen, das diese Biester ihr Zuhause nennen?«

Assad breitete seine kurzen Arme aus. »Keine Ahnung, wo die herkommen.« Seine Gesichtszüge froren für einen Moment ein. »Aber bei der hier«, er deutete auf ein einzelnes Insekt, deutlich kleiner als die Schmeißfliegen, »weiß ich haargenau, wo sie herkommt.« Ein hinfälliges hirnloses Wesen, das noch in derselben Sekunde zwischen Assads braunen Händen zermalmt wurde.

»Hab ich dich!«, triumphierte Assad, während er die Motte am Schreibblock abwischte. »Von denen habe ich dort eine Menge gefunden.« Er deutete auf seinen Gebetsteppich, dessen Todesurteil er im selben Moment von Carls Augen ablas.

»Aber Carl, in dem Teppich sind jetzt kaum noch Motten

drin. Er gehörte meinem Vater, ich mag ihn so gern. Ich hab ihn heute Morgen ausgeklopft, ehe du gekommen bist. Hinter der Tür, da beim Asbest.«

Carl drehte eine Ecke des Teppichs um. Die Rettungsaktion war offenkundig im letzten Augenblick gekommen. Viel mehr als Fransen war nicht übrig.

Eine gedankenvolle Sekunde lang sah Carl die Polizeiarchive dort hinten im Asbestland vor sich. Wenn die Motten erst Geschmack an vergilbtem Papier fanden, dann würde sich der Nachruhm etlicher Verbrecher wohl nicht mehr retten lassen …

»Hast du den Teppich eingesprüht? Ich finde, der stinkt.«

Assad lächelte. »Petroleum. Das ist gut.«

Anscheinend machte ihm der Geruch nichts aus. Vielleicht war das einer der Vorteile, wenn man in einer Gegend aufwuchs, wo im Untergrund Öl sprudelte. Falls das auf Syrien überhaupt zutraf.

Carl schüttelte den Kopf und trat aus der Dunstglocke. In zwei Stunden in Tølløse. Blieb also nur noch das Fliegen-Rätsel zu lösen.

Einen Moment stand er ganz still auf dem Gang. Summte es da nicht hinter dem Rohr an der Decke? Als er nach oben sah, fiel sein Blick auf die Alpha-Fliege mit dem Tipp-Ex-Klecks. Verdammt, die wollte ihn wohl verarschen.

»Was machst du da?«, quäkte Yrsa hinter ihm und zog ihn am Ärmel. »Komm mal mit.«

Sie schob eine Batterie von Fläschchen mit Nagellack, Nagelhautlöser, Nagellackentferner und anderen stark löslichen Substanzen gefährlich nah an die Schreibtischkante.

»Hier hast du deine Luftaufnahmen«, sagte sie. »Aber das ist reine Zeitverschwendung.« Sie zog die Augenbrauen hoch und sah plötzlich aus wie Carls mürrische alte Tante Adda. »Fehlanzeige an der gesamten Küste. Nichts Neues unter der Sonne.«

Da sah Carl, wie eine Schmeißfliege durch die offene Tür in den Raum schwirrte und nun unter der Decke summte.

»Mit den Windrädern ist es dasselbe.« Sie schob eine halb volle Kaffeetasse zur Seite. »Wenn du behauptest, die niederfrequenten Wellen seien in einem Radius von zwanzig Kilometern zu hören, dann nützt uns das hier gar nichts.« Sie deutete auf eine Reihe Kreuze auf der Karte.

Er sah, was sie meinte. Sie befanden sich im Land der Windräder. Es gab viel zu viele davon, als dass sie sich zum Einengen des Suchgebiets eigneten.

Ein kurzer Schatten vor seinen Augen, und die Fliege hatte sich am Rand von Yrsas Kaffeetasse niedergelassen. Der Brummer mit dem Tipp-Ex. Der kam wirklich weit herum.

»Weg mit dir!« Mit langen blutroten Fingernägeln schnipste Yrsa die Fliege in die Tasse, wobei sie unbeeindruckt in die andere Richtung sah. »Lis hat in allen umliegenden Gemeinden angerufen«, fuhr sie fort. »Es hat keine Genehmigungen zur Errichtung von Bootshäusern in den Gegenden gegeben, auf die wir uns konzentrieren. Naturschutzbestimmungen und so was, du weißt schon.«

»Bis in welches Jahr ist Lis bei ihrer Recherche zurückgegangen?« Carl verfolgte das Rückenschwimmen der Fliege in der Kaffeehölle. Wirklich unglaublich, wie Yrsa sein konnte. Und er selbst hatte den Fliegen den ganzen Tag nur dumm hinterhergeglotzt.

»Bis zum Zusammenschluss der Gemeinde 1974.«

1974! Das lag ja eine Generation zurück! Nach Zedernholz-Lieferanten brauchte er da gar nicht erst zu suchen.

Etwas wehmütig verfolgte er den Todeskampf der Fliege. Damit wäre das Problem also gelöst.

Da haute Yrsa mit der flachen Hand auf eine der Luftaufnahmen auf dem Tisch. »Meiner Meinung nach sollten wir da suchen.«

Carl sah auf den Kreis, den sie um ein Haus im Waldgebiet

Nordskoven gemalt hatte. *Vibehof* stand da. Anscheinend ein schönes Haus, das ganz in der Nähe der Straße lag, die durch den Wald führte. Aber soweit er sehen konnte, gehörte kein Bootshaus dazu. Das Haus war wirklich vollständig umgeben von Hecken und Sträuchern, die bis an den Fjord reichten. Aber dennoch. Kein Bootshaus.

»Ich weiß, was du denkst. Aber das Bootshaus könnte sich sehr gut hier verstecken«, sagte Yrsa und klopfte energisch auf einen grünen Fleck am Ende des Grundstücks. Igitt, was zum Teufel …« Plötzlich schwirrten mehrere Fliegen um sie herum, die sie mit ihrem Klopfen aufgescheucht hatte.

Da knallte Carl seine Faust auf den Tisch, und der Luftverkehr um sie herum nahm noch weiter zu.

»Was machst du da?«, rief Yrsa ärgerlich und erlegte zwei Fliegen, die sich auf dem Mousepad niedergelassen hatten.

Carl tauchte unter den Schreibtisch. Selten hatte er auf so kleinem Raum so viel Leben gesehen. Wären diese Fliegen in der Lage, zu einer gemeinsamen Entscheidung zu kommen, dann hätten sie ohne weiteres den Abfalleimer anheben können, der sie ausbrütete.

»Was zum Teufel hast du in diesem Papierkorb?«, fragte er entnervt.

»Keine Ahnung. Den benutze ich nicht. Das muss noch was von Rose sein.«

Na gut, dachte er. Jedenfalls wusste er jetzt, wer in Roses und Yrsas Wohnung nicht aufräumte, falls es überhaupt jemand tat.

Er sah zu Yrsa hinüber, die mit verbissener Miene, bloßer Hand und unglaublicher Präzision links und rechts die Fliegen erlegte. Da würde Assad gleich was zum Aufräumen bekommen.

Zwei Minuten später stand Assad mit seinen grünen Gummihandschuhen und einem großen schwarzen Müllsack, in dem die Fliegen und der Inhalt des Abfallkorbs landen sollten, in Yrsas Büro.

»Unappetitlich«, sagte Yrsa, die Fliegenmasse an ihren Fingern betrachtend. Carl war geneigt, ihr zuzustimmen.

Sie nahm sich eines der Fläschchen mit dem Zelluloseverdünner und einen Wattebausch und begann ihre Hände zu desinfizieren. Bald roch es in ihrem Büro wie in einer Schiffslackfabrik nach einem Mörserangriff. Carl hoffte nur, dass die Gewerbeaufsicht sie am heutigen Tag nicht mit einem weiteren Besuch beehrte.

Da bemerkte er, wie der blutrote Nagellack am Mittel- und Zeigefinger von Yrsas rechter Hand verschwand und was darunter zum Vorschein kam.

Der Unterkiefer klappte ihm förmlich herunter. Assad, der aus der Fliegenhölle unter dem Tisch auftauchte, fing seinen Blick auf.

Jetzt standen sie zu zweit da und machten große Augen.

»Komm«, sagte Carl schnell und zog Assad mit sich auf den Korridor, nachdem der den Müllsack zugezogen hatte.

»Hast du das auch gesehen?«

Assad nickte. Sein Mund stand schief offen, normalerweise ein Zeichen für helle Aufregung in der Bauchregion.

»Sie hat Roses schwarze Filzstiftstriche unter dem Nagellack. Das Gekritzel vom Filzstift neulich. Hast du das gesehen?«

Wieder nickte er.

Es war schier ungeheuerlich, und sie hatten nicht das Geringste geahnt.

Falls schwarzes Gekritzel auf Fingernägeln nicht der letzte modische Schrei war, gab es keinen Zweifel: Yrsa und Rose waren ein und dieselbe Person.

37

»Schaut mal, was ich für euch habe!« Mit diesen Worten legte Lis einen riesigen, in Cellophan verpackten Strauß Rosen auf Carls Schreibtisch.

Carl hatte gerade nach dem Telefonhörer greifen wollen. Was sollte das denn nun schon wieder?

»Machst du mir einen Antrag, Lis? Na, wird langsam auch Zeit, dass du meine Qualitäten erkennst.«

Sie klimperte mit den Wimpern. »Der wurde im Dezernat A abgegeben. Marcus fand allerdings, dass der euch gebührt.«

Carl runzelte die Stirn. »Wofür?«

»Ach, Carl, nun lass gut sein. Das weißt du doch.«

Er zuckte die Achseln und schüttelte den Kopf.

»Als sie die Brandstätte noch mal durchsuchten, haben sie den entscheidenden Knochen vom kleinen Finger gefunden. In einem Haufen Asche. Und der hatte eine Rille.«

»Und deshalb bekommen wir Rosen?« Carl kratzte sich am Hinterkopf. Hatten sie die auch in der Asche gefunden?

»Nein, nicht deshalb. Aber das soll dir Marcus lieber selbst erzählen. Jedenfalls kommt dieser Strauß von Torben Christensen, dem Mann von der Brandversicherung. Die Ermittlungen der Polizei haben seiner Firma heute einen Haufen Geld eingespart.«

Sie kniff Carl in die Wange – wie ein freundlicher alter Onkel, dem nichts Besseres einfällt, um seine Anerkennung auszudrücken. Und dann ging sie.

Carl machte einen langen Hals, damit er den Anblick dieser schönen Rückenpartie noch ein bisschen länger genießen konnte.

»Was ist los?« Assad stand draußen auf dem Gang. »Wir müssen gleich fahren.«

Carl nickte und wählte Jacobsens Nummer.

»Ich soll nur kurz von Assad fragen, wie wir zu den Rosen kommen«, sagte er ohne Überleitung, als sich der Chef meldete.

War die Reaktion ein Freudenausbruch? Man konnte es so auslegen. »Carl, wir haben heute die Inhaber der drei brandgeschädigten Firmen vernommen. Und jetzt haben wir endlich beweiskräftige Aussagen. Ihr hattet ja vollkommen recht. Die hat man allesamt unter Druck gesetzt, Kredite zu hohen Zinsen abzuschließen. Und als sie die Zinsen nicht bezahlen konnten, wurden die Eintreiber grob und verlangten, die Hauptschuld müsse getilgt werden. Es folgten allerlei Schikanen und telefonische Drohungen. Und schließlich massive Erpressungen. Die Kreditnehmer verzweifelten zunehmend, denn Firmen mit Liquiditätsproblemen können ja heutzutage nicht einfach woanders hingehen, um sich Geld zu leihen.«

»Und die Geldeintreiber, was passierte mit denen?«

»Das wissen wir nicht. Aber wir gehen davon aus, dass sie von den Hintermännern liquidiert wurden. Die serbische Polizei hat das schon öfter erlebt. Großer Bonus für die Eintreiber, die das Geld rechtzeitig beibringen, und das Messer für die, denen das nicht gelingt.«

»Hätten die den ganzen Kram nicht einfach abfackeln können, ohne gleich auch noch ihre Arbeitskräfte umzubringen?«

»Klar. Aber es gibt eine andere Theorie. Demnach schicken sie ihre schlechtesten Eintreiber nach Skandinavien, weil der Markt hier den Ruf hat, leichter handhabbar zu sein. Als sich jedoch zeigte, dass dem nicht so ist, mussten Exempel statuiert werden, die auch in Belgrad Wirkung zeigen. Für Geldhaie ist nichts so gefährlich wie Geldeintreiber, die zu wenig Geld anschleppen, die man nicht kontrollieren oder denen man nicht vertrauen kann. Das ist so. Da und dort mal jemanden umlegen, das bringt wieder Disziplin in den Laden.«

»Hm. Die bringen ihre schlechten Handlanger hier in Dänemark um. In einem Rechtsstaat mit niedrigen Strafen. Das ist wahrscheinlich ganz zweckmäßig, könnte ich mir vorstellen. Für den Fall, dass die Täter auffliegen.«

Er konnte förmlich sehen, wie Jacobsen den Yes-Daumen hob.

»Na dann, Carl«, sagte Jacobsen. »Dank unserer Ermittlungen steht jetzt jedenfalls fest, dass die Versicherungsgesellschaften nicht die volle Erstattungssumme zahlen müssen. Da ist viel Geld im Spiel, und deshalb hat uns der Versicherungsagent Rosen geschickt. Und wer hätte die mehr verdient als ihr?«

Das Eingeständnis ging ihm sicher nicht ganz leicht über die Lippen.

»Na prima. Dann habt ihr ja jetzt Männer frei für andere Aufgaben«, konterte Carl. »Ich finde, die sollten zu uns runterkommen und uns helfen.«

Was da am anderen Ende als Kommentar zu hören war, sollte wohl ein Lachen sein. Also hatte der Chef andere Vorstellungen. »Ja, ja, Carl. An sich hast du recht. Aber ganz abgehakt sind die Brandfälle natürlich noch nicht. Die Strippenzieher fehlen uns noch. Und dann haben wir ja auch noch diese Bandenkonflikte auf dem Tisch. Die frei werdenden Kollegen müssen wir wohl eher darauf ansetzen.«

Als Carl auflegte, stand Assad wartend in der Tür. Ihm schien inzwischen gedämmert zu haben, wie das dänische Wetter funktionierte. Seine Daunenjacke war die dickste, die Carl im März jemals an jemandem gesehen hatte.

»Ich bin so weit.«

Nicht zu übersehen, dachte Carl. »Zwei Minuten, dann bin ich fertig«, entgegnete er betont freundlich und gab Brandur Isaksens Nummer ein. »Eiszapfen vom Halmtorvet« nannten sie ihn wegen seines äußerst knapp bemessenen Charmes. Er war der Mann, der alles wusste, was auf dem City Revier abging, der Polizeiwache, auf der Rose gearbeitet hatte, bevor sie zum Sonderdezernat Q versetzt worden war.

»Ja«, bellte Isaksen in den Hörer.

Carl erklärte ihm, was er wissen wollte. Er war noch nicht fertig, da wollte sich der Mann schier totlachen.

»Ich hab echt keine Ahnung, was mit Rose nicht stimmt. Aber sonderbar war sie. Trank zu viel und ging mit den jungen Polizeianwärtern von der Polizeischule ins Bett. Du weißt schon. Wilde Dame mit Krallen, der das Fell juckt. Warum?«

»Nichts weiter«, sagte Carl und legte auf. Dann loggte er sich ins Verzeichnis des Einwohnermeldeamts ein. Sandalparken 19 schrieb er in die Rubrik neben den Namen.

Klarer konnte die Antwort nicht sein: Rose Marie Yrsa Knudsen stand neben der Personennummer.

Carl schüttelte den Kopf. Man konnte nur hoffen, dass nicht eines Tages auch noch diese Marie aufkreuzte. Zwei Versionen von Rose reichten ihm völlig.

»Oje«, kommentierte Assad, der hinter ihn getreten war und ihm über die Schulter sah.

»Sag ihr, sie soll mal herkommen, Assad.«

»Du sagst ihr das aber nicht auf den Kopf zu, Carl, oder?«

»Bist du verrückt? Da geh ich lieber mit 'nem Sack voller Kobras ins Bad.«

Als Assad mit Yrsa im Schlepptau wieder auftauchte, war sie bereits fertig angezogen: Mantel, Fausthandschuhe, Schal und Mütze. Da standen zwei Spezialisten vor ihm, jeder mit einer höchst eigenen Auslegung, wie man der Burka als Körperbedeckung den Rang streitig machen könnte.

Carl sah auf die Uhr. Das war okay. Feierabend. Yrsa war auf dem Weg nach Hause.

»Ich wollte dir noch sagen ...« Sie blieb abrupt stehen, als sie den Rosenstrauß auf Carls Schoß sah. »Nein, was sind denn das für Blumen? Die sind aber schön!«

»Nimm die für Rose mit. Von Assad und mir«, sagte Carl und überreichte ihr den Strauß. »Bitte wünsch ihr gute Besserung von uns. Wir hoffen sehr, sie bald wiederzusehen. Du kannst sagen, das sind Rosen für eine Rose. Wir denken wirklich oft an sie.«

Yrsa erstarrte. Einen Moment stand sie mucksmäuschenstill da, offenbar wirklich überwältigt, während ihr der Mantel von der Schulter rutschte.

Dann war die Bürozeit um.

»Ist sie denn richtig krank?«, fragte Assad, als sie über die Autobahn Richtung Holbæk bretterten.

Carl zuckte die Achseln. Er war Spezialist für vieles, aber die einzige Persönlichkeitsspaltung, die er richtig kannte, war die Transformation, die sein Stiefsohn innerhalb von zehn Sekunden vollziehen konnte. Wenn er sich von einem entzückenden, lächelnden Jungen, dem hundert Kronen fehlten, in einen Kotzbrocken verwandelte, der partout nicht daran dachte, sein Zimmer aufzuräumen.

»Wir erzählen das niemandem«, entgegnete er lediglich.

Bis das Ortsschild von Tølløse auftauchte, hingen beide ihren Gedanken nach. Der Ort war in erster Linie bekannt für seinen Bahnhof, die Apfelsaftfabrik und einen Radrennfahrer, der Dreck am Stecken gehabt hatte und bei der Tour de France sein Gelbes Trikot hatte abgeben müssen.

»Da, noch ein Stück weiter«, sagte Assad und deutete in die Straße, die zweifellos Tølløses Lebensader war und passenderweise Hauptstraße hieß, wie in jeder Provinzstadt. Nur herrschte dort derzeit nicht sonderlich viel Leben. Vielleicht steckten die Bürger ja an der Kasse des Supermarkts fest. Oder sie waren weggezogen. Unverkennbar ein Ort, der bessere Zeiten gesehen hatte.

»Gegenüber von diesem Fabrikgelände da.« Assad deutete auf ein Backsteinhaus, das so viel Leben ausstrahlte wie ein verendeter Regenwurm in einer Winterlandschaft.

Ihnen öffnete eine Frau von einem Meter fünfzig, deren Augen noch größer waren als die von Assad. Kaum hatte sie Assads dunkle Bartstoppeln gesehen, zog sie sich erschrocken in den Hausflur zurück und rief nach ihrem Mann. Sie hatte natürlich von all den Überfällen gelesen und sah sich sofort selbst als potenzielles Opfer.

»Ja«, sagte der Mann und machte keinerlei Anstalten, auch nur das mindeste Entgegenkommen zu zeigen.

Dann eben weiter auf die Finanzamtstour, dachte Carl und ließ die Dienstmarke in der Hosentasche.

»Sie haben einen Sohn, Flemming Emil Madsen. Der hat, soweit wir das zurückverfolgen können, noch nie Steuern gezahlt. Kontakt zu den Sozialämtern oder der Schulbehörde hat er auch nicht. Darüber würden wir gern mit ihm persönlich sprechen.«

Da ging Assad dazwischen. »Sie sind Gemüsehändler, Herr Madsen. Arbeitet Flemming bei Ihnen?«

Carl kapierte die Taktik. Den Mann gleich in die Ecke drängen.

»Sind Sie Moslem?«, entgegnete Madsen. Die Frage kam aus heiterem Himmel, ein glänzender Schachzug.

»Das, glaube ich, ist allein die Angelegenheit meines Kollegen«, sagte Carl.

»Nicht in meinem Haus«, antwortete der Mann und wollte die Tür zuknallen.

Da zog Carl doch die Marke aus der Tasche.

»Hafez el-Assad und ich arbeiten zusammen an unaufgeklärten Mordfällen. Wenn Sie Ihren Kopf auch nur einen Millimeter höhnisch wegdrehen, verhafte ich Sie auf der Stelle wegen Mordes an Ihrem eigenen Sohn Flemming vor fünf Jahren. Was sagen Sie dazu?«

Der Mann sagte gar nichts, war aber offenkundig erschüttert. Nicht wie jemand, der für etwas beschuldigt wird, was er nicht getan hat, sondern wie einer, der tatsächlich schuldig ist.

Sie traten ins Haus und wurden zu einem Mahagonitisch geführt, der vor fünfzig Jahren der Traum jeder Familie gewesen wäre. Es gab kein Wachstuch, dafür aber jede Menge Platzdeckchen.

»Wir haben nichts Verbotenes getan«, murmelte die Frau und fummelte an dem Kreuz herum, das an einer Kette in ihrem Ausschnitt hing.

Carl sah sich um. Mindestens drei Dutzend gerahmte Fotos von Kindern aller Altersklassen standen auf den Eichenmöbeln. Kinder und Kindeskinder. Lächelnde Geschöpfe vor einem hohen Himmel.

»Sind das Ihre anderen Kinder?«, fragte Carl.

Sie nickten.

»Die sind alle ausgewandert?«

Wieder nickten sie. Keine sonderlich gesprächigen Menschen, fand Carl.

»Alle nach Australien?«, meldete sich Assad.

»Sind Sie Moslem?«, fragte der Mann noch einmal. Verdammt stur. Hatte er Angst, allein schon beim Anblick eines Andersgläubigen zu Stein zu werden?

»Ich bin, wozu Gott mich geschaffen hat«, antwortete Assad. »Und Sie? Sind Sie das auch?«

Die kleinen Augen des Mannes wurden zu Schlitzen. Er war es vielleicht gewohnt, Diskussionen dieser Art auf der Türschwelle anderer Menschen zu führen, aber nicht bei sich zu Hause.

»Ich fragte, ob Ihre Kinder alle nach Australien ausgewandert sind?«, wiederholte Assad.

Da nickte die Frau. So funktionierte das also.

»Hier«, sagte Carl und legte die Phantomzeichnung des Entführers vor sie hin.

»In Jesu Namen«, flüsterte die Frau erschrocken und bekreuzigte sich. Der Mann presste die Lippen zusammen.

»Wir haben zu niemandem je etwas gesagt«, murmelte er schließlich.

Carl kniff die Augen zusammen. »Wenn Sie glauben, wir hätten etwas mit dem Kerl zu tun, dann irren Sie sich. Aber wir sind ihm auf der Spur. Wollen Sie uns bei unseren Ermittlungen helfen?«

Die Frau schnappte nach Luft.

»Entschuldigen Sie, dass wir so barsch waren«, sagte Carl versöhnlich. »Wir mussten Sie nur irgendwie aus der Reserve locken.« Er tippte auf das Bild. »Können Sie bestätigen, dass dieser Mann Ihren Sohn Flemming entführt hat und vermutlich auch eines ihrer anderen Kinder und dass er Flemming ermordet hat, nachdem Sie dem Entführer eine große Summe Lösegeld übergeben haben?«

Der Mann wurde blass. All die Kraft, die er im Laufe der Jahre mobilisiert hatte, um stark zu bleiben, verließ ihn in diesem Moment. Die Kraft, um seine Glaubensbrüder und -schwestern anzulügen, die Kraft, um all das, was ihm lieb und teuer gewesen war, zu verlassen und aufzugeben, die Kraft, um die Isolation zu ertragen, um sich von den übrigen Kindern zu verabschieden und um mit dem Verlust seines Vermögens klarzukommen. Und nicht zuletzt die Kraft, der es bedurfte, unter dem Damoklesschwert zu leben, dass der Mörder des geliebten Flemming frei herumlief und sie überwachte.

Diese Kraft war auf einen Schlag verbraucht.

Sie saßen eine Weile schweigend im Auto, schließlich ergriff Carl das Wort.

»Ich glaube nicht, dass ich schon mal Menschen gesehen habe, die mit ihren Kräften und Nerven so am Ende waren wie diese beiden.«

»Es kam mir so vor, als sei es ihnen besonders schwergefallen, Flemmings Foto aus der Schublade zu holen. Glaubst du, dass sie es wirklich seit seinem Tod nicht mehr angesehen haben?«, fragte Assad und zog seine Daunenjacke aus. Nun wurde ihm also doch warm.

Carl zuckte die Achseln. »Ich weiß es nicht. Aber sie wollten auf keinen Fall riskieren, dass jemand Wind davon bekommt, wie sehr sie den Jungen noch lieben. Sie hatten ihn ja selbst verstoßen.«

»Wind? Ich verstehe nicht, was du meinst, Carl.«

»Wind von etwas bekommen. Etwas spitzkriegen.«

»Spitz?«

»Vergiss es, Assad. Was ich sagen will: Seit Jahren halten sie die Liebe zu ihrem Sohn geheim. Niemand darf davon erfahren. Denn sie trauen niemandem mehr, sie können ja nicht wissen, wer Freund und wer Feind ist.«

Assad saß ganz still und ließ den Blick über die braunen Felder schweifen, unter deren Oberfläche sich schon Leben regte. »Was glaubst du, Carl, wie oft hat er das gemacht?«

Was zum Teufel sollte er darauf antworten? Es gab keine Antwort.

Assad kratzte seine blauschwarzen Wangen. »Aber so viel steht fest: Wir müssen ihn kriegen, Carl. Oder?«

Carl biss die Zähne zusammen. Ja, das mussten sie, völlig klar. Das Ehepaar in Tølløse hatte ihnen einen neuen Namen genannt. Bei ihnen hatte der Entführer Birger Sloth geheißen. Und zum dritten Mal war ihnen die Personenbeschreibung einigermaßen bestätigt worden. Allerdings hatte Martin Holt wohl recht gehabt. Die Augen standen nicht so eng beieinander. Und alles andere, Schnurrbart, Haare, Blick, das war ohnehin nicht zu kalkulieren. Letztlich wussten sie also lediglich, dass er ein Mann mit zwar scharfen, aber dennoch diffusen Gesichtszügen war. Und dass er in zwei Fällen das Geld entlang derselben Bahnlinie aufgelesen hatte. Und zwar am Streckenabschnitt zwischen Vedbysønder und Lindebjerg

Lynge. Sie wussten schon, wo. Das hatte Martin Holt klar beschrieben.

Höchstens zwanzig Minuten bis dorthin. Nur war es jetzt zu dunkel. Ärgerlich.

Darum würden sie sich morgen früh als Allererstes kümmern müssen.

»Was machen wir denn nun mit unserer Yrsa-Rose?«, wollte Assad wissen.

»Wir machen nichts. Wir bemühen uns, damit zu leben.«

Assad nickte. »Sie ist eben ein Kamel mit drei Höckern«, sagte Assad.

»Ein was?«

»Wo ich herkomme, sagen wir das so. Bisschen eigen. Schwer zu reiten, aber witzig anzusehen.«

»Ein Kamel mit drei Höckern, ja, das passt. Klingt auch genießbarer als schizophren.«

»Schizophren? Da, wo ich herkomme, sagen wir das von jemandem, der auf einer Kanzel steht und einen anlächelt, während sein Arschloch auf einen scheißt.«

Da war es schon wieder.

38

Es war so undeutlich und so weit weg. Wie das Ende von Träumen, die nie aufhören. Wie die Stimme einer Mutter, an die man sich kaum erinnert. »Isabel. Isabel Jønsson, wachen Sie auf!« Es dröhnte, als wäre der Kopf zu groß, um die Wörter zu fassen.

Und sie wand den Körper ein wenig, spürte aber nichts als den drückenden Zugriff des Schlafs. Dösend, zwischen eben und jetzt schwebend.

An ihrer Schulter wurde vorsichtig gerüttelt. Sanft, einfühlsam, mehrere Male.

»Sind Sie wach, Isabel?«, fragte die Stimme. »Versuchen Sie, tief zu atmen.«

Sie spürte, wie schnipsende Laute an ihrem Gesicht vorbeizogen. Aber deutlicher wurde es nicht.

»Sie hatten einen Unfall, Isabel«, sagte jemand.

Irgendwie wusste sie das.

War das nicht gerade erst passiert? Erst ein Schleudern und dann dieses Untier, dieser Mann, der sich ihr im Dunkeln näherte. War es so?

Sie merkte ein Piksen im Arm. War das real oder träumte sie?

Plötzlich spürte sie, wie ihr das Blut in den Kopf schoss. Wie sich etwas im Kopf sammelte und wie die Gedanken Ordnung in das Chaos brachten. Eine Ordnung, die sie nicht wollte.

Denn mit der Ordnung kam es zurück. Er! Der Mann! Jetzt erinnerte sie sich undeutlich an ihn.

Sie keuchte. Spürte, wie es im Hals pikste und wie der Drang zu husten Erstickungsgefühle hervorrief.

»Bleiben Sie ganz ruhig, Isabel«, sagte die Stimme. Sie spürte eine Hand, die ihre ergriff und sie drückte. »Wir haben Ihnen eine Spritze gegeben, damit Sie ein wenig aufwachen. Das ist alles.« Dann drückte die Hand wieder.

Ja, sagte alles in ihr. Drück du auch, Isabel. Zeig, dass du lebst, dass du noch hier bist.

»Sie sind ziemlich schwer verletzt, Isabel. Sie liegen auf der Intensivstation des Rigshospitals. Verstehen Sie, was ich sage?«

Sie hielt die Luft an und konzentrierte alle Kräfte, um zu nicken. Nur eine kleine Bewegung. Nur so viel, dass sie selbst sie auch spürte.

»Das ist gut, Isabel. Wir haben es gesehen.« Dann wurde ihre Hand wieder gedrückt.

»Wir haben Sie ins Streckbett gelegt. Sie können sich nicht bewegen, falls Sie das versuchen. Sie haben zahlreiche Knochenbrüche, Isabel, aber Sie werden wieder gesund. Im Augenblick haben wir sehr viel zu tun, aber sobald etwas Ruhe einkehrt, kommt eine Krankenschwester und macht Sie fertig, und dann werden Sie auf eine andere Station verlegt. Verstehen Sie das, Isabel?«

Sie zog etwas an den Halsmuskeln.

»Gut. Wir wissen, dass es schwer für Sie ist zu kommunizieren. Aber schon bald werden Sie wieder sprechen können. Ihr Kiefer ist gebrochen, und deshalb haben wir ihn sicherheitshalber fixiert.«

Jetzt spürte sie die Klammern um ihren Kopf. Die Beutel, die sich um ihre Hüften schlossen. Als wäre sie im Sand begraben. Sie wollte die Augen aufschlagen.

»Ich sehe an Ihren Augenbrauen, dass Sie die Augen öffnen wollen, Isabel. Aber die haben wir verbinden müssen. Sie hatten viele Glassplitter in den Augäpfeln. Aber Sie werden wieder sehen können: In ein paar Wochen scheint die Sonne wieder.«

In ein paar Wochen! Was war das denn, was stimmte nicht? Warum dieses Prickeln in ihrem Körper? Protestierte der, weil keine Zeit war?

Komm schon, Isabel, flüsterte es in ihr. Was darf nicht passieren? Was ist passiert? Der Mann, ja. Und was sonst noch?

Und sie dachte, dass die Wirklichkeit vieles ist. Der Liebste, der nie kam, aber in ihren Träumen lebte. Die Taue an der Decke der alten Turnhalle, an deren Enden sie nie heranreichte. Und die Wirklichkeit war auch das, was noch nicht geschehen war. Der Druck auf die Schläfen war derselbe. Das Gefühl genauso konkret.

Sie atmete langsam und lauschte auf jeden einzelnen Druck, aus allen zusammen bildete sich ihr Bewusstsein. Erst kam das Unbehagen, dann die Unruhe und zum Schluss ein Zittern, das Gesichter und Töne und Wörter in ihre verschmelzenden Gedankenketten brachte.

Wieder merkte sie dieses reflexhafte Keuchen, das mit der Erkenntnis kam.

Die Kinder.

Der Mann, der auch Entführer war.

Und Rachel.

»Hmnnnn«, hörte sie sich selbst.

»Ja, Isabel!«

Sie spürte, wie die Hand losgelassen wurde und wie ihr warme Luft übers Gesicht strich.

»Was sagen Sie?« Die Stimme war ganz nahe.

»Aaaeeehh.«

»Versteht jemand, was sie sagt?«, kam es nun von etwas weiter weg.

»Aaarrglll.«

»Isabel, meinen Sie Rachel?«

Sie stieß einen kurzen Laut aus. Ja, das hatte sie gesagt.

»Meinen Sie die Frau, mit der Sie zusammen eingeliefert wurden?«

Da kam wieder dieser Laut.

»Rachel lebt, Isabel! Sie liegt hier neben Ihnen«, sagte eine neue Stimme vom Fußende her. »Sie ist schwerer verletzt als Sie. Viel schwerer. Es ist noch unklar, ob sie es schafft. Aber sie lebt und ihr Körper scheint stark zu sein. Wir hoffen das Beste.«

War eine Stunde oder eine Minute oder schon ein ganzer Tag vergangen, seit sie bei ihr gewesen waren? Sie wusste es nicht. Sie hörte leise Geräusche von Maschinen und das schwache Piepen ihres eigenen Herztons. Die Unterlage fühlte sich klamm an, der Raum war warm. Vielleicht hatte man ihr etwas gespritzt, und sie fühlte sich deshalb so. Vielleicht lag es aber auch an ihr.

Vom Gang her hörte sie gedämpft Stimmen und das Scheppern von Rollwagen. War Essenszeit? Oder war es Nacht? Sie hatte keine Ahnung.

Sie brummelte etwas, aber nichts geschah. Da konzentrierte sie sich auf das Intervall zwischen ihrem Herzschlag und dem Pochen im Mittelfinger, an dem irgendetwas angebracht war. Waren es Millisekunden oder Sekunden? Auch das wusste sie nicht.

Aber etwas wusste sie. Die Maschine, die den Herzschlag hörbar machte, war nicht bei ihr angeschlossen. Das merkte sie, denn das passte nicht zusammen. So weit war sie doch bei Bewusstsein.

Einen Moment hielt sie die Luft an. Da war das Piepen klar zu hören. Piep, piep, piep. Und ein Geräusch wie ein leises Schwappen. Wie ein Saugen, das jäh abbrach und erneut ausgelöst wurde, wie bei diesen pneumatischen Bustüren.

Das Geräusch kannte sie. Das hatte sie in endlosen Stunden am Krankenbett ihrer Mutter gehört, bis der Respirator endlich abgestellt wurde und sie Frieden gefunden hatte.

Die Patientin, mit der sie das Zimmer teilte, konnte also

nicht selbstständig atmen. Und diese Patientin war Rachel. Hatten sie das nicht gesagt?

Sie hätte sich gern umgedreht. Die Augen aufgeschlagen und das Dunkel durchdrungen. Sie wollte den Menschen sehen, der um sein Leben kämpfte.

Rachel, würde sie sagen, wenn sie könnte. Rachel, das schaffen wir. Das würde sie noch hinzufügen, aber es nicht wirklich ernst meinen.

Vielleicht gab es für Rachel nichts mehr, für das sie aufwachen wollte. Und plötzlich erinnerte sie sich nur zu deutlich.

Rachels Mann war tot.

Irgendwo dort draußen warteten zwei Kinder. Und der Entführer hatte keinen Grund mehr, sie am Leben zu lassen.

Es war entsetzlich. Und sie konnte nichts tun.

Sie spürte Flüssigkeit, die in die Augenwinkel sickerte. Dickflüssiger als Tränen und doch so leicht fließend. Spürte, wie die Gaze, mit der ihr Kopf bandagiert war, sich schwerer auf die Lider legte.

Weine ich Blut?, dachte sie und versuchte, das Gefühl der Trauer und Ohnmacht nicht länger zuzulassen. Denn was nützte dieses Schluchzen! Nein, es verursachte nur Schmerzen, die all die Medikamente, die sie ihr gegeben hatten, nicht dämpfen konnten.

Sie hörte, dass die Tür leise geöffnet wurde, und spürte, wie die Luft und die Geräusche vom Gang in den stillen Raum eindrangen.

Schritte waren zu hören. Langsam und zögernd. Fast zu zögernd.

War das ein besorgter Arzt, der jetzt an Rachels Bett stand und die Kurven auf ihrem Monitor betrachtete? Eine Krankenschwester, die überlegte, ob der Respirator richtig eingestellt war?

»Isabel, bist du wach?«, drang flüsternd eine Stimme durch das Geräusch der Maschinen.

Sie zuckte zusammen. Warum, wusste sie nicht.

Dann nickte sie kaum merklich, aber offenbar deutlich genug.

Sie spürte, wie jemand ihre Hand nahm. Wie damals, als sie ein Kind war und sich auf dem Schulhof beiseitegeschubst fühlte. Wie damals, als sie vor der Tanzschule stand und sich nicht traute, hineinzugehen.

Damals wie heute dieselbe Trost spendende Hand. Eine warme, großzügige Hand. Die Hand ihres Bruders. Die Hand ihres liebevollen, beschützenden großen Bruders.

Und in diesem Moment, als sie sich endlich geborgen wusste, erwachte in ihr der Drang zu schreien.

»Ja, ja«, sagte ihr Bruder. »Weine nur, Isabel. Lass alles mit den Tränen raus. Alles wird gut. Ihr schafft es alle beide, du und deine Freundin.«

Schaffen wir es?, dachte sie und bemühte sich, ihre Stimme, ihre Zunge, ihre Atmung unter Kontrolle zu bringen.

Hilf uns, wollte sie sagen. Durchsuch mein Auto. Du findest seine Adresse im Handschuhfach. Auf dem Navi kannst du rekapitulieren, wo wir waren. Du wirst den Fang deines Lebens machen.

Sie wäre vor Rachels Herrn im Himmel niedergekniet, wenn er ihr nur für einen kleinen Moment die Fähigkeit zu sprechen gegeben hätte. Nur ganz kurz, ein, zwei Sekunden.

Stattdessen lag sie stumm da und hörte ihr eigenes Röcheln. Wörter, die sich in Konsonanten auflösten, Konsonanten, die sich in Flüstern und in Spucke zwischen den Zähnen auflösten.

Warum hatte sie ihren Bruder nicht angerufen, als Zeit dafür gewesen war? Warum hatte sie nicht getan, was sie hätte tun sollen? Hatte sie geglaubt, übermenschliche Kräfte zu haben und den Teufel selbst aufhalten zu können?

»Gut, dass nicht du gefahren bist, Isabel. Aber um das rechtliche Nachspiel dieser Wahnsinnsfahrt wirst du trotzdem nicht ganz herumkommen, auch als Beifahrerin nicht.

Tja, und dann musst du dich wohl nach einem neuen Auto umschauen.« Mit einem Auflachen versuchte ihr Bruder einen leichten Ton anzuschlagen.

Aber es gab nichts zu lachen.

»Was ist denn da passiert, Isabel?«, fragte er, obwohl von ihrer Seite noch nicht ein einziges Wort gekommen war.

Sie spitzte ein wenig die Lippen. Vielleicht konnte er sie so besser verstehen?

In dem Moment war von Rachels Bett her eine dunkle Stimme zu hören.

»Tut mir leid, aber Sie können nicht im Zimmer bleiben, Herr Jønsson. Isabel wird jetzt verlegt. Vielleicht möchten Sie in der Cafeteria warten? Wir werden Sie dann informieren, wohin wir Isabel gebracht haben. Können Sie vielleicht in einer halben Stunde wiederkommen?«

Sie erkannte die Stimme nicht als eine von denen, die früher am Tag bei ihr im Zimmer gewesen waren.

Aber als die Stimme ihre Bitte wiederholte und sich ihr Bruder erhob, sie vorsichtig drückte und verkündete, er käme später wieder, da wusste sie, dass das nichts bringen würde.

Denn diese Stimme, jetzt die einzige im Raum, die kannte sie. Ja, die kannte sie nur allzu gut.

Eine Weile hatte sie in den letzten Wochen geglaubt, diese Stimme würde ihr etwas geben, für das es sich zu leben lohnte.

Ein Trugschluss, wie er fataler nicht sein konnte, das wusste sie jetzt.

39

Carl war nachts bei Mona gewesen und sein Körper fühlte sich noch immer an wie aus allen Fugen geraten. Diesmal hatte sie nicht auf süße Worte gewartet oder darauf, dass er ihr versicherte, sie sei für ihn die Einzige. Das wusste sie, als sie sich die Bluse über den Kopf zog und sich mit einer irrsinnigen und ihm unverständlichen Beweglichkeit aus dem Slip wand.

Anschließend hatte er eine halbe Stunde gebraucht, um zu begreifen, wo er war, und eine weitere halbe Stunde, um abzuwägen, ob er einen weiteren Versuch überleben würde.

Sie war eine andere Frau als die, die nach Afrika gegangen war. Auf einmal so sichtbar und so nahe. Wenn sich die Fältchen um die Augen zusammenzogen, blieb ihm die Luft weg. Wenn sich ihr Mund mit den Fältchen am Rand des Lippenstifts zu einem Lächeln verzog, war sein Kopf leer.

Falls es für mich überhaupt eine Frau gibt, dann ist es diese hier, dachte er, als sie sich ihm mit ihrem warmen Atem erneut näherte und ihn sanft kratzte.

Als sie ihn am nächsten Morgen weckte, war sie fertig angezogen und bereit für den neuen Tag. Sinnlich, lächelnd, gleichsam schwebend.

Welchen Beweis brauchte man noch, wenn einen selbst die Bettdecke festnagelte und die Beine schwer waren wie Blei? Diese Frau war ihm total überlegen.

»Was ist denn mit dir los?«, fragte Assad, als sie im Dienstwagen zusammentrafen.

Carl vermochte nicht zu antworten. Wie auch? Sein Körper

fühlte sich noch immer an wie weichgeklopftes Fleisch und seine Klöten pochten wie ein Zahngeschwür.

»Als Nächstes kommt Vedbysønder«, kommentierte Assad, nachdem er eine halbe Stunde auf den Mittelstreifen gegafft hatte.

Carls Blick wanderte vom Navi zu einer kleinen Ansammlung von Häusern und Höfen inmitten von Feldern. Wenige Häuser und eine gute, asphaltierte Straße. Gruppen von Bäumen und Büschen. Wahrlich kein schlechter Platz, um Lösegeld einzusammeln.

»Du musst zu dem Haus dahinten.« Assad deutete in die Richtung. »Jetzt noch über die Brücke und ab da sollten wir die Augen aufsperren.«

Kaum tauchte der erste Hof an der Eisenbahnbrücke auf, erkannte Carl, was Martin Holt beschrieben hatte. Links und rechts der Straße Häuser. Hinter den Häusern rechts der Bahnkörper. Etwas weiter ein paar einzeln stehende Gebäude und dann die Stichstraße bis hin zum Bahngleis. Ein schmaler Streifen mit Bäumen und dann dichterer Bewuchs bis in die Kurve. Das war die Stelle, wo zumindest zwei der betroffenen Familien ihr Geld aus dem Zugfenster geworfen hatten.

Sie parkten das Auto dort, wo die Stichstraße zu einer engen Eisenbahnunterführung abbog. Damit sie an diesem diesigen Morgen von den anderen Autofahrern gesehen wurden, schalteten sie vorsichtshalber das Blaulicht ein.

Carl hatte einige Mühe beim Aussteigen. Er überlegte noch, ob er sich erst mal eine Zigarette ins Gesicht stecken sollte, da fixierte Assad bereits die Grasbüschel neben seinen Füßen.

»Hier ist es ein bisschen feucht«, sagte Assad wie zu sich selbst. »Es hat kürzlich geregnet, aber nur wenig. Trotzdem, der Boden ist weich. Sieh dir das an.«

Er deutete auf ein Paar deutlich abgesetzte Reifenspuren.

»Schau da. Der ist in aller Ruhe bis hierher gerollt«, sagte er und ging in die Hocke. »Und hier hat er Gas gegeben, als hätte er es plötzlich sehr eilig.«

Carl nickte. »Ja, oder die Reifen sind einfach durchgedreht, weil es nass war.«

Nun endlich zündete sich Carl eine Zigarette an. Er sah sich um. Sie wussten von zwei Männern, die ihr Lösegeld hier aus dem Zugfenster geworfen hatten. Beide hatten kein Auto gesehen. Nur das Stroboskoplicht. Auch sonst war ihnen nichts aufgefallen, was die Ermittlungen voranbringen konnte.

In beiden Fällen war der Zug von Osten gekommen, sodass der Beutel mit dem Lösegeld auf einer Strecke von etwa zweihundert Metern gelandet sein konnte, bis hin zu dem freistehenden Haus. Das Haus wirkte frisch renoviert, vielleicht waren die Bewohner erst nach 2005 hier eingezogen, nachdem der Vater von Flemming Emil Madsen sein Lösegeld abgeworfen hatte.

Carl legte die Hände in den Nacken und reckte sich. Der Rauch der Zigarette, die in seinem Mundwinkel hing, mischte sich mit der Feuchtigkeit, die die milde Märztemperatur aus dem Boden aufsteigen ließ. Monas Duft hing ihm noch in der Nase. Wie zum Teufel sollte er da gescheit denken? An etwas anderes denken als an ein Wiedersehen mit ihr?

»Da, Carl, jetzt kommt ein Auto von dem Haus dort hinten.« Assad deutete zu dem einzeln stehenden Haus. »Sollen wir es anhalten?«

Carl trat die Kippe auf dem Asphalt aus.

Die Frau am Steuer sah erschrocken aus, als ihr Auto hinter das blinkende Polizeifahrzeug dirigiert wurde.

»Was ist denn los?«, fragte sie. »Stimmt was nicht mit meinen Scheinwerfern?«

Carl zuckte die Achseln. Woher sollte er das wissen? »Wir interessieren uns für das Stück Land hier. Gehört es Ihnen?«

Sie nickte. »Ja, bis zu den Bäumen dort. Warum?«

»Tag, ich heiße Hafez el-Assad«, sagte Assad und streckte

ihr seine behaarte Hand durch das Fenster entgegen. »Haben Sie gesehen, dass jemand hier etwas aus einem Zug geworfen hat?«

»Nein, wann soll das gewesen sein?« Ihre Augen wirkten jetzt etwas freundlicher. Es ging also offenbar nicht um sie.

»Mehrmals. Vielleicht vor einigen Jahren. Haben Sie vielleicht ein Auto gesehen, das hier gehalten und gewartet hat?«

»Was vor einigen Jahren war, weiß ich nicht, wir sind gerade erst eingezogen.« Jetzt lächelte sie sogar etwas. »Ja, wir sind gerade mit dem Umbau fertig geworden. Auf der Rückseite können Sie noch das Gerüst sehen.« Sie zeigte in die Richtung und sah Carl dabei direkt an. Ob er in Bezug auf Gerüste kompetenter wirkte als Assad?

Carl wollte sich gerade für die Auskunft bedanken. Wollte wie ein Zollbeamter zur Seite treten und sie ihre Fahrt fortsetzen lassen. Sich eine neue Zigarette anstecken und an Mona denken.

»Aber vorgestern hat da ein Auto gehalten, vorgestern Abend, als dieser schreckliche Verkehrsunfall drüben bei Lindebjerg Lynge passierte«, fuhr die Frau fort.

Carl nickte abgeklärt. Deshalb die Reifenspuren.

Ihr Gesichtsausdruck änderte sich. »Da hat es eine Verfolgungsjagd gegeben, hab ich gehört. Die Frauen in dem einen Auto wurden dabei schwer verletzt. Mein Schwager ist der Vetter von einem der Rettungssanitäter. Er sagte, sie würden es kaum überleben.«

Ja, dachte Carl. Die Leute auf dem Land fahren gern mit Bleifuß, so ist das halt. Was sollen sie auch sonst tun?

»Der Wagen, der hier gehalten hat, wie sah der aus?«, fragte Assad.

Die Frau zog die Mundwinkel herunter. »Wir haben nur die roten Rücklichter gesehen, und dann gingen die aus. Vom Wohnzimmer aus können wir direkt hier rüber sehen, wenn wir vorm Fernseher sitzen. Mein Mann und ich dachten, da hätte jemand im Wagen gesessen und ein bisschen geknutscht.«

Sie bewegte den Kopf hin und her, das sollte vermutlich signalisieren, so was dürfen die Leute, das hab ich selbst auch gemacht.

»Aber ganz plötzlich war er weg«, fuhr sie fort. »Wir sahen noch Scheinwerfer von einem anderen Auto, dann waren beide Autos weg. Mein Mann hat später gesagt, es könnte sein, dass eins davon danach den Unfall hatte.« Sie lächelte entschuldigend. »Er ist immer so dramatisch.«

»Sie sagen, das sei am Montag gewesen?« Carl betrachtete die Reifenspuren. Wer dort hielt, stand in mehrfacher Hinsicht strategisch geschickt. Guter Überblick. Nahe an der Bahn. Und falls etwas Unvorhergesehenes passierte, konnte man sekundenschnell wieder auf der Straße sein. »Und Sie sprachen von einem Unfall?«, hakte er nach. »Wo, sagten Sie, war der?«

»Drüben auf der anderen Seite von Lindebjerg Lynge. Meine Schwester hat nur ein paar hundert Meter entfernt gewohnt.« Sie schüttelte leicht den Kopf. »Aber die ist ja nun nach Australien gezogen.«

Die Frau meinte dann noch, sie müsse eh in die Richtung, sie könnten ihr doch einfach folgen.

Sie fuhr mit höchstens fünfzig Stundenkilometern durch den Wald, und Carl hing ihr die ganze Zeit an der Stoßstange.

»Solltest du nicht vielleicht das Blaulicht ausschalten?«, fragte Assad nach ein paar Kilometern.

Carl schüttelte resigniert den Kopf. Ja, warum auch nicht. Was hatte er sich dabei gedacht? Diese Begleitfahrt im Schneckentempo musste echt komisch wirken.

»Schau mal.« Assad deutete auf ein Stück Straße, wo die Sonne schon stark genug schien und sich der leichte Morgennebel verzogen hatte.

Carl sah es auch: auf der Gegenfahrbahn ein Satz Bremsspuren, und zehn Meter weiter noch einer, nun aber auf ihrer Seite.

Assad lehnte sich zur Windschutzscheibe vor und kniff die Augen zusammen. In seinem Kopf spulte sich wahrscheinlich gerade eine Verfolgungsjagd ab. Gleich würde er sein imaginäres Steuer herumreißen und auf der Gummimatte bremsen.

»Da auch!«, rief er und deutete auf weitere kräftige Bremsspuren.

Da hielt die Frau vor ihnen an und stieg aus.

»Hier ist es passiert.« Sie zeigte auf einen vollständig entrindeten Baumstamm.

Sie gingen aufmerksam hin und her und fanden zerbrochenes Glas von Scheinwerfern und tiefe Kratzer im Asphalt. Ein gewaltsamer und vollkommen unverständlicher Unfall. Genauere Auskünfte mussten sie bei den Kollegen von der Verkehrspolizei einholen.

»Komm, lass uns fahren«, sagte Carl.

»Soll ich jetzt ans Steuer?«

Carl sah seinen Partner an. Die frischen Erinnerungen an den beherzten Gebrauch des Gaspedals sprachen nicht für seinen dunklen Assistenten. Absolut nicht. »Wir telefonieren jetzt erst mal mit der Verkehrspolizei«, sagte er und setzte sich auf den Fahrersitz.

Er kannte den Mann nicht, der den Fall bearbeitet und die Vermessungen vorgenommen hatte. Aber dumm war der wirklich nicht.

»Zur genaueren Untersuchung haben wir das Wrack zum Kongstedsvej bringen lassen«, sagte der Kollege am Telefon. »Wir haben an einigen Kollisionspunkten etwas Lack von einem anderen Fahrzeug gefunden, haben die Spuren aber noch nicht eingehender analysiert. Dunkle Farbe, vermutlich anthrazit. Aber die Friktionen im Moment der Kollision können die Farbnuance beeinflusst haben.«

»Und die Opfer? Leben die?«

Er bekam zwei Personennummern. Das konnte er selbst rausfinden.

»Sie meinen also, dass ein zweiter Wagen in den Unfall involviert war?«, fragte Carl.

Der Kollege am anderen Ende lachte. »Nein, das meine ich nicht. Das weiß ich. Wir haben das nur noch nicht publik gemacht. Es gibt deutliche Indizien für eine Verfolgungsjagd auf einem mindestens zweieinhalb Kilometer langen Straßenstück vor dem Unfallort. Eine rücksichtslose Raserei. Sollten die beiden Frauen also immer noch leben, wäre das ein Wunder.«

»Und keine Spur von dem Unfallflüchtigen?«

»Nichts.«

»Frag ihn nach den Frauen, Carl«, flüsterte ihm Assad zu, was er dann auch tat. Wer waren sie? Wie gehörten sie zusammen? Solche Sachen.

»Die beiden Frauen«, antwortete der Mann am anderen Ende, »kamen aus der Viborger Gegend, insofern ist es natürlich schon etwas komisch und eigentlich unverständlich, dass sie auf einer abgelegenen Landstraße in Südseeland mit jemandem kollidieren. Wir haben festgestellt, dass sie an diesem Tag zweimal den Großen Belt überquert haben. Aber das ist noch nicht das Merkwürdigste.«

Der Typ hatte sich das Beste für den Schluss aufgehoben. Typisch Verkehrspolizei, dachte Carl. Da konnten diese Kriminaler doch mal sehen, dass sie nicht die Einzigen mit einem aufregenden Job waren.

»Und was ist das Merkwürdigste?«, fragte Carl geduldig.

»Das Merkwürdigste ist, dass sie kurz zuvor die Mautschranke der Belt-Brücke durchbrochen und anschließend alles Erdenkliche unternommen haben, um nicht von der Polizei angehalten zu werden.«

Carl sah wieder auf die Fahrbahn. Das war doch völlig absurd, das Ganze.

»Darf ich Sie bitten, mir den Bericht zu mailen, sodass ich ihn gleich hier im Auto auf den Computer bekomme?«

»Jetzt sofort? Das muss ich erst mit meinen Vorgesetzten klären.«

Damit legte er auf.

Fünf Minuten später lasen Carl und Assad, was die Überprüfung der Polizei ergeben hatte. Zwei Frauen mit wahnwitzigem Tempo auf einem abenteuerlichen Parcours – das war wahrhaftig keine Alltagskost. Viermal in Radarfallen geblitzt, zweimal mit der einen Frau am Steuer, zweimal mit der anderen, und das alles an einem Tag. Auf der Belt-Brücke die Mautschranke durchbrochen. Riskantes Fahren auf der E 20. Verfolgung durch mehrere Streifenwagen. Weiterfahrt zum Teil ohne Licht. Und schließlich der fatale Unfall auf der Landstraße mitten im Wald.

»Warum fahren die mit Vollgas von Viborg nach Seeland, zurück nach Fünen und anschließend wieder nach Seeland, kannst du mir das erklären, Assad?«

»Keine Ahnung. Im Moment schaue ich nur auf das hier.«

Er deutete auf die Liste der Radarfallen. Die Frauen waren an den unterschiedlichsten Stellen geblitzt worden, auf der E 45 südlich von Vejle, auf der E 20 zwischen Odense und Nyborg und dann wieder auf der E 20 südlich von Slagelse.

Als Assads Finger in dem Bericht eine Zeile weiterrutschten, sah sich Carl die Auflistung der Radarkontrollen noch einmal an. Anscheinend waren die Frauen auch von einer Radarfalle irgendwo auf dem platten Land geblitzt worden. Er hatte jedenfalls noch nie von dem Ort gehört. Ferslev. Dort waren sie fünfundachtzig gefahren, obwohl nur fünfzig erlaubt waren. Rechnete man alle Verstöße zusammen, dann reichte es mindestens für einen zweifachen Führerscheinentzug.

Carl gab Ferslev ins Navi ein und sah sich die Karte genauer an. Der Ort lag gleich außerhalb von Skibby. Ungefähr auf halber Strecke zwischen Roskilde und Frederikssund.

Er sah, wie Assad seinen Finger auf die Karte legte und dann langsam nordwärts Richtung Nordskoven gleiten ließ. Zu dem Ort, von dem Yrsa meinte, dass dort ein Bootshaus liegen könnte.

Das war doch alles höchst sonderbar.

»Ruf Yrsa an!« Carl legte bereits den ersten Gang ein. »Sag ihr, sie soll Informationen über die beiden Frauen besorgen. Gib ihr die Personennummern und bitte sie, sich zu beeilen. Sie soll zurückrufen und uns sagen, in welchem Krankenhaus die Frauen liegen und wie ihr Zustand ist. Mich kribbelt's überall, wenn ich mir das alles hier vergegenwärtige.«

Er hörte Assad reden, war in Gedanken aber schon wieder bei der wilden Raserei der zwei Frauen.

Bestimmt nur zwei Drogensüchtige, flüsterte sein kleines prosaisches Ich. Junkies oder Drogenkuriere. Völlig zugedröhnt. Irgendwas in der Art. Er nickte in Gedanken. Natürlich, sonst wären die doch nicht gefahren wie die Henker. Wer sagte überhaupt, dass ein anderes Auto und Fahrerflucht im Spiel waren? Und wenn doch, war's vielleicht nur irgendein erschrockener armer Teufel gewesen, den diese zugedröhnten Weiber torpediert hatten. Irgend so ein armer Teufel, der es mit der Angst zu tun bekommen hatte und nur wegwollte.

»Okay«, murmelte Assad, als er aufgelegt hatte.

»Hast du sie erwischt?«, fragte Carl. »Hat sie die Aufgabe kapiert?«

Assad wirkte sehr nachdenklich.

»Hallo, Assad! Was hat Yrsa gesagt?«

»Was Yrsa gesagt hat?« Er hob den Kopf. »Keine Ahnung. Ich hatte Rose am Apparat.«

40

Er war nicht zufrieden. Nein, ganz und gar nicht.

Seit dem Unfall waren knapp zwei Tage vergangen, und den Nachrichten zufolge ging es einer der beiden Verunglückten jetzt besser. Der anderen räumte man keine großen Chancen ein. Aber welcher der beiden, darüber wurde nichts gesagt.

Egal, er konnte mit seinem Gegenschlag nicht länger warten.

Am Vortag hatte er Informationen über eine mögliche neue Familie gesammelt und in dem Zusammenhang überlegt, nach Viborg zu fahren, in Isabels Haus einzubrechen und ihren Computer verschwinden zu lassen. Aber was nutzte das, wenn sie ihrem Bruder schon alle Informationen über ihn geschickt hatte?

Und dann war da noch die Frage, wie viel Rachel wusste. Hatte Isabel ihr alles erzählt?

Natürlich hatte sie das.

Nein, die Frauen mussten beseitigt werden, das war ihm nun klar.

Er wandte die Augen zum Himmel. Immer noch fand dieser Ringkampf zwischen ihm und Gott statt. So war es immer gewesen. Seit seiner frühesten Kindheit.

Warum konnte Gott ihn nicht einfach in Ruhe lassen?

Er schob die Gedanken beiseite, schaltete seinen Computer ein, suchte die Nummer der Notaufnahme im Rigshospital heraus und hatte kurz darauf eine resolute Sekretärin am Telefon, die ihm aber nicht viel sagen konnte.

Immerhin wusste sie, dass beide Frauen auf der Intensivstation lagen.

Einen Moment lang saß er neben dem Telefon und starrte auf seinen Notizblock.

Intensivstation. ITA 4131.

Telefon: 35 454 131.

Drei knappe Informationen. Für manchen bedeuteten sie Tod, für ihn Leben. So einfach ließ sich das zusammenfassen. Da konnten die Augen dort oben im allmächtigen Himmel noch so streng auf ihn herabschauen.

Er ging auf die Website des Rigshospitals und klickte sich durch bis zur Intensivstation.

Die Website war übersichtlich. Klinisch rein wie die Klinik selbst. Er wählte *Praktische Informationen* und dann *Informationen für Angehörige.pdf,* und schon hatte er einen Leitfaden, in dem alles stand, was er wissen musste.

Er überflog die Seiten.

Schichtwechsel 15.30–16.00 Uhr stand dort. In der Zeit musste er zuschlagen. Dann, wenn es besonders hektisch zuging.

In diesem unglaublichen Leitfaden hieß es überdies, dass Besuche von Angehörigen ein großer Trost und eine wertvolle Unterstützung für die Patienten seien. Er lächelte. Also war er von nun an ein Angehöriger. Er würde einen Blumenstrauß kaufen, das war doch wohl tröstend. Und er würde die richtige Miene aufsetzen, eine extrem besorgte Miene.

Er las weiter. Das wurde ja immer besser! Da stand doch tatsächlich, dass Familienmitglieder oder enge Freunde eines Patienten Tag und Nacht auf der Station willkommen seien.

Enge Freunde, Tag und Nacht!

Er überlegte. Da war es geschickter, sich als guter Freund auszugeben, das war schwerer nachzuprüfen. Ein enger Freund von Rachel. Einer aus ihrer Gemeinde. Er würde sich den singenden Dialekt Mitteljütlands zulegen, das würde rechtfertigen, warum er so lange blieb. Er kam immerhin von weit her.

Das alles und noch mehr stand in dem Besucherleitfaden.

Dass man im Raum für Angehörige warten solle, wo man sich Tee und Kaffee zubereiten könne. Dass tagsüber Gespräche mit den Ärzten möglich seien. Es gab hübsche Fotos von der Zimmereinrichtung und präzise Beschreibungen der Apparaturen und Überwachungsgeräte, mit denen dort gearbeitet wurde.

Er betrachtete die Fotos der Überwachungsinstrumente. Ihm war bewusst, dass er schnellstmöglich töten und dann ruckzuck verschwinden musste. In dem Moment, wo auf einer Intensivstation ein Patient starb, schlugen alle Instrumente Alarm. Das Personal im Überwachungsraum würde sofort Bescheid wissen. In null Komma nichts würden sie zur Stelle sein. Sekunden später würden Wiederbelebungsversuche gestartet. Immerhin waren das lauter Profis.

Er musste also nicht nur schnell töten, sondern auch so, dass eine Wiederbelebung unmöglich war. Und vor allem war es wichtig, dass man nicht sofort Verdacht schöpfte, die Todesursache könne eine widernatürliche sein.

Er brauchte eine halbe Stunde vor dem Spiegel. Zog Falten über die Stirn, setzte eine neue Perücke auf, veränderte den Bereich um die Augen.

Zufrieden betrachtete er das Resultat. Ein zutiefst besorgter Mann. Älter, mit Brille, graumeliertem Haar und schlechter Haut. Ziemlich weit von der Wirklichkeit entfernt.

Er öffnete die Spiegeltür des Medizinschranks, zog eine Schublade auf und nahm vier Plastikverpackungen heraus.

Ganz gewöhnliche Spritzen, wie man sie rezeptfrei in der Apotheke kaufen konnte. Ganz gewöhnliche Kanülen, wie sie Tag für Tag Tausende Junkies benutzten – mit dem Segen der Gesellschaft.

Mehr brauchte er nicht.

Nur die Spritze mit Luft füllen, die Kanüle in eine Ader stechen und den Spritzenstempel hinunterschieben. Der Tod würde schnell eintreten. Er würde von einem Zimmer zum anderen huschen, und noch ehe der Alarm losging, hätte er sie alle beide erledigt.

Alles eine Frage des Timings.

Er suchte nach Station 4131. Sobald man die Nummer der Station kannte, wusste man, welchen Eingang man nehmen, in welches Stockwerk man fahren und welchen Abschnitt man suchen musste, so stand es jedenfalls im Wegweiser des Rigshospitals.

Aufgang 4, 13. Etage, 1. Abschnitt. So hätte es sein sollen. Aber der Aufzug ging nur bis zum siebten Stock.

Er sah auf die Uhr. Bald war Schichtwechsel, er hatte keine Zeit zu vergeuden.

Er überholte zwei dieser Krückenhusaren, die überall herumhumpelten, und trat an den Informationsschalter am Haupteingang. Der Mann hinter der Glasscheibe hatte vermutlich mal einen besseren Job gehabt, aber er antwortete freundlich und effektiv.

»Nein, das müssen Sie anders lesen. Das ist Eingang 41, 3. Stock, Abschnitt 1. Gehen Sie zu Aufgang 3, und dort nehmen Sie den Aufzug.«

Er deutete in die entsprechende Richtung und schob sicherheitshalber noch einen fotokopierten Zettel durch die Luke, wo er die Nummer mit Kuli eingetragen hatte. *Der Patient liegt auf Station …*, stand dort vorgedruckt, und dann kam die Nummer.

Na also! Was für ein perfekter Wegweiser zum Tatort!

Er stieg im dritten Stock aus und sah sofort das Schild: *Intensivstation, Abteilung 4131*. Dort hinein führte eine geschlossene Doppeltür mit weißen Spanngardinen. Hat was von einem Beerdigungsinstitut, dachte er und lächelte. Na, das war es ja irgendwie auch.

Das Tempo dort drinnen entsprach hoffentlich nicht dem hier draußen auf dem Korridor, wo keine Menschenseele unterwegs war, überall leere Gitterwagen herumstanden und jeder Schritt hallte.

Er stieß die Schwingtür auf.

Die Station war nicht groß, wirkte aber so, und das Ausmaß an Energie, das sich hier drinnen entfaltete, überraschte ihn dann doch. Er hatte eher mit großer Konzentration und stiller Arbeit gerechnet, aber so war es nicht, jedenfalls nicht im Moment. Aber das mochte am bevorstehenden Schichtwechsel liegen.

Auf dem Weg zur Rezeption sah er zwei kleine Aufenthaltsräume für Besucher, deren Türen offen standen. Die Theke war so eine starkfarbige, gebogene Angelegenheit, an der man nicht so leicht vorbeikam.

Die Mitarbeiterin nickte ihm zu, sie musste erst ihre Papiere ordnen.

In der Zwischenzeit sah er sich um.

Überall wuselten Ärzte und Krankenschwestern herum. Manche waren in den Krankenzimmern beschäftigt, andere saßen in kleinen Räumen am Computer und wieder andere eilten zielstrebig über den Gang.

»Komme ich ungelegen?«, frage er die Mitarbeiterin in breitestem jütländischem Dialekt.

Sie warf einen Blick auf die Armbanduhr, dann sah sie ihn freundlich an. »Vielleicht ein bisschen. Wen suchen Sie denn?«

Jetzt setzte er die besorgte Miene auf, die er einstudiert hatte. »Ich bin ein Freund von Rachel Krogh.«

Sie neigte den Kopf leicht zur Seite. »Rachel? Hier liegt keine Rachel. Sie meinen wohl Lisa Krogh?« Sie sah auf den Bildschirm. »Lisa Karin Krogh steht da.«

So ein Mist, jetzt passierte ihm das schon wieder! Rachel war ihr Kirchenname, das wusste er doch.

»O ja, bitte entschuldigen Sie. Ja, Lisa, natürlich. Wir sind in derselben Gemeinde, wissen Sie, und dort benutzen wir unsere biblischen Namen. Lisa heißt dort Rachel.«

Der Gesichtsausdruck der Sekretärin änderte sich kaum merklich. Glaubte sie ihm nicht? Oder hatte sie Aversionen gegen religiöse Menschen? Würde sie im nächsten Moment nach seinem Ausweis fragen?

»Ja, und Isabel Jønsson kenne ich auch«, fuhr er fort, ehe sie etwas sagen konnte. »Wir sind alle drei befreundet. Ich habe Ihre Kollegen unten in der Notaufnahme so verstanden, dass beide nach hier oben verlegt wurden. Das stimmt doch?«

Sie nickte und lächelte, verkniffen zwar, aber sie lächelte.

»Ja, sie liegen beide dort.« Sie deutete zu dem Krankenzimmer hinüber und nannte die Zimmernummer.

Beide im selben Zimmer! Besser konnte es ja gar nicht sein!

»Sie müssen allerdings einen Moment warten. Isabel wird auf eine andere Station verlegt, unsere Ärzte und Schwestern bereiten das gerade vor. Im Übrigen hat Isabel Jønsson eben Besuch bekommen. Sie müssen also warten, bis der Herr gegangen ist. Wir legen Wert darauf, dass sich immer nur eine Besuchergruppe zur Zeit im Zimmer aufhält.« Sie zeigte zum Aufenthaltsraum nahe dem Ausgang. »Er sitzt dort. Vielleicht kennen Sie ihn ja.«

Was war denn das für ein Scheiß?

Schnell drehte er sich zum Aufenthaltsraum um. Ja, da saß ein Mann mit verschränkten Armen. Allein. In Polizeiuniform. Garantiert Isabels Bruder. Die gleichen hohen Wangenknochen, die gleiche Gesichtsform, die gleiche Nase. So ein Scheiß!

Er sah die Sekretärin voller Hoffnung an. »Es geht Isabel hoffentlich besser?«

»Ja, soweit ich weiß. Sonst würde sie wahrscheinlich nicht verlegt werden.«

Soweit ich weiß, hatte sie gesagt. Natürlich wusste sie es ganz genau. Sie wusste nur nicht, wann die Verlegung stattfinden sollte, aber das konnte sicher jeden Augenblick sein.

Herrje! Und dann auch noch der Polizist zu Besuch.

»Kann ich denn überhaupt mit Rachel sprechen, ist sie bei Bewusstsein? Verzeihung, Lisa meine ich.«

Die Frau hinter der Theke schüttelte den Kopf. »Nein, Lisa Krogh ist noch immer bewusstlos.«

Er neigte den Kopf. »Aber Isabel ist doch bei Bewusstsein?«, erkundigte er sich leise.

»Das weiß ich nicht, fragen Sie die Krankenschwester dort.« Sie deutete auf eine blonde, extrem müde aussehende Frau, die mit einem Stoß Krankenakten unter dem Arm an der Theke vorbeiging. Dann wandte sich die Sekretärin einem anderen Besucher zu, der näher an die Theke getreten war. Die Audienz war beendet.

»Oh, Entschuldigung.« Er hielt die Krankenschwester an, indem er den Arm hob. *Mette Frigaard-Rasmussen* stand auf ihrem Namensschild. »Sie können mir nicht sagen, ob Isabel Jønsson bei Bewusstsein ist? Werde ich mit ihr sprechen können?«

Vielleicht war Isabel nicht ihre Patientin, vielleicht war sie nicht im Dienst, vielleicht war das nicht ihr Tag oder vielleicht war sie einfach völlig erschöpft. Jedenfalls kniff sie die Augen zusammen, als sie ihn ansah, und antwortete nur schmallippig.

»Isabel Jønsson? Äh, ja …« Sie unterbrach den Satz und sah kurz in die Luft. »Doch, bei Bewusstsein ist sie. Aber sie steht unter starken Medikamenten und der Unterkiefer ist gebrochen, deshalb spricht sie nicht so gut. Ja, eigentlich kommuniziert sie überhaupt nicht, aber das wird schon kommen.«

Dann lächelte sie ihn scheinbar mit letzter Kraft an, und er bedankte sich und ließ sie weiterziehen.

Isabel kommunizierte nicht. Eigentlich eine gute Nachricht. Nun galt es, die Situation zu nutzen.

Er presste die Lippen zusammen und stahl sich den Gang hinunter. Am besten wäre es wohl, wenn er nachher, bei seiner Flucht, den Fahrstuhl nahm, aber sicherheitshalber musste er sich auch nach anderen Fluchtwegen umsehen.

Er kam an Zimmern vorbei, in denen Menschen in größter Not lagen und Ärzte und Schwestern ruhig und entschlossen ihrer Arbeit nachgingen. Im Überwachungsraum saßen mehrere Personen in weißen Kitteln und beobachteten konzentriert die Monitore. Sie sprachen gedämpft. Alles wirkte sehr kompetent.

Ein Krankenpfleger ging an ihm vorbei und wunderte sich vielleicht, was er dort machte. Dann lächelten sie sich an, und er ging unbehelligt weiter.

Die Wände waren farbig gestaltet. Überall hingen Malereien. Sogar Glasmalereien. Alles strahlte Leben aus. Der Tod war hier nicht willkommen.

Er umrundete eine rote Wand und stellte fest, dass es einen Gang parallel zu dem gab, auf dem er eben gekommen war. Auf der linken Seite bestand er anscheinend aus lauter kleinen Arbeitsräumen. Jedenfalls waren neben den Türen Schilder mit Namen und Titeln angebracht. Er sah nach rechts und rechnete damit, wieder bei der Rezeption herauszukommen, wenn er diesen Weg weiterverfolgte. Allerdings wirkte der bei genauerem Hinsehen abgesperrt. Aber dort entdeckte er noch einen Aufzug. Vielleicht sein Fluchtweg.

Den Kittel sah er an der Tür eines Raums hängen, in dem Bettwäsche und diverse Utensilien auf Regalen lagen. Er sollte vermutlich in die Wäsche, so wie anderes dort.

Er machte einen schnellen Schritt zur Seite, griff sich den Kittel, legte ihn über den Arm und wartete ab. Dann ging er in Richtung Rezeption.

Auf dem Rückweg nickte er demselben Krankenpfleger zu und fühlte nach, ob die Spritzen und Kanülen auch in seiner Jackentasche waren. Natürlich waren sie da.

Er setzte sich auf ein blaues Sofa im vorderen, kleineren Aufenthaltsraum, ohne dass der Polizist im hinteren, größeren Raum auch nur den Kopf hob. Genau fünf Minuten später stand der Beamte auf und ging zur Empfangstheke. Zwei Ärzte und ein paar Pfleger hatten gerade das Krankenzimmer verlassen, in dem die Schwester des Polizisten lag. Mittlerweile waren beim Personal neue Gesichter aufgetaucht und verteilten sich auf ihre jeweiligen Posten.

Der Schichtwechsel war in vollem Gang.

Der Polizeibeamte nickte der Sekretärin zu und sie nickte zurück. Ja, Isabel Jønssons Bruder durfte jetzt gern hineingehen.

Er blickte dem Mann nach und sah, wie er im Krankenzimmer verschwand. Bald würde ein Krankenträger kommen. Nicht unbedingt der beste Ausgangspunkt für sein Vorhaben.

Wenn Isabels Zustand tatsächlich so stabil war, dass sie verlegt werden konnte, musste er sie vorher unschädlich machen. Später hatte er vielleicht keine Gelegenheit mehr dazu.

Alles drehte sich nun darum, Zeit zu gewinnen. Deshalb musste er den Bruder schnellstmöglich rausschmeißen, auch wenn das ein Risiko war und ihn der Gedanke, sich dem Mann zu nähern, schreckte. Vielleicht hatte Isabel ihm tatsächlich etwas erzählt. Er musste also zumindest sein Gesicht verdecken, wenn er in die Nähe des Mannes kam.

Er wartete, bis die Sekretärin anfing, ihre persönlichen Sachen zusammenzupacken, und den Platz einer anderen überließ.

Dann zog er den Kittel an.

Er war so weit.

Als er den Raum betrat, konnte er die Frauen nicht sofort identifizieren. Isabel musste die am Fenster sein, an deren Bett der Polizist saß. Der hielt die Hand seiner Schwester und redete mit ihr.

Dann war Rachel also die Frau im vorderen Bett, die mit dem Gespinst aus Schläuchen, die zu irgendwelchen Masken, Sonden und Tropfgestellen führten.

Hinter ihr erhob sich eine Wand aus piepsenden, blinkenden Maschinen. Ihr Gesicht war fast vollständig verdeckt, ebenso ihr Körper. Unter der Decke ahnte man schwerste Verletzungen und irreparable Schäden.

Er sah hinüber zu Isabel und ihrem Bruder. »Was ist passiert, Isabel?«, fragte der Bruder gerade.

Da zog er sich zwischen die Wand und Rachels Bett zurück und beugte sich vor.

»Tut mir leid, aber Sie können nicht im Zimmer bleiben, Herr Jønsson«, sagte er, lehnte sich über Rachel und zog ihr Augenlid hoch, als untersuchte er ihre Pupillen. Das sah nach tiefer Bewusstlosigkeit aus.

»Isabel wird jetzt verlegt«, fuhr er fort. »Vielleicht möchten Sie in der Cafeteria warten? Wir werden Sie dann informieren, wohin wir Isabel gebracht haben. Können Sie vielleicht in einer halben Stunde wiederkommen?«

Er hörte, wie der Mann aufstand und sich von seiner Schwester verabschiedete. Ein Mann, der eine Aufforderung verstand.

Als der Polizist aus der Tür ging, nickte er ihm mit halb abgewandtem Gesicht zu. Dann stand er einen Moment da und blickte auf die Frau vor sich. Äußerst unwahrscheinlich, dass sie je wieder eine Bedrohung für ihn darstellen würde.

Genau in diesem Moment schlug Rachel die Augen auf. Sie starrte ihn direkt an, als wäre sie bei vollem Bewusstsein. Starrte mit leerem Blick und doch so intensiv, dass es ihm schwerfallen würde, das von sich abzuschütteln. Aber da fielen ihr die Augen auch schon wieder zu. Er hielt noch kurz inne, um zu sehen, ob sich das wiederholte, aber das tat es nicht. Wahrscheinlich irgendeine Art von Reflex. Er lauschte auf das Piepsen der Messinstrumente. Die Herzfrequenz hatte sich in der letzten Minute mit Sicherheit erhöht. Dann wandte er sich Isabel zu, deren Brustkorb sich immer schneller hob und senkte. Sie wusste also, dass er da war. Sie hatte seine Stimme erkannt. Aber was half ihr das? Der Kiefer war fixiert und die

Augen mit Gaze bedeckt. Fest verankert lag sie da, verbunden mit einer Reihe von Tropfgestellen und Messinstrumenten. Aber sie hing an keiner Sonde und hatte keinen Respirator im Mund. Direkt in Lebensgefahr befand sie sich offensichtlich nicht mehr. Bald schon würde sie sprechen können.

Welche Ironie, dass all diese positiven Lebenszeichen sie zum Tode verurteilen, dachte er und trat näher, wobei er schon nach einer geeigneten Ader an ihrem Arm Ausschau hielt.

Er zog eine Spritze aus der Tasche, drückte die Kanüle aus der Verpackung und steckte beides zusammen. Dann zog er den Spritzenstempel ganz heraus und füllte die Spritze so mit Luft.

»Du hättest dich mit dem begnügen sollen, was ich dir zu bieten hatte, Isabel«, sagte er und registrierte, wie sich ihr Atem und ihr Herzschlag enorm beschleunigten.

Er sah das Personal im Überwachungsraum vor sich. Nicht gut, dachte er, glitt auf die andere Seite des Bettes und stieß das Stützkissen unter ihrem Arm weg.

»Ganz ruhig, Isabel«, versuchte er zu beschwichtigen. »Dir passiert nichts. Ich bin nur kurz hier, um dir zu sagen, dass ich den Kindern nichts antun werde. Ich kümmere mich gut um sie. Wenn du gesund bist, schicke ich dir eine Nachricht, wo sie sind. Glaub mir. Es geht doch nur ums Geld. Ich bin doch kein Mörder.«

Er stellte fest, dass sie zwar immer noch schnell atmete, sich der Herzschlag aber beruhigte. Sehr gut.

Dann warf er einen Blick auf die Instrumente an Rachels Bett. Das Piepsen war nun ein Dauerton. Anscheinend lief ihr Herz auf einmal Amok.

Nun aber fix.

Er packte Isabels Arm, fand eine pochende Ader und stieß die Kanüle hinein. Butterweich glitt sie in das Gefäß.

Isabel war so gedopt von ihren Medikamenten, dass sie überhaupt nicht reagierte.

Er versuchte, den Stempel reinzudrücken, aber das klappte nicht. Also hatte er neben die Ader gestochen.

Er zog die Kanüle heraus und stach wieder zu. Diesmal zuckte Isabel heftig zusammen. Jetzt wusste sie, was er vorhatte. Wieder fing ihr Puls an zu rasen. Er drückte, aber dieser Scheißstempel ließ sich noch immer nicht hineinpressen.

Im selben Moment wurde die Tür aufgerissen.

»Was ist hier los?«, rief eine Krankenschwester. Ihr Blick flackerte zwischen den Messinstrumenten hinter Rachels Bett und dem Fremden mit der Kanüle hin und her.

Er steckte die Spritze in die Tasche und sprang auf, und noch ehe die Frau begriff, was gespielt wurde, schlug er ihr gegen den Hals, sodass sie vor der offenen Tür zusammensackte.

»Kümmern Sie sich um sie, ich glaub, sie ist überanstrengt«, rief er der Krankenschwester zu, die aus dem Überwachungsraum gestürzt kam, um nach den piepsenden Messinstrumenten der beiden Frauen zu sehen. Eine Sekunde später glich die Station einem wimmelnden Ameisenhaufen. Und während Menschen in Weiß herbeiströmten und sich vor der Tür des Krankenzimmers sammelten, trat er einen raschen Rückzug in Richtung Aufzug an.

Das war total danebengegangen! Zum zweiten Mal hatten wenige Sekunden über Isabels Schicksal entschieden. Zu ihren Gunsten! Nur zehn Sekunden mehr, und er hätte eine Ader getroffen. Zehn Sekunden. Zehn verdammte Sekunden, die ihm gefehlt und alles verdorben hatten!

Hektische Rufe waren zu hören, als sich die Flügeltür hinter ihm schloss. Vor den Aufzügen saß ein magerer Mann mit dunklen Ringen unter den Augen. Als er den Kittel sah, nickte er. So wirkten Kittel in einem Krankenhaus nun mal.

Er drückte auf den Aufzugknopf und hielt gleichzeitig nach der Nottreppe Ausschau, als sich die Aufzugtüren vor ihm öffneten. Als er einstieg, nickte er ein, zwei Männern in Kitteln und ein paar bedrückt wirkenden Besuchern zu, die schon im

Aufzug standen. Dann lehnte er sich an die Wand, damit niemandem auffiel, dass er kein Namensschild trug.

Im Erdgeschoss wäre er vor dem Aufzug fast mit Isabels Bruder zusammengestoßen. Der war offenbar nicht viel weiter gekommen.

Die beiden Männer, mit denen er sich unterhielt, waren eindeutig Kollegen. Na, der kleine Dunkle vielleicht nicht, aber der Däne. Alle drei sahen ernst aus.

So war ihm verdammt noch mal auch zumute.

Draußen sah er hoch oben einen Hubschrauber über dem Gebäude einschwenken. Der beförderte wohl den nächsten Problemfall in die Notaufnahme.

Kommt nur, dachte er. Je mehr Unfälle eingeliefert wurden, umso weniger Ressourcen hatten sie für die, an denen er sich eben zu schaffen gemacht hatte.

Den Kittel zog er erst aus, als er im Schatten der Bäume auf dem großen Parkplatz stand, wo er sein Auto abgestellt hatte.

Die Perücke flog auf den Rücksitz.

41

Assad und er waren noch gar nicht unten im Keller angekommen, da registrierte Carl schon die Veränderungen, und die waren nicht zum Besseren. Am Ende der Treppe in der Rotunde lagen Pappkartons und aller möglicher Krempel. Unzählige Teile von Stahlregalen waren an den Wänden aufgestapelt, und das Scheppern aus der Tiefe verriet, dass an dem Tag noch allerhand herumgewühlt werden würde.

»Was zum Teufel soll das denn?«, brüllte er, als sie auf ihrem Gang angekommen waren. Wo war die verdammte Tür zur Asbesthölle geblieben? Waren das etwa die Platten, die an ihrem Aktensystem und der vergrößerten Kopie des Flaschenbriefs lehnten?

»Was ist denn hier los?«, rief er, als Rose den Kopf aus ihrem Büro steckte. Gott sei Dank sah wenigstens sie aus wie immer. Rabenschwarzes kurzes Haar, weißer, kalkartiger Kram im Gesicht und eine dicke Kruste Lidschatten. Schön strenger Blick. Rose, wie sie leibte und lebte.

»Die machen den Keller leer. Die Wand stand im Weg«, kommentierte sie lapidar.

Assad dachte daran, sie willkommen zu heißen.

»Schön, dich zu sehen, Rose. Du siehst …« Er suchte nach dem richtigen Wort. Dann lächelte er. »Du siehst richtig gut wie du selbst aus.«

Vielleicht nicht genau die Formulierung, die Carl gewählt hätte.

»Danke für die Rosen«, sagte sie. Ihre scharf nachgezogenen Augenbrauen hoben sich ein klein wenig. Das war wohl eine Art Gefühlsausbruch.

Carl lächelte leicht. »Danke dir. Wir haben dich vermisst. Nicht, dass es mit Yrsa nicht gut geklappt hätte«, beeilte er sich hinzuzufügen. »Aber trotzdem.«

Er zeigte den Gang hinunter. »Das da mit der Wand bedeutet, dass die Gewerbeaufsicht wiederkommt«, sagte er. »Was um Himmels willen ist denn da los? Du sagst, die räumen den Keller aus. Wie meinst du das?«

»Alles kommt weg. Bis auf uns. Das Archiv, das Lager mit den gestohlenen Sachen, die Postabteilung und die Beamtensterbekasse. Du weißt schon, die Polizeireform. Ein Schritt vor und zwei zurück.«

Dann gäbe es ja auf einmal verdammt viel Platz.

Carl wandte sich ihr zu. »Was hast du für uns? Wer sind die beiden Frauen, die den Unfall hatten, und wie geht es ihnen?«

Sie zuckte die Achseln. »Ach das. Dazu bin ich noch nicht gekommen, musste erst mal Yrsas Kram wegschaffen. War das eilig?«

Carl notierte am Rande, wie Assads Hand irgendwo im Hintergrund abwehrend in die Höhe flog. Pass auf, sonst haut sie gleich wieder ab, bedeutete das Zeichen, und Carl zählte innerlich bis zehn.

Herrje, ging das etwa nahtlos weiter mit ihrer Renitenz?

»Bitte entschuldige, Rose«, sagte er im Kampf mit sich selbst. »Wir werden unsere Bedürfnisse künftig präziser formulieren. Bist du jetzt bitte so liebenswürdig und stellst uns die Informationen zusammen? Denn ja: Es eilt schon ein bisschen.«

Er nickte schwach in Assads Richtung, der begeistert seinen Daumen hob.

Rose wackelte etwas mit dem Kopf, ganz offenkundig wusste sie nicht recht, wie sie reagieren sollte.

Doch ja, sie hatten wohl gelernt, wie man tunlichst mit ihr umgehen sollte.

»Im Übrigen hast du in drei Minuten einen Termin beim

Psychologen, Carl. Hast du das vergessen?«, sagte sie und warf einen Blick auf die Armbanduhr. »Ja, du hast es echt eilig, würde ich meinen.«

»Was soll das heißen?«

Sie reichte ihm die Adresse. »Wenn du rennst, kannst du es gerade noch schaffen. Ich soll von Mona Ibsen grüßen und ausrichten, sie sei stolz, dass du das durchziehst.«

Das saß. Da gab es nun keinen Weg dran vorbei.

Die Anker Heegaards Gade war zwar nur zwei Straßen vom Präsidium entfernt, aber doch weit genug, dass Carl sich fühlte, als hätte man ihm eine Vakuumpumpe ins Maul gestopft, die seine Lungenflügel zusammenklappen ließ. Mit Gefallen dieser Art durfte sich Mona künftig gern zurückhalten.

»Gut, dass Sie gekommen sind«, sagte dieser Psychoheini namens Kris. »War's schwer zu finden?«

Was sollte man darauf antworten? Zwei Straßen weiter. Ausländerabteilung der Reichspolizei, wo er schon etwa dreitausendmal war.

Aber was hatte der Psychologe da verloren?

»Spaß beiseite, Carl. Ich weiß doch, dass Sie ganz andere Sachen finden. Und jetzt fragen Sie sich bestimmt, was ich hier im Haus zu suchen habe. Nun ja, wir haben hier in der Ausländerabteilung vieles, wofür man einen Psychologen braucht. Das können Sie sich ja vorstellen.«

Dieser Kerl war ja echt unheimlich. Zapfte der seine Gedanken an, oder was?

»Ich hab nur eine halbe Stunde«, sagte Carl. »Wir stecken mitten in einer eiligen Geschichte.«

Das war nicht mal gelogen.

»Ja.« Kris notierte sich das in seine Akte. »Sehen Sie doch bitte zu, nächstes Mal pünktlich zu sein, ja?«

Er zog eine Akte hervor, die zu kopieren mindestens zwei Stunden gedauert haben musste.

»Wissen Sie, was das hier ist? Hat man Sie darüber informiert?«

Carl schüttelte den Kopf, aber er konnte es sich vorstellen.

»Ich sehe, Sie haben eine Vermutung. Das sind Ihre Stammdaten und darüber hinaus die Akte des Falles, bei dem Sie und Ihre Kollegen in der Baracke auf Amager niedergeschossen wurden. Ich muss in dem Zusammenhang sagen, dass ich Informationen habe, die ich Ihnen leider nicht offenlegen kann.«

»Was meinen Sie damit?«

»Ich habe Berichte sowohl von Hardy Henningsen als auch von Anker Høyer, mit denen Sie gemeinsam in dem Fall ermittelt haben. Aus denen geht hervor, dass Sie besser über die Vorgänge informiert waren als die beiden anderen.«

»Aha. Das finde ich nicht. Warum schreiben die so was? Wir waren gemeinsam an dem Fall dran, und zwar vom ersten Tag an.«

»Ja, also das ist eine der Sachen, bei denen wir im Lauf unserer Sitzungen ein bisschen weiterkommen wollen. Ich glaube, Sie stecken in dem Fall vielleicht etwas in der Klemme. Da ist etwas, das Sie entweder verdrängt haben oder womit Sie nicht rausrücken wollen.«

Carl schüttelte den Kopf. Was zum Teufel war das denn? Saß er hier auf der Anklagebank, oder was?

»Ich bin in überhaupt keiner Klemme«, sagte er, und ihm wurde vor Ärger heiß im Gesicht. »Das war ein stinknormaler Fall. Abgesehen davon, dass man auf uns geschossen hat. Worauf wollen Sie hinaus?«

»Haben Sie eine Idee, warum Sie nach so langer Zeit noch so heftig auf den Vorfall damals reagieren?«

»Na, das würden Sie ja wohl auch, wenn Sie um Haaresbreite erschossen worden wären und wenn zwei Ihrer besten Freunde nicht so viel Glück gehabt hätten wie Sie.«

»Sie meinen, Hardy und Anker waren zwei Ihrer besten Freunde?«

»Die waren meine Kumpels, meine Partner, ja. Meine guten Kollegen.«

»Das ist was anderes, finde ich.«

»Ich weiß nicht, ob Sie einen gelähmten Mann in Ihrem Wohnzimmer haben? Ich schon. Und da würden Sie mich also nicht einen guten Freund nennen?«

»Sie verstehen das falsch. Ich bin sicher, dass Sie in vielerlei Hinsicht ein guter Typ sind. Und bestimmt haben Sie Hardy Henningsen gegenüber auch ein schlechtes Gewissen, deshalb geben Sie sich ja so viel Mühe. Aber sind Sie denn sicher, dass das damals, als Sie zusammengearbeitet haben, auch eine gute Partnerschaft war?«

»Das will ich meinen.« Verdammt, was war der Kerl nervig!

»Anker Høyer hatte Kokain im Blut, als er obduziert wurde. Wussten Sie das?«

An dieser Stelle ließ sich Carl in etwas zurücksinken, das ein Sessel sein sollte. Nein, das wusste er nun wahrhaftig nicht.

»Hatten Sie auch Kokain intus, Carl?«

Irgendwie wirkten diese hellblauen Augen, die ihn fixierten, zunehmend kalt. Als Mona zugeschaut hatte, hatte Kris unverhohlen mit ihm geflirtet. Niedliches Schwuchtelblinzeln. Aber das hier wirkte fast schon wie ein Verhör dritten Grades.

»Kokain? Den Dreck hab ich nie angerührt.«

Kris hob die Hand. »Okay, wir fahren in eine andere Richtung. Hatten Sie Kontakt zu Hardys Frau, ehe sie Hardy heiratete?«

Was sollte denn die Leier jetzt schon wieder? Carl sah den Typen an, der wie eine Statue dasaß und abwartete.

»Ja, hatte ich«, sagte er dann. »Sie war mit einer Frau befreundet, mit der ich zusammen war. So haben Hardy und sie sich kennengelernt.«

»Sie hatten keine sexuelle Beziehung?«

Carl lächelte. Er hatte nie was anbrennen lassen. Wie ihm

das alles hier aber gegen den Druck auf der Brust helfen sollte, war ihm ein Rätsel.

»Sie zögern. Was sagen Sie?«

»Ich sage, dass das hier die sonderbarste Form von Therapie ist, die ich bisher erlebt habe. Wann setzen Sie die Daumenschrauben an? Aber nein, abgesehen von 'nem bisschen Rumknutschen war da nichts.«

»Rumknutschen, wie weit geht das bei Ihnen?«

»Ach Kris, nun machen Sie mal halblang. Selbst wenn Sie schwul sind, werden Sie sich doch ein bisschen gegenseitige heterosexuelle Körpererforschung vorstellen können.«

»Sie haben also …«

»Nein, Kris, ganz ehrlich. Ich hab keine Lust, ins Detail zu gehen. Außer Küssen und ein bisschen Petting war nichts zwischen uns. Klar?«

Auch das notierte er.

Dann richtete er seine hellblauen Augen wieder auf Carl. »Im Zusammenhang mit dem sogenannten Druckluftnagler-Fall geht aus Hardy Henningsens Aufzeichnungen hervor, dass Sie vielleicht mit dem, der Sie niedergeschossen hat, in Kontakt standen. Stimmt das?«

»Nein, verdammt noch mal, das stimmt nicht! Da muss ein Missverständnis vorliegen.«

»Okay.« Kris warf Carl einen Blick zu, der Vertraulichkeit signalisieren sollte. »Aber es ist doch nun einmal so, Carl: Juckt der Arsch, wenn man ins Bett geht, dann stinken beim Aufwachen die Finger.«

Ach du lieber Gott. Fing der jetzt auch damit an?

»Na, bist du geheilt?« Rose war auf dem Korridor, als er zurückkam. Sie lächelte, aber vielleicht ein bisschen zu breit.

»Sehr witzig, Rose. Falls ich nächstes Mal hingehe, kannst du ja in der Zeit einen Kurs in Takt und Umgangston belegen.«

»Na ja.« Sie war schon wieder im Schützengraben. »Du

kannst nicht von mir erwarten, dass ich gleichzeitig freundlich und politisch korrekt bin.«

Freundlich? Gott bewahre.

»Was hast du über die beiden Frauen herausgefunden?«

Sie nannte Namen, Adressen, Alter. Beide Anfang vierzig. Null Kontakt zum kriminellen Milieu. Durchschnittliche Menschen.

»Mit der Intensivstation im Rigshospital hab ich noch nicht gesprochen. Das kommt gleich.«

»Wem gehörte das Auto, mit dem sie den Unfall bauten?«

»Hast du den Unfallbericht nicht gelesen? Der Wagen gehörte Isabel Jønsson, aber gefahren ist die andere, Lisa Karin Krogh.«

»Ja, das weiß ich. Zahlen die Frauen Kirchensteuer?«

»Du kommst aber wirklich vom Stöckchen aufs Hölzchen.«

»Weißt du, ob sie's tun?«

Sie zuckte die Achseln.

»Dann finde es heraus, Rose. Und falls sie es nicht tun, finde heraus, ob sie irgendeiner anderen Glaubensgemeinschaft angehören, und wenn ja, welcher.«

»Bin ich 'ne rasende Reporterin, oder was?«

Er wollte sich gerade aufregen, wurde aber durch lautes Gebrüll aus Richtung der Postabteilung unterbrochen.

»Was ist da los?«, rief Assad.

»Keine Ahnung«, antwortete Carl. Er konnte lediglich sehen, dass am Ende des Gangs ein Mann stand, der die Strebe eines Stahlregals hocherhoben über seinem Kopf hielt, und dass ein uniformierter Polizist aus dem Nebengang in seine Richtung losstürzte. Da ließ der Mann die Strebe herunterkrachen und der Polizist torkelte zurück.

Im selben Moment entdeckte der Kerl das Kleeblatt des Sonderdezernats Q, machte auf dem Absatz kehrt und lief mit vorgestreckter Stahlstrebe direkt auf sie zu. Rose zog sich zurück, aber Assad stand ganz still neben Carl und wartete.

»Sollen sich nicht die oben in der Wache des Kerls annehmen?«, fragte Carl, als der Mann immer wieder etwas rief, das sie nicht verstanden.

Aber Assad antwortete nicht. Er beugte sich vor und streckte die Arme wie ein Ringer aus. Leider hatte das keine abschreckende Wirkung auf den Angreifer. Was der schon bald bereuen sollte. Denn als er ganz nahe herangekommen war, die Strebe zum Schlag erhoben, sprang Assad auf und packte die Waffe mit beiden Händen. Die Wirkung war erstaunlich.

Die Arme des Mannes knickten in den Ellbogengelenken ab, sodass die Strebe nach hinten schwenkte und voller Wucht auf seine Schultern krachte. Das Knochenknacken war nicht zu überhören.

Sicherheitshalber beschloss Assad einen Konterangriff, indem er dem Muskelberg mit der Zehenspitze direkt in die Bauchhöhle trat. Die Töne, die der Kerl von sich gab, gehörten nicht zu denen, die man öfter hören wollte. Nie hatte Carl solch einen Koloss in so kurzer Zeit zusammenklappen sehen.

Als dieser sich mit gebrochenem Schlüsselbein auf dem Boden wand, kamen mehrere Polizisten angerannt.

Da erst fiel Carl auf, dass am rechten Handgelenk des Mannes eine Handschelle baumelte.

»Wir waren gerade mit ihm bei Hof vier reingekommen, er soll hoch zum Untersuchungsrichter«, sagte der eine Polizist, während sie die Handschellen wieder anbrachten. »Keine Ahnung, wie der die Handschelle losgeworden ist, aber irgendwie ist er durch die Ladeluke runter in die Postabteilung gesprungen.«

»Na, entkommen wäre er uns nicht«, sagte der andere Polizist. Carl kannte ihn. Ein ausgezeichneter Schütze.

Die Beamten klopften Assad auf die Schulter. Dass er ihren Aspiranten mit ziemlicher Sicherheit ins Krankenhaus umdirigiert hatte, war ihnen egal.

»Wer ist der Knabe?«, wollte Carl wissen.

»Der da? So wie's aussieht, hat er in den letzten vierzehn Tagen drei serbische Geldeintreiber umgebracht.«

Da sah Carl am kleinen Finger des Mannes den Ring, der sich tief ins Fleisch eingegraben hatte.

Carls Blick suchte Assad, der auch jetzt nicht besonders überrascht wirkte.

»Ich hab alles gesehen«, tönte eine tiefe Stimme hinter Carl. Die beiden Polizisten schleppten den stöhnenden Serben dorthin zurück, wo sie herkamen.

Carl drehte sich um. Das war doch Valde, einer der pensionierten Beamten, die sich um diesen Beerdigungsverein, die Beamtensterbekasse, kümmerten. Zweiter Vorsitzender, soweit Carl wusste.

»Was zum Teufel machst du denn an einem Mittwoch hier, Valde? Trefft ihr euch nicht immer dienstags?«

Der lachte und rieb sich den Bart. »Doch. Aber wir waren gestern alle bei Jannik. Geburtstag feiern. Siebzig, weißt du. Da müssen die Traditionen halt mal zurücktreten.«

Er wandte sich an Assad. »Alle Wetter, Kamerad. Das da eben, das würd ich mir glatt noch mal ansehen. Wo hast du denn solche Tricks gelernt?«

Assad zuckte die Achseln. »Reiz und Reaktion. Nichts weiter.«

Valde nickte. »Komm mit nach hinten zu uns. Du verdienst einen Gammel Dansk.«

»Gammel?« Assad stand das Fragezeichen ins Gesicht geschrieben.

»Assad trinkt keinen Schnaps, Valde«, mischte sich Carl ein. »Aber mir kannst du einen geben.«

Da saß der ganze Trupp versammelt. Vor allem alte Verkehrspolizisten, aber auch Jannik, der in der Abteilung für Polizeitechnik gearbeitet hatte, und einer der alten Chauffeure des damaligen Polizeipräsidenten.

Brötchen, Zigaretten, schwarzer Kaffee und Gammel Dansk. Den Pensionären hier im Präsidium ging's nicht schlecht.

»Bist du inzwischen wieder auf dem Damm?«, fragte einer Carl. Einer, mit dem er gelegentlich draußen im Polizeibezirk Gladsaxe Kontakt gehabt hatte.

Carl nickte.

»Hässliche Geschichte, das mit Anker und Hardy. Überhaupt eine hässliche Geschichte. Hast du den Fall aufklären können?«

»Leider nein.« Er drehte sich zum Fenster über den Schreibtischen um. »Ihr Glücklichen, ihr habt Fenster. Könnten wir auch gebrauchen.«

Ihm fiel auf, wie alle fünf gleichzeitig die Stirn runzelten.

»Was ist?«

»Also entschuldige, Carl. Aber alle Kellerräume hier unten haben Fenster«, antwortete einer.

»Unsere nicht«, beharrte Carl.

Der alte Mechaniker stand auf. »Nun bin ich seit siebenunddreißig Jahren hier und kenne jeden Winkel dieser Bruchbude. Zeig mir doch mal deinen Kellerraum, ja? Ich muss sowieso gleich los.«

Das war ja eine kurze Schnapsrunde.

»Hier«, sagte Carl eine Minute später. Er deutete an die Wand, wo sein Flachbildschirm hing. »Und wo ist nun das Fenster?«

Der Mechaniker lehnte sich etwas zur Seite. »Und wie würdest du das da nennen?« Er deutete direkt auf die Wand.

»Äh, Wand?«

»Rigipsplatten, Carl Mørck. Das sind einfach nur Rigipsplatten. Die haben meine Leute angebracht, als wir die Räume als Lager für Reserveteile genutzt haben. Damals waren hier überall Regale. Hier und da drüben bei deiner süßen kleinen Sekretärin. Die Regale, die sie später für die Visiere und Helme der Bereitschaftspolizei benutzt haben und die inzwischen überall rumfliegen.« Er lachte. »Nicht sehr schlau,

Carl Mørck! Soll ich dir ein Loch reinschlagen oder willst du's lieber selbst tun?«

Das war doch nicht zu fassen! »Und wie sieht's da drüben auf der anderen Seite aus?« Er deutete rüber zu Assads Schuhkarton.

»Das da? Also Carl, das ist kein Büro. Das ist eine Besenkammer. Da sind natürlich keine Fenster drin.«

»Okay. Dann, glaube ich, können Rose und ich auch auf Tageslicht verzichten. Vielleicht später mal, wenn die den Keller fertig ausgemistet haben und Assad endlich einen anderen Platz bekommen hat.«

Der ehemalige Mechaniker schüttelte den Kopf und lachte leise vor sich hin.

»Was ist hier unten überhaupt los?«, fragte er, als sie wieder auf dem Gang standen. »Was zum Teufel habt ihr denn da gemacht?« Er deutete auf die Reste der Trennwand, die auf der gesamten Länge des Flures an der Wand lehnten.

»Wegen dieser Rohre hier haben wir eine Trennwand errichten lassen. Von den Rohren rieselt nämlich Asbest. Das hat die Gewerbeaufsicht beanstandet.«

»Diese Rohre da«, der Mechaniker deutete an die Decke, »könnt ihr sowieso alle runterreißen. Die Heizungsrohre liegen im Kriechkeller. Die da oben, die haben überhaupt keine Funktion.«

Damit kehrte er zum Gammel Dansk und den Pensionären zurück. Sein Gelächter dröhnte durch den ganzen Keller.

Carl war immer noch am Fluchen, als Rose in sein Büro kam. Hatte sie etwa tatsächlich die Arbeit getan, die er ihr aufgetragen hatte?

»Sie leben beide, Carl. Um die eine, Lisa Karin Krogh, steht es allerdings schlecht. Aber die andere schafft es wohl, das kann man inzwischen sagen.«

Er nickte. Na gut, dann mussten sie eben hinfahren und mit ihr reden.

»Und was ihre religiösen Vorlieben angeht: Isabel Jønsson ist Mitglied der dänischen Volkskirche, Lisa Krogh Mitglied von etwas, das sich Kirche der Gottesmutter nennt. Ich hab mit ihren Nachbarn in Dollerup telefoniert. Das ist wohl 'ne Art Sekte, ein seltsamer Verein. Die bleiben sehr für sich. Laut der Nachbarin wurde Lisa Kroghs Mann von ihr da mit reingezogen. Die haben sich sogar neue Namen gegeben. Er nennt sich Joshua und sie Rachel.«

Carl atmete tief durch.

»Aber das ist noch längst nicht alles«, fuhr Rose fort und schüttelte den Kopf. »Unsere Kollegen unten in Slagelse haben am Unfallort eine Sporttasche im Gebüsch gefunden. Die wurde anscheinend aus dem Wagen geschleudert. Und was glaubt ihr, was da drin war? Eine Million Kronen in gebrauchten Scheinen.«

»Hab alles gehört«, tönte Assads Stimme direkt hinter Carl. »Allmächtiger Allah.«

Allmächtiger Allah. Genau das, was Carl auch dachte.

Rose neigte den Kopf zur Seite. »Außerdem hab ich noch erfahren, dass Lisa Kroghs Mann am Montagabend im Zug zwischen Slagelse und Sorø gestorben ist. Etwa zur gleichen Zeit, als seine Frau den Unfall hatte. Herzanfall, laut Obduktion.«

»Verfluchte Scheiße!« Carl haute mit der Faust auf den Tisch. Das klang doch alles total wahnsinnig. Da lief es einem doch eiskalt den Rücken runter. Und die bösen Vorahnungen standen Schlange.

»Lass uns erst mal schauen, wie es Hardy geht, ehe wir den Aufzug rauf zu Isabel Jønsson nehmen.« Carl nahm die Polizeikelle, die sie immer gern dabeihatten, und legte sie oben aufs Armaturenbrett. Eine ausgezeichnete Methode, Parkwächter zu neutralisieren, wenn man etwas unorthodox parkte.

»Ich möchte, dass du draußen wartest. Ist das okay? Ich muss ihm ein paar Fragen stellen.«

Carl fand Hardy in einem Zimmer mit Aussicht, wie es so schön heißt. Große Fenster, freier Blick in den Himmel und auf Wolken in ständig wechselnden Formationen.

Es ginge ihm gut, behauptete Hardy. Die Lungen seien trockengelegt und die Untersuchungen bald abgeschlossen. »Aber die glauben mir nicht, wenn ich sage, ich könnte das Handgelenk bewegen.«

Carl kommentierte das nicht. Hardy hatte nun mal diese fixe Idee, und es war mit Sicherheit nicht seine Aufgabe, ihn davon zu kurieren.

»Ich war heute beim Psychologen, Hardy. Nicht bei Mona, sondern bei so 'nem Typen, der Kris heißt. Der hat mir von einem Bericht erzählt, den du mir nicht gezeigt und in den du angeblich Sachen über mich geschrieben hast. Kannst du dich daran erinnern?«

»Ich hab nur geschrieben, dass du in dem Fall besser informiert warst als Anker und ich.«

»Warum hast du das geschrieben?«

»Weil es so war. Du hast den alten Mann gekannt, diesen Georg Madsen, den wir ermordet aufgefunden haben.«

»Nein, hab ich nicht. Ich hab Georg Madsen nicht gekannt.«

»Doch, hast du wohl. Du hattest ihn in einem anderen Fall als Zeugen verhört. Ich erinnere mich nicht mehr, in welchem, aber das hast du.«

»Da erinnerst du dich falsch, Hardy.« Carl schüttelte den Kopf. »Na, ist auch scheißegal. Ich bin hier wegen eines anderen Falls. Wollte nur mal sehen, wie's dir geht. Ich soll von Assad grüßen, er ist auch hier.«

Hardy zog die Augenbrauen hoch. »Bevor du gehst, Carl, musst du mir etwas versprechen.«

»Na, erzähl erst mal, alter Knabe, dann werde ich sehen, was ich tun kann.«

Hardy schluckte mehrmals, ehe er damit rausrückte. »Lass

mich wieder zu dir nach Hause kommen. Wenn du das nicht tust, dann sterbe ich.«

Carl sah ihm in die Augen. Wenn es einen Menschen gab, der durch pure Willenskraft seine eigene Himmelfahrt beschleunigen konnte, dann Hardy.

»Natürlich, Hardy«, sagte er.

Dann musste sich Vigga eben an ihren Turbanesen Gurkenmeier halten.

Als sie vor Aufgang drei warteten, öffneten sich die Aufzugtüren und heraus kam einer von Carls früheren Dozenten an der Polizeischule.

»Karsten!«, rief Carl und streckte ihm die Hand entgegen.

Es dauerte ein paar Sekunden, ehe ihn der andere wiedererkannte. »Carl Mørck! Na, du bist aber auch ein paar Jahre älter geworden!«

Carl lächelte. Karsten Jønsson. Noch eine dieser vielversprechenden Karrieren, die bei der Verkehrspolizei geendet hatten. Noch ein Mann, der wusste, wie man es vermied, sich im System aufzureiben.

Sie standen eine Weile zusammen und redeten über die gute alte Zeit und wie schwer es geworden war, Polizist zu sein. Dann gaben sie sich zum Abschied die Hand.

Auf irgendeine Weise pflanzte sich Karsten Jønssons Händedruck als Gefühl in seinem Körper fort, noch ehe sein Gehirn die Ursache registrieren konnte. Dieses Beunruhigende und Undefinierbare, das alles andere im System ausbremst. Erst dieses Gefühl und als Nächstes das Bewusstsein, das langsam heraufdämmert.

Dann war schlagartig alles da. Natürlich. Es passte zu gut, um Zufall zu sein.

Der Mann wirkt doch bedrückt, dachte Carl. Er ist aus dem Aufzug gekommen, der zur Intensivstation führt. Er heißt Jønsson. Natürlich hängt das zusammen!, dachte er.

»Sag mal, Karsten. Bist du wegen Isabel Jønsson hier?«

Er nickte. »Ja, das ist meine kleine Schwester. Hast du was mit ihr zu tun?« Er schüttelte verständnislos den Kopf. »Arbeitest du nicht im Dezernat A?«

»Nein, nicht mehr. Aber keine Sorge. Ich hab nur ein paar Fragen an sie.«

»Das dürfte schwierig werden. Ihr Unterkiefer wurde fixiert, und sie ist vollgestopft mit Medikamenten. Ich bin gerade bei ihr gewesen, sie hat kein Wort gesagt. Jetzt bin ich rausgeschickt worden, weil sie anscheinend auf eine andere Station verlegt wird. Ich soll eine halbe Stunde in der Cafeteria warten.«

»Okay. Aber ich glaube, wir wollen noch schnell vorher mit ihr reden. War nett, dich zu treffen, Karsten.«

Einer der anderen Aufzüge meldete seine Ankunft mit einem Klingelton und ein Mann im weißen Kittel trat heraus.

Er bedachte sie kurz mit einem düsteren Blick.

Dann fuhren sie mit dem Aufzug nach oben.

Carl war schon oft auf der Station gewesen. Nicht selten landeten Menschen dort, die das Pech hatten, den Weg irgendeines bewaffneten Idioten zu kreuzen.

Ganz klar: Die Leute, die dort arbeiteten, verstanden etwas von ihrem Beruf. Falls mal etwas richtig schiefgehen sollte, war das vielleicht der Ort auf der Welt, wo Carl am liebsten hingeraten wollte.

Er und Assad öffneten die Flügeltür und standen in einem Gewimmel von Krankenhauspersonal. Unverkennbar herrschte gerade eine Notsituation. Offensichtlich kein guter Zeitpunkt, um hier hereinzuplatzen.

Carl zeigte seine Dienstmarke an der Theke und stellte Assad vor. »Wir sind gekommen, um Isabel Jønsson ein paar Fragen zu stellen. Ich fürchte, es ist sehr dringend.«

»Und ich fürchte, das lässt sich im Augenblick nicht machen.

Lisa Karin Krogh, die mit Isabel auf einem Zimmer lag, ist gerade verstorben, und Isabel geht es auch nicht gut. Außerdem hatten wir einen Überfall auf eine Krankenschwester. Vielleicht von demselben Mann, der offensichtlich gerade versucht hat, die beiden Frauen umzubringen. Aber das wissen wir noch nicht. Die Schwester ist noch nicht wieder bei Bewusstsein.«

42

Während der halben Stunde, die sie im Aufenthaltsraum saßen, stand die Intensivstation buchstäblich Kopf.

Schließlich hielt es Carl nicht mehr aus.

»Du bleibst hier und behältst alles im Auge, okay?«, sagte er zu Assad, dessen Unterschenkel mittlerweile wie Trommelstöcke wirbelten. »Ich stehe draußen bei den Aufzügen. Hol mich, wenn wir ins Zimmer dürfen, ja?«

Dann nahm er sein Handy und rief Rose an. »Ich hätte gern die Namen und Personennummern von allen Leuten, die unter der Anschrift von Lisa Karin Krogh gemeldet sind, ja? Und die Telefonnummer. Und noch was, Rose: bitte sofort, klar?«

Sie brummelte etwas, sagte aber, sie wolle sehen, was sie tun könne.

Er drückte auf den Knopf, der den Aufzug holte, und fuhr ins Erdgeschoss.

Mindestens fünfzigmal war er im Laufe der Jahre an der Cafeteria vorbeigegangen, ohne stehen zu bleiben. Zu fette Leberpasteten-Sandwiches und zu fette Preise für seinen Almosenlohn. Diesmal war es nicht anders. Hungrig war er schon, aber er hatte anderes vor.

»Karsten Jønsson!«, rief er und sah, wie der blonde Mann den Hals reckte, um zu sehen, aus welcher Richtung der Ruf kam.

Er bat den Kollegen mitzukommen und berichtete unterwegs, was auf der Station passiert war, seit man ihn rausgeschickt hatte.

Jønsson wurde kreidebleich.

»Einen Augenblick«, sagte Carl, als sie zum dritten Stock kamen und sein Telefon klingelte. »Geh du nur schon rein, Karsten. Und hol mich, wenn etwas ist.«

Er kniete sich vor der Wand hin, klemmte sich das Handy ans Ohr und legte den Notizblock auf den Fußboden. »Schieß los, Rose. Was hast du rausgefunden?«

Sie gab ihm die Telefonnummer und nannte sieben Namen mit der jeweiligen Personennummer. Vater, Mutter und fünf Kinder. Josef, achtzehn Jahre alt, Samuel, sechzehn, Miriam, vierzehn, Magdalena, zwölf und Sarah, zehn. Carl schrieb mit.

Gab es noch mehr, was er wissen wollte?

Er schüttelte den Kopf und klappte das Handy zu, ohne ihr geantwortet zu haben.

Höchst alarmierende Informationen.

Fünf Kinder, die keine Mutter und keinen Vater mehr hatten und von denen zwei wahrscheinlich in akuter Lebensgefahr schwebten. Wieder haargenau dasselbe Muster. Der Entführer hatte bei einer kinderreichen Familie zugeschlagen, die einer Sekte angehörte. Nur mit dem Unterschied, dass er diesmal wohl kaum eines der entführten Kinder verschonen würde. Warum sollte er?

Höchstwahrscheinlich waren sie also mit einer Situation auf Leben und Tod konfrontiert, und Carls sämtliche Alarmglocken läuteten Sturm. Wenn sie noch mehr Morde und die Zerstörung einer ganzen Familie verhindern wollten, hatten sie keine Zeit zu verlieren. Aber was konnten sie tun? Außer den Kindern der verstorbenen Rachel und der Sekretärin, die mit dem Mörder gesprochen hatte und jetzt mit ausgeschaltetem Handy auf dem Heimweg war, gab es nur eine Person, die ihnen weiterhelfen konnte. Und diese Person lag irgendwo hinter diesen Türen, blind und stumm und in einem lebensgefährlichen Schockzustand gefangen.

Und die Krankenschwester, die den Kerl zumindest kurz

gesehen hatte, bevor sie niedergeschlagen worden war, war auch noch nicht wieder bei Bewusstsein. Die Situation war echt hoffnungslos.

Er sah auf seinen Notizblock und wählte dann die Nummer der Familie in Dollerup. In Momenten wie diesen trat die hässliche Seite seines Jobs zutage.

»Josef hier«, meldete sich eine Stimme. Der Älteste, Gott sei Dank.

»Guten Tag, Josef. Du sprichst mit Vizepolizeikommissar Carl Mørck vom Sonderdezernat Q in Kopenhagen. Ich …«

Da wurde am anderen Ende aufgelegt.

Carl überlegte, was er falsch gemacht haben mochte. Er hätte sich nicht auf diese Weise zu erkennen geben sollen. Garantiert war jemand von der Polizei bei den Kindern gewesen und hatte sie über den Tod des Vaters unterrichtet. Zweifelsohne standen sie unter Schock.

Wie konnte er Josef nur erreichen?

Da rief er Rose an.

»Nimm deine Tasche, Rose, schnapp dir ein Taxi und komm schnellstens zum Rigshospital.«

»Ja«, sagte die Ärztin. »Das ist ganz außerordentlich bedauerlich. Bis gestern hatten wir rund um die Uhr einen Polizisten auf der Station, denn bei uns liegen Opfer des Bandenkriegs. Wäre der Beamte heute noch da gewesen, wäre das wohl nicht passiert. Aber wir haben die beiden letzten Gewaltverbrecher – leider, muss man wohl sagen – gestern Abend weitergeschickt.«

Carl betrachtete das Gesicht der Ärztin, während er ihr zuhörte. Es hatte nichts von der oberflächlichen Verbindlichkeit, die so typisch war für diesen Berufsstand, sondern wirkte weich und herzlich.

»Selbstverständlich verstehen wir gut, dass die Polizei die Identität des Täters schnellstmöglich feststellen will. Und selbstverständlich wollen wir dabei gern behilflich sein. Aber der Zustand der attackierten Krankenschwester ist bedauerlicherweise noch immer ernst. Deshalb müssen wir aus ärztlicher Sicht das Wohl der Kranken voranstellen. Sie befindet sich in einem Schockzustand, und es ist sogar möglich, dass ein Halswirbel gebrochen ist. Sie können sie frühestens morgen Vormittag vernehmen. Wir wollen hoffen, dass wir die Sekretärin bald erreichen, die den Mann gesehen hat. Sie wohnt in Ishøj, also dürfte sie in zwanzig Minuten zu Hause sein, wenn sie den direkten Weg genommen hat.«

»Um keine Zeit zu verlieren, haben wir bereits einen Kollegen losgeschickt, der bei ihrer Wohnung wartet. Aber wie steht es mit Isabel Jønsson?« Carl sah deren Bruder fragend an. Der nickte. Für ihn wäre es in Ordnung, wenn Carl sie befragte.

»Ja. Verständlicherweise ist sie sehr aufgewühlt. Atmung und Herzrhythmus sind zwar noch immer instabil, aber wir sind der Auffassung, dass Isabel der Kontakt zu ihrem Bruder guttun könnte. Unsere Untersuchungen sind in fünf bis zehn Minuten abgeschlossen, dann können Sie zu ihr.«

Carl hörte es von der Eingangstür her poltern. Roses Tasche hatte sich in der Spanngardine verhakt.

Kommt, wir gehen nach draußen, signalisierte er Assad und Rose.

»Was willst du von mir?«, fragte Rose draußen auf dem Gang. Sie strahlte von Kopf bis Fuß Unbehagen aus. Ob sie ein Problem mit Krankenhäusern hatte?

»Ich habe eine heikle Aufgabe für dich«, sagte Carl.

»Was?« Sie wirkte wie auf dem Sprung, jederzeit bereit, wegzulaufen.

»Ich möchte, dass du einen Jungen anrufst. Du musst ihm klarmachen, dass er uns helfen muss, und zwar auf der Stelle, denn sonst sterben seine Geschwister. Jedenfalls glaube ich das. Er heißt Josef und ist achtzehn. Sein Vater ist vorgestern gestorben und seine Mutter liegt hier auf der Intensivstation. Darüber hat ihn die Polizei von Viborg bestimmt schon informiert. Allerdings ist auch seine Mutter eben gerade gestorben, und das weiß er sicher noch nicht. Ihm diese Nachricht telefonisch zu übermitteln, wäre entgegen allen Regeln der Ethik. Es kann aber sein, dass es nötig ist. Das musst du entscheiden, Rose. Er muss deine Fragen beantworten. Er muss. Egal wie.«

Sie war wie gelähmt. Machte immer wieder Anläufe zu protestieren, aber es war, als steckten ihre Worte fest zwischen Angst und Einsicht in die Notwendigkeit. Sie sah Carl ja an, wie sehr es drängte.

»Und warum ich, warum nicht du oder Assad?«

Er erzählte, wie der Junge einfach aufgelegt hatte. »Wir brauchen eine neutrale Stimme. Eine schöne und sanfte Frauenstimme wie deine.«

Er hätte laut losgeprustet, hätte er sich zu einem anderen Zeitpunkt so über ihre Stimme geäußert. Aber momentan gab es nichts zu lachen. Sie musste es einfach tun. Punkt.

Er instruierte sie, welche Informationen er von dem Jungen brauchte, und bat Assad dann, sich ein paar Schritte mit ihm zurückzuziehen.

Rose zitterten die Hände, das hatte er noch nie gesehen. Vielleicht wäre Yrsa besser damit zurechtgekommen? Irgendwie zeigte sich doch immer wieder, dass diejenigen innerlich am weichsten waren, die äußerlich so abgebrüht wirkten.

Sie beobachteten, wie Rose langsam sprach. Wie sie vorsichtig eine Hand hob, als wollte sie den Jungen davon abhalten aufzulegen. Mehrmals presste sie die Lippen zusammen und richtete den Blick zur Decke, um nicht selbst in Tränen auszubrechen.

Selbst Carl fand es nicht leicht, Rose dabei zuzuschauen. So viel brach in diesem Augenblick zusammen. Gerade hatte sie dem Jungen erzählt, dass sein Leben und das seiner Geschwister nie mehr so sein würde wie früher. Carl begriff nur allzu gut, wogegen sie ankämpfte.

Jetzt öffnete sie den Mund und hörte konzentriert zu, wobei sie sich mit dem Handrücken die Tränen abwischte. Sie atmete tiefer. Stellte Fragen, ließ dem Jungen am anderen Ende Zeit zum Antworten. Und winkte Carl nach einigen Minuten zu sich.

Sie hielt den Hörer zu. »Er will nicht mit dir reden, nur mit mir. Er ist extrem aufgewühlt. Aber du darfst ihm Fragen stellen.«

»Das habt ihr beiden ganz toll hingekriegt, Rose. Hast du ihn nach dem gefragt, was wir besprochen haben?«

»Ja.«

»Wir haben also eine Personenbeschreibung und einen Namen?«

»Ja.«

»Etwas, das uns direkt zu dem Mann führen kann?«

Sie schüttelte den Kopf.

Carl fasste sich an die Stirn. »Dann glaube ich nicht, dass ich noch Fragen habe. Gib ihm deine Telefonnummer und bitte ihn, anzurufen, wenn ihm etwas einfällt.«

Sie nickte und Carl zog sich zurück.

»Keine Hilfe aus der Ecke«, seufzte er und lehnte sich an die Wand. »Und die Uhr tickt.«

»Wir kriegen ihn! Rechtzeitig!« Assads Stimme klang kämpferisch, obwohl er mit Sicherheit dieselben Befürchtungen hegte wie Carl.

»Ich brauch einen Moment«, sagte Rose, als sie das Telefonat beendet hatte.

Sie starrte blind vor sich hin, so als hätte sie zum ersten Mal die Kehrseite der Welt erblickt und als wollte sie nun nichts mehr sehen.

So verharrte sie ziemlich lange.

Sie war wie weggetreten, in ihren Augen standen Tränen.

Carl hätte den Sekundenzeiger der Wanduhr gerne angehalten.

Dann schluckte sie mehrmals. »Okay, bin so weit. Also, der Kidnapper hat zwei von Josefs Geschwistern. Samuel ist sechzehn und Magdalena zwölf. Er hat sie am Samstag entführt, und die Eltern haben sich bemüht, das Lösegeld zusammenzukratzen. Isabel Jønsson wollte ihnen offenbar helfen, aber was ihre Beweggründe waren, wusste Josef nicht, denn sie war am Montag zum allerersten Mal bei ihnen gewesen. Mehr konnte er nicht sagen, seine Eltern haben nicht viel erzählt.«

»Und der Entführer?«

»Josef hat ihn so beschrieben wie den Mann auf der Phantomzeichnung. Er ist über vierzig und vielleicht etwas größer als der Durchschnitt. Er hat keine besondere Art zu gehen, kein Humpeln oder so. Josef glaubt, dass er sich die Haare und die Augenbrauen färbt. Ach ja, und theologisch kennt er sich extrem gut aus.« Sie sah vor sich hin. »Wenn ich diesem Scheißkerl begegne ...« Ihr Gesichtsausdruck beendete den Satz.

»Wer war jetzt bei den Kindern?«

»Jemand aus ihrer Gemeinde.«

»Wie hat es Josef aufgenommen?«

Sie hob die Hand und wedelte damit vor dem Gesicht. Darüber wollte sie nicht sprechen. Jedenfalls nicht im Moment.

»Und dann sagte er noch, der Mann könnte nicht singen«, fuhr sie fort, und ihre nachtschwarzen Lippen fingen an zu zittern. »Josef hat ihn bei den Zusammenkünften der Gemeinde singen gehört, und das muss wohl ziemlich schräg geklungen haben. Und er fährt einen Lieferwagen. Keinen Diesel, danach hab ich gefragt. Jedenfalls klang der Motor nicht so, wie Dieselautos klingen, hat er gesagt. Ein hellblauer Lieferwagen ohne Auffälligkeiten. Er wusste aber weder das Modell noch das Kennzeichen. Er interessiert sich nicht für Autos.«

»War das alles?«

»Der Kidnapper hat sich als Lars Sørensen vorgestellt. Aber als Josef ihn einmal gerufen hat, hat er nicht gleich auf den Vornamen reagiert, deshalb glaubt er nicht, dass der Name stimmt.«

Carl notierte sich den Namen.

»Und was ist mit der Narbe?«

»Die ist ihm nicht aufgefallen.« Wieder presste sie die Lippen zusammen. »Sehr markant kann sie also nicht sein.«

»Sonst hast du nichts?«

Erschöpft schüttelte sie den Kopf.

»Danke, Rose. Bis morgen. Du kannst jetzt nach Hause fahren.«

Rose nickte, blieb aber stehen. Sie brauchte wahrscheinlich noch eine Weile, um wieder zu sich zu kommen.

Carl wandte sich an Assad. »Tja, dann bleibt uns jetzt nur noch die Frau dort im Krankenzimmer.«

Auf Zehenspitzen betraten sie das Krankenzimmer. Karsten Jønsson sprach gerade mit Isabel, während sich eine Krankenschwester an deren Handgelenk zu schaffen machte. Oben auf dem Monitor war zu erkennen, dass sich die Herzfrequenz stabilisiert hatte. Sie war also zur Ruhe gekommen.

Carls Blick fiel auf das zweite Bett. Nur ein weißes Laken, darunter eine Gestalt. Nicht die Mutter von fünf Kindern, keine verzweifelte Frau. Nur eine leblose Gestalt unter dem Laken. Der Bruchteil einer Sekunde in einem Auto, und nun lag sie dort. Nichts war mehr geblieben.

»Dürfen wir näher kommen?«, fragte er Karsten Jønsson.

Der nickte. »Isabel will mit uns sprechen. Nur: Wie sollen wir sie verstehen? Buchstabentafeln können wir nicht benutzen. Gerade versucht die Krankenschwester, die Finger der rechten Hand vom Verband zu befreien. Allerdings hat Isabel beide Unterarme gebrochen und mehrere Finger, deshalb ist es fraglich, ob sie einen Stift halten kann.«

Carl sah die Frau im Bett an. Bis auf die Kinnpartie, die der ihres Bruders ähnelte, war nicht viel zu erkennen. Sie war wirklich übel zugerichtet.

»Guten Tag, Isabel Jønsson. Mein Name ist Carl Mørck, ich bin Vizepolizeikommissar im Präsidium Kopenhagen, Sonderdezernat Q. Verstehen Sie, was ich sage?«

Isabel sagte: »Mmmm«, und die Krankenschwester nickte.

»Ich will Sie ganz kurz darüber informieren, warum ich hier bin.« Er erzählte von der Flaschenpost und von den anderen Entführungen und von ihrer Vermutung, der aktuelle Fall könne ähnlich gelagert sein. Allen Anwesenden fiel auf, wie auf seine Worte hin sämtliche Messinstrumente ausschlugen.

»Isabel, es tut mir sehr leid, Sie in Ihrem Zustand damit belasten zu müssen. Aber es ist äußerst wichtig. Stimmt es, dass Sie und Lisa Karin Krogh in einen Fall involviert sind, der dem der Flaschenpost gleicht, von dem ich Ihnen gerade berichtet habe?«

Sie nickte schwach und brummte dann etwas, das sie mehrfach wiederholen musste, ehe ihr Bruder sich aufrichtete. »Ich glaube, sie sagt, die Frau heiße Rachel.«

»Das ist richtig«, sagte Carl. »Sie hatte einen anderen Namen angenommen, den sie in ihrer Gemeinde benutzte. Davon wissen wir.«

Von der schwer verletzten Frau kam ein schwaches Nicken.

»Ist es richtig, dass Sie und Rachel am Montag versucht haben, Rachels Kinder Magdalena und Samuel zu retten, und dass sich der Unfall in diesem Zusammenhang ereignete?«

Sie sahen, wie ihre Lippen zitterten. Wieder nickte sie schwach.

»Isabel, wir versuchen jetzt, Ihnen einen Bleistift in die Hand zu geben. Ihr Bruder wird Ihnen helfen.« Er sah, wie die Krankenschwester sich bemühte, aber die Finger wollten nicht gehorchen.

Die Schwester warf Carl einen Blick zu und schüttelte den Kopf.

»Dann wird es schwer«, sagte ihr Bruder.

»Lassen Sie mich mal versuchen«, kam es aus dem Hintergrund. Assad trat vor.

»Entschuldigung! Aber als ich zehn war, bekam mein Vater Aphasie. Ein Blutgerinnsel, und zack! Alle Wörter weg. Ich war der Einzige, der ihn verstehen konnte. Bis zu seinem Tod.«

Carl runzelte die Stirn. Also war das doch nicht sein Vater gewesen, mit dem Assad neulich morgens geskypt hatte.

Die Schwester stand auf und überließ Assad den Platz.

»Entschuldigen Sie, Isabel. Ich heiße Assad und komme aus Syrien. Ich bin Carl Mørcks Assistent, und wir beide werden uns unterhalten. Carl spricht, und ich horche auf Ihren Mund. In Ordnung?«

Ein undeutliches Nicken kam als Reaktion.

»Haben Sie gesehen, welches Auto auf Ihres aufgefahren ist?«, fragte Carl. »Marke und Farbe? War es neu oder alt?«

Assad legte das Ohr an Isabels Mund. Seine Augen reagierten lebhaft auf jeden Zischlaut, der über ihre Lippen kam.

»Ein Mercedes, bisschen älter. Dunkel«, übersetzte Assad.

»Können Sie sich an das Kennzeichen erinnern, Isabel?«, fragte Carl.

Wenn ja, dann konnte man hoffen.

»Das Nummernschild war schmutzig. Es war dunkel, und sie konnte fast nichts sehen«, antwortete Assad einige Zeit später. »Aber die Nummer endete wohl auf 433. Allerdings ist sich Isabel bei den Dreiern nicht sicher. Es können auch Achter gewesen sein oder beides.«

Carl überlegte. 433, 438, 483, 488. Nur vier Kombinationen, das war überschaubar.

»Hast du das mitbekommen, Karsten?«, fragte er. »Ein dunkler Mercedes, kein ganz neues Baujahr, dessen Kennzeichen auf 433, 438, 483 oder 488 endet. Ist das nicht eine Aufgabe für einen Kommissar bei der Verkehrspolizei?«

Er nickte. »Doch, Carl. Wie viele Mercedes mit der Ziffernkombination unterwegs sind, ist schnell überprüft. Aber über die Farbe wissen wir nichts. Und dann sind diese Wagen auf dänischen Straßen natürlich auch keine Seltenheit. Mit diesen Nummern können etliche unterwegs sein.«

Er hatte recht. Die Auswahl an Autos einzugrenzen, war das eine, ein anderes, die Besitzer zu überprüfen. So viel Zeit hatten sie nicht.

»Wissen Sie noch etwas, Isabel, das uns weiterhelfen könnte? Einen Namen oder irgendwas anderes?«

Wieder nickte sie. Es ging langsam und machte offensichtlich viel Mühe. Mehrfach hörten sie Assad flüstern, das müsse er bitte noch einmal hören.

Dann kamen die Namen, insgesamt drei: Mads Christian Fog, Lars Sørensen und Mikkel Laust. Zusammen mit dem vierten – Freddy Brink –, den sie vom Fall Poul Holt kannten, und dem fünften – Birger Sloth – aus dem Fall Flemming Emil Madsen machte das insgesamt elf Vor- und Nachnamen, die sie in Betracht ziehen mussten. Das versprach nichts Gutes.

»Ich schätze, die Namen sind alle falsch«, sagte Carl. »Der heißt garantiert ganz anders. Über den Namen kommen wir nicht weiter.«

Assad lauschte derweil immer noch Isabels Artikulationsversuchen.

»Sie sagt, der eine Name habe in seinem Führerschein gestanden. Sie weiß auch, wo er wohnt«, erklärte Assad.

Carl richtete sich auf. »Sie hat eine Adresse?«

»Ja, und noch etwas«, ergänzte Assad nach weiterem konzentriertem Zuhören. »Er hatte einen hellblauen Lieferwagen. Dessen Nummer hat sie im Kopf.«

Eine Minute später war das Kennzeichen notiert.

»Ich leg mal los.« Karsten Jønsson stand auf und ging.

»Isabel sagt, dass der Mann eine Adresse in einem Dorf auf Seeland hat«, fuhr Assad fort. Wieder wandte er sich Isabels Gesicht zu. »Ich verstehe nur nicht genau, wie das Dorf heißt, Isabel. Endet der Name auf *løv*? Nein, nicht? Auf *slev*?«

Er nickte, als Isabel antwortete.

Der Name des Ortes endete auf *slev*, den ersten Teil konnte Assad beim besten Willen nicht verstehen.

»Wir machen eine Pause, bis Karsten wiederkommt, ja?«, sagte Carl in Richtung Krankenschwester.

Die nickte. Eine Pause war mehr als willkommen.

»Ich hatte gedacht, Isabel sollte heute verlegt werden?«, fragte Carl.

Die Krankenschwester nickte wieder. »Aber in Anbetracht der Umstände werden wir damit wohl noch ein paar Stunden warten.«

Es klopfte und eine Frau kam ins Zimmer. »Ich habe einen Anruf für einen Carl Mørck. Ist der hier?«

Carl hob einen Finger und bekam ein schnurloses Telefon in die Hand gedrückt.

»Hallo«, sagte er.

»Guten Tag. Mein Name ist Bettina Bjelke. Sie haben mich gesucht, habe ich gehört. Ich bin die Sekretärin auf Station ITA 4131. Ich hatte bis sechzehn Uhr Dienst.«

Carl winkte Assad zu sich, damit er mithören konnte.

»Wir brauchen die Personenbeschreibung eines Mannes, der Isabel Jønsson zur Zeit des Schichtwechsels besucht hat. Nicht der Polizist, der andere. Können Sie uns da weiterhelfen?«

Assad kniff beim Zuhören die Augen zusammen. Als die Sekretärin fertig war und aufgelegt hatte, sahen sie sich kopfschüttelnd an.

Die Beschreibung des Mannes, der Isabel Jønsson überfallen hatte, passte haargenau auf den Mann, der im Erdgeschoss aus dem Aufzug gekommen war, als sie dort gestanden und sich mit Karsten Jønsson unterhalten hatten.

Graumeliert, etwa Mitte fünfzig, fahle Haut, etwas gebeugt, Brille. Ziemlich weit entfernt von einem großen Mann Mitte vierzig, dynamisch, mit vollem Haar, wie Josef ihn beschrieben hatte.

»Der Mann war verkleidet«, bemerkte Assad lakonisch.

Carl nickte. Verdammt! Nun hatten sie das Phantombild mindestens hundertmal angesehen, und trotzdem hatten sie ihn nicht erkannt. Trotz seines breiten Gesichts. Trotz der auffälligen, fast zusammengewachsenen Augenbrauen.

»Ich könnte mich in den Arsch beißen«, stöhnte Assad neben ihm.

Das war ja fast noch zurückhaltend ausgedrückt. Sie hatten ihn gesehen! Sie hatten ihn womöglich am Ärmel gestreift! Sie hätten das Leben zweier Kinder retten können! Wenn sie nur die Hand ausgestreckt und zugepackt hätten!

»Ich glaube, Isabel hat Ihnen noch etwas zu sagen«, meldete sich die Krankenschwester zu Wort. »Und ansonsten glaube ich, wir müssen abbrechen. Isabel ist sehr müde.« Sie deutete auf die Messinstrumente. Die Aktivität war deutlich herabgesetzt.

Assad stellte sich neben das Bett und legte sein Ohr an Isabels Mund.

»Ja«, sagte er nach ein, zwei Minuten und nickte. »Ja, Isabel, danke, ich hab's verstanden.«

»Auf dem Rücksitz des Unfallwagens sollen einige Kleidungsstücke des Entführers liegen. Sachen mit Haaren dran. Was sagst du dazu, Carl?«

Er sagte nichts. Vielleicht auf lange Sicht wichtig, aber hier und jetzt ohne Belang.

»Und dann sagt Isabel noch, der Entführer habe so eine kleine Bowlingkugel an seinem Autoschlüsselbund, und auf der steht die Ziffer 1.«

Carl schob die Unterlippe vor. Die Bowlingkugel! Die hatte er also immer noch. Seit mindestens dreizehn Jahren war er nun mit der Kugel am Schlüsselbund unterwegs. Die musste ihm wirklich was bedeuten.

»Ich hab die Adresse!« Karsten Jønsson war mit einem Block in der Hand ins Zimmer gekommen. »Ferslev, nördlich von Roskilde.« Er reichte Carl die Anschrift. »Der Besitzer heißt Mads Christian Fog, das ist einer der Namen, die Isabel vorhin genannt hat.«

Carl sprang auf. »Dann mal nichts wie los«, sagte er und gab Assad ein Zeichen.

»Na ja«, kam es zögernd von Karsten Jønsson. »So sehr braucht ihr euch nicht zu beeilen. Von der Feuerwehr in Skibby habe ich gerade erfahren, das Anwesen sei am Montagabend total abgebrannt.«

Abgebrannt! Demnach war ihnen dieses Arschloch einen Schritt voraus.

Carl atmete schwer aus. »Liegt das Anwesen, von dem du sprichst, dicht am Wasser, weißt du das?«

Jønsson nahm sein iPhone aus der Tasche und gab im Navi die Adresse ein. Es dauerte einen Moment, dann schüttelte er den Kopf. Er reichte Carl das Handy und deutete auf die Stelle. Ferslev war mehrere Kilometer vom Wasser entfernt. Nein, dort konnte das Bootshaus nicht liegen, keine Frage. Aber wo dann?

»Assad, wir müssen trotzdem dorthin. Vielleicht treffen wir da Menschen, die den Kerl kennen.«

Er wandte sich an Karsten Jønsson.

»Ist dir der Mann aufgefallen, der aus dem Aufzug kam, als wir davorstanden und uns unterhielten? Graumelierte Haare, Brille. Das war er, das war der Typ, der deine Schwester überfallen hat.«

Der Schock saß. Jønsson konnte kaum reagieren. »Nein! O Gott! Nein, der ist mir nicht aufgefallen. Bist du sicher?«

»Hast du nicht gesagt, man hätte dich aus dem Zimmer geschickt, weil deine Schwester verlegt werden sollte? Das war er wohl. Du hast ihn wirklich nicht gesehen?«

Jønsson schüttelte den Kopf, sichtlich verstört. »Nein, tut mir leid. Der hat sich über Rachel gebeugt. Ich hatte keinerlei Verdacht. Er trug ja einen Kittel.«

Sie blickten alle zu der Gestalt unter dem Laken. Was für ein Albtraum!

»Tja, Karsten«, sagte Carl und streckte ihm die Hand hin. »Ich wünschte, wir wären uns unter anderen Umständen wiederbegegnet. Aber es war gut, dass du hier warst.«

Sie gaben sich die Hand.

Da schoss Carl ein Gedanke durch den Kopf. »Moment, Assad und Isabel. Noch eine Frage! Der Mann hatte angeblich eine deutlich sichtbare Narbe. Wissen Sie, wo er die hatte?«

Er sah zur Krankenschwester, die neben dem Bett saß und den Kopf schüttelte. Isabel Jønsson schlief bereits tief, die Antwort musste warten.

»Dann haben wir also drei Dinge zu tun«, sagte Assad, als sie den Raum verlassen hatten. »Wir müssen all die Stellen abfahren und anschauen, die Yrsa auf den Luftaufnahmen eingekreist hat. Dabei vielleicht auch an das denken, was Klaes Thomasen gesagt hat. Und zweitens die Sache mit dem Bowling. Wir müssen mit dem Phantombild überall dorthin, wo gebowlt wird, und außerdem noch in dieses Ferslev, da, wo es gebrannt hat, um die Nachbarn zu befragen.«

Carl nickte. Gerade hatte er entdeckt, dass Rose noch immer vor den Aufzügen an der Wand lehnte. Weit war sie nicht gekommen.

»Sitzt dir das immer noch in den Knochen, Rose?«, fragte er beim Näherkommen.

Sie zuckte die Achseln. »Dem Jungen das mit seiner Mutter sagen zu müssen, das war hart«, murmelte sie. Sie hatte geweint, das ließ sich unschwer aus den schwarzen Streifen schließen, die sich von ihrem Eyeliner aus über die Wangen zogen.

»Ach, Rose, das tut mir leid.« Assad nahm sie behutsam in den Arm, und so verharrten sie eine ganze Weile, bis sich Rose zurückzog, mit ihren langen Ärmeln die Nase abwischte und Carl direkt ansah.

»Wir kriegen das Schwein, ja? Ich geh nicht nach Hause. Sag mir, was ich tun kann, und ich werd's diesem Scheißkerl zeigen.« Jetzt blitzten ihre Augen.

Rose war wieder da.

Rose sollte sich auf die Bowlingzentren in Nordseeland konzentrieren. Sie sollte denen die Phantomzeichnung faxen mitsamt den diversen Namen, die sich inzwischen mit dem Mörder in Verbindung bringen ließen. Nachdem Carl Rose dahingehend instruiert hatte, ging er mit Assad zum Auto. Das Navi programmierten sie auf Ferslev.

Inzwischen war Feierabendzeit. Aber sie waren nicht Herr und Frau Büromaus, die auf so etwas pochen konnten. Schon gar nicht an einem Tag wie diesem.

Als sie zu dem abgebrannten Bauernhaus kamen, war die Sonne gerade am Untergehen. In einer halben Stunde würde es dunkel sein.

Der Brand musste gewaltig gewesen sein. Vom Wohnhaus standen nur noch Reste der Außenmauern, dasselbe galt für die Scheune. Auch im Umkreis von dreißig, vierzig Metern war alles vollkommen verbrannt. Die Bäume ragten wie rußige Totempfähle in den Himmel, und auch die Felder rings um die Gebäude waren bis hin zu den Nachbargrundstücken schwarz.

Kein Wunder also, dass die Löschfahrzeuge sowohl von Lejre als auch von Roskilde, Skibby und Frederikssund ausgerückt waren. Das hätte sich zu einer richtigen Katastrophe entwickeln können.

Sie drehten zwei Runden ums Haus.

Als Assad den ausgebrannten Lieferwagen zwischen den Mauerresten entdeckte, rief er, das erinnere ihn an den Nahen Osten.

Carl hatte so etwas noch nie gesehen.

»Hier finden wir nichts, Assad. Der hat alle Spuren hinter sich ausgelöscht. Lass uns zum nächsten Nachbarn fahren und den nach Mads Christian Fog befragen.«

Das Handy klingelte. Rose war dran.

»Willst du hören, was ich erreicht habe?«, fragte sie.

Zu einer Antwort kam er nicht.

»Ballerup, Tårnby, Glostrup, Gladsaxe, Nordvest, Rødovre, Hillerød, Valby, Axeltorv, das DGI-by in Kopenhagen, Bryggen auf Amager, Stenløse Zentrum, Holbæk, Tåstrup, Frederikssund, Roskilde, Helsingør und dann noch Allerød, wo du herkommst. Das sind die Bowlingzentren in dem Gebiet, das ich mir anschauen sollte. Ich hab denen allen das Material gefaxt, und in zwei Minuten fange ich mit dem Rumtelefonieren an. Ihr hört von mir. Ich werde den Leuten schon auf die Pelle rücken, keine Bange.«

Die Ärmsten dort draußen in den Bowlingzentren.

Die Bewohner des Nachbarhofs, der einige hundert Meter entfernt lag, saßen gerade beim Abendessen. Reichlich Kartoffeln und Schweinefleisch und noch mehr Gutes, alles garantiert aus eigener Produktion. Große Menschen mit breitem Lächeln. Hier herrschte kein Mangel.

»Mads Christian? Nein, ganz ehrlich. Den alten Kauz hab ich seit Jahren nicht mehr gesehen. Der hat eine Freundin in Schweden, da wird er sein«, sagte der Hausherr. Einer von der Sorte, die auf Holzfällerhemden standen.

»Na ja, dann und wann haben wir mal seinen hässlichen hellblauen Lieferwagen gehört«, präzisierte die Hausfrau. »Ja, und den Mercedes. Der hat sein Geld in Grönland verdient, der wird sich das wohl leisten können. Steuerfrei, Sie wissen schon.« Sie lächelte.

Steuerfrei, davon verstand sie offenbar was.

Carl stützte sich mit beiden Ellenbogen auf den massiven Tisch. Wenn er und Assad nicht bald etwas zu essen auftrieben, dann würde die Jagd ein schnelles Ende finden. Der Duft von Schweinekrustenbraten jedenfalls brachte ihn fast in Versuchung, sich am Eigentum anderer Leute zu vergreifen.

»Alter Kauz, sagen Sie. Sprechen wir von demselben Mann?«, fragte er, während das Wasser im Mund stieg und stieg. »Mads Christian Fog. Nach unseren Informationen ist er höchstens fünfundvierzig.«

Darüber musste das Ehepaar lachen.

»Ich weiß natürlich nicht, ob es da einen Neffen oder so was gibt«, sagte der Mann. »Aber so was könnt ihr am Computer doch in zwei Minuten rausfinden, oder?« Er nickte. »Kann auch sein, dass er den Hof verpachtet hat. Darüber haben wir auch schon spekuliert, nicht wahr, Mette?«

Die Frau nickte. »Ja, weil uns nämlich was aufgefallen ist: Erst kam immer der Lieferwagen, und dann fuhr kurz darauf der Mercedes weg. Dann sahen wir lange nichts von beiden Autos, bevor irgendwann der Mercedes wiederkam und danach der Lieferwagen wegfuhr.« Sie schüttelte den Kopf. »Aber für so 'n Durcheinander ist der Mads Christian Fog doch viel zu alt, hab ich mir jedes Mal gesagt.«

»Wir denken an den hier«, sagte Assad und legte ihnen das Phantombild vor.

Das Ehepaar betrachtete die Zeichnung ohne das geringste Anzeichen von Wiedererkennen.

Nein, Mads Christian war das nicht. Der ging auf die Achtzig zu, meinten sie, und er war ein ziemlicher Schmutzfink. Der da hingegen sähe doch ordentlich und fast elegant aus.

»Okay. Und der Brand, haben Sie den gesehen?«, fragte Carl.

Sie lächelten. Die reagierten schon seltsam, diese Landbewohner.

»Wenn Sie mich fragen«, sagte da der Mann, »dann war der garantiert bis Orø zu sehen, ja bis nach Nykøbing Seeland.«

»Aha. Und haben Sie an dem Abend vielleicht jemanden gesehen, der zum Haus hin- oder wegfuhr?«

Sie schüttelten den Kopf. »Nee«, sagte der Mann lächelnd. »Da waren wir schon im Bett. Sie müssen bedenken, dass wir hier auf dem Land früh aufstehen. Nicht so wie die Kopenhagener, die erst um sechs aus den Federn kommen.«

»Wir müssen bei einer Tankstelle anhalten«, sagte Carl, als sie wieder draußen bei ihrem Dienstwagen standen. »Ich falle um vor Hunger. Du nicht?«

Assad zuckte die Achseln. »Nee. Ich esse einfach von denen hier.«

Er zog aus den Tiefen seiner Tasche zwei besonders nahöstlich aussehende Verpackungen hervor. Der Zeichnung nach zu urteilen, bestand der Inhalt hauptsächlich aus Datteln und Feigen. »Willst du auch?«, fragte er.

Carl nickte. Dann klemmte er sich hinters Steuer, kaute und seufzte zufrieden. Die Dinger waren echt gut.

»Was glaubst du, was mit dem passiert ist, der da gewohnt hat?«, fragte Assad und deutete zur Brandstelle. »Nichts Gutes, wenn du mich fragst.«

Carl nickte und schluckte. »Ich glaube, wir müssen eine Menge Leute dort einsetzen«, antwortete er. »Wenn die gründlich genug suchen, werden sie das Skelett von einem Kerl finden, der jetzt um die achtzig wäre, wenn er noch lebte.«

Assad stemmte die Füße gegen das Armaturenbrett. »Meine Worte. Und jetzt?«

»Ich weiß es nicht. Wir müssen Klaes Thomasen anrufen und fragen, ob er mit Leuten aus den Segelclubs und diesem

Forstmenschen aus Nordskoven gesprochen hat. Und dann können wir vielleicht Karsten Jønsson bitten herauszufinden, ob ein dunkler Mercedes hier oben mal bei einer Geschwindigkeitskontrolle geblitzt wurde. So wie Isabel und Rachel.«

Assad nickte. »Aber vielleicht haben wir ja Glück und sie finden den Mercedes anhand des Kennzeichens.«

Carl drehte den Zündschlüssel um. Er bezweifelte, dass das so leicht werden würde.

Da klingelte das Handy. Hätte das nicht eine halbe Minute früher passieren können?, dachte er entnervt und nahm den Gang wieder raus.

Rose war dran und klang eifrig.

»Ich hab alle Bowlingzentren abtelefoniert, aber den Mann vom Phantombild kennt keiner.«

»Scheiße«, sagte Carl.

»Worum geht's?«, fragte Assad und nahm die Beine herunter.

»Ja, aber das ist noch nicht alles, Carl«, fuhr Rose fort. »Natürlich waren auch die Namen von unserer Namensliste nirgends bekannt. Bis auf Lars Sørensen, und davon gab's gleich zwei.«

»Natürlich nicht.«

»Aber ich hab mit einem cleveren Typ in Roskilde gesprochen. Der war ganz neu und hat ein paar von den alten Spielern gefragt, die da zusammensaßen und einen pichelten. Die haben nämlich heute Abend einen Wettkampf. Der Typ fand, die Zeichnung könnte mehreren Männern ähneln, die da bei ihnen verkehren. Aber letztlich blieb er an was anderem hängen.«

»Ja, Rose. Und das war?« Verdammt, konnte die nicht mal ein bisschen Gas geben?

»Mads Christian Fog, Lars Sørensen, Mikkel Laust, Freddy Brink und Birger Sloth. Als er die Namen hörte, fing er an zu lachen.«

»Wie bitte?«

»Na ja, die Personen selbst kannte er nicht. Aber in dieser Mannschaft, die heute Abend spielen soll, gibt es sowohl einen Lars als auch einen Birger und einen Mikkel. Der Lars, das ist er selbst. Und vor einigen Jahren hat es auch einen Freddy gegeben, mit dem sie in einem anderen Bowlingzentrum spielten, aber der wurde zu alt. Einen Mads Christian haben sie nicht zu bieten, aber immerhin. Glaubst du, das ist zu gebrauchen?«

Carl legte das halbe Datteldingens aufs Armaturenbrett. Mit einem Schlag war er hellwach. Wäre nicht das erste Mal, dass sich ein Verbrecher von Namen aus seiner nächsten Umgebung inspirieren ließ. Der Einfallsreichtum war doch relativ beschränkt – Namen wurden umgekehrt buchstabiert, einzelne Buchstaben ersetzt, vertauscht oder weggelassen oder Vor- und Nachnamen gemischt. Psychologen konnten garantiert die tieferen Beweggründe dafür nennen, aber Carl fand es einfach einfallslos.

»Und dann hab ich gefragt, ob er jemanden kennt, der eine Bowlingkugel mit einer 1 am Schlüsselring hat, und da hat er wieder gelacht. Das haben sie in seiner Mannschaft alle. Offenbar spielen die schon seit vielen Jahren an vielen Orten zusammen.«

Carl starrte in den Scheinwerferkegel ihres Wagens. Erst die Namensgleichheit und jetzt noch die Bowlingkugeln.

Er sah auf das Navi. Wie weit mochte es bis Roskilde sein? Fünfunddreißig Kilometer?

»Und, Carl? Glaubst du, da ist was dran? Immerhin ist dieser Mads Christian nicht dabei.«

»Nein, Rose. Aber der Name kommt woanders her. Wir wissen inzwischen, wer Mads Christian ist – oder wohl besser war. Und ja, zum Teufel auch. Klar glaub ich, dass da was dran ist. Gib mir mal die Adresse von diesem Bowlingzentrum.«

Carl hörte sie blättern, während er das Navi hochfuhr.

»Ja«, antwortete er ihr. »Danke, Rose. Ja, ich ruf dich später an.«

Er wandte sich an Assad.

»Københavnsvej 51 in Roskilde«, sagte er und trat aufs Gaspedal. »Los, Assad, gib das ein.«

43

Denk genau nach, sagte er sich immer wieder. Überstürz nichts. Tu das Richtige. Tu nichts, was du später bereuen musst.

Langsam fuhr er die ruhige Straße hinauf. Nickte den Menschen zu, die ihm zunickten, und bog dann in die Einfahrt ein. Die Katastrophe lastete schwer auf seinen Schultern. Die Geschichte im Rigshospital hätte kaum übler ausgehen können.

Er hatte jetzt keine Deckung mehr, sondern stand im Freien, wo ihn die Raubvogelaugen beobachten und jedermann seine Bewegungen schon von weitem sehen konnte.

Er warf einen Blick zur Schaukel, deren Seile schlaff herunterhingen. Noch keine drei Wochen war es her, seit er sie an dem Ast der Birke aufgehängt hatte. Damals hatte er an den bevorstehenden Sommer gedacht und sich vorgestellt, wie sie beide ihrem kleinen Jungen Anschwung geben würden. Damit war es nun vorbei. Im Sandkasten lag ein rotes Plastiklöffelchen. Als er es aufhob, spürte er, wie ihn die Traurigkeit zu übermannen drohte. Ein Gefühl, das er zuletzt als Junge verspürt hatte.

Er setzte sich auf die Gartenbank und schloss einen Moment die Augen. Noch vor kurzem hatte es hier nach Rosen geduftet und der Nähe einer Frau.

Er meinte noch die Ärmchen des Kindes um seinen Hals zu spüren, die ruhigen Atemzüge an seiner Wange, und er erinnerte sich an die stille Freude, die er dabei empfand.

Schluss damit, was soll diese blöde Sentimentalität!, ermahnte er sich und schüttelte den Kopf. Das war Vergangenheit. Wie alles andere auch.

Dass sich sein Leben so entwickelt hatte, dafür konnte er sich bei seinen Eltern bedanken. Bei seinen Eltern und dem Stiefvater. Aber er hatte sich vielfach gerächt. Hatte zugeschlagen bei Leuten, die aus genau dem gleichen Holz geschnitzt waren. Etliche Male. Was gab es da zu bereuen?

Nein. Kämpfe verlangten Opfer. Und mit seinen Opfern musste man leben.

Er warf den Plastiklöffel ins Gras und stand auf. Dort draußen warteten neue Frauen. Benjamin würde schon eine passende Mutter bekommen. Wenn er all seine Sach- und Vermögenswerte verkaufte, würde es bestimmt für ein gutes Leben irgendwo auf der Welt reichen. Zumindest so lange, bis er seine Mission fortsetzen und wieder Geld verdienen konnte.

Im Augenblick jedoch galt es, der Realität ins Auge zu sehen und entsprechend zu handeln.

Isabel lebte und würde genesen. Ihr Bruder war Polizist und streunte, wie er wusste, bei ihr im Krankenhaus herum. Darin lag die größte Bedrohung. Er kannte diese Typen. Die hatten ihre eigene Mission, und die hieß: ihn finden.

Auch die Krankenschwester, die er niedergeschlagen hatte, würde sich an ihn erinnern. Künftig würde sie jedes Mal zusammenzucken, wenn sie einem Menschen gegenüberstand, der ihr fremd war und dessen Blick sie nicht deuten konnte. Ihr Vertrauen in andere Menschen hatte einen Knacks bekommen. Von allen Menschen auf der Welt würde sie ihn mit Sicherheit nie vergessen. Das Gleiche dürfte für die Sekretärin gelten. Aber die beiden fürchtete er nicht.

Letztlich hatten sie nämlich keine Ahnung, wie er aussah.

Er stellte sich vor den Spiegel und betrachtete sein Gesicht, während er sich abschminkte.

Er würde schon zurechtkommen. Wenn jemand die menschlichen Wahrnehmungsmuster durchschaute, dann er. Hatte man Falten im Gesicht und waren die tief genug, erinnerten sich die Menschen lediglich an diese Falten. War der Blick hinter den Brillengläsern nur starr genug, wurde man ohne Brille nicht wiedererkannt.

Hatte man eine hässliche große Warze am Kinn, fiel die allen Leuten auf. Ließ man sie entfernen, merkte das keiner.

Manches taugte also als Verkleidung, anderes nicht. Aber eines war sicher: Die beste Verkleidung war diejenige, die einen ganz und gar gewöhnlich aussehen ließ. Denn dieses Gewöhnliche ließ sich nicht registrieren. Und darin war er Spezialist. Platzierte man die Falten an den richtigen Stellen, schminkte man Schatten um die Augen, manipulierte die Augenbrauen, kämmte den Scheitel auf die andere Seite und suggerierte über die Hautfarbe und den Zustand der Haare ein gewisses Alter und einen bestimmten Gesundheitszustand, dann wurde man zu einem völlig neuen Menschen.

Heute hatte er sich als Herr Irgendwer geschminkt. Sie würden sich an sein Alter erinnern, an seinen Dialekt und an die dunkle Brille. Aber ob seine Lippen schmal waren oder voll, die Wangenknochen flach oder markant, dessen würden sie sich nicht entsinnen, ganz sicher nicht. Natürlich würden ihnen gewisse Gesichtszüge im Gedächtnis bleiben, wie überhaupt der ganze Vorfall. Aber nie und nimmer würde das reichen, um ihn zu identifizieren.

Sollten sie doch Nachforschungen anstellen, so viel sie wollten, sie würden nichts Brauchbares finden. Ferslev und den Lieferwagen gab es nicht mehr, und bald war auch er weg. Exit für einen gewöhnlichen Mann in einem gewöhnlichen Wohnviertel von Roskilde, für einen Mann in einem Einfamilienhaus, von denen es eine Million in diesem kleinen Land gab.

In wenigen Tagen, wenn Isabel sprechen konnte, würden sie zwar wissen, was dieser Mann in all den Jahren getan hatte, aber nicht, wer er war. Das wusste nur er selbst, und so sollte es auch bleiben. Aber sie würden es in den Medien breittreten. Sie würden potenzielle künftige Opfer warnen, und deshalb musste er seine Aktivitäten eine Zeit lang einstellen. Genügsam vom Ersparten leben und sich eine neue Ausgangsbasis suchen.

Er sah sich in seinem schönen Haus um. Seine Frau hatte zwar alles gut gepflegt und in Ordnung gehalten, und für Instandhaltungen hatten sie auch reichlich ausgegeben, trotzdem war der Zeitpunkt für einen Verkauf ungünstig. Die gegenwärtige Krise verdarb die Preise. Aber verkauft werden musste es. Das hatte ihn die Erfahrung gelehrt. Wenn man verschwinden musste, reichte es nicht, nur ein paar Brücken hinter sich abzubrechen. Neues Auto, neue Bank, neuer Name, neue Adresse, neuer Bekanntenkreis. Alles musste sich ändern. Das ging auch, Hauptsache man konnte seiner Umgebung eine plausible Erklärung für seinen Abgang auftischen. Ein neuer Job im Ausland, ein verlockendes Gehalt, angenehmes Klima, das verstanden alle. Da wunderte sich keiner.

Kurz gesagt – keine überstürzten und irrationalen Handlungen.

Er stellte sich in die offene Tür vor den Stapel Umzugskartons und rief den Namen seiner Frau. Als er einige Minuten dort gestanden hatte, ohne ein Lebenszeichen zu vernehmen, drehte er sich um und ging.

Na, zum Glück musste er da nicht noch selbst Hand anlegen. Wer tötete schon gern ein lieb gewonnenes Haustier?

Egal, das war nun passé. Sei's drum.

Heute Abend, nach dem Bowlingturnier, würde er die Leiche in den Wagen laden und zum Vibehof bringen. Er musste da jetzt durch. Die Kinder und seine Frau mussten weg.

In ein paar Wochen würden die Leichen aufgelöst und der Öltank gereinigt sein.

Seine Schwiegermutter sollte einen tränenfeuchten Abschiedsbrief ihrer Tochter bekommen. Aus dem würde hervorgehen, dass das schlechte Verhältnis zwischen Mutter und Tochter entscheidend zu dem Entschluss beigetragen habe, ins

Ausland zu ziehen. Wenn die Wunden geheilt waren, würde sie wieder von ihnen hören.

Und wenn seine Schwiegermutter irgendwann anfing, nachzubohren, eventuell sogar misstrauisch zu werden, würde er ihr einen Besuch abstatten und sie zwingen, ihren eigenen Abschiedsbrief zu schreiben. Wäre nicht das erste Mal, dass er jemandem Schlafmittel aufnötigte.

Aber als Erstes musste er die Umzugskartons vernichten, das Auto reparieren lassen und verkaufen und das Haus loswerden. Übers Internet sollte es möglich sein, eine komfortable Hütte irgendwo auf den Philippinen zu finden. Dann würde er Benjamin holen. Seiner Schwester müsste er wohl weiterhin finanzielle Unterstützung zusichern. Schließlich würde er mit irgendeiner alten Schrottlaube bis nach Bulgarien fahren und sie dort einfach am Straßenrand abstellen.

Die Flugtickets, ausgestellt auf die neuen falschen Namen, würden nicht den geringsten Rückschluss auf seine alte Identität erlauben. Nein, ein kleiner Junge mit seinem Vater auf der Reise von Sofia nach Manila würde niemandem auffallen. Nur die andere Richtung wäre problematisch.

Vierzehn Flugstunden. Dort lag die Zukunft.

Er ging in den Flur und nahm seine Ebonite-Bowlingtasche aus dem Schrank. Die Ausrüstung, die da drin lag, war auf Sieg und Triumph ausgerichtet. Und an Siegen hatte es in den letzten Jahren wahrlich nicht gefehlt. Wenn er auf den Philippinen etwas von seinem gegenwärtigen Leben vermissen würde, dann das.

Dabei gab es unter seinen Mannschaftskameraden keinen, aus dem er sich etwas machte. Alles schlichte Gemüter, durch die Bank weg. Zwei von ihnen waren sogar echte Idioten, die er gern durch andere ersetzt gesehen hätte. Gewöhnliche Namen, gewöhnliches Aussehen, totaler Durchschnitt. Nur eben, dass sie als Mannschaft in der Bowling-Kreisliga ziemlich weit nach vorn gekommen waren. Das Geräusch, wenn die zehn Pins in die Maschine knallten, war der Klang des Erfolgs. So empfanden es alle sechs.

Das war der entscheidende Dreh.

Die Mannschaft ging auf die Bahn, um sie zu erobern. Deshalb war er jedes Mal dabei, wenn es darauf ankam. Deshalb. Und dann natürlich wegen Papst, seinem ganz speziellen Freund.

»Hallo«, grüßte er an der Bar. »Sitzt ihr hier?« Als käme ein anderer Platz in Frage.

Alle reckten sie eine Hand in die Luft und er machte die Give-me-five-Runde.

»Was trinkt ihr?«, fragte er. Das war das Eingangsgebet für jeden Neuankömmling.

Wie die anderen hielt er sich so kurz vor einem Turnier an Mineralwasser. Die Gegner taten das nicht, und das war ihr Fehler.

Sie saßen ein paar Minuten zusammen und sprachen über die Stärken und Unwägbarkeiten der gegnerischen Mannschaft. Als es schließlich darum ging, wie sicher sie waren, die Kreismeisterschaft an Christi Himmelfahrt zu gewinnen, sagte er es.

»Tja, allerdings werdet ihr euch bis dahin einen neuen Mann für mich suchen müssen.« Er hob entschuldigend beide Hände. »Tut mir leid, Jungs.«

Die anklagenden Blicke, die sie ihm zuwarfen, schimpften ihn einen Verräter. Eine ganze Weile sagte keiner ein Wort. Svend kaute noch heftiger auf seinem Kaugummi als sonst. Er und Birger sahen richtig wütend aus. Verständlich, dass sie wütend waren.

Lars brach das Schweigen. »Das klingt nicht gut, René. Was ist passiert? Ist was mit deiner Frau? Das ist es doch meistens.«

Zustimmung von allen Seiten zu dieser Aussage.

»Nein.« Er erlaubte sich ein kurzes Lächeln. »Nein, an ihr liegt's wirklich nicht. Nein, man hat mich zum stellvertretenden Geschäftsführer befördert, und zwar in Tripolis, Libyen. In einem völlig neuen Typ Solarenergie-Unternehmen. Aber keine Bange, in fünf Jahren bin ich wieder da, länger geht der Vertrag nicht. Und dann werdet ihr mich doch wohl in der Altherrenriege brauchen können?«

Keiner lachte. Das hatte er auch nicht erwartet. Er hatte ein Sakrileg begangen. Etwas Schlimmeres konnte man einer Mannschaft direkt vor einem Turnier nicht antun. Denn alles, was im Hinterkopf rumorte, schadete dem Drive der Kugel.

Er entschuldigte sich für das unpassende Timing, wusste aber für sich, dass es gar nicht besser hätte laufen können.

Sie hatten ihn schon aus der Gemeinschaft ausgeschlossen. Wie gewünscht.

Doch, ja, er wusste genau, wie es ihnen jetzt ging. Bowling war ihre Flucht aus dem Alltag. Auf keinen von denen wartete ein Geschäftsführerposten im Ausland. Nachdem er nun den Abstand zwischen ihnen markiert hatte, fühlten sie sich alle wie die Maus in der Falle. So war es ihm selbst oft genug gegangen. Aber das war lange her.

Inzwischen war er die Katze.

44

Dreimal hatte sie gesehen, wie sich das Morgenlicht seinen Weg zwischen den Umzugskartons hindurch ins Zimmer bahnte. Noch einmal würde sie das nicht erleben, das war ihr klar.

Immer wieder hatte sie angefangen zu weinen, aber das konnte sie jetzt nicht mehr. Nicht einmal dafür reichten ihre Kräfte noch.

Wenn sie versuchte, den Mund zu öffnen, wollten ihre Lippen sich nicht teilen, und die Zunge klebte am Gaumen. Wie lange war es her, dass sie genug Spucke hatte, um zu schlucken?

Der Gedanke an den Tod wirkte jetzt befreiend. Auf ewig schlafen. Nie mehr diese Schmerzen. Nie mehr diese Einsamkeit.

»Lass ihn, der vor dem Tod steht. Ihn, der weiß, dass es jeden Augenblick so weit ist. Lass ihn, der den Augenblick auf sich zustürmen sieht, in dem alles verschwindet, lass ihn sich über das Leben äußern«, hatte ihr Mann einmal höhnisch seinen Vater zitiert.

Ihr Mann! Er, der nie selbst gelebt hatte, wie hatte er es wagen können, diese Worte anzuzweifeln? Vielleicht würde sie selbst jeden Augenblick sterben – so fühlte es sich jedenfalls an –, aber sie hatte immerhin gelebt. Ja, das hatte sie.

Oder nicht?

Sie versuchte, sich an das Wie zu erinnern, aber alle Erinnerungen verschwammen ineinander. Aus Jahren wurden Wochen, Bruchstückhaftes tauchte auf, sprang in Zeit und Ort und verband sich zu unmöglichen Konstellationen.

Erst stirbt mein Kopf, dachte sie. Das weiß ich nun.

Sie spürte den eigenen Atem nicht mehr. Sie atmete so flach, dass sie den Luftstrom nicht einmal mehr in den Nasenlöchern wahrnahm. Einzig und allein die Finger der freien Hand zitterten noch. Diese Finger, die an den vorherigen Tagen ein Loch in den Karton über ihr gekratzt und etwas Metallisches gefühlt hatten. Der Gedanke daran, was das sein könnte, beschäftigte sie. Ob sie es wohl noch herausfand?

Wieder zitterten die Finger. Als wären diese Bewegungen von Saiten gesteuert, die direkt mit Gott verbunden waren. Sie zitterten und schlugen so leicht wie Schmetterlingsflügel aneinander.

Möchtest du etwas von mir, Gott?, fragte sie. Sind das schon unsere ersten Berührungen, bevor du mich bald ganz zu dir nimmst?

Innerlich lächelte sie. So nahe war sie Gott noch nie gewesen. Niemandem war sie je so nahe gewesen. Und sie fühlte sich weder ängstlich noch einsam. Nur müde. Der Druck der Kisten war kaum noch zu spüren. Nur noch diese Müdigkeit.

Auf einmal jagte ein Schmerz durch ihre Brust. Ein Stich, wie aus heiterem Himmel und so schmerzhaft, dass sie die Augen aufriss. Es war dunkel geworden. Nun ist der Tag also vergangen. Mein letzter Tag, schoss es ihr im Bruchteil einer Sekunde durch den Kopf.

Alle Muskeln im Brustkorb zogen sich um ihr Herz zusammen, und sie hörte sich stöhnen. Spürte, wie sich die Finger im Krampf streckten und die Gesichtsmuskeln erstarrten.

O Gott, tut das weh! O Gott, lass mich doch endlich sterben!, betete sie immer wieder. Da durchzuckte sie ein Schmerz, der noch stechender war als alle anderen, und danach – Stille.

Sekundenlang war sie überzeugt, dass ihr Herz stehen geblieben war. Sie wartete tatsächlich darauf, nun ein für alle Mal von der Dunkelheit verschlungen zu werden. Da öffnete sich ihr Mund in dem krampfhaften Versuch, ein letztes Mal die Lungen zu füllen, und sie japste nach Luft. Und dieses Japsen pflanzte sich bis zu dem winzigen Punkt in ihrem Innern fort, wo sich der letzte Rest von Selbsterhaltungstrieb verbarg.

In den Schläfen spürte sie ihren Puls. Auch in den Unterschenkeln. Noch war der Körper zu stark, um nachzugeben. Gott war mit seinen Prüfungen noch nicht zu Ende.

Und die Furcht vor seinem nächsten Zug ließ sie beten. Ein Stoßgebet, es möge nicht zu sehr wehtun und es möge schnell gehen.

Da hörte sie, wie ihr Mann die Tür öffnete und ihren Namen rief. Aber die Zeit, in der sie eine Antwort hätte formulieren können, war längst um. Was hätte es auch genutzt?

Sie spürte, wie es reflexartig in ihrem Mittel- und Zeigefinger zuckte. Spürte, wie sie an das Loch im Karton über ihr stießen, wie die Nagelspitze dieses kleine metallene Etwas berührte. Immer noch genauso glatt und unwirklich. Bis sie in einem Krampf, der alle Finger erfasste, der sie zittern und erstarren ließ, urplötzlich merkte, dass es in der glatten, kühlen Oberfläche eine kleine v-förmige Öffnung gab.

Sie bemühte sich, rational zu denken. Bemühte sich, zu trennen. Nervenimpulse vom Darm, der die Tätigkeit längst eingestellt hatte, von Zellen, die nach Flüssigkeit schrien, von der Haut, die ihre Empfindlichkeit verloren hatte – nichts von alledem sollte das Bild stören, von dem sie spürte, dass sie es verstehen musste. Das Bild eines kleinen metallischen Gegenstandes mit v-förmiger Öffnung.

Sie döste weg. Da war wieder dieses Nichts, das ihr Gehirn mehr und mehr ausfüllte. Diese Leere, die sie in immer kürzeren Abständen überfiel.

Aber dann überstürzten sich die Bilder förmlich. Bilder von glatten Gegenständen. Die Menütaste ihres Handys, das Uhrenglas ihrer Armbanduhr, der Spiegel in ihrem Toilettenschrank, alles tauchte auf und entwischte ihr wieder. Alles Glatte, das sie je in ihrem Leben bemerkt hatte, kämpfte um einen vorderen Platz in ihrem Bewusstsein. Und dann stand er vor ihr. Dieser Gegenstand, den sie selbst nie benutzt hatte, den aber damals, als sie ein Kind war, Männer stolz aus der Tasche zogen. Offenbar hatte auch ihr Mann dieses Statussymbol besessen. Und nun lag es da, das Ronson-Feuerzeug mit dem V, auf dem Boden eines Kartons, in den es achtlos geworfen worden war – vielleicht einzig und allein zu dem Zweck, jetzt für sie da zu sein. Da zu sein, um ihre Gedanken anzustoßen, ja vielleicht sogar, um eine neue, schnelle Lösung für das Ende ihres Lebens anzuregen.

Hauptsache, ich bekomme es heraus! Hauptsache, es funktioniert noch und meine Finger machen mit! Dann könnte sein gesamter Besitz mit mir verschwinden.

Irgendwo in ihrem Innern lächelte sie. Der Gedanke war auf sonderbare Weise belebend! Wenn alles verbrannte, dann hätte sie zumindest eine Spur hinterlassen. Dann hätte sie eine Distel in sein Leben gepflanzt, die er niemals vollständig würde ausrotten können. Er würde das verlieren, wofür er seine Verbrechen begangen hatte.

Was für eine Nemesis!

Sie hielt die Luft an und kratzte wieder an der Pappe und stellte zum ersten Mal fest, wie hart so etwas sein konnte. Wie irrsinnig hart. Immer wieder kratzte und schabte sie winzige Stücke ab. Wie die Wespe, die sie am Holz ihres Gartentischs beobachtet hatte. Sie stellte sich vor, wie der Papierstaub an ihrem Gesicht vorbeirieselte. Stecknadelkopfgroße Partikel. Das Loch musste groß genug werden, damit das Feuerzeug herausrutschen und mit etwas Glück in ihre Hand fallen konnte.

Als das Loch am Ende tatsächlich so groß war, dass sich das Feuerzeug millimeterweit bewegen ließ, da konnte sie nicht mehr.

Sie schloss die Augen und sah Benjamin vor sich. Größer als jetzt, sprechend, leichtfüßig. Ein hübscher Junge, der auf sie zulief. Jungenhaft und verschmitzt, mit einem Lederball in der Hand. Ach, wie gerne hätte sie das erlebt! Seinen ersten richtigen Satz. Seinen ersten Schultag. Wenn er ihr zum ersten Mal in die Augen sehen und ihr sagen würde, sie sei die beste Mutter der Welt.

Sie war sich nicht sicher, ob sie die Gemütsbewegung als einen Hauch Feuchtigkeit im Augenwinkel spürte. Auf jeden Fall gab es sie. Die Gemütsbewegung wegen Benjamin, ihres Sohnes, der nun ohne sie leben musste.

Benjamin würde leben, zusammen mit – ihm.

Nein!, schrie alles in ihr.

Aber was nützte das? Der Gedanke kehrte immer wieder zurück. Immer nachdrücklicher. *Er* würde mit Benjamin leben. Sollte das ihr letzter Gedanke sein, ehe ihr Herz zu schlagen aufhörte?

Da bewegten sich ihre Finger wieder, und der Fingernagel des Mittelfingers stieß an ein Stückchen Papier unter dem Feuerzeug, und sie kratzte daran, bis der Nagel abbrach. Ihr einziges Werkzeug war ihr genommen. Mit dieser Einsicht kämpfend, döste sie weg.

Unten von der Straße drangen Rufe bis zu ihr vor, gleichzeitig klingelte wieder das Handy in ihrer hinteren Hosentasche. Aber schon deutlich schwächer. Der Akku war bald leer. Sie wusste, wie sich das ankündigte.

Das war Kenneths Stimme. Vielleicht war ihr Mann noch im Haus. Vielleicht öffnete er die Tür. Vielleicht wusste Kenneth, dass etwas nicht stimmte. Vielleicht …

Ihre Finger bewegten sich ein wenig. Das war das, was sie an Kontakt beitragen konnte.

Aber die Haustür wurde nicht geöffnet. Es gab keinen Streit. Mehr als das schwächer werdende Klingeln des Handys war nicht zu hören. In dem Moment glitt das Feuerzeug ganz langsam aus seinem Lager und streifte ihre Hand.

Anscheinend lag es auf ihrem Daumen. Eine falsche Bewegung und es würde an ihrem Arm entlangrutschen und in der Dunkelheit unter ihr verschwinden.

Sie versuchte, Kenneths Rufen zu überhören. Versuchte zu ignorieren, dass die Vibrationen in der Hosentasche nachließen. Konzentrierte sich ganz auf ihren Zeigefinger, mit dem sie das Feuerzeug in die richtige Lage bringen musste.

Als sie ganz sicher war, dass es so lag, wie es sollte, drehte sie das Handgelenk so weit es nur ging. Das war vielleicht nur ein Zentimeter, aber es gab ihr ein gutes Gefühl. Sie glaubte jetzt an das hier, spürte nicht mehr, dass ihr Ringfinger und der kleine Finger völlig leblos waren.

Sie drückte so fest, wie sie konnte, und hörte das schwache Rauschen, mit dem das Gas ausströmte, als sich die Klappe des Feuerzeugs öffnete.

Aber wie sollte sie jemals die Kraft aufbringen, es zu zünden?

Sie bemühte sich, alles, was ihr noch an Energie geblieben war, in das letzte Daumenglied zu kanalisieren. Ein letzter Willensakt, der ihrer Umwelt zeigen würde, wie sie in ihren letzten Stunden gelebt hatte und wie sie gestorben war.

Dann drückte sie. Nichts sonst in ihr lebte, nur das letzte Daumenglied. Und vor ihren Augen sprang wie eine Sternschnuppe der Funke durchs Dunkel, entzündete das Gas und alles wurde klar.

Sie drehte das Handgelenk diesen einen möglichen Zentimeter in Richtung Karton und ließ die Flamme einen Moment an der Pappe lecken. Dann lockerte sie den Griff und sah der kleinen bläulichen Flamme zu, sah, wie sie gelb und breiter wurde. Ganz langsam wanderte sie wie ein Lichtstreifen nach oben, eine schwarze Rußspur hinter sich zurücklassend. Was eben noch gebrannt hatte, erlosch.

Nach kurzer Zeit erreichte die schwache Flamme den oberen Rand, dann erstarb sie. Zurück blieb lediglich ein Streifen tiefrot schwelender Glut. Dann verschwand auch der.

Sie hörte Kenneth rufen und wusste, es war vorbei.

Die Kraft, das Feuerzeug noch einmal zu bedienen, hatte sie nicht mehr.

Sie schloss die Augen und stellte sich Kenneth vor, wie er unten auf der Straße vor dem Haus stand. Was für hübsche Kinder, Geschwister von Benjamin, hätte er ihr schenken können! Was für ein schönes Leben!

Sie atmete den Geruch von Rauch ein, und neue Bilder glitten ihr durch den Kopf. Die Pfadfinderausflüge zum See. Die Johannisfeuer mit den ein oder zwei Jahre älteren Jungs. Der Duft beim Dorffest in Vitrolles, wo sie und ihr Bruder mit den Eltern Campingurlaub gemacht hatten.

Dann wurde der Geruch stärker.

Sie schlug die Augen auf und sah einen goldenen Schein, unter den sich oben auf den Kartons funkelnde blaue Lichter mischten.

Im nächsten Moment flackerte der Schein der Flammen über ihr.

Es brannte.

Sie hatte gehört, dass man bei einem Brand meist an Rauchvergiftung starb. Sie wäre gern an Rauchvergiftung gestorben. Das klang wie ein gnädiger und schmerzloser Tod.

Aber sie lag am Boden und der Rauch stieg nach oben. Es sah ganz so aus, als ob die Flammen sie vor dem Rauch überwältigen würden. Sie würde verbrennen.

Und da kam die Angst.

Die letzte, die endgültige Angst.

45

»Da drüben!« Assad deutete auf ein eingerüstetes siennafarbenes Gebäude schräg gegenüber auf der anderen Straßenseite direkt am Københavnsvej. Es wirkte ziemlich heruntergekommen.

»Carl, bieg hier rechts ab. Wir müssen hier einmal im Quadrat fahren«, sagte Assad.

»Um den Pudding«, korrigierte Carl.

»Pudding?«

»Ach, vergiss es, Assad, das sagt man so.«

Sie parkten auf dem kaum beleuchteten und fast vollen Parkplatz neben dem Bowlingzentrum. Nicht weniger als drei dunkle Mercedes standen dort, aber keiner zeigte Unfallspuren.

Kann man ein Auto so schnell reparieren lassen?, überlegte Carl. Er hatte seine Zweifel. Dann fiel ihm die Dienstpistole ein, die im Waffenschrank des Präsidiums lag. Wahrscheinlich hätte er die mitnehmen sollen. Aber wer hatte das heute Morgen ahnen können! Der Tag war lang gewesen und voller unvorhersehbarer Ereignisse.

Geöffnet – trotz Bauarbeiten. Wir bitten die Unannehmlichkeiten zu entschuldigen. Bitte benutzen Sie den Hintereingang, stand auf einem Banner über der Tür. Auf diesem Weg kam man jedenfalls nicht rein.

Sie gingen um das Gebäude herum. Bis auf ein Schild mit riesigen Bowlingkugeln deutete an der Rückseite des Hauses nichts auf ein Bowlingzentrum hin.

Das war auch nicht anders, als sie den Hintereingang endlich gefunden hatten und sich sofort in einem Raum voller Stahlschränke wiederfanden. Das hätten auch Schließfächer in jedem x-beliebigen Bahnhof sein können. Ansonsten waren die Wände nackt und kahl, es gab zwei Türen ohne Schilder und eine in den schwedischen Nationalfarben gestrichene Treppe, die nach unten führte. Nirgendwo ein Hinweis auf Leben und Aktivität.

»Wir müssen runter in den Keller. Glaub ich jedenfalls«, meinte Assad.

Danke für Ihren Besuch. Bis zum nächsten Mal im Bowlingzentrum Roskilde! Sport, Spaß, Spannung, stand da an der Tür.

Bezogen sich die drei letzten Wörter wirklich auf Bowling? Für Carl war Bowling kein Sport, Spaß machte ihm das Kugelschieben auch nicht und spannend fand er es schon gar nicht. Seine Assoziationen beschränkten sich auf hochgereckte Ärsche, schlecht gezapftes Bier und schwer verdauliches Essen.

Schließlich machten sie die Empfangstheke ausfindig, wo sie einen telefonierenden Mann vorfanden, eingerahmt von der Hausordnung, Tüten mit Süßigkeiten und dem Hinweis, an die Parkscheibe zu denken.

Carl sah sich um. Die Bar war voll besetzt. Überall standen kleine Menschengruppen und Sporttaschen herum. An etwa achtzehn bis zwanzig Bahnen herrschte reger Betrieb. So ist das wohl bei Turnieren, dachte er. Jede Menge Männer und Frauen in schlabberigen Hosen und einfarbigen Polohemden mit den Logos ihrer Clubs.

»Wir würden gerne mit Lars Brande sprechen. Kennen Sie ihn?«, fragte Carl, als der Mann hinter der Empfangstheke aufgelegt hatte.

Der deutete auf einen der Männer an der Bar. »Der mit der Brille in den Haaren. Passen Sie auf, was passiert, wenn Sie Smoker rufen.«

»Smoker?«

»Ja, so nennen wir ihn hier.«

Sie gingen näher und merkten, wie ihre Schuhe und ihre Kleidung abwägend betrachtet wurden.

»Lars Brande? Oder sollte ich einfach Smoker sagen?«, fragte Carl und streckte die Hand aus. »Mein Name ist Carl Mørck, ich komme vom Sonderdezernat Q, Polizeipräsidium Kopenhagen. Können wir uns kurz unterhalten?«

Lars Brande lächelte und gab ihm die Hand. »Ach ja, das hatte ich total vergessen. Wir haben nämlich gerade erfahren, dass einer unserer Mannschaftskollegen uns demnächst verlassen wird. Unmittelbar vor der Kreismeisterschaft. Da hat man anderes im Kopf.«

Er haute dem neben ihm Stehenden leicht auf den Rücken. Das war also wohl der Übeltäter.

»Das sind Ihre Mannschaftskameraden?«, fragte Carl und nickte den fünf anderen Männern zu.

»Die beste Mannschaft von Roskilde«, antwortete Lars Brande und reckte den Daumen in die Höhe.

Carl nickte Assad zu. Er sollte dort bleiben und die anderen beobachten, damit sich keiner aus dem Staub machte. Das Risiko konnten sie wirklich nicht eingehen.

Lars Brande war groß, dabei aber eher schmal und drahtig. Seine feinen, distinguierten Gesichtszüge ließen auf eine gehobene, vielleicht sogar akademische, auf jeden Fall inhäusige Tätigkeit schließen. Seine wettergegerbte Haut hingegen und die kräftigen, abgearbeiteten Hände deuteten auf einen handwerklichen Beruf. Ein äußerst verwirrender Gesamteindruck.

Sie stellten sich einen Moment vor die Wand und sahen den Spielern auf den verschiedenen Bahnen zu.

»Sie haben mit meiner Assistentin gesprochen, Rose Knudsen«, leitete Carl das Gespräch ein. »Ich habe es so verstanden, dass Sie sich über das Zusammentreffen einer Reihe von Vornamen amüsiert haben und über unsere Frage nach einer

Bowlingkugel am Schlüsselring. Dazu müssen Sie allerdings wissen, dass es hier nicht um eine Bagatelle geht. Wir befassen uns mit einem sehr dringenden, ernsten Fall, und ich muss Sie darauf hinweisen, dass alles, was Sie sagen, protokolliert werden kann.«

Auf einmal wirkte der Mann, als sei ihm die Geschichte nicht mehr ganz geheuer. Die Brille schien gewissermaßen in seine Haare zu sinken.

»Stehe ich unter Verdacht? Wofür? Worum geht es denn?« Lars Brande sah aus wie ertappt. Sehr sonderbar, fand Carl, denn er hatte doch keinerlei Verdacht geäußert. Aber warum sollte sich der Mann Rose gegenüber so umgänglich geben, wenn er keine weiße Weste hatte? Nein, das ergab keinen Sinn.

»Unter Verdacht? Nein. Ich will Ihnen nur ein paar Fragen stellen. Okay?«

Der Typ sah auf die Uhr. »Also eigentlich nicht. Wir sind in zwanzig Minuten dran, wissen Sie. Und davor schaukeln wir uns immer alle gemeinsam hoch. Kann das nicht bis später warten? Auch wenn ich natürlich gern wissen will, worum es eigentlich geht.«

»Tut mir leid. Können wir zum Schiedsrichtertisch gehen?«

Lars Brande sah Carl verwirrt an, nickte aber.

Die Schiedsrichter sahen genauso verwirrt aus, aber als Carl seine Dienstmarke zeigte, wurden sie kooperativer.

Als die Mitteilung aus den Lautsprechern dröhnte, gingen sie auf dem Rückweg zur Stirnwand gerade an einigen Tischen vorbei.

»Aus praktischen Gründen müssen wir die Reihenfolge der Mannschaften leicht ändern«, sagte einer der Schiedsrichter und nannte die Mannschaft, die nun als Nächste starten sollte.

Carl sah zur Bar, wo ihn fünf Augenpaare ernst und erstaunt ansahen. Hinter den Männern stand Assad und hatte wachsam wie eine Hyäne deren Nacken im Blick.

Einer dieser fünf Männer war es, da war sich Carl ganz sicher. Solange die Männer hier saßen, waren die Kinder in Sicherheit. Falls sie noch lebten.

»Kennen Sie Ihre Spieler gut? Wenn ich das richtig verstanden habe, sind Sie der Mannschaftskapitän?«

Lars Brande nickte und antwortete, ohne Carl anzusehen. »Wir haben schon zusammengespielt, bevor der Laden hier eröffnet hat. Drüben in Rødovre. Aber das hier ist näher für uns. Damals gehörten noch zwei andere zur Mannschaft, aber da wir alle in der Nähe von Roskilde wohnen, haben wir beschlossen, hier weiterzumachen. Und ja, ich kenne sie sehr gut. Besonders Stülper, der da drüben sitzt. Der mit der goldenen Uhr. Das ist mein Bruder Jonas.«

Carl kam sein Gesprächspartner nervös vor. Wusste er etwas?

»Stülper und Smoker, lustige Namen ...« Carl lächelte verbindlich. Vielleicht nahm ja eine freundliche kleine Ablenkung etwas Druck raus bei seinem Gegenüber. Er musste den Mann schnellstmöglich aus der Reserve locken.

Und offenbar wirkte die Strategie. Lars Brande lächelte leicht.

»Ja, für Außenstehende sicher. Aber Jonas und ich sind Imker, deshalb sind die Namen dann vielleicht doch nicht so komisch«, antwortete er. »Wir alle in der Mannschaft haben unsere Spitznamen. Sie wissen ja, wie das ist.«

Carl nickte, obwohl er es nicht wusste. »Mir ist aufgefallen, dass alle in der Mannschaft ganz schön groß sind. Sind Sie vielleicht kreuz und quer verwandt?«

Dann würden sie sich garantiert gegenseitig decken.

Wieder lächelte Lars Brande. »Nein, natürlich nicht. Nur Jonas und ich. Aber es stimmt, wir sind alle etwas größer als der Durchschnitt. Mit langen Armen kann man gut schwingen.« Nun lachte er. »Nein. Das ist purer Zufall. Darüber haben wir, ehrlich gesagt, noch nie nachgedacht.«

»Gleich werde ich Sie alle um Ihre Personennummern bitten. Aber zuerst will ich Sie fragen: Wissen Sie, ob einer aus der Mannschaft eine nicht ganz saubere Weste hat?«

Brande wirkte schockiert. Vielleicht ging ihm jetzt erst richtig auf, dass das hier Ernst war.

Er holte tief Luft. »So gut kennen wir uns dann auch wieder nicht«, sagte er abwiegelnd, aber wenig überzeugend.

»Können Sie mir sagen, wer von Ihnen einen Mercedes fährt?«

Er schüttelte den Kopf. »Jonas und ich jedenfalls nicht. Was für Autos die anderen fahren, danach müssen Sie sie selbst fragen.«

Deckte er jemanden?

»Sie müssen doch wissen, mit welchen Autos die anderen kommen. Sind Sie nicht oft gemeinsam zu Turnieren unterwegs?«

Er nickte. »Doch. Aber wir treffen uns zuerst hier. Manche lassen ihre Sachen in den Schränken oben, und Jonas und ich haben einen VW-Bus, der hat Platz für alle sechs. Wenn man teilt, wird's billiger.«

Die Antworten klangen zwar einigermaßen natürlich, aber der ganze Mann wirkte wie eine leibhaftige Entschuldigung.

»Ihre Mannschaftskollegen, können Sie mir die zeigen?« Carl nahm die Frage sofort zurück. »Nein, erzählen Sie mir zuerst, woher Sie alle Ihre Schlüsselringkugeln haben. Ist das ein gängiges Modell für Bowlingfreunde? Kann man die in Bowlingzentren kaufen?«

Er schüttelte den Kopf. »Nicht die hier. Auf unseren ist die Nummer 1 eingraviert, weil wir so gut sind.« Er lächelte entschuldigend. »Normalerweise steht nichts auf den Kugeln, und wenn doch, dann höchstens eine Nummer, die die Größe der Kugel angibt. Aber niemals eine eins, weil es so kleine Bowlingkugeln gar nicht gibt. Nein, die hier hat einer von uns mal in Thailand gekauft.« Er nahm seinen eigenen Schlüsselbund

und zeigte Carl die Kugel. Klein, dunkel und abgenutzt. Bis auf die eingravierte 1 nichts Besonderes.

»Wir und ein paar aus der alten Mannschaft haben die«, fuhr er fort. »Ich glaube, er hat damals insgesamt zehn gekauft.«

»Wer ist er?«

»Svend. Der mit dem blauen Blazer. Der Kaugummi kaut und aussieht wie ein Herrenausstatter. Das ist er übrigens auch mal gewesen.«

Carl musterte den Mann. Wie die anderen saß er dort drüben und beobachtete seinen Kumpel im Gespräch mit dem Polizisten.

»Okay. Trainieren Sie als Mannschaft auch zusammen?«

Falls sich einer regelmäßig mal abmeldet, dachte er, könnte das von Belang sein.

»Ja, Jonas und ich schon. Manchmal sind auch welche von den anderen dabei. Aber wir machen das vor allem fürs Vergnügen. Früher haben wir fast immer zusammen trainiert, aber nun nicht mehr so häufig.« Wieder lächelte er. »Meist schieben wir nur direkt vor den Wettkämpfen gemeinsam ein paar Kugeln. Sollten wir vielleicht wieder öfter machen. Aber was soll's. Wenn man sowieso fast bei jeder Runde über zweihundertfünfzig kommt, wo ist dann das Problem?«

»Hat einer von Ihnen irgendwo eine sichtbare Narbe, wissen Sie das?«

Lars Brande zuckte die Achseln.

Na, dann mussten sie eben jeden einzeln überprüfen.

»Was meinen Sie, können wir uns dort hinsetzen?« Carl deutete zu einer Reihe Tische mit weißen Tischdecken, offenbar so eine Art Restaurant.

»Aber bestimmt.«

»Dann werde ich dort Platz nehmen. Würden Sie bitte so freundlich sein und Ihren Bruder bitten, dorthin zu kommen?«

Jonas Brande wirkte höchst konsterniert. Worum ging es? Was war so wichtig, dass sie den Turnierablauf ändern mussten?

Doch Carl machte sich nicht die Mühe, ihn aufzuklären. »Wo waren Sie heute Nachmittag zwischen 15.15 Uhr und 15.45 Uhr? Können Sie das irgendwie dokumentieren?«

Carl sah ihm ins Gesicht. Maskulin. Mitte vierzig. Konnte das der Mann sein, den sie vor dem Aufzug im Krankenhaus gesehen hatten? Der von der Phantomzeichnung?

Jonas Brande lehnte sich etwas vor. »Zwischen 15.15 Uhr und 15.45 Uhr? Ich glaub nicht, dass ich das so genau weiß.«

»Aha. Dabei haben Sie so eine schöne Uhr, Jonas. Sie werfen da nicht gelegentlich mal einen Blick drauf?«

Völlig unerwartet lachte der Mann auf. »Natürlich tu ich das. Aber die trage ich doch nicht, wenn ich arbeite. So eine kostet fünfunddreißigtausend Kronen. Hab ich von unserem Vater geerbt.«

»Zwischen 15.15 Uhr und 15.45 Uhr haben Sie also gearbeitet?«

»Ja, aber sicher.«

»Und warum wissen Sie dann nicht, wo Sie waren?«

»Na ja, ich weiß doch nicht, ob ich in der Werkstatt war und Bienenkörbe repariert hab oder ob ich drüben in der Scheune war und das Zahnrad der Honigschleuder ausgewechselt hab.«

Der Hellste der beiden Brüder war der wohl nicht. Oder war er besonders clever?

»Verkaufen Sie viel schwarz?«

Volltreffer! Auf die Frage war er nun gar nicht gefasst gewesen.

Nicht, dass es Carl kümmerte. Das war eine andere Abteilung. Ihm war nur daran gelegen, sich ein Bild von dem Mann zu machen, den er vor sich hatte.

»Jonas, sind Sie vorbestraft? Sie wissen, dass ich das leicht nachprüfen kann.« Carls Versuch, mit den Fingern zu schnippen, misslang.

Der Mann schüttelte den Kopf.

»Andere aus der Mannschaft?«

»Warum?«

»Gibt es Vorstrafen?«

Er zögerte. »Ich glaub, Go Johnny, Gasgriff und Papst haben was.«

Carl lehnte den Kopf leicht zurück. Was für Scheißnamen. »Wer sind die?«

Jonas Brande kniff die Augen zusammen, als er zu den Männern an der Bar hinübersah. »Birger Nielsen, das ist der mit der Glatze. Der spielt in Bars und Restaurants Klavier. Deshalb nennen wir ihn Go Johnny. Der neben ihm sitzt, das ist Mikkel, der ist Motorradmechaniker in Kopenhagen. Deshalb heißt er bei uns Gasgriff. Ich glaube, das war nichts Dolles, was die beiden angestellt haben. Bei Birger war's irgendwas mit illegalem Schnapsbrennen und bei Mikkel irgendwas mit geklauten Autos. Die hat er weiterverkauft. Ist alles schon Jahre her. Warum?«

»Und der Dritte, den Sie genannt haben? Papst hieß der, oder? Das muss doch dann Svend sein, der mit dem blauen Blazer.«

»Ja. Der ist Katholik. Bei dem weiß ich's nicht so genau. Ich glaub, da war irgendwas in Thailand.«

»Und wer ist dann der Letzte aus der Mannschaft? Der, mit dem Ihr Bruder gerade redet? Das ist doch der, der weggeht, oder?«

»Ja. Das ist René. Unser bester Spieler. Deshalb ist das echt Scheiße. René Henriksen, genau wie der ehemalige Verteidiger der Fußballnationalmannschaft. Deshalb nennen wir ihn Dreier.«

»Weil René Henriksen die drei auf dem Rücken hatte?«

»Jedenfalls zu einem gewissen Zeitpunkt.«

»Haben Sie einen Ausweis dabei, irgendwas, wo Ihre Personennummer draufsteht, Jonas?«

Gehorsam zog er das Portemonnaie aus der Tasche und gab Carl seinen Führerschein.

Carl notierte sich die Nummer.

»Übrigens, wissen Sie, wer von Ihnen einen Mercedes fährt?«

Er zuckte die Achseln. »Nö. Wir treffen uns immer …«

Carl winkte ab. Dafür hatte er keine Zeit.

»Danke, Jonas. Schicken Sie doch jetzt bitte René zu mir, ja?«

Von dem Moment an, als er vom Barhocker aufstand, bis zu dem Augenblick, als er sich Carl gegenübersetzte, sahen sie sich an.

Ein sehr ansprechender Mann. Nicht, dass das irgendwas zu sagen gehabt hätte, aber gepflegt und mit festem Blick.

»René Henriksen«, stellte er sich vor und zog die Bügelfalten hoch, ehe er sich setzte. »Soweit ich Lars Brande verstanden habe, ermitteln Sie in irgendeiner Sache. Nicht, dass er etwas gesagt hätte, nur so ein Gefühl meinerseits: Hat es mit Svend zu tun?«

Carl betrachtete ihn aufmerksam. Mit etwas gutem Willen konnte er durchaus derjenige sein, den sie suchten. Das Gesicht war vielleicht ein bisschen zu schmal, aber das konnte daran liegen, dass er im Laufe der Jahre den Babyspeck verloren hatte. Frisch geschnittene Haare. Hohe Schläfen, aber das ließ sich natürlich mit einer Perücke alles verändern. Irgendetwas war mit den Augen. Carl juckte es förmlich überall. Die vielen Fältchen um die Augen, das waren nicht nur Lachfalten.

»Svend? Sie meinen wohl Papst?«, lächelte Carl, obwohl er gar keine Lust dazu hatte.

Der Typ zog die Augenbrauen hoch.

»Warum fragen Sie, ob es etwas mit Svend zu tun hat?«

Hier veränderte sich das Gesicht des Mannes. Allerdings setzte er keine rechtfertigende Miene auf, wie man hätte erwarten können, sondern im Gegenteil eine zerknirschte, als wäre er sich gerade einer Taktlosigkeit bewusst geworden.

»Ach«, sagte er, »sorry, das war mein Fehler. Ich hätte Svend nicht erwähnen sollen. Wollen wir noch mal anfangen?«

»In Ordnung. Sie verlassen die Mannschaft? Ziehen Sie um?«

Wieder dieser Blick, der ihm das Gefühl vermittelte, sein Gegenüber fühle sich entblößt.

»Ja«, sagte er. »Mir wurde ein Job in Libyen angeboten. Ich soll den Bau einer riesigen Spiegelanlage in der Wüste leiten, die Strom in einer einzigen zentralen Einheit erzeugen wird. Eine ziemlich revolutionäre Entwicklung, vielleicht haben Sie davon gehört?«

»Klingt spannend. Wie heißt die Firma?«

»Ach, das ist eine leidige Geschichte.« Er lächelte. »Bis auf weiteres beschränkt sich deren Name auf die Handelsregisternummer der dänischen Aktiengesellschaft. Die Leute können sich nicht entscheiden, ob der Name arabisch oder englisch sein soll, aber zu Ihrer Information, vorläufig heißt die Gesellschaft 773 PB 55.«

Carl nickte.

»Wie viele Ihrer Mannschaftskollegen fahren außer Ihnen einen Mercedes?«

»Wer behauptet, ich hätte einen Mercedes?« Er schüttelte den Kopf. »Meines Wissens fährt nur Svend einen, aber an sich kommt er immer zu Fuß hierher. Er hat es nicht so weit.«

»Woher wissen Sie, dass Svend einen Mercedes hat? Lars und Jonas sagten, dass die Gruppe immer mit ihnen im VW-Bus fährt.«

»Vollkommen richtig. Aber Svend und ich, wir treffen uns auch privat. Na, vielleicht sollte ich besser sagen: trafen. Denn in den letzten zwei, drei Jahren bin ich nicht mehr bei ihm gewesen, Sie verstehen wohl, warum. Aber früher schon. Und er hat seitdem bestimmt nicht das Auto gewechselt. Jedenfalls nicht, dass ich wüsste. Frührentner haben nicht so viel, um auf die Pauke zu hauen.«

»Was meinen Sie mit der Bemerkung ›Sie verstehen wohl, warum‹?«

»Na, seine Reisen nach Thailand. Um die geht es doch, oder nicht?«

Das klang wie ein Ablenkungsmanöver. »Was für Reisen? Ich komme nicht von der Drogenfahndung, falls Sie das annehmen.«

Der Mann sah jetzt aus, als würde er in sich zusammenfallen. Aber das konnte auch geschicktes Spiel sein.

»Drogen? Nein, darum geht's doch nicht«, sagte er. »Ach verdammt, durch mich soll er doch nicht in die Bredouille kommen. Bestimmt liegt es an mir, ich vermute was Falsches.«

»Würden Sie bitte so freundlich sein und mir ohne Umschweife sagen, was Sie vermuten? Ansonsten muss ich Sie zur Vernehmung ins Präsidium mitnehmen.«

René Henriksen zog den Kopf zurück. »Um Himmels willen, nein. Ich meine nur, dass Svend mir gegenüber mal zugegeben hat, was er in Thailand macht. Dass er einheimische Frauen organisiert, die den Transport von Babys nach Deutschland begleiten. Kinder, die von ausgewählten kinderlosen Paaren adoptiert werden. Er kümmert sich um den ganzen Papierkram und ist überzeugt davon, eine gute Tat zu vollbringen. Aber ich glaube nicht, dass er es so genau damit nimmt, woher die Babys kommen. Nur das meine ich.« Er machte eine Geste mit dem Kopf. »Svend ist ein guter Bowlingspieler, insofern ist es okay, mit ihm zu spielen. Aber seit ich das mit den Kindern weiß, bin ich nicht mehr bei ihm zu Hause gewesen.«

Carl blickte hinüber zu dem Mann mit dem blauen Blazer. Wo Rauch ist, ist auch Feuer. Benutzte dieser Svend vielleicht die Rauchschwaden, um den Blick auf ganz andere Dinge zu verschleiern? Durchaus möglich. Halte dich dicht an die Wahrheit, aber nicht zu dicht, so lautete der Kodex der meisten Kriminellen. Vielleicht fuhr er überhaupt nicht nach Thailand. Vielleicht war er der Entführer, der seinen Bowlingkumpeln gegenüber ein Alibi brauchte, während er seiner widerwärtigen Tätigkeit nachging?

»Wissen Sie, wer in Ihrer Mannschaft gut oder schlecht singt?«

Da kippte der Mann abrupt vornüber und lachte. »Nein, wir singen eher weniger.«

»Und Sie selbst?«

»Danke, ich bin ein recht guter Sänger. Früher hatte ich dazu öfter Gelegenheit, als Messdiener in der Kirche von Fløng. Ich hab dort auch im Kirchenchor gesungen. Möchten Sie eine Gesangsprobe hören?«

»Nein, danke. Wie steht es mit Svend, ist der ein guter Sänger?«

Er schüttelte den Kopf. »Keine Ahnung. Aber sagen Sie, sind Sie aus dem Grund gekommen?«

Carl versuchte ein Lächeln. »Hat einer von Ihnen sichtbare Narben? Wissen Sie das?«

Der Mann zuckte die Achseln. Nein, Carl konnte ihn noch nicht freisprechen. Das konnte er einfach nicht.

»Können Sie sich ausweisen? Haben Sie irgendetwas bei sich, woraus Ihre Personennummer hervorgeht?«

Er antwortete nicht. Griff nur in die Tasche und zog eines dieser Teile heraus, das ausschließlich kleine Plastikkarten enthielt. Lars Bjørn hatte auch so was. Bestimmt ein Statussymbol, was wusste er denn.

Carl schrieb die Personennummer auf. Vierundvierzig Jahre alt. Das passte.

»Würden Sie mir bitte noch mal sagen, wie Ihre neue Firma heißt?«

»773 PB 55. Warum?«

Carl zuckte die Achseln. Hätte er selbst einen so irrsinnigen Namen ins Blaue hinein gesagt, dann hätte er ihn schon zwei

Minuten später wieder vergessen. Vermutlich stimmte das also.

»Noch ein Letztes. Was haben Sie heute zwischen fünfzehn und sechzehn Uhr gemacht?«

Er überlegte.

»Zwischen drei und vier. Da war ich beim Frisör in der Allehelgensgade. Morgen habe ich einen wichtigen Termin, da muss ich präsentabel aussehen.«

Er strich sich über eine Schläfe. Doch ja, das sah frisch geschnitten aus. Aber sobald sie hier fertig waren, mussten sie das mit dem Frisör überprüfen.

»René Henriksen, ich möchte, dass Sie sich dort drüben in der Ecke an den weißen Tisch setzen. Wir müssen uns vielleicht später noch mal unterhalten.«

Der Mann nickte und sagte, natürlich wäre er gern behilflich.

Das sagten fast alle, wenn sie mit der Polizei redeten.

Dann gab Carl Assad einen Wink, ihm den Mann im blauen Blazer rüberzuschicken. Sie hatten keine Zeit zu verschwenden.

Dieser Mann wirkte nun überhaupt nicht wie ein Frührentner. Die Schultern füllten das Jackett aus, und das lag nicht nur an den Schulterpolstern, die verdammt an die Achtzigerjahre erinnerten. Er hatte markante Gesichtszüge, und die gesamte Kiefermuskulatur spielte, wenn er sein Kaugummi kaute. Breiter Kopf. Kräftige, etwas zusammengewachsene Augenbrauen. Kurz geschnittenes Haar. Etwas vorgebeugter Gang. Ein Mann, der sicher mehr als ein Eisen im Feuer hatte. Hinter dem garantiert mehr steckte, als auf den ersten Blick ersichtlich war.

Er roch neutral, aber gut. Dafür hielt er den Blickkontakt nicht so gut. Und er hatte dunkle Ränder unter den Augen, die den Augenabstand geringer wirken ließen, als er war.

Auf jeden Fall ein Profil, das einen zweiten, näheren Blick lohnte.

Als Svend sich setzte, nickte er René Henriksen in der Ecke zu.

Das wirkte in gewisser Weise tatsächlich herzlich.

46

Als ihm bewusst wurde, dass er seine Gefühle enorm gut kontrollieren konnte, war er noch gar nicht so alt. Ihm war einfach nicht anzumerken, wie es ihm tatsächlich ging, das wusste er.

Diese Fähigkeit zur Undurchdringlichkeit hatte er im Pfarrhaus entwickelt. Denn dort lebte man nicht im Lichte Gottes, sondern in seinem Schatten. Und Gefühle wurden dort meist verkehrt gedeutet. Freude wurde mit Oberflächlichkeit verwechselt, Wut mit Unwillen oder Trotz. Und jedes Mal, wenn er falsch interpretiert worden war, wurde er bestraft. Deshalb behielt er seine Gefühle für sich. Das war am besten für ihn.

Und es hatte ihm seither geholfen – wann immer er sich ungerecht behandelt fühlte, wann immer ihm Enttäuschungen zusetzten.

Und auch jetzt half es ihm, ja, es war seine Rettung.

Als er die beiden Polizisten kommen sah, war das ein Schock gewesen. Ein echter Schock. Aber das zeigte er nicht.

Sie fielen ihm sofort auf, als sie auf die Empfangstheke zugingen. Mit Sicherheit waren das die beiden Männer, die sich vor dem Aufzug im Rigshospital mit Isabels Bruder unterhalten hatten. Dieses ungleiche Paar vergaß man nicht so schnell.

Die Frage war nur, ob sie ihn auch wiedererkannten.

Er glaubte es nicht. Sonst wären sie ihm mit ihren Fragen sehr viel mehr auf die Pelle gerückt. Und der Polizist hätte ihn wohl auch ganz anders angeschaut.

Er sah sich um. Sollte sich die Situation zuspitzen, gab es zwei Wege nach draußen. Entweder über den Maschinenraum zur Hintertür und dort die Feuertreppe nach oben, vorbei an dem Stuhl ohne Beine, den jemand dort hingestellt hatte, um zu signalisieren, dass das der falsche Weg sei. Lachhaft.

Oder man spazierte direkt an diesem Polizeiassistenten vorbei. Die Toiletten lagen zwischen der Empfangstheke und dem Ausgang. Was wäre also natürlicher, als in diese Richtung zu gehen?

Aber dann würde der dunkle Mann sehen, dass er an den Toilettentüren vorbeiging. Und er müsste sein Auto zurücklassen, denn das hatte er wie immer etwas weiter weg im Parkhaus am Ro's Torv abgestellt. Dann würde ihm die Zeit nicht reichen, um aus dem Parkhaus rauszufahren. Sie würden ihm den Weg abschneiden.

Nein, wenn er sich für diese Lösung entschied, müsste er sein Auto stehen lassen und loslaufen. Aber obwohl er in seiner Stadt natürlich viele Abkürzungen kannte, war nicht gesagt, dass er auch schnell genug war.

Am besten wäre es, wenn sich die Aufmerksamkeit nicht auf ihn, sondern auf jemand anderen richtete. Das hieß: Wollte er entkommen und gleichzeitig die Situation beherrschen, musste er zu radikaleren Mitteln greifen. Denn mit diesen beiden Polizisten war garantiert nicht zu spaßen, die waren clever. Der Teufel mochte wissen, wie sie ihm auf die Schliche gekommen waren.

Ganz eindeutig verdächtigten sie ihn. Warum hätten sie sonst nach dem Mercedes gefragt? Oder seinen Sangeskünsten? Und gleich zweimal nach der Handelsregisternummer der Aktiengesellschaft, die er aus dem Stegreif erfunden hatte? Was für ein Glück, dass er sich an die Nummer erinnert hatte!

Aber bis auf weiteres hatte der Polizist wohl geschluckt, was er ihm aufgetischt hatte, und er hatte auch seinen Führerschein akzeptiert sowie den falschen Namen, unter dem er seit Jahren im Bowlingclub verkehrte.

Das Problem war nur, dass sie ihn buchstäblich in die Ecke gedrängt hatten. Das, was er eben zusammengelogen hatte, ließ sich kinderleicht nachprüfen. Schlimmer noch, seine Identitäten gingen zur Neige und seine Stützpunkte auch, und er konnte nicht so ohne weiteres weg. Jeder hier im Lokal würde einen Fluchtversuch mitbekommen.

Er sah hinüber zu Papst. Der saß vor dem Polizisten und kaute wie verrückt auf seinem Kaugummi. Er wirkte wie das personifizierte schlechte Gewissen.

Dieser Mann war das ewige Opfer, was er sich verschiedentlich sogar als Rollenmodell abgeguckt hatte. Einer wie Papst war der Inbegriff des Herrn Jedermann. So musste man aussehen, wenn man nicht auffallen wollte. So gewöhnlich, wie auch er selbst aussah. Tatsächlich glichen sie sich in mancher Hinsicht: Kopfform, Größe, Statur, Gewicht. Auch in ihrem gepflegten Äußeren, das vielleicht sogar schon ein bisschen langweilig wirkte. Papst hatte ihn auf die Idee gebracht, sich so zu schminken, dass es den Anschein hatte, als stünden die Augen etwas zu nahe beieinander und als seien die Augenbrauen zusammengewachsen. Und mit ein wenig Schminke wirkten auch seine Wangen so breit wie die von Papst.

Genau diese Gesichtszüge hatte er ein paarmal benutzt.

Aber über das Physiognomische hinaus hatte Papst noch etwas anderes, das ihm jetzt zupass kam: Svend flog mehrmals im Jahr nach Thailand, und das tat er nicht wegen der schönen Natur.

Der Kriminalbeamte hatte Papst aufgefordert, am Nachbartisch zu warten. Papst war kreidebleich und wirkte zutiefst gekränkt.

Gleich nach ihm war Birger an der Reihe. Danach blieb nur noch einer, dann waren die Vernehmungen beendet. Er durfte keine Zeit vergeuden.

Er stand auf und setzte sich zu Papst an den Tisch. Hätte der

Polizist versucht, ihn aufzuhalten, hätte er sich trotzdem hingesetzt und etwas von Polizeistaat-Methoden gebrüllt. Und wäre es zu weiterem Wortwechsel gekommen, hätte er den Raum einfach verlassen – mit dem Hinweis, sie könnten ihn zu Hause erreichen. Schließlich hätten sie seine Personennummer, also sollte es wohl nicht so schwer sein, die Adresse zu finden, falls sie noch Fragen hätten.

Auch das war ein Ausweg. Sie konnten ihn ja nicht einfach ohne konkreten Anlass festnehmen. Und wenn sie etwas mit Sicherheit nicht hatten, dann waren es konkrete Beweise. Denn auch wenn sich in diesem Land vieles verändert hatte, nahm man doch nicht einfach so irgendwelche Bürger fest. Es sei denn, man hatte etwas Hieb- und Stichfestes gegen sie in der Hand. Und das hatte ihnen Isabel garantiert noch nicht liefern können.

Das konnte noch kommen, ja, das kam mit Sicherheit irgendwann. Aber noch war es nicht so weit, er hatte ja gesehen, in welchem Zustand Isabel war.

Nein, sie hatten keine Beweise. Sie hatten keine Leiche, und sie wussten nichts von seinem Bootshaus. Der Fjord würde bald alle Spuren getilgt haben. Und er selbst würde sich einfach ein paar Wochen bedeckt halten.

Papst sah ihn wütend an. Seine Hände waren zu Fäusten geballt, die Halsmuskeln angespannt. Er atmete schnell und flach. Völlig richtige Reaktion und in dieser Situation sehr brauchbar. Wenn er es richtig anstellte, war es in drei Minuten überstanden.

»Was hast du denen gesagt, du Schwein?«, zischte Papst, als er sich zu ihm an den Tisch setzte.

»Nichts, was sie nicht schon vorher gewusst haben, Svend«, flüsterte er. »Ehrlich. Der weiß doch anscheinend alles. Außerdem haben sie dich noch von früher im Register, denk dran.«

Er merkte, wie die Atmung des anderen immer hektischer wurde.

»Aber du hast es dir ja selbst zuzuschreiben, Svend. Pädophile sind nun mal nicht sonderlich beliebt«, fuhr er etwas lauter fort.

»Ich bin kein Pädophiler! Hast du das etwa behauptet?« Svends Stimmlage ging nach oben.

»Der Mann weiß alles.« Es galt jetzt, die richtigen Worte zu finden und wohldosiert lauter zu werden. Er sah sich um.

Ja, es funktionierte. Der Kriminalbeamte hatte ihn im Auge, wie vermutet. Der war ein Schlaumeier. Garantiert hatte er sie extra so hingesetzt, um die Entwicklung beobachten zu können. Ganz offenkundig standen sie beide unter Verdacht.

Gerade wandte dieser Polizist den Kopf zur Bar. Offenbar konnte er keinen Augenkontakt zu seinem Partner bekommen – was bedeutete, dass der ihn auch nicht sehen konnte.

»Der Polizist da weiß ganz genau, dass du die Kinderpornos nicht aus dem Internet runterlädst, Svend, sondern über USB-Sticks von deinen Freunden bekommst«, fuhr er ungerührt fort.

»Aber das ist doch Blödsinn!«

»Aber das hat er mir gesagt, Svend.«

»Warum fragt er euch alle aus, wenn es um mich geht? Bist du ganz sicher, dass es das ist?« Einen Moment lang vergaß er, sein Kaugummi zu kauen.

»Er hat bestimmt auch schon andere aus deinem Bekanntenkreis befragt, Svend. Jetzt macht er hier die Runde, öffentlich, damit du dich endlich stellst.«

Er zitterte. »Ich hab nichts zu verbergen. Ich tu nichts anderes, als was die anderen auch tun. So ist das in Thailand. Ich tu den Kindern nichts. Ich bin nur mit ihnen zusammen. Nichts Sexuelles. Nicht während ich mit ihnen zusammen bin.«

»Das weiß ich, Svend. Das hast du mir ja oft genug gesagt. Aber er behauptet, du würdest mit Kindern und Kinderpornos handeln. Du hättest Sachen auf deinem Computer. Hat er dir nichts davon gesagt?« Er runzelte die Stirn. »Ist da was dran,

Svend? Du bist immer so beschäftigt, wenn du da unten bist, das hast du selbst gesagt.«

»Er sagt, ich würde mit ihnen handeln?« Svend war etwas zu laut geworden und sah sich erschrocken um. Dann sprach er gedämpft weiter. »Hat er mich deshalb gefragt, ob ich mich mit Formularen und solchem Kram gut auskenne? Hat er mich deshalb gefragt, woher ich als Frührentner das Geld hätte, so oft dorthin zu fliegen? Dabei bin ich doch gar kein Frührentner! Ich hab meine Geschäfte verkauft, und das weißt du ganz genau. Trotzdem hast du ihm das eingeredet, René! Er hat selbst gesagt, dass er das von dir hat. Aber ich hab das jetzt klargestellt.«

»Jetzt sieht er dich an. Nein, dreh dich nicht um. Wenn ich du wäre, Svend, würde ich ganz ruhig aufstehen und gehen. Ich glaube nicht, dass sie dich aufhalten.«

Er steckte die Hand in die Tasche und klappte dort das Messer auf. Dann zog er es langsam heraus.

»Wenn du zu Hause bist, vernichte alles, Svend. Alles, was dich kompromittieren kann, ja? Das ist nichts als ein guter Rat von einem guten Freund. Namen und Kontakte und alle Flugtickets, alles, klar? Geh nach Hause und erledige das. Sieh zu, dass du loskommst. Sofort, sonst verrottest du im Gefängnis, das kann ich dir sagen. Und du weißt ja, was die im Knast mit Männern wie dir machen, oder?«

Papst starrte ihn einen Moment aus aufgerissenen Augen an. Dann schien er sich etwas zu beruhigen. Schob den Stuhl zurück und stand auf. Die Botschaft war angekommen.

Er tat das Gleiche und streckte Papst die Hand hin, als wolle er sie drücken. Dabei wölbte er die Hand über das Messer, dessen Klinge halb in seinem Ärmel verschwand.

Papst blickte einen Moment zögernd auf die ausgestreckte Hand. Dann lächelte er. Ein armer Teufel mit Gelüsten, die er nicht kontrollieren konnte. Ein religiöser Mensch, der immerzu mit der Scham kämpfte und dem sämtliche Bannbullen der katholischen Kirche auf den Schultern lasteten. Und hier stand jetzt sein Freund und streckte ihm die Hand hin. Er meinte es gut mit ihm.

Im selben Moment, als Papst ihm die Hand geben wollte, reagierte er. Drückte dem Mann das Messer in die Hand, packte seine Finger, presste sie um den Schaft und zog dann die Hand des Überrumpelten mit einem Ruck zu sich, sodass sich die Messerspitze oberhalb seiner Hüfte in den Muskel bohrte. Es war nicht schmerzhaft, sah aber so aus.

»Au, was soll das?«, brüllte er. »Er hat ein Messer, passt auf!«, rief er und zerrte noch einmal an Svends Arm. Die beiden Stiche saßen perfekt in seiner Seite, das Blut sickerte bereits durch das Polohemd.

Der Kriminalbeamte sprang auf, sodass sein Stuhl zurückflog. Alle Leute, die an diesem Ende der Halle standen, drehten sich zu ihnen um.

Gleichzeitig stieß er Papst von sich weg. Als der das Blut an seinen Händen registrierte, begann er seitwärts zurückzuweichen. Er stand unter Schock. Alles war so schnell gegangen, er hatte vollkommen den Überblick verloren.

»Hau ab, du Mörder«, flüsterte er und hielt sich die Seite.

Da machte Papst in Panik kehrt und floh. Auf dem Weg zu den Bowlingbahnen warf er ein paar Tische um.

Offenkundig kannte Papst das Bowlingzentrum wie seine Westentasche. Es sah ganz so aus, als wollte er über den Maschinenraum das Weite suchen.

»Achtung! Er hat ein Messer!«, rief er noch einmal, während die Menschen vor dem Flüchtenden zurückwichen.

Er sah, wie Papst über Bahn neunzehn sprang und wie ihm dieser dunkle kleine Polizeiassistent wie ein Raubtier von der Bar aus hinterherhechtete. Eine Jagd mit ungleichen Vorzeichen.

Da ging er zum Gestell mit den Kugeln und nahm sich eine.

Als der Polizeiassistent Papst am Ende der Bahn erreicht

hatte, fuchtelte der wie wahnsinnig mit dem Messer. Der ganze Mann stand vor dem Kurzschluss. Aber der Dunkle warf sich auf seine Unterschenkel und brachte ihn damit zu Fall. Mit gewaltigem Getöse krachten beide auf die Kugelrinne zwischen den beiden äußeren Bahnen.

Inzwischen war auch der vorgesetzte Polizist unterwegs zu den Kampfhähnen. Aber da rollte die Bowlingkugel des besten Spielers der Mannschaft bereits auf der äußersten Bahn, und sie war schneller als der Beamte.

Das Geräusch, mit dem die Kugel gegen Svends Schläfe krachte, war nicht zu überhören. Es knackte, wie wenn man eine Tüte Chips zusammendrückt.

Das Messer fiel Svend aus der Hand und auf die Bahn.

Alle Blicke, die auf die leblose Gestalt gerichtet waren, hefteten sich nun auf ihn. Diejenigen, die den Tumult mitbekommen hatten, wussten, dass er die Kugel geworfen hatte. Zwei wussten auch, warum er zu Boden sank und sich die Seite hielt.

Alles verlief haargenau wie geplant.

Der Kriminalbeamte war sichtlich erschüttert, als er zu ihm kam.

»Eine ernste Angelegenheit«, sagte er. »Soweit ich es beurteilen kann, ist das ein Schädelbasisbruch. Svend wird Glück brauchen, um den zu überleben. Wie gut, dass wegen des Turniers Sanitäter vor Ort waren. Sie können nur beten, dass die gute Arbeit leisten.«

Er blickte zum Ende der Bahn, wo die Rettungskräfte dabei waren, Erste Hilfe zu leisten. Beten, dass die Sanitäter gute Arbeit leisteten? Na, das hatte er nun wirklich nicht vor.

Einer der Sanitäter leerte Svends Taschen aus und reichte deren Inhalt dem Dunklen. Die beiden Polizisten waren offenbar von der gründlichen Sorte. Binnen kurzem würden sie weitere Hilfe anfordern und telefonieren, um mehr Informationen zu erhalten. Dann würden sie auch die Personennummern checken und die Namen. Die Alibis prüfen. Den Frisör anrufen, den er gar nicht kannte. Ehe sie Verdacht schöpften, würde zwar noch einige Zeit vergehen. Aber nur diese Zeitspanne blieb ihm, mehr nicht.

Der Kripomensch neben ihm dachte nach, dass es rauchte. Dann sah er ihn stirnrunzelnd an.

»Dieser Mann, den sie vielleicht getötet haben, hat zwei Kinder entführt. Möglicherweise hat er sie bereits umgebracht. Wenn nicht, sterben sie vor Hunger und Durst, falls wir sie nicht schnellstens finden. Wir werden gleich zu ihm nach Hause fahren und dort alles gründlich durchsuchen, aber vielleicht können Sie uns helfen. Wissen Sie, ob er ein Sommerhaus oder etwas in der Art besitzt? Abgelegen, irgendwo am Wasser? Mit einem Bootshaus?«

Nur durch sein jahrzehntelanges Training gelang es ihm, sich den Schock nicht anmerken zu lassen. Woher wusste dieser Beamte von dem Bootshaus? Damit hatte er überhaupt nicht gerechnet. Zum Teufel, woher wusste er das?

»Tut mir leid«, sagte er beherrscht und blickte zu dem schwach atmenden Mann da hinten auf dem Boden. »Es tut mir aufrichtig leid, aber ich weiß wirklich nichts.«

Der Polizist schüttelte den Kopf. »Trotz der Umstände wird es sich nicht vermeiden lassen, dass dieser Fall hier weiter verfolgt wird. Das müssen Sie wissen.«

Er nickte langsam. Warum protestieren? Das war doch mehr als einleuchtend. Er wollte sich gern kooperativ zeigen. Dann wurden die vielleicht etwas lockerer.

Der dunkle Assistent kam kopfschüttelnd auf ihn zu.

»Was für ein Idiot sind Sie eigentlich?«, knurrte er und sah ihn durchdringend an. »Es bestand doch keine Gefahr, ich hatte ihn ja. Warum dann diese Kugel? Wissen Sie überhaupt, was Sie getan haben?«

Er schüttelte den Kopf und hob seine blutigen Hände. »Aber dieser Mann war doch total wahnsinnig«, sagte er. »Ich hab doch gesehen, wie nahe er Ihnen mit dem Messer gekommen war.«

Er legte die Hand wieder auf die Hüfte. Kniff die Augen zusammen, damit sie sahen, wie schmerzhaft seine Verletzung war.

Dann setzte er eine wütende und gekränkte Miene auf und richtete den Blick direkt auf den Polizisten.

»Sie sollten mir lieber danken und froh sein, dass ich so gut treffe.«

Die beiden Polizisten tauschten einen Blick.

»Die zuständige Polizei ist gleich zur Stelle. Die werden einen vorläufigen Bericht aufnehmen«, sagte der Vorgesetzte. »Wir werden dann schon dafür sorgen, dass Sie bald behandelt werden. Ein weiterer Krankenwagen ist unterwegs. Verhalten Sie sich ruhig, damit es nicht so stark blutet. Wenn Sie mich fragen: So ernst sieht das nicht aus.«

Er nickte und zog sich zurück.

Damit war die Zeit für den nächsten Schritt gekommen.

Über die Lautsprecher wurde verkündet, die aktuellen Ereignisse hätten die Schiedsrichter dazu bewogen, das Turnier abzubrechen.

Er sah zu seinen Mannschaftskameraden hinüber. Mit leeren Blicken saßen die immer noch an der Bar. Die Aufforderung des Polizisten, das Bowlingzentrum noch nicht zu verlassen, schienen sie kaum zu hören.

Ja, die beiden Polizisten hatten viel um die Ohren. Die Geschehnisse waren total aus dem Ruder gelaufen. Am Ende der Nacht würden sie ihren Vorgesetzten einiges zu erklären haben.

Er stand auf und ging ganz ruhig an der Außenwand auf die Sanitäter am Ende von Bahn zwanzig zu.

Dann nickte er ihnen zu, bückte sich rasch und hob das Messer auf. Und als er sich versichert hatte, dass ihm niemand zusah, glitt er in den engen Durchgang zum Maschinenraum.

Keine zwanzig Sekunden später stand er bereits oben auf dem Parkplatz neben der Feuertreppe und war auf dem Weg zum Parkhaus am Ro's Torv.

Gerade als das Blaulicht des Rettungswagens weiter unten auf dem Københavnsvej aufblitzte, glitt der Mercedes auf die Straße.

Nur drei Ampeln, und er war weg.

47

Die Ereignisse hatten eine schreckliche Entwicklung genommen. Einfach grauenvoll.

Er hatte zugelassen, dass die zwei Männer an einem Tisch saßen, und das war eine Riesendummheit gewesen.

Carl schüttelte den Kopf. So eine verdammte Scheiße. Er war einfach zu fokussiert gewesen. Aber wie hätte er ahnen sollen, dass es dermaßen in die Hose gehen würde? Er hatte die zwei doch nur unter Druck setzen wollen.

Beide Männer waren als Entführer in Frage gekommen. Aber welcher von beiden war es? Auf die eine oder andere Weise glichen sie beide dem Phantombild. Deshalb hatte er beobachten wollen, wie sie auf Stress reagierten. Er war doch Spezialist darin, Menschen zu durchschauen, auf denen Schuld lastete! Hatte er bisher jedenfalls geglaubt.

Und jetzt war es dermaßen in die Grütze gegangen. Dort auf der Krankentrage lag der Entführer in den letzten Zügen – der Einzige, der ihnen sagen konnte, wo sich die Kinder aufhielten. Und das war alles sein Fehler. Nicht zu fassen!

»Schau dir das mal an, Carl.«

Er drehte sich zu Assad um, der Svends Geldbörse in der Hand hielt und nicht gerade glücklich aussah.

»Ja, was ist? Ich sehe dir doch an, dass du nichts gefunden hast. Keine Adresse dabei?«

Assad reichte ihm einen Kassenbon von Kvickly. »Schau dir die Uhrzeit an, Carl.«

Carl spürte, wie er unter den Achseln zu schwitzen begann.

Assad hatte recht. Verdammte Scheiße, das Problem nahm eine ganz neue Wendung. Was für ein Albtraum!

Der Kassenbon war von einem Kvickly-Markt in Roskilde. Eine Quittung für einen kleinen Einkauf: Lottoschein, ›Berlingske Tidende‹ und eine Packung Stimorol. Am selben Tag gekauft, um 15.15 Uhr. Bis auf wenige Minuten fast genau zu dem Zeitpunkt, als Isabel Jønsson im Rigshospital überfallen wurde.

Wenn das hier der Kassenbon von Papst war, konnte er nicht der Entführer sein. Und warum sollte es nicht seiner sein, wo er doch in seinem Geldbeutel gesteckt hatte?

»Was für eine verdammte Scheiße!«, stöhnte Carl.

»Die Sanitäter haben in seiner Hosentasche gerade eine halbe Packung Stimorol gefunden, ich hatte sie gebeten, die Taschen auszuleeren«, fuhr Assad mit düsterer Miene fort und blickte sich dabei um.

Dann änderte sich sein Gesichtsausdruck. Öffnete sich gewissermaßen. »Wo ist René Henriksen?«, rief er.

Carl ließ seinen Blick suchend durch den Saal schweifen. Verdammt, wo war der abgeblieben?

»Da!«, rief Assad und deutete auf den schmalen Durchgang zum Maschinenraum, wo die Bowlingautomaten bedient und gewartet wurden.

Carl sah es auch. Ein Strich an der Wand, fünf Zentimeter breit. Genau in Hüfthöhe. Ganz offensichtlich war das Blut.

»Es ist doch zum Verrecken!«, brüllte er und raste die Bowlingbahnen hinunter.

»Pass auf, Carl!«, rief ihm Assad hinterher. »Das Messer liegt nicht mehr auf der Bahn, das hat er mitgenommen!«

Please, lass ihn dort drinnen sein, dachte Carl, als er sich in den Raum mit den Maschinen, dem Werkzeug und Gerümpel zwängte. Aber dort war es viel zu still.

Er rannte an Belüftungsrohren, den Leitern und einem Teakholztisch mit Spraydosen und Aktenordnern vorbei, bis er auf einmal vor der Hintertür stand.

Voll banger Ahnung fasste er nach dem Türgriff, drückte

ihn herunter und stand dann draußen neben der Feuertreppe und starrte in das schwarze Nichts.

Der Mann war weg.

Assad kam nach zehn Minuten zurück. Verschwitzt und mit leeren Händen.

»Drüben beim Parkhaus hab ich einen Blutfleck entdeckt«, sagte er.

Carl atmete ganz langsam aus. Die letzten Minuten waren furchtbar gewesen. Der Wachhabende im Präsidium hatte ihm die erbetenen Informationen durchgegeben.

»Nein, tut mir leid«, hatte der gesagt, »es gibt niemanden mit der Personennummer.«

Kein Mensch mit dieser Personennummer! René Henriksen gab es überhaupt nicht! Außer dass er der Mann war, nach dem sie suchten!

»Okay, Assad, danke«, sagte er müde. »Ich hab die Hundepatrouille angefordert, die kommen bald. Dann haben sie wenigstens was, woran sie sich orientieren können. Aber das ist auch unsere einzige Hoffnung.«

Er berichtete Assad von den Rechercheergebnissen des Präsidiums. Sie hatten nichts Verwertbares von dem Mann, der sich René Henriksen nannte. Ein Massenmörder war auf der Flucht.

»Find die Telefonnummer des Polizeiinspektors hier in Roskilde raus. Er heißt C. Damgaard«, bat Carl dann. »Ich ruf inzwischen Jacobsen an.«

Er hatte seinen Chef schon öfter unter der Privatnummer gestört. Die Telefonleitung des Chefs der Kopenhagener Mordkommission war Tag und Nacht zugänglich. Die Vereinbarung galt immer.

»In einer Großstadt wie Kopenhagen ruht das Verbrechen nie. Warum sollte ich es?«, war seine stehende Redewendung.

Aber Marcus Jacobsen klang alles andere als begeistert, als er erfuhr, warum Carl ihn aus der Feierabendruhe riss.

»Carl, das gibt's doch gar nicht! Du musst Damgaard anrufen. Roskilde ist nicht mein Bezirk.«

»Nein, Marcus, das weiß ich. Und Assad sitzt schon dran. Aber es ist einer deiner Mitarbeiter, der hier Bockmist gebaut hat.«

»Na, wer hätte gedacht, dass ich so was mal von einem Carl Mørck zu hören bekomme.« Es klang fast erfreut.

Carl schüttelte den Gedanken ab. »Die Journalisten sind jeden Moment hier«, sagte er. »Was soll ich tun?«

»Informier Damgaard und reiß dich am Riemen. Du hast den Mann laufen lassen, nun sieh zum Teufel noch mal zu, dass du ihn wieder einfängst. Bezieh die Roskilder Kollegen in die Arbeit ein, ja? Gute Nacht, Carl, und gute Jagd. Über den Rest reden wir morgen.«

Carl spürte einen leichten Druck auf der Brust. Kurz gesagt, Assad und er waren auf sich allein gestellt.

»Hier, die Privatnummer von Polizeiinspektor Damgaard«, sagte Assad.

Während Carl die Nummer eingab und auf das Freizeichen horchte, spürte er, wie der Druck auf der Brust zunahm. Verdammt noch mal, nein! Nicht jetzt!

»Hier Damgaard. Leider bin ich nicht zu Hause. Bitte hinterlassen Sie eine Nachricht«, tönte der Anrufbeantworter.

Wütend klappte Carl das Handy zu. War denn dieser verdammte Polizeiinspektor von Roskilde überhaupt jemals erreichbar?

Er seufzte. Ihm blieb also nichts anderes übrig, als sich mit den Kollegen zufriedenzugeben, die demnächst hier auftauchen würden. Vielleicht hatte einer von denen ja eine Idee, wie sich der Albtraum hier beenden ließ. Allerdings sollten sie damit fertig sein, ehe sämtliche Journalisten Seelands auf der Matte standen. Ein paar lokale Geier waren schon eingetroffen und fotografierten auf Teufel komm raus. Herrje! In dieser Multimediagesellschaft verbreiteten sich die Gerüchte inzwischen schneller als die Ereignisse. Hunderte Augen hatten gesehen, was passiert war, und Hunderte Handys waren gezückt worden. Da ließen die Aasgeier nicht lange auf sich warten!

Er nickte den beiden lokalen Ermittlern zu, die der Polizeibeamte an der Empfangstheke passieren ließ.

»Carl Mørck.« Er zeigte ihnen seine Dienstmarke. Beide kannten offenkundig den Namen, ohne das jedoch zu kommentieren. Er informierte sie über die Vorgänge, was nicht ganz einfach war.

»Wir suchen also nach einem Mann, der in der Lage ist, sich bis zur Unkenntlichkeit zu verkleiden, dessen Namen wir nicht kennen und dessen Mercedes unser einziger konkreter Anhaltspunkt ist. Klingt nach einem Kinderspiel«, fasste der eine zusammen. »Wir nehmen Fingerabdrücke an seinem Mineralwasserglas und hoffen, das hilft ein bisschen. Was ist mit dem Protokoll? Sollen wir das jetzt gleich aufnehmen?«

Carl klopfte dem Kollegen auf die Schulter. »Das kann warten. Mich könnt ihr jederzeit erwischen. Wenn ihr mit den Leuten anfangt, die hier arbeiten, spreche ich mit den vier Kameraden aus der Bowlingmannschaft.«

Notgedrungen ließen sie ihn ziehen. Er hatte ja recht.

Carl nickte Lars Brande zu, dem der Schock ins Gesicht geschrieben stand. Zwei Männer auf einen Schlag weg. Messerstecherei, Todesfall. Seine Mannschaft war am Ende. Menschen, die er zu kennen glaubte, hatten ihn in absolut unverzeihlicher Weise im Stich gelassen.

Ja, er war erschüttert, und sein Bruder und die beiden anderen waren es ebenso. Sprachlos hockten die vier zusammen.

»Wir müssen unbedingt wissen, wer dieser René Henriksen wirklich ist. Also bitte überlegen Sie. Können Sie uns helfen? Womit auch immer. Hat er Kinder? Wie heißen die? Ist er verheiratet? Wo hat er gearbeitet? Wo kauft er ein? Hat er

Kuchen von einem bestimmten Bäcker mitgebracht? Denken Sie nach!«

Drei der Bowlingkumpel reagierten gar nicht. Aber der vierte, der Mechaniker, den sie Gasgriff nannten, bewegte sich etwas. Er wirkte vielleicht nicht ganz so mitgenommen wie die anderen.

»Ich hab mich manchmal gefragt, warum er nie über seine Arbeit redete«, sagte er. »Das haben wir anderen ja doch immer mal gemacht.«

»Ja, und?«

»Na ja, er schien etwas mehr Geld zur Verfügung zu haben als wir anderen. Also muss er doch einen guten Job gehabt haben, oder? Hat nach einem Turnier vielleicht öfter mal ein Bier ausgegeben als wir. Ja, der hatte mit Sicherheit mehr Geld. Sehen Sie sich doch nur die Tasche an!«

Er deutete hinter den Barhocker, auf dem er saß.

Carl trat blitzschnell einen Schritt zurück und sah direkt auf eine merkwürdige, aus mehreren Unterabteilungen zusammengesetzte Tasche.

»Das ist eine Ebonite Fastbreak«, sagte der Mechaniker. »Was glauben Sie wohl, was so 'n Teil kostet! Mindestens dreizehnhundert. Da sollten Sie mal meine sehen. Gar nicht zu reden von seinen Kugeln, die …«

Doch Carl hörte ihn schon nicht mehr. Das war ja echt unglaublich! Warum hatten sie da nicht früher dran gedacht? Hier stand seine Tasche!

Er schob den Barhocker zur Seite und zog die Tasche hervor. Das war ein richtiger kleiner Koffer auf Rädern, unterteilt in alle möglichen Fächer unterschiedlicher Größe.

»Sind Sie sicher, dass das seine ist?«

Der Mechaniker nickte, etwas erstaunt, dass diese Information so ernst genommen wurde.

Carl winkte die Kollegen aus Roskilde heran. »Gummihandschuhe, schnell!«

Der eine gab ihm ein Paar.

Carl spürte, dass seine Stirn klatschnass war. Schweiß tropfte direkt auf die blaue Tasche, als er den Reißverschluss aufzog. Das war fast, als öffnete man eine längst vergessene Grabkammer.

Als Erstes sah er eine Bowlingkugel. Glatt poliert und erstaunlich bunt. Dann ein zusätzliches Paar Schuhe. Eine kleine Dose Talkum. Ein Fläschchen japanisches Pfefferminzöl.

Er hob die Flasche hoch und zeigte sie den Bowlingkumpeln. »Wofür hat er das benutzt?«

Der Mechaniker betrachtete das Fläschchen. »Das hat er halt immer gemacht. So 'n Ritual. Jedes Mal, bevor es losging, nahm er einen Tropfen von diesem Zeugs in jedes Nasenloch. Hat wohl geglaubt, dann bekäme er mehr Sauerstoff. Irgendwas mit der Konzentration. Probieren Sie's mal, ein Teufelszeug.«

Carl öffnete derweil die anderen Fächer. In dem einen steckte eine Kugel, das andere war leer. Das war alles.

»Darf ich auch mal sehen?«, fragte Assad, als Carl einen Schritt zurücktrat. »Was ist mit den Fächern vorn? Hast du da auch reingeschaut?«

»Wollte ich noch.« Carl war in Gedanken schon ganz woanders.

»Wissen Sie, wo er die Tasche gekauft hat?«, fragte er ins Blaue.

»Übers Internet«, kam die Antwort von drei Seiten gleichzeitig.

Im Internet, klar doch. So ein Mist!

»Und die Schuhe und das Übrige?«, hakte er nach, während Assad einen Kugelschreiber aus der Hosentasche zog und damit in einem der Löcher der Kugel herumstocherte.

»Wir kaufen alles im Internet, jeder von uns. Ist billiger«, sagte der Mechaniker.

»Haben Sie nie über Privates geredet? Über Ihre Kindheit,

Jugend, wo Sie mit dem Bowling begonnen haben? Wann Sie das erste Mal über zweihundert gekommen sind?«

Nun liefert mir mal was, ihr kugelschiebenden Idioten. Das kann doch alles nicht wahr sein!

»Nö. Wir haben nur über das geredet, was in dem Moment gerade anstand«, fuhr der Mechaniker fort. »Und wenn wir fertig waren, haben wir diskutiert, wie's gelaufen ist.«

»Hier, Carl«, sagte Assad.

Carl betrachtete den Papierklumpen, den Assad ihm hinhielt. Zusammengeknüllt und bretthart.

»Der steckte ganz unten im Daumenloch«, erklärte Assad.

Carl sah seinen Kollegen verständnislos an. Irgendwie war er völlig leer im Kopf. Was redete der da von einem Daumenloch?

»Ach ja«, sagte Lars Brande. »Das stimmt. René fütterte immer das Daumenloch aus. Seine Daumen waren ziemlich kurz, und er hatte die fixe Idee, der Finger müsste Kontakt zum Ende des Lochs haben. Er behauptete, dann habe er ein besseres Gefühl für die Kugel, um ihr den richtigen Drall zu geben.«

Sein Bruder Jonas unterbrach ihn. »Der René, der hatte viele Rituale. Das Pfefferminzöl, das Daumenloch, die Farbe der Kugeln. Er sagte, die lenkten ihn von den Pins ab, wenn er mit dem Arm Schwung holte.«

»Ja, genau«, ergänzte der Klavierspieler. Es war das erste Mal, dass er etwas beisteuerte. »Und dann stand er immer drei, vier Sekunden auf einem Bein, ehe er Anlauf nahm. Er hätte wirklich nicht Dreier heißen sollen, sondern Storch. Darüber haben wir oft unsere Witze gerissen.«

Sie lachten. Aber nur kurz.

»Hier, das steckte in der anderen Kugel.« Assad gab Carl noch einen Papierklumpen. »Ich bin sehr vorsichtig zu Werke gegangen.«

Carl glättete die beiden Papierkugeln oben auf der Theke. Dann sah er Assad an.

»Das sieht mir ganz nach Quittungen aus, Carl. Quittungen aus einem Geldautomaten.«

Carl nickte. Was zum Teufel würde er ohne Assad anfangen? Nun mussten ein paar Bankleute Überstunden machen.

Ein Kassenbon von Kvickly und zwei Quittungen von Geldautomaten der Danske Bank. Drei kleine, unansehnliche Zettel.

Und sie waren wieder auf der Spur.

48

Er versuchte, ruhig und tief zu atmen, damit sein Körper keine Stresshormone ausschüttete und Herzfrequenz und Blutdruck nicht stiegen. Die Wunden an seiner Hüfte bluteten ohnehin schon zu stark.

In Gedanken ging er die Situation durch.

Er war entwischt, das war zunächst das Wichtigste. Wie sie so nahe an ihn hatten herankommen können, war ihm schleierhaft, aber das würde er später analysieren. Jetzt ging es vor allem darum, den Rückspiegel im Auge zu behalten. Aber nichts deutete darauf hin, dass er verfolgt wurde.

Welchen Schritt würde die Polizei als Nächstes tun?

Von dem Typ Mercedes, den er fuhr, gab es Tausende. Allein die Anzahl der ehemaligen Taxis war gewaltig. Aber wenn sie die Straßen rund um Roskilde absperrten, wäre es für sie eine Kleinigkeit, alle Wagen dieses Typs anzuhalten.

Deshalb musste er schnellstmöglich weiter. Erst mal nach Hause. Die Leiche seiner Frau in den Kofferraum bugsieren, drei besonders kompromittierende Umzugskartons raussuchen und mitnehmen. Das Haus abschließen und schleunigst weg zum Vibehof an den Fjord.

Die nächsten Wochen würde er sich dorthin zurückziehen.

Und falls er aus irgendeinem Grund gezwungen wäre, etwas in der Umgebung zu erledigen, müsste er sich eben schminken. Er hatte immer protestiert, wenn die Mannschaft nach einem Pokalgewinn fotografiert werden sollte, und meistens hatte er diese Fototermine auch umgehen können. Aber wenn sie nur beharrlich genug danach suchten, würden sie trotzdem Fotos von ihm finden.

Insofern war ein vorübergehendes Abtauchen im Vibehof das Beste, was er tun konnte. Abtauchen, bis die Leichen aufgelöst waren. Und dann nichts wie weg, ans andere Ende der Welt.

Das Haus in Roskilde musste er aufgeben, und Benjamin musste bei seiner Tante bleiben. Wenn es an der Zeit war, würde er ihn schon wiederbekommen. Nach zwei, drei Jahren im Polizeiarchiv wäre Gras über den Fall gewachsen.

Vorausschauend hatte er im Vibehof für brenzlige Situationen wie diese alles Notwendige hinterlegt. Neue Papiere für eine andere Identität und reichlich Geld. Nicht genug, um in Saus und Braus zu leben, aber genug, um ein gutes Auskommen irgendwo in der Abgeschiedenheit zu haben und irgendwann etwas Neues starten zu können. Ein, zwei Jahre in Ruhe und Frieden konnte er sowieso gut brauchen.

Als er wieder in den Rückspiegel sah, musste er lachen.

Sie hatten ihn gefragt, ob er singen könne.

»Selbstverständlich kann ich sihihingen«, schmetterte er. Er dachte an die Veranstaltungen im Gemeindesaal in Dollerup. Klar, alle erinnerten sich daran, wie falsch er sang. Deshalb tat er das doch! Damit meinten die Leute, sie wüssten etwas Entscheidendes über einen. Aber da irrten sie sich gewaltig. Denn in Wirklichkeit hatte er eine überdurchschnittlich gute Singstimme.

Eine Sache musste er jedoch mal in Angriff nehmen: Er musste einen Schönheitschirurgen finden, der die Narbe hinter seinem rechten Ohr entfernen konnte. Da, wo der Nagel damals fast durchgedrungen war, als er seiner Schwester nachspionierte und sie ihn erwischten. Woher zum Teufel wussten die überhaupt von dieser Narbe? Hatte er sie irgendwann nicht ausreichend überschminkt? Das hatte er doch immer getan, seit ihn dieser sonderbare Junge, den er vor Jahren erschlagen hatte, gefragt hatte, wie er zu der Narbe gekommen sei. Wie hatte das Bürschchen noch mal geheißen? Er konnte sie nicht mehr voneinander unterscheiden.

Er schob den Gedanken beiseite. Aber die Ereignisse im Bowlingzentrum gingen ihm nicht aus dem Sinn.

An seinem Mineralwasserglas würden sie keine Fingerabdrücke finden, falls sie das glaubten. Die hatte er abgewischt, als sie Lars Brande vernahmen. Auch am Tisch und an den Stühlen würden sie nichts finden, dafür hatte er gesorgt.

Bei dem Gedanken lächelte er. Doch ja, er hatte sich alles gut überlegt.

In dem Moment fiel ihm seine Bowlingtasche ein. Shit! Auf seinen Bowlingkugeln waren Fingerabdrücke und in die Daumenlöcher hatte er Quittungen gestopft. Mit denen konnten sie seine Anschrift in Roskilde ausfindig machen.

Er atmete tief durch und ermahnte sich wieder zur Ruhe, damit die Wunde nicht zu stark blutete.

Ach was, sagte er sich, die Quittungen finden die nicht. Jedenfalls nicht sofort.

Nein, ihm blieb genug Zeit. Vielleicht würden sie in ein, zwei Tagen das Haus in Roskilde aufspüren. Im Augenblick genügte ihm eine gute halbe Stunde.

Er bog in die Straße ein und sah den jungen Mann auf dem Rasen vorm Haus stehen und Mias Namen rufen.

Das machte ihm einen Strich durch die Rechnung.

Wie werde ich den denn jetzt los?, fragte er sich und überlegte, in einer der Seitenstraßen zu parken.

Er tastete nach dem blutigen Messer im Handschuhfach. Dann fuhr er ganz ruhig am Haus vorbei und drehte dabei den Kopf in die andere Richtung. Der Kerl hörte sich an wie ein liebestoller Kater. Zog sie wirklich diesen Pimpf ihm vor?

Da entdeckte er die beiden Alten im Haus gegenüber, wie sie durch den Schlitz zwischen den Gardinen starrten. Hutzelig waren sie geworden, aber neugierig waren sie immer noch.

Er gab Gas.

Im Augenblick konnte er nichts gegen den jungen Kerl unternehmen. Zu viele Zeugen.

Dann mussten sie eben die Leiche im Haus finden. Was machte das schon für einen Unterschied? Die Polizei verdächtigte ihn ohnehin. Er wusste nur nicht, worauf sich der Verdacht gründete. Aber klar, die Lage war ernst.

Womöglich fanden sie sogar den Karton mit den Broschüren über die Sommerhäuser, die zum Verkauf standen. Aber was konnten sie damit anfangen? Nichts. Papiere, aus denen zu ersehen war, für welches er sich damals entschieden hatte, gab es keine.

Nein, das schien ihm keine wirkliche Bedrohung zu sein. Den Kaufbrief für den Vibehof verwahrte er zusammen mit dem Geld und den Pässen dort in der Box. Nein, er fühlte sich nicht unter Druck.

Er musste lediglich dafür sorgen, die Blutung zu stoppen. Und er durfte unterwegs nicht angehalten werden. Dann würde es schon klappen.

Er holte die Erste-Hilfe-Utensilien hervor und machte den Oberkörper frei.

Die Stichwunden waren doch tiefer als angenommen. Besonders die zweite. Er hatte zwar einkalkuliert, dass er Papst heftig würde am Arm zerren müssen, aber nicht, wie wenig Widerstand der leisten würde.

Deshalb blutete er so stark. Und deshalb würde er noch Zeit investieren und die Vordersitze des Mercedes säubern müssen, ehe er den Wagen zum Verkauf anbieten konnte.

Er reinigte die Wunden, nahm die Spritze und die Ampulle heraus und injizierte sich das Betäubungsmittel.

Während er wartete, dass die Wirkung einsetzte, sah er sich um. Hoffentlich fanden sie diesen Zufluchtsort nicht. Hier im Vibehof fühlte er sich am wohlsten, am ehesten wie zu Hause. Frei von der Welt, frei von ihren Täuschungen und Enttäuschungen.

Er bereitete Nadel und Faden vor. Es dauerte nur eine Minute, schon konnte er die Nadel in das Fleisch rings um die Wunden stechen, ohne den Einstich zu spüren.

Gleich hab ich noch zwei Narben mehr für den Schönheitschirurgen, dachte er und lachte.

Dann betrachtete er seine Nähkünste und lachte wieder. Schön war die Naht wahrhaftig nicht. Aber die Blutung war gestoppt.

Mit Pflastern befestigte er eine Gazekompresse über den Wunden und legte sich auf die Couch. Sobald er so weit war, wollte er hinausgehen und die Kinder töten. Je schneller er das tat, umso schneller waren die Leichen aufgelöst und umso schneller konnte er verschwinden.

Noch zehn Minuten. Dann würde er den Hammer aus dem Schuppen holen.

49

Zwanzig Minuten später wussten sie, wer das Geld abgehoben hatte. Sie hatten sogar die Anschrift. Er hieß Claus Larsen und wohnte so nahe, dass sie bis zu der Straße höchstens fünf Minuten brauchten.

»Was denkst du, Carl?«, fragte Assad, als sie durch den Kreisverkehr am Kong Valdemars Vej fuhren.

»Was ich denke? Es ist ein Segen, dass uns unsere Kollegen am Hinterrad kleben und dass die ihre Dienstwaffen dabeihaben.«

»Du glaubst also, die könnten zum Einsatz kommen?«

Er nickte.

Sie bogen in die stille kleine Straße ein. Schon von weitem sahen sie im Licht der Straßenlampen einen Mann vorm Haus stehen, offenbar in heller Aufregung.

Das war mit Sicherheit nicht der, hinter dem sie her waren, der hier war wesentlich jünger und auch um einiges dünner.

»Beeilung! Schnell! Da oben brennt's!«, schrie er, als sie auf ihn zurannten.

Carl sah, wie die Kollegen im nächsten Wagen bremsten und sofort nach Unterstützung telefonierten. Aber das hatte das ältere Ehepaar aus der Nachbarschaft bereits getan. Sie standen in ihren Bademänteln auf dem Bürgersteig gegenüber.

»Wissen Sie, ob jemand im Haus ist?«, rief Carl.

»Ich glaube. Mit dem Haus stimmt was nicht.« Der junge Mann klang atemlos. »Ich bin seit mehreren Tagen immer wieder hier gewesen, aber nie hat jemand aufgemacht. Und wenn ich meine Freundin auf ihrem Handy anrufe, kann man es dort oben klingeln hören. Aber sie nimmt nicht ab.« Er deutete zu einem schrägen Velux-Fenster im ersten Stock. »Warum brennt es dort jetzt?«, schrie er. Die Panik stand ihm ins Gesicht geschrieben.

Carl sah zu den Flammen, die deutlich sichtbar hinter dem Velux-Fenster flackerten.

»Haben Sie vor kurzem einen Mann das Haus betreten sehen?«, fragte er.

Der andere schüttelte den Kopf. Er konnte gar nicht still stehen. »Ich breche die Tür auf, jetzt sofort«, rief er verzweifelt. »Ich breche sie auf, okay?«

Carl sah seine Kollegen an. Die nickten.

Der junge Mann war groß, er wirkte stark und durchtrainiert. Der wusste, was er tat. Er nahm Anlauf, und in der Sekunde, als er die Tür erreichte, sprang er hoch, vollführte eine leichte Drehung und knallte den Absatz gegen das Schloss. Er stöhnte laut und fluchte, als er zu Boden fiel und sah, dass die Tür keinen Millimeter nachgegeben hatte.

»So eine Scheiße, die ist zu massiv.« Völlig aufgelöst wandte er sich zu dem Streifenwagen um. »Jetzt helfen Sie mir doch mal! Ich glaube, Mia ist dort drinnen!«

Im selben Moment zuckte Carl zusammen, weil es fürchterlich krachte. Er drehte sich um und sah gerade noch, wie Assad durch ein eingeschlagenes Fenster verschwand.

Carl lief hin, dicht gefolgt von dem jungen Mann. Das war ein äußerst effektiver Schachzug von Assad gewesen. Denn das Reserverad, das er durchs Fenster geschleudert hatte, hatte nicht nur die Doppelverglasung, sondern auch die Sprossen durchschlagen.

Sie kletterten hinterher.

»Hier lang!« Der Mann zog Carl und Assad hinter sich in den Flur. Im Treppenhaus war der Rauch noch nicht so dicht. Aber oben konnte man nicht mehr die Hand vor Augen sehen.

Carl zog sich das Hemd vor den Mund und bedeutete den beiden anderen, dasselbe zu tun. Assad auf der Treppe hinter ihm hustete.

»Geh runter, Assad!«, rief er, aber Assad achtete nicht auf ihn.

Sie hörten die Feuerwehr kommen. Den verzweifelten jungen Mann tröstete das nicht. Hustend tastete er sich an der Wand entlang.

»Ich glaube, sie ist da drin. Sie hat mir gesagt, dass sie ihr Handy immer bei sich hat.«

»Horchen Sie mal.« Offenbar gab er auf seinem Handy eine Nummer ein, denn Sekunden später war wenige Meter entfernt ein schwacher Klingelton zu hören.

Während er noch nach der Tür tastete, barst mit lautem Knall hinter der Wand ein Fenster, sicher aufgrund der Hitze.

Einer der Kollegen aus Roskilde kam hustend hinter ihnen die Treppe hoch. »Ich hab hier einen kleinen Feuerlöscher«, rief er. »Wo brennt es?«

Da riss der junge Mann die Tür zu dem Raum mit dem Velux-Fenster auf. Flammen schlugen ihnen entgegen. Der Feuerlöscher gab zunächst nur ein Zischen von sich, dämmte den Brand dann aber immerhin so weit ein, dass man etwas klarer sehen konnte.

Die Flammen waren bereits bis zur Zimmerdecke geschlagen und an vielen Kartons im Zimmer leckten sie immer noch.

»Mia!«, brüllte der junge Mann. »Mia, bist du da drin?«

In dem Moment schoss von draußen ein Wasserstrahl durchs Dachfenster und sofort schlug ihnen der Wasserdampf entgegen.

Als Carl sich zu Boden warf, spürte er einen brennenden Schmerz in der Schulter und im Arm, mit dem er instinktiv sein Gesicht hatte schützen wollen.

Sie hörten Rufe von draußen, dann kam der Schaum.

Innerhalb weniger Sekunden war alles überstanden.

»Wir müssen die Fenster aufreißen«, hustete der Roskilder Kollege neben ihm. Carl sprang auf und tastete sich zu einer Tür vor, der Kollege fand eine weitere.

Während der Rauch aus der oberen Etage abzog, machte sich der junge Mann verzweifelt in dem Zimmer zu schaffen, in dem es gebrannt hatte. Er stand auf dem glitschigen Fußboden und zerrte fieberhaft Umzugskartons auf den Flur. Etliche Kartons qualmten noch, aber das bremste ihn nicht.

Da entdeckte Carl den leblosen Körper auf dem Treppenabsatz.

Es war Assad.

»Achtung!«, brüllte er und schob einen Polizisten zur Seite.

Er sprang ein paar Treppenstufen hinab, packte Assads Beine von unten, zog ihn mit einem Ruck zu sich heran und wuchtete ihn sich auf die Schulter.

»Helft ihm«, knurrte er zwei Sanitäter an, die mit Sauerstoffmasken auf dem Rasen vor dem Haus warteten.

Verdammt noch mal, helft ihm, dachte er immer wieder. Jetzt tönten Rufe aus dem ersten Stock.

Er sah die junge Frau nicht, als sie mit ihr aus dem Haus kamen. Er bemerkte sie erst, als sie auf eine Trage neben Assad gelegt wurde. Völlig zusammengekrampft lag sie da, als wäre die Totenstarre bereits eingetreten.

Dann brachten sie den jungen Mann. Er war schwarz von Ruß, große Teile seiner Haare hatte das Feuer versengt, aber das Gesicht war intakt.

Er weinte.

Carl wandte sich von Assad ab und trat zu dem jungen Mann, der aussah, als würde er jeden Moment zusammenbrechen.

»Sie haben getan, was Sie konnten«, zwang sich Carl zu sagen.

Da begann der Mann zu lachen, und dann lachte und weinte er gleichzeitig.

»Sie lebt«, schluchzte er und sank auf die Knie. »Ich habe gespürt, dass ihr Herz schlägt.«

Hinter Carl war Assad zu hören, er hustete.

»Was ist denn hier los?«, rief er und strampelte mit Armen und Beinen.

»Liegen Sie still«, mahnte der Sanitäter. »Sie haben eine Rauchvergiftung, und das kann lebensgefährlich sein.«

»Rauchvergiftung, so 'n Quatsch. Ich bin auf der Treppe gestürzt und hab mir den Kopf angeschlagen. Bei dem Rauch konnte man ja auf zwei Meter keinen Elefantenarsch erkennen.«

Zehn Minuten vergingen, dann schlug die Frau die Augen auf. Der Notarzt hatte sie an den Tropf gehängt und ihr die Sauerstoffmaske aufgesetzt, das half.

Die Feuerwehrleute hatten den Brand in der Zwischenzeit vollständig gelöscht, und Assad, Carl und die Roskilder Kollegen hatten das Haus oberflächlich durchsucht. Keine Spur von Dokumenten betreffend René Henriksen alias Claus Larsen. Auch keine Informationen zu einem Haus in Wassernähe.

Sie hatten einzig und allein die Kaufurkunde des Hauses entdeckt, in dem sie standen. Und die war auf noch einen anderen Namen, Benjamin Larsen, ausgestellt.

Sie überprüften, ob auf den Namen ein Mercedes angemeldet war. Fehlanzeige.

Dieser Mann hatte so viele Identitäten wie ein Fuchsbau Ausgänge, es war schier unglaublich.

Im Wohnzimmer hatten sie Fotos von einem Brautpaar entdeckt. Sie lächelnd, mit großem Brautstrauß, er elegant und mit unbewegter Miene. Also war die Frau auf der Trage seine Ehefrau. Die Namen standen an der Haustür: Mia und Claus Larsen.

Arme Mia.

»Wie gut, dass Sie hier waren, als wir kamen. Sonst hätte es eine echte Katastrophe gegeben«, sagte Carl zu dem jungen Mann, der mit in den Rettungswagen eingestiegen war und die Hand der Frau hielt. »Was für eine Beziehung haben Sie zu Mia Larsen? Wer sind Sie?«, fragte Carl.

Er heiße Kenneth, antwortete er, und mehr sagte er nicht. Die Erklärungen mussten sich dann eben die Kollegen geben lassen.

»Sie müssen bitte mal ein Stück zur Seite rücken, Kenneth. Ich muss Mia Larsen ein paar Fragen stellen, die keinen Aufschub dulden.« Er sah den Notarzt fragend an, der zwei Finger hob.

Zwei Minuten, mehr bekam er nicht.

Carl holte tief Luft. Das war jetzt vielleicht ihre letzte Chance.

»Mia«, sagte er. »Ich bin Polizist. Sie brauchen keine Angst zu haben, jetzt sind Sie in guten Händen. Wir suchen nach Ihrem Mann. Hat er das getan?«

Sie nickte.

»Wir müssen unbedingt wissen, ob Ihr Mann irgendwo in Wassernähe ein Haus besitzt. Vielleicht ein Ferienhaus? Wissen Sie etwas?«

Sie presste die Lippen zusammen. »Vielleicht.« Ihre Stimme war nur ein heiseres Flüstern.

»Wo?« Er bemühte sich, seine Ungeduld zu unterdrücken.

»Weiß nicht. Broschüren … oben … in Kartons.« Sie nickte zur offenen Tür des Sanitätswagens in Richtung Haus.

Was für eine unmögliche Aufgabe.

Carl wandte sich an die Polizisten aus Roskilde und erklärte ihnen, wonach sie suchen sollten. Ein Anwesen mit einem Bootshaus irgendwo an einem Fjord. Falls sie einen solchen Prospekt oder etwas Ähnliches in einem der Kartons fanden, die Kenneth auf den Flur gezerrt hatte, sollten sie ihn umgehend kontaktieren. Die Kartons, die noch im Raum standen, konnten sie im Augenblick erst mal vernachlässigen. Die waren garantiert total hinüber.

»Mia, kennen Sie Ihren Mann unter anderen Namen als Claus Larsen?«, fragte er am Ende.

Sie schüttelte den Kopf.

Dann hob sie einen Arm. Sehr, sehr langsam und zielstrebig zu Carls Kopf hin.

Sie zitterte dabei vor Anstrengung. Dann legte sie ihm leicht die Hand an die Wange.

»Bitte finden Sie Benjamin, ja?« Ihre Hand sank wieder auf die Trage und sie schloss erschöpft die Augen.

Carl sah den jungen Mann fragend an.

»Benjamin ist ihr Sohn«, sagte er. »Mias einziges Kind. Er ist erst gut anderthalb Jahre alt.«

Carl seufzte und drückte behutsam die Hand der Frau.

Wie viel Leid ihr Mann der Welt zugefügt hatte. Und wer würde ihn aufhalten?

Er stand auf und der Notarzt begutachtete ein letztes Mal seinen Arm und die Schulter. Die würden in den nächsten Tagen verdammt wehtun, warnte er.

Tja, das war nun nicht zu ändern.

Die Feuerwehrleute rollten die Schläuche auf, und der Rettungswagen fuhr davon.

»Assad, bist du okay?«

Sein Gehilfe rollte mit den Augen. Bis auf etwas Kopfweh und Ruß überall war er okay.

»Er ist entkommen, Assad.«

Assad nickte. »Was können wir jetzt noch machen?«

Carl zuckte die Achseln. »Jetzt ist es zwar dunkel, aber ich finde, wir sollten an den Fjord fahren und uns die Stellen ansehen, die Yrsa eingekreist hat.«

»Haben wir die Fotos mit?«

Er nickte und nahm einen Aktendeckel vom Rücksitz. Alle

Luftaufnahmen der Fjordküste. Fünfzehn Stück. Und nicht gerade wenige Kreise.

»Was glaubst du, warum hat Klaes Thomasen nicht zurückgerufen?«, fragte Assad, als sie sich ins Auto setzten. »Er wollte doch mit dem Reserveförster reden.«

»Revierförster, meinst du. Ja, das hat er gesagt. Er wird ihn noch nicht erreicht haben.«

»Soll ich Klaes nicht noch mal anrufen und fragen?«

Carl nickte und gab Assad sein Handy.

Es verging eine Weile, ehe Assad Kontakt bekam. Ganz offenkundig stimmte etwas nicht. Schließlich klappte er das Handy zu.

Er warf Carl einen düsteren Blick zu. »Klaes Thomasen war sehr überrascht. Schon gestern hat er Yrsa erzählt, der Reviermensch habe bestätigt, dass es in der Nähe der Forststraße zum Waldaufseher ein Bootshaus gibt.« Einen Moment sah es so aus, als wunderte er sich über das Wort. Dann fuhr er fort. »Er hatte Yrsa gebeten, das weiterzugeben. Ich glaube, das war, als du ihr die Rosen geschenkt hast, Carl. Ich glaube, sie hat vergessen, das auszurichten.«

Vergessen? Bitte was? Wie um Himmels willen konnte denn so was passieren? So eine wichtige Information? War die Frau jetzt völlig neben der Spur?

Aber er hielt an sich. Bei wem sollte er sich auch beschweren?

»Wo liegt dieses Bootshaus, Assad?«

Assad legte die Landkarte aufs Armaturenbrett und deutete auf einen doppelten Kreis. Vibehof am Dyrnæsvej im Waldgebiet Nordskoven. Yrsa selbst hatte die Stelle markiert. Es war kaum auszuhalten!

Aber woher hätten sie wissen sollen, dass die Gute ins Schwarze getroffen hatte? Und dass sie es plötzlich so verdammt eilig haben würden? Dass es eine neue Entführung gegeben hatte?

Tja, jetzt waren sie schlauer. Er schüttelte den Kopf. Der Entführer hatte erneut zugeschlagen, und alles deutete darauf hin, dass sich die beiden Kinder in der gleichen Situation befanden wie vor dreizehn Jahren Poul und Tryggve Holt. Zwei Kinder in höchster Not. Genau jetzt!

50

Im Dorf Jægerspris bogen sie bei einem roten Pavillon ab, an dem *Skulptur und Malerei* stand. Dann waren sie im Wald.

Erst nachdem sie eine ganze Strecke über regennassen Asphalt gefahren waren, gelangten sie zu dem Schild: *Durchfahrt verboten. Anlieger frei.* Ein perfekter Ort, wenn man bei seinem Tun und Treiben nicht gestört werden wollte.

Sie fuhren langsam. Laut Navi war es immer noch ein ziemliches Stück bis zu dem Haus, aber die Halogenscheinwerfer leuchteten weit in die Landschaft. Falls sie plötzlich zum Fjord hin offenes Terrain erreichten, mussten sie die ausschalten. Noch waren die Bäume kahl, da würde man sie schon von weitem sehen.

»Jetzt kommt eine Straße, die Badevej heißt, Carl. Du musst die Scheinwerfer ausschalten. Anschließend kommt nämlich ein Stück freies Land.«

Carl deutete auf das Handschuhfach und Assad nahm die Stabtaschenlampe heraus.

In deren Licht rollten sie langsam weiter. Sie konnten gerade genug erkennen, um sich grob zu orientieren.

Zum Fjord hin konnten sie ein Stück Marschland ausmachen. Vielleicht auch Kühe, die auf der Wiese lagen. Dann tauchte links von der Straße ein kleines Transformatorenhäuschen auf. Als sie vorbeifuhren, hörten sie ein schwaches Brummen.

»Kann das damals gebrummt haben?«, fragte Assad.

Carl schüttelte den Kopf. Nein, der Ton war zu schwach. Er war ja schon nicht mehr zu hören.

»Da.« Assad deutete zu einer schwarzen Silhouette. Im nächsten Moment erkannten sie eine Windschutzhecke, die offenbar bis hinunter ans Wasser reichte. Dann musste der Vibehof gleich dahinter liegen.

Sie parkten den Wagen am Straßengraben. Für einen Moment standen sie am Straßenrand und sammelten sich.

»Was überlegst du, Carl?«

»Ich frage mich, was uns dort erwartet. Außerdem denke ich an meine Pistole, die im Präsidium liegt.«

Hinter der Hecke befand sich ein Pferch mit einem Unterstand, und hinter diesem wuchsen wiederum Bäume, auch sie bis hinunter zum Wasser. Das Grundstück war vielleicht nicht groß, aber es lag perfekt. Hier hatte man alle Möglichkeiten, um ein glückliches Leben zu führen. Oder um die widerwärtigsten Gräueltaten zu verbergen.

»Da!« Assad deutete in Richtung Wasser und Carl sah es: den Umriss eines kleinen Hauses. Vielleicht ein Schuppen oder eine Laube.

»Und da!« Assad wies in Richtung der Bäume.

Dort war ganz schwach Licht zu sehen.

Sie drückten sich zwischen den Zweigen der Hecke hindurch. Das Backsteinhaus war alt, es wirkte fast schon baufällig. Zwei Fenster zur Straße hin waren erleuchtet.

»Er ist wohl im Haus, oder?«, flüsterte Assad.

Carl sagte nichts. Wie sollten sie das wissen?

»Etwas weiter hinter dem Haus ist eine Zufahrt, glaube ich. Sollen wir vielleicht erst nachschauen, ob der Mercedes dort steht?«

Carl schüttelte den Kopf. »Glaub mir, das tut er.«

Dann hörten sie unten von dem Schuppen am Ende des Gartens ein Brummen. Wie von einem Motorboot, das auf spiegelblankem Wasser heimwärts tuckert.

Carl kniff die Augen zusammen. Das war das Brummen. »Das kommt unten vom Schuppen, Assad. Kannst du den sehen?«

Der grunzte zustimmend. »Was meinst du, kann das Bootshaus dort in den Büschen neben dem Schuppen liegen? Dann wäre es direkt am Wasser.«

»Vielleicht. Und vielleicht ist auch unser Mann da unten. Und ich will mir gar nicht ausmalen, was er gerade dort tut«, murmelte Carl.

Die Stille des Wohnhauses und das Brummen unten vom Schuppen beunruhigten ihn, er hatte Gänsehaut.

»Wir müssen da runter, Assad.«

Der nickte und reichte ihm die Stablampe. »Nimm du die als Waffe, Carl. Ich vertraue mehr meinen Händen.«

Sie arbeiteten sich durch dichtes Unterholz, das über Carls verbrannten Arm schrappte. Er konnte sich den Schmerz nur verbeißen, weil sein Hemd und seine Jacke feucht waren vom Nieselregen und die Wunde kühlten.

Je näher sie dem Schuppen kamen, umso deutlicher hörten sie das Geräusch. Monoton, tief, unablässig. Wie ein frisch geölter Motor im niedrigsten Gang. Unter der Tür fiel ein schmaler Streifen Licht nach draußen. Irgendwas passierte also dort drinnen.

Carl deutete auf die Tür und packte die schwere Stablampe. Wenn Assad die Tür aufriss, konnte er hineinstürmen, bereit zuzuschlagen. Sie mussten wissen, was dort vor sich ging.

So standen sie einige Sekunden angespannt vor der Tür und sahen sich an. Dann gab Carl das Zeichen. Die Tür sprang sofort auf und in der nächsten Sekunde stürmte Carl nach drinnen.

Er sah sich um und ließ dabei den Arm mit der Stablampe sinken. Hier war niemand. Hier war nichts außer einem Schemel, etwas Werkzeug auf einer Hobelbank, einem großen Öltank, einigen Schläuchen und diesem Generator, der dort stand und brummte wie ein Relikt aus einer Zeit, als die Dinge noch ewig hielten.

»Wonach riecht das hier, Carl?«

Ja, der Geruch war intensiv, und Carl kannte ihn von früher. Von damals, als man Kiefernmöbel und Holztüren noch abbeizte. Dieser beißende Geruch, bei dem sich einem die Nasenlöcher zusammenzogen. Der Geruch von Ätznatron. Der Geruch von Lauge.

Den Kopf voller unheimlicher Bilder zog er den Schemel an den Öltank heran. Mit bangen Ahnungen stieg er hinauf und hob den Deckel des Tanks ab. Ich kann das Ding ja sofort ausschalten, dachte er, als er den Lichtkegel der Stablampe ins Innere des Tanks richtete.

Aber da war nichts zu sehen. Nur Wasser und ein meterlanger Heizschlauch.

Wozu sich dieser Tank benutzen ließ, konnte man sich leicht ausrechnen.

Er schaltete die Lampe aus, stieg vorsichtig vom Schemel herunter und sah Assad an.

»Ich glaube, die Kinder sind noch im Bootshaus. Vielleicht leben sie noch.«

Bevor sie den Schuppen verließen, sahen sie sich gründlich um und blieben noch einen Moment an der Tür stehen, um die Augen an die Dunkelheit zu gewöhnen. In drei Monaten würde es um diese Zeit noch taghell sein. Aber im Augenblick sahen sie nichts als undeutliche Schatten, die sich vom Fjord abhoben. Sollte es dort hinter dem niedrigen Gebüsch tatsächlich ein Bootshaus geben?

Er winkte Assad, ihm zu folgen. Auf den nächsten Metern spürte er, wie dicke Nacktschnecken unter seinen Schuhsohlen zermatschten. Was für eine Sauerei! Assad konnte das sicher gar nicht leiden.

Dann kamen sie zu den Sträuchern. Carl beugte sich vor, bog einen Zweig zur Seite und dort, vor seinen Augen, war die Tür, einen halben Meter über der Erde, eingelassen in dicke Planken. Er berührte sie, sie waren glatt und feucht.

Es roch nach Teer, damit hatte man sicher die Ritzen abgedichtet. Derselbe Teer, mit dem Poul Holt seine Flaschenpost versiegelt hatte.

Sie hörten das Wasser vor ihren Füßen schwappen, das Haus lag also direkt über dem Wasser. Zweifellos stand es auf Pfählen. Das war das Bootshaus!

Carl drückte auf den Türgriff, aber die Tür ging nicht auf. Dann ertastete er einen Keil, der in einem Riegel steckte. Er hob ihn vorsichtig an und ließ ihn dann mit der daran befestigten Kette fallen. Der Kerl war ganz offensichtlich nicht dort drin.

Langsam zog er die Tür auf, und sofort hörte er leise Atemgeräusche.

Der Gestank von fauligem Wasser, von Urin und Kot schlug ihm entgegen.

»Ist hier jemand?«, flüsterte er.

Es dauerte einen Moment, dann war unterdrücktes Stöhnen zu hören.

Er knipste die Stablampe an und ein herzzerreißender Anblick bot sich seinen Augen.

Im Abstand von zwei Metern saßen da zwei zusammengesunkene Gestalten in ihrem eigenen Unrat. Nasse Hosen, schmierige Haare. Zwei Häufchen Leben, die aufgegeben hatten.

Der Junge starrte ihn aus wilden, weit aufgerissenen Augen direkt an. Unter dem Dach eingeklemmt, die Hände auf dem Rücken gefesselt und angekettet. Der Mund war mit Packband zugeklebt, das von seinen Atemzügen leicht vibrierte. Der ganze Mensch schrie um Hilfe. Carl bewegte den Lichtstrahl zu dem Mädchen, das vornübergebeugt an seiner Kette hing. Ihr Kopf ruhte auf der Schulter, als schliefe sie, aber sie schlief nicht. Die Augen waren offen und blinzelten ins Licht. Nur hatte sie offenbar nicht die Kraft, den Kopf zu heben.

»Wir helfen euch«, flüsterte Carl, zog sich auf den Fußboden hoch und krabbelte auf allen vieren hinein. »Aber ihr müsst ganz leise sein.«

Er zog sein Handy heraus und gab eine Nummer ein. Einen Augenblick später forderte er bei der Polizeiwache von Frederikssund Unterstützung an. Dann klappte er das Handy wieder zu.

Der Junge ließ die Schultern sinken. Was er eben gehört hatte, schien ihn ein bisschen zu beruhigen.

Inzwischen war auch Assad hereingekrochen. Er kniete unter dem niedrigen Dach und zog das Klebeband vom Mund des Mädchens ab und löste ihre Riemen, während Carl dem Jungen half. Der gab keinen Mucks von sich, als das Klebeband abgerissen wurde. Beugte sich bereitwillig zur Seite, damit Carl den Lederriemen auf seinem Rücken erreichen konnte.

So bekamen sie die Kinder ein Stück von der Wand weg. Bei den Ketten jedoch, die um die Oberkörper geschlungen und an eine andere, in der Wand verankerte Kette angeschlossen waren, kamen sie nicht weiter.

»Die Ketten hat er uns gestern zusätzlich verpasst und sie dann mit einem Schloss verbunden. Vorher hingen wir nur mit den Lederriemen an der Kette an der Wand. Er hat die Schlüssel.« Die Stimme des Jungen war heiser.

Carl sah zu Assad hinüber.

»Ich hab im Schuppen eine Brechstange gesehen, Assad. Holst du sie?«

»Eine Brechstange?«

»Ja, Assad, verdammt.«

Assad wusste ganz genau, was eine Brechstange war. Aber Carl sah ihm an, dass er nicht noch einmal über all diese Schnecken gehen wollte, wenn es sich irgendwie vermeiden ließ.

»Halt die Lampe, dann hol ich sie selbst.«

Er kletterte rückwärts aus dem Bootshaus. Die Brechstange hätten sie sofort mitnehmen sollen. War schließlich auch eine brauchbare Waffe.

Er glitschte wieder durch die Masse aus lebenden und toten Schnecken. Ein schwacher Lichtschein aus den Fenstern auf der Fjordseite des Wohnhauses fiel ihm auf. Der war vorhin noch nicht da gewesen.

Einen Augenblick blieb er mucksmäuschenstill stehen und horchte.

Nein, es war absolut keinerlei Aktivität zu hören, von nirgendwoher.

Dann ging er zum Schuppen und zog vorsichtig die Tür auf.

Die Brechstange lag direkt vor ihm auf der Hobelbank unter einem Hammer und einem Schraubenschlüssel. Er nahm den Hammer hoch und schob den Schraubenschlüssel beiseite. Er zuckte zusammen, als der über den Rand rutschte und mit einem metallischen Klirren auf den Boden fiel.

Wieder stand er einen Moment still und lauschte in die Dunkelheit.

Dann griff er nach dem Brecheisen und schlich sich nach draußen.

Sie blickten ihm erleichtert entgegen, als er zurückkam. Als wenn jede Bewegung von Carl oder Assad, seit sie die Tür zu ihnen geöffnet hatten, ein kleines Wunder darstellte. Das war nur zu verständlich.

Dann brachen sie vorsichtig die Ketten aus der Wand.

Der Junge krabbelte sofort von der Schräge weg, aber das Mädchen lag unbeweglich da und stöhnte.

»Was ist mit ihr?«, fragte Carl. »Braucht sie Wasser?«

»Ja. Sie ist vollkommen am Ende. Wir sind einfach schon zu lange hier.«

»Assad, du trägst das Mädchen«, flüsterte Carl. »Halt die Ketten fest, damit sie nicht rasseln. Ich helfe Samuel.«

Er merkte, wie der Junge erstarrte. Er drehte seinen schmutzigen Kopf um und starrte Carl an, als hätte der eben den Teufel in seiner Seele offenbart.

»Du weißt, wie ich heiße?«, fragte der Junge misstrauisch.

»Ich bin Polizist, Samuel. Ich weiß eine Menge über euch.«

Er zog den Kopf zurück. »Woher? Hast du mit meinen Eltern geredet?«

Carl holte tief Luft. »Nein, das habe ich nicht.«

Samuel nahm die Arme leicht zurück. Verknotete die Hände. »Da stimmt was nicht«, sagte er. »Du bist kein Polizist.«

»Doch, Samuel, das bin ich. Willst du meine Dienstmarke sehen?«

»Woher hast du gewusst, wo wir sind? Das konntest du doch gar nicht wissen?«

»Wir haben lange daran gearbeitet, euren Kidnapper zu finden, Samuel. Nun komm, wir haben keine Zeit zu verlieren«, bat Carl, während Assad das Mädchen durch die Tür nach draußen zog.

»Wenn ihr von der Polizei seid, warum haben wir dann keine Zeit zu verlieren?« Er wirkte inzwischen regelrecht panisch, war ganz offensichtlich völlig außer sich. War das der Schock?

»Wir mussten das Brecheisen nehmen, Samuel, um euch von der Wand loszubekommen. Reicht das nicht als Beweis? Wir hatten keine Schlüssel.«

»Stimmt mit meinen Eltern was nicht? Haben die nicht bezahlt? Ist ihnen was passiert?« Er schüttelte den Kopf. »Was ist mit meinen Eltern?«, rief er viel zu laut.

»Psst«, zischte Carl.

Von draußen war ein dumpfer Laut zu hören. Assad war also auf dem glitschigen Gartenweg ausgerutscht und hingefallen. »Ist was?«, frage Carl. Er wandte sich an Samuel. »Nun komm, Samuel, wir müssen uns beeilen.«

Der Junge sah Carl misstrauisch an. »Du hast vorhin gar nicht wirklich telefoniert, oder? Ihr nehmt uns mit und dann bringt ihr uns um. Das ist es doch, was ihr vorhabt, oder?«

Carl schüttelte den Kopf. »Ich ziehe mich jetzt nach draußen zurück, und dann kannst du ja aus der Tür schauen und dich selbst davon überzeugen, dass alles in Ordnung ist«, sagte er und schob sich an die frische Luft.

Da hörte er wieder ein Geräusch und dann spürte er einen harten Schlag im Nacken. Dann wurde alles schwarz.

51

Vielleicht waren es irgendwelche Geräusche von draußen, vielleicht war es die schmerzende Hüfte, vielleicht die Wunde, die er genäht hatte. Jedenfalls wachte er mit einem Ruck auf und sah sich verwirrt im Zimmer um.

Dann erinnerte er sich und wusste wieder, was passiert war. Seit er sich hingelegt hatte, mussten mindestens anderthalb Stunden vergangen sein.

Der Schlaf steckte ihm noch in den Knochen, als er sich mühsam auf dem Sofa hochzog und sich zur Seite beugte, um zu sehen, ob die Wunde wieder geblutet hatte.

Zufrieden mit seiner Arbeit nickte er. Die Wunde sah gut aus, war trocken. Sehr gut fürs erste Mal!

Er stand auf und reckte sich. In der Küche hatte er Kartons mit Saft und Konserven. Ein Glas Granatapfelsaft und Thunfisch auf Knäckebrot würden ihm nach dem Blutverlust guttun. Nur ein Happen, anschließend würde er zum Bootshaus gehen.

Er machte Licht in der Küche und sah in die Dunkelheit raus. Dann zog er die Rollos herunter. Man musste das Licht vom Wasser aus nicht unbedingt sehen. Sicherheit ging über alles.

Stirnrunzelnd blieb er stehen. War da ein Geräusch? Wie Metall, das klirrte? Er stand regungslos da und lauschte. Alles war still.

Vielleicht ein Vogel, der aufgeflogen war? Aber taten Vögel das um diese Zeit?

Er hob das Rollo an und sah in die Richtung, aus der er glaubte, das Geräusch gehört zu haben. Kniff die Augen zusammen und stand ganz still.

Da entdeckte er ihn. Er war im Dunkeln fast nicht zu sehen, dieser undeutliche Umriss von etwas Großem, das sich bewegte. Aber er war da.

Direkt vorm Schuppen. Dann war er weg.

Blitzschnell zog er sich vom Fenster zurück.

Jetzt klopfte sein Herz heftiger, als ihm lieb war.

Vorsichtig zog er die Küchenschublade auf und suchte sich ein langes, schmales Filetiermesser aus. Einen richtig angebrachten Stich mit dieser Klinge überlebte man nicht.

Dann zog er sich die Hose an und schlich sich barfuß hinaus in die Dunkelheit.

Nun hörte er die Geräusche unten vom Bootshaus ganz deutlich. Als versuchte jemand, dort drinnen etwas auseinanderzubrechen. Rohe Gewalt gegen das Holz.

Er blieb stehen und lauschte. Jetzt wusste er, was das war. Sie kämpften mit den Ketten. Jemand war dabei, die Bolzen aus dem Holz zu brechen, mit denen er die Ketten an der Wand befestigt hatte.

Jemand?

Wenn das die Polizei war, sah er sich Waffen gegenüber, die besser waren als seine. Aber dafür kannte er das Terrain, konnte die Vorteile der Dunkelheit ausnutzen.

Als er am Schuppen vorbeiging, sah er sofort, dass der Lichtstreifen, der unter der Tür durchfiel, breiter war, als er sein sollte.

Ja, die Tür war nur angelehnt. Dabei hatte er sie hinter sich geschlossen, nachdem er die Temperatur im Öltank geprüft hatte, da war er sich vollkommen sicher.

Vielleicht waren es mehrere. Vielleicht war im Moment jemand dort drinnen.

Rasch zog er sich an die Wand zurück und überlegte. Den Schuppen kannte er wie seine Westentasche. Falls sich jemand dort aufhielt, konnte er ihn blitzschnell ausschalten. Auf den weichen Punkt unterhalb des Brustbeins zielen und zustechen. Ein Mal richtig und dann sicherheitshalber noch ein paarmal hinterher, in verschiedene Richtungen. Da würde er nicht lange fackeln. Entweder die oder er.

Mit ausgestrecktem Messer schob er sich in den Schuppen und ließ den Blick durch den leeren Raum schweifen.

Jemand war da gewesen. Der Schemel stand falsch, das Werkzeug war in Unordnung. Ein Schraubenschlüssel lag auf dem Boden. Das war es wohl, was er gehört hatte.

Er trat einen Schritt zur Seite und griff sich den Hammer von der Hobelbank. Mit dem war er sowieso vertrauter. Der lag gut in der Hand. Den hatte er schon oft benutzt.

Dann schlich er sich ein paar Schritte den Gartenweg hinunter. Wohin er auch trat, zerquetschte er Schnecken zwischen seinen Zehen. Verfluchtes Kroppzeug. Er musste zusehen, dass er die ausrottete, sobald er Zeit hatte.

Er beugte sich vor und sah nun das schwache Licht, das durch die Ritzen des Bootshauses drang. Von drinnen waren gedämpft Stimmen zu hören, aber er konnte weder verstehen, was gesagt wurde, noch, wer sprach. Aber das war eigentlich auch gleichgültig.

Wenn die da drinnen rauswollten, mussten sie diesen Weg nehmen. Er brauchte bloß zur Tür zu rennen und den Splint in den Riegel zu stecken, dann waren sie eingeschlossen. Sie würden es nicht rechtzeitig schaffen, sich freizuschießen, bis er oben vom Auto den Benzinkanister geholt und alles angesteckt hätte.

Okay, man würde das brennende Haus in weitem Umkreis sehen, aber gab es eine Alternative?

Nein. Er würde das Bootshaus in Brand stecken und dann alle Papiere zusammensammeln, das Geld einstecken und anschließend auf schnellstem Weg zur Grenze fahren. Anders ging es nicht. Wer seine Pläne nicht flexibel anpassen konnte, ging zugrunde.

Er steckte das Filetiermesser in den Gürtel und machte sich auf den Weg zur Tür. In dem Moment ging die auf und ein paar Beine wurden herausgestreckt.

Schnell trat er einen Schritt zur Seite. Dann musste er sie eben nehmen, wie sie nacheinander herauskamen.

Er beobachtete die Gestalt, deren Beine nun auf dem Boden knieten, während der Körper noch im Bootshaus steckte.

»Was ist mit meinen Eltern?«, fragte dort drinnen der Junge plötzlich, und dann hörte er ein leises Zischen.

In diesem Moment zog der dunkle kleine Polizeiassistent das Mädchen durch die Tür und tat dabei einen Schritt zurück, direkt auf ihn zu. Derselbe dunkle Mann wie im Bowlingzentrum. Der, der Papst auf der Bahn niedergeworfen hatte. Wie konnte das sein?

Woher kannten die diesen Ort?

Er holte mit dem Hammer aus und traf den Mann mit der breiten Schlagfläche im Nacken, sodass der lautlos zu Boden ging. Das Mädchen, das auf ihn drauffiel, sah ihn mit leerem Blick an. Sie hatte sich längst mit ihrem Schicksal abgefunden. Jetzt schloss sie die Augen. Nur einen Schlag vom Tod entfernt, aber das konnte warten. Erst mal musste er den anderen in Empfang nehmen.

Als die Beine des zweiten Polizisten schließlich aus der Türöffnung gestreckt wurden, verharrten sie dort einen Augenblick, weil der Mann dem Jungen versicherte, dass alles mit rechten Dingen zugehe.

»Ich ziehe mich jetzt nach draußen zurück, und dann kannst du ja aus der Tür schauen und dich selbst davon überzeugen, dass alles in Ordnung ist«, sagte der Mann.

Da schlug er zu.

Und auch dieser Beamte ging nahezu lautlos zu Boden.

Er ließ den Hammer fallen und starrte auf die beiden Bewusstlosen. Horchte einen Moment auf das Rauschen der Bäume und den Regen. Der Junge mochte auf der Hut sein und sich dort drinnen bewegen, aber sonst war alles ganz still.

Da hob er das Mädchen auf und schob es in einer einzigen Bewegung zurück ins Bootshaus, knallte die Tür hinter ihr zu und setzte den Splint in den Riegel.

Er richtete sich auf und blickte sich um. Außer dem Protest des Jungen war nichts zu hören. Keine Einsatzfahrzeuge. Keine weiteren Geräusche, die nicht hierhergehörten. Jedenfalls noch nicht.

Er holte tief Luft. Worauf musste er sich einstellen? Kamen noch mehr? Oder waren die beiden hier so ein paar einsame Cowboys, die ihre Vorgesetzten beeindrucken wollten? Das musste er wissen.

Wenn sie allein waren, konnte er seinen Plan fortführen, wenn nicht, musste er schnellstens verschwinden. Unter allen Umständen musste er alle vier loswerden, sobald er mehr wusste.

Mit einem Satz war er wieder im Schuppen und nahm das Erntebindegarn vom Haken über der Tür.

Im Fesseln von Leuten hatte er Übung. Das dauerte nicht lange.

Während er sich den beiden Bewusstlosen zuwandte, polterte es kräftig im Bootshaus. Der Junge schrie und tobte, er solle ihn rauslassen. Dass seine Eltern nicht bezahlen würden, wenn sie ihre Kinder nicht zurückbekämen.

Guter Versuch. Der Junge war ganz schön tough. Jetzt fing er auch noch an, gegen die Tür zu treten.

Er warf einen Blick auf den Splint. Den hatte er schon vor vielen Jahren eingesetzt, aber das Holz war noch stabil. Der würde die Tritte schon aushalten.

Er zog die beiden Männer ein paar Meter vom Bootshaus weg, sodass er im Licht des Schuppens ihre Gesichter erkennen konnte. Danach richtete er den Größeren der beiden so auf, dass er vornübergebeugt halbwegs auf den Wegplatten saß.

Er kniete sich vor ihn und schlug ihm mehrfach ins Gesicht. »Hey Sie, wachen Sie auf!«, kommandierte er.

Nach einer Weile verdrehte der Polizist die Augen, blinzelte und konnte schließlich sein Gegenüber fokussieren.

Sie sahen sich in die Augen. Die Rollen waren vertauscht. Er war nun nicht mehr derjenige, der an einem weißen Tischtuch im Bowlingzentrum saß und über sein Tun und Lassen Rechenschaft ablegen musste.

»Was für ein kranker Typ sind Sie bloß!«, nuschelte der Polizist. »Aber wir kriegen Sie! Die Kollegen sind unterwegs. Wir haben Ihre Fingerabdrücke.«

Er musterte den Polizisten eingehend. Der wirkte merklich beeinträchtigt durch den Schlag. Als er einen Schritt zur Seite trat und sich das Licht vom Schuppen auf das Gesicht des Polizisten legte, reagierten dessen Pupillen zu langsam. Vielleicht war er deshalb so erstaunlich ruhig? Oder glaubte der Mann etwa nicht, dass er imstande war, sie zu töten?

»Kollegen, guter Versuch«, höhnte er. »Aber selbst wenn, sollen sie doch kommen. Von hier aus überblicken wir den ganzen Fjord bis rüber nach Frederikssund. Wir sehen das Blaulicht schon, wenn sie über die Brücke fahren. Bis die da sind, hab ich also reichlich Zeit, zu tun, was zu tun ist.«

»Die kommen von Süden her, aus Roskilde, Sie sehen einen Dreck, Sie Idiot«, sagte der Polizist. »Lassen Sie uns laufen und ergeben Sie sich freiwillig. Dann sind Sie in fünfzehn Jahren draußen. Bringen Sie uns um, sind Sie ein toter Mann, das verspreche ich Ihnen. Von meinen Kollegen erschossen. Oder Sie verrotten lebenslänglich im Knast, das kommt aufs Gleiche raus. Polizistenmörder überleben nicht in unserem System.«

Er lächelte. »Was für einen Scheiß Sie da reden! Wenn Sie meine Fragen nicht beantworten, liegen Sie in …«, er sah auf seine Armbanduhr, »… zwanzig Minuten in dem Öltank, der da im Schuppen steht. Sie und die Kinder und Ihr Partner. Und wissen Sie was?«

Er schob seinen Kopf ganz dicht vor Carls Gesicht. »Ich bin dann weg.«

Jetzt wurden die Schläge im Bootshaus lauter. Sie klangen härter, hatten auf einmal einen metallischen Unterton. Instinktiv sah er auf den Boden, wo er den Hammer hingeworfen hatte, ehe er das Mädchen aufhob.

Sein Instinkt trog ihn nicht. Der Hammer war weg. Das Mädchen hatte ihn sich gegriffen, ohne dass es ihm aufgefallen war. Er selbst hatte ihn zusammen mit ihr nach drinnen geworfen. Verdammter Scheißdreck! Also war sie doch nicht so weit weg gewesen, wie er geglaubt hatte, diese schlaue kleine Ratte.

Langsam zog er das Messer aus dem Gürtel. Dann musste er also zuerst dort drüben tätig werden.

52

Auf eine sehr merkwürdige Weise hatte Carl überhaupt keine Angst. Er hegte nicht den geringsten Zweifel, dass der Mann vor ihm verrückt genug war, um ihn ohne mit der Wimper zu zucken umzubringen. Aber alles wirkte so ungeheuer friedlich. Die Wolken zogen über den Himmel und verdeckten immer wieder den Mond. Das Wasser schwappte leise. Die Gerüche waren so intensiv. Selbst das Brummen des Generators hinter ihm hatte irgendwie etwas Beruhigendes.

Vielleicht wirkte der Schlag noch nach. Das wilde Pochen in seinem Kopf übertraf noch den Schmerz in Arm und Schulter.

Da hämmerte der Junge wieder gegen die Tür. Diesmal noch kräftiger.

Er sah den Mann an, der gerade ein Messer aus dem Gürtel gezogen hatte.

»Sie würden wohl gern wissen, wie wir Sie gefunden haben, was?« Carl spürte, wie das Gefühl in seine auf dem Rücken gefesselten Hände zurückkehrte. Er sah nach oben in den Nieselregen. Die Feuchtigkeit sorgte dafür, dass sich die Schnur dehnte. Er musste also Zeit gewinnen.

Der Blick des Mannes war granithart. Aber sein Mund reagierte für den Bruchteil einer Sekunde mit einem Zucken.

Er hatte also recht. Dieses Schwein brannte darauf, zu erfahren, wie sie ihm auf die Schliche gekommen waren.

»Es war einmal ein Junge, der hieß Poul. Poul Holt, erinnern Sie sich an ihn?«, fragte Carl und tauchte die Schnur in die Pfütze hinter sich. »Er war ein bisschen eigen«, fuhr er fort und nickte dem Mann zu, während die Hände hinter seinem Rücken arbeiteten.

Dann schwieg er erst einmal. Er hatte es mit seiner Geschichte nicht eilig. Egal, ob die Schnüre hielten oder nicht: Je mehr Zeit verstrich, umso länger lebten sie. Er musste lächeln. Das hier war wie ein auf den Kopf gestelltes Verhör. Ein Verhör mit vertauschten Rollen. Welche Ironie.

»Und? Was war mit diesem Poul?«, drängte der Mann vor ihm.

Carl lachte. Nun wurden die Abstände zwischen den Schlägen gegen die Bootshaustür länger, aber sie klangen präziser.

»Ja, das ist lange her, nicht wahr? Können Sie sich noch erinnern? Das Mädchen dort drinnen war noch nicht mal geboren. Sie denken vielleicht nie an Ihre Opfer? Nein, das tun Sie natürlich nicht. Natürlich nicht.«

Da veränderte sich der Gesichtsausdruck des Mannes in einer Weise, dass Carl eine Gänsehaut bekam.

Mit einem Ruck richtete er sich auf und hob das Messer über Assads Hals. »Sie antworten auf der Stelle und direkt, oder Sie hören in einer Sekunde diesen Kerl in seinem eigenen Blut röcheln.«

Carl nickte und zerrte an den Schnüren. Dieser Scheißkerl meinte, was er sagte.

Aber erst einmal rief er zum Bootshaus: »Samuel, wenn du weiter so hämmerst, wirst du obendrein noch leiden, ehe du stirbst. Das kannst du mir glauben.«

Sekundenlang hörten die Schläge auf. Dafür wurde das Weinen des Mädchens lauter.

Dann ging das Hämmern wieder los.

»Poul hat eine Flaschenpost ins Wasser geworfen«, sagte Carl. »Sie hätten vielleicht doch besser einen anderen Ort wählen sollen, um Ihre Opfer einzusperren. Nicht unbedingt ein Haus, das über dem Wasser liegt.«

Er runzelte die Stirn. Eine Flaschenpost?

Jetzt konnte Carl schon an den Schnüren zupfen. Eine der Umwicklungen war abgerutscht. »Die Flasche wurde vor ein paar Jahren oben in Schottland aus dem Meer gefischt. Schließlich landete sie auf meinem Schreibtisch«, fuhr er fort und ruckelte mit den Handgelenken.

»Tja, Pech für Sie«, sagte der Mann lapidar.

Es war so offensichtlich, was er dachte. Was konnte ihm eine Flaschenpost anhaben? Keines der Kinder, die im Lauf der Jahre in diesem Bootshaus gesessen hatten, konnte wissen, wo sich sein Gefängnis befand. Wie konnte eine Flaschenpost das ändern?

Carl sah, wie Assads Bein zuckte.

Bleib liegen, Assad. Schlaf weiter. Du kannst doch nichts tun, dachte er. Helfen konnte es ihnen einzig und allein, wenn sich die Schnüre so weit lockerten, dass er freikam. Und nicht einmal dann war sicher, wie es ausgehen würde. Weit entfernt. Der Psychopath vor ihm war kräftig, vollkommen skrupellos und hatte ein widerwärtiges Messer in der Hand. Er selbst hingegen war durch den Schlag auf den Hinterkopf eher langsamer geworden. Nein, viel Hoffnung bestand nicht. Hätte er die Kollegen in Roskilde angerufen, dann wären sie von Süden dazugestoßen, und dann hätten sie vielleicht eine Chance gehabt. Aber die aus Frederikssund konnten sich nicht unbemerkt nähern, darin hatte dieses Schwein leider recht. Die Einsatzfahrzeuge würden zu sehen sein, sobald sie die Brücke überquerten, wahrscheinlich schon in wenigen Minuten. Und dann war es vorbei, das war ihm klar. Mist, die Schnüre saßen noch immer zu straff.

»Machen Sie sich aus dem Staub, Claus Larsen, wenn ich Sie so nennen darf. Noch könnten Sie's schaffen«, sagte Carl. Das Hämmern im Bootshaus hatte auf einmal einen tieferen Ton angenommen.

»Stimmt, ich heiße nicht Claus Larsen«, entgegnete er und blieb über Assads leblosem Körper stehen. »Und Sie haben keinen blassen Schimmer, wie ich heiße. Im Übrigen glaube ich, dass Sie heute Abend eine Solonummer abziehen, Sie und

Ihr Partner hier. Warum sollte ich abhauen? Warum glauben Sie, ich würde mich vor Ihnen fürchten?«

»Hauen Sie ab, egal, wie Sie heißen. Noch ist es nicht zu spät. Hauen Sie ab und bauen Sie sich ein neues Leben auf. Natürlich werden wir nach Ihnen suchen, das müssen wir, aber Sie sind ja ein Meister der Verwandlung.«

Da lockerte sich noch eine weitere Umwicklung.

Er sah dem Mann direkt in die Augen und bemerkte nun Reflexe von Blaulicht im Dunkel des Himmels. Also fuhren die Einsatzwagen über den Fjord, endlich.

Carl streckte seinen Rücken und zog die Beine unter sich, als der Mann den Kopf hob und zu dem Blaulicht sah, das nun die ganze Landschaft zum Vibrieren zu bringen schien. Da hob der das Messer über Assads wehrlose Gestalt. Im selben Moment warf Carl seinen Oberkörper nach vorn und rammte dem Kerl den Kopf in die Beine. Der stürzte, das Messer noch in der Hand, und griff sich an die Hüfte. Das ist das Letzte, was ich in meinem Leben zu sehen bekomme, dieser hasserfüllte Blick eines Irren, dachte Carl.

In dem Moment gaben die Schnüre endgültig nach.

Carl schüttelte sie ab und breitete die Arme aus. Zwei Arme gegen ein Filetiermesser. Was für eine Farce! Seine Beine waren wie Pudding, der Schraubenschlüssel im Schuppen lag in unerreichbarer Ferne. Alles um ihn herum schien sich gleichzeitig auszudehnen und zusammenzuziehen.

Als sich der Mann erhob und mit dem Messer auf ihn zukam, machte Carl ein paar wackelige Schritte rückwärts. Jetzt begann das Herz zu pumpen und das Pochen im Kopf nahm zu. Kurz sah er Monas schöne Augen vor sich.

Er trat bewusst fest auf. Der Gartenweg war rutschig, wieder spürte er, wie der Schneckenmatsch an den Schuhen klebte. Dann blieb er ganz still stehen und wartete ab.

Die Reflexe der Blaulichter unten von der Brücke waren nun nicht mehr zu sehen. In fünf Minuten würden die Streifenwagen hier sein. Wenn er noch einen Augenblick durchhielt, konnte er das Leben der Kinder vielleicht retten.

Er blickte nach oben zu den Bäumen, deren Äste über den Weg ragten. Wenn ich sie erreichen und mich hochziehen könnte, dachte er und machte einen weiteren Schritt rückwärts.

Da warf sich der Mann mit einem Satz nach vorn, das Gesicht wutverzerrt, das Messer auf Carls Brust gerichtet.

Ein kleiner Fuß, höchstens Schuhgröße vierzig, brachte ihn zu Fall.

Assad hatte mit einem seiner kurzen Beine nach dem Knöchel des Angreifers getreten. Und der wäre vielleicht gar nicht gestürzt, wenn er mit seinen bloßen Füßen nicht auf der Schneckenmasse ausgerutscht wäre. Es klatschte ordentlich, als seine Wange auf den Fliesen aufschlug. Carl taumelte nach vorn und trat ihm in den Unterleib, bis er das Messer losließ.

Carl nahm es auf und hielt es dem Mann an die Halsschlagader, nachdem er ihn mit Mühe aufgerichtet hatte. Hinter ihm versuchte Assad, sich auf die Seite zu rollen, aber dann musste er sich übergeben. Arabische Flüche strömten zusammen mit dem Mageninhalt über seine Lippen. Stubenrein war das sicher nicht. Also konnte seine Verletzung nicht so schlimm sein.

»Stechen Sie doch endlich zu«, zischte der Mann. »Ich kann Ihre Visage nicht länger ertragen.«

Und in einem selbstmörderischen Akt riss er den Kopf nach vorn. Aber Carl hatte den Impuls kommen sehen und zog das Messer so weit zurück, dass es den Hals des Mannes nur streifte.

»Dachte ich's mir doch«, höhnte der, während ihm das Blut den regennassen Hals hinablief. »Sie tun es ja doch nicht. Trauen sich nicht.«

Aber da irrte er sich. Ein zweites Mal würde Carl das Messer nicht zurückziehen. Assads benebelte Augen würden bezeugen, dass der Mann seinen Tod selbst provoziert hatte. Und dem Rechtssystem bliebe einiges erspart.

In dem Moment hörte das Hämmern im Bootshaus auf.

Über die Schulter des Mannes hinweg sah Carl, wie sich die Tür öffnete. Wie von unsichtbarer Hand aufgezogen.

Dann füllte dieser kranke Typ sein Gesichtsfeld wieder ganz aus.

»Sie haben mir immer noch nicht erzählt, wie Sie mich gefunden haben. Da soll ich wohl bis zur Gerichtsverhandlung drauf warten, was?«, sagte er. »Was haben Sie gemeint, wie viel würde ich bekommen? Fünfzehn Jahre? Das überlebe ich.« Er legte den Kopf in den Nacken, als wolle er ihn gleich wieder vorschnellen lassen, und lachte hässlich.

Na los, nur zu, dachte Carl, wirf deinen Kopf ins Messer. Er verschränkte die Finger um den Schaft und wusste, was jetzt kam, würde widerlich.

Dann war ein kurzes Knacken zu hören, ein Geräusch, als würde ein Ei aufgeschlagen. Der Mann ging in die Knie und kippte lautlos zur Seite. Samuel, das Gesicht von Rotz und Tränen verschmiert, stand mit dem Hammer in der Hand vor Carl. Damit hatte er offenbar das Schloss der Bootshaustür zertrümmert. Wo zum Teufel hatte er den her?

Carl ließ das Messer sinken und beugte sich über den Mann, der zitternd am Boden lag. Noch atmete er.

Das, was er da eben miterlebt hatte, war eine regelrechte Hinrichtung gewesen. Er hatte den Mann doch unter Kontrolle gehabt. Das musste der Junge doch gesehen haben.

»Wirf den Hammer weg, Samuel«, sagte er und sah zu Assad.

»Das war reine Selbstverteidigung, Assad, da sind wir uns einig, oder?«

Assad legte den Kopf in den Nacken und schob die Unterlippe vor.

Seine Antwort kam stoßweise, während er sich weiter erbrach. »Na, wir sind uns doch immer einig, Carl.«

Carl wandte sich wieder dem Mann zu, der mit offenem Mund und aufgerissenen Augen auf dem matschigen Gartenweg lag.

»Soll Sie doch der Teufel holen«, flüsterte der Mann.

»Und soll Sie doch der Teufel kriegen«, erwiderte Carl.

Jetzt hörten sie im Wald die nahenden Einsatzkräfte.

»Wenn Sie alles bekennen, was Sie getan haben, wird der Tod leichter.« Carl flüsterte jetzt unwillkürlich. »Wie viele haben Sie umgebracht?«

Er blinzelte. »Viele.«

»Wie viele?«

»Viele.«

Es war, als gäbe sein Körper jetzt nach. Der Kopf kippte zur Seite, sodass die schreckliche Wunde am Hinterkopf sichtbar wurde. Die Wunde und eine rötliche Narbe, die sich hinterm Ohr entlangzog.

Aus dem Mund kam ein Gurgeln.

»Wo ist Benjamin?«, fragte Carl schnell.

Die Lider senkten sich langsam. »Bei Eva.«

»Wer ist Eva?«

Wieder blinzelte er mit den halb geschlossenen Augen, diesmal sehr viel langsamer. »Meine hässliche Schwester.«

»Geben Sie mir einen Namen, ich brauche einen Nachnamen. Wie heißen Sie richtig?«

»Wie ich heiße?« Er verzog das Gesicht zu einem letzten Lächeln.

»Ich heiße Chaplin.«

Epilog

Carl war müde. Vor fünf Minuten hatte er eine Akte auf den Stapel in der Ecke geknallt.

Gelöst. Fertig. Aus dem System entfernt.

Seit Assad den Serben unten im Keller auf den Fußboden gezwungen hatte, war viel Wasser diverse Flüsse runtergeflossen. Marcus Jacobsens Männer hatten sich um die drei letzten Brandstiftungen gekümmert, aber da auch der Bandenkrieg sie noch beschäftigte, war der Rødovre-Fall von 1995 beim Sonderdezernat Q hängen geblieben.

Sowohl in Serbien als auch in Dänemark waren Menschen hinter Gitter gekommen. Nur zwei Geständnisse fehlten noch. Als ob sie die je bekommen würden, hatte Carl resigniert gesagt. Und die Serben, die sie geschnappt hatten, verrotteten garantiert lieber fünfzehn Jahre im dänischen Knast als sich mit denen anzulegen, die das Ganze angezettelt hatten.

Nun war der Staatsanwalt an der Reihe.

Carl streckte sich und überlegte, ob er sich für ein paar Minuten aufs Ohr legen sollte. Auf dem Flachbildschirm lief die Nachrichtensendung von TV2. Dort schwafelten sie gerade von dem Minister, der nicht in der Lage war, sich auf ein Fahrrad zu schwingen, ohne umzukippen und sich die Knochen zu brechen.

Da klingelte das Telefon. Was für eine Scheißerfindung!

»Wir haben Besuch hier oben«, sagte Marcus. »Kommt doch gleich mal hoch. Alle drei.«

Seit zehn Tagen hatte es ohne Unterlass geregnet. Mitte Juli. Die Sonne hatte sich sonst wohin verzogen. Aus welchem Grund sollten sie sich da in den zweiten Stock begeben? Dort oben war es doch fast genauso dunkel wie bei ihnen im Keller.

Auf der Treppe redete er kein Wort mit Assad und Rose. Diese beschissene Urlaubszeit. Jesper hing den ganzen Tag mit seiner Freundin zu Hause herum. Morten war mit einem Freund namens Preben auf Radtour. Um Hardy kümmerte sich eine ambulante Krankenschwester. Vigga tourte mit einem Mann durch Italien, der anderthalb Meter Haare unter einem Turban verbarg.

Und während Mona sich mit ihrer Nachkommenschaft in Griechenland bräunte, musste er hier die Stellung halten. Hätten nicht Assad und Rose jetzt auch ihren Urlaub nehmen können? Dann könnte er wenigstens in aller Ruhe die Beine auf den Tisch legen und sich den Arbeitstag mit der Tour de France vertreiben.

Nein, er hasste Ferien. Besonders, wenn es nicht seine eigenen waren.

Oben im zweiten Stock warf er einen Blick auf Lis' leeren Platz. Ob sie wieder mit dem Wohnmobil und dem feurigen Ehemann unterwegs war? Wenn es sich um Frau Sørensen gehandelt hätte, wäre das vielleicht noch ganz nützlich gewesen. So ein Getändel auf engstem Raum musste eigentlich selbst eine Mumie wie sie in Schwung bringen.

Auf ein kleines freundliches Nicken seinerseits zeigte sie ihm den Finger. Na, wer sagt's denn. Die alte Schachtel ging mit der Zeit.

Als sie die Tür zu Marcus Jacobsens Büro öffneten, sah sich Carl einer unbekannten Frau gegenüber.

»Mia Larsen«, sagte Jacobsen drüben von seinem Stuhl, »ist mit ihrem Mann hierhergekommen, um sich bei euch zu bedanken.«

Da entdeckte Carl auch den Mann, der sich etwas im Hintergrund hielt. Den kannte er. Das war der Typ, der vor dem brennenden Haus in Roskilde gestanden hatte. Dieser Kenneth, der die Frau rausgeholt hatte. Waren die Frau, die jetzt etwas verlegen vor ihm stand, und dieses arme zusammengekrampfte Geschöpf von damals wirklich ein und dieselbe Person?

Rose und Assad schüttelten den beiden die Hand und Carl tat es ihnen zögernd nach.

»Ja, entschuldigen Sie bitte«, sagte die junge Frau. »Ich weiß, Sie sind sehr beschäftigt. Aber wir wollten Ihnen gern persönlich dafür danken, dass Sie mir das Leben gerettet haben.«

Sie standen sich gegenüber und sahen sich an. Carl hatte keinen blassen Schimmer, was er sagen sollte.

»Ich würde ungern sagen, dafür nicht«, kam es trocken von Assad.

»Ich auch nicht«, stimmte Rose ein.

Da lachten die anderen.

»Sind Sie wieder in Ordnung?«, fragte Carl.

Mia Larsen holte tief Luft und biss sich auf die Lippe. »Ich würde so gern wissen, wie es mit den beiden Kindern weitergegangen ist. Samuel und Magdalena, nicht?«

Carl hob ganz leicht die Augenbrauen. »Ich will ehrlich sein: Das ist schwer zu sagen. Die beiden ältesten Jungs sind zu Hause ausgezogen, und ich glaube, Samuel geht es gut. Was Magdalena und ihre beiden anderen Geschwister betrifft, da habe ich gehört, dass sich die Gemeinde um sie kümmert. Vielleicht ist das ja gut, ich weiß es nicht. Für Kinder ist es hart, ihre Eltern zu verlieren.«

Sie nickte. »Ja, das ist mir klar. Mein Exmann hat viel Schlimmes angerichtet. Falls ich irgendetwas für das Mädchen tun kann, hoffe ich, dass man mir Gelegenheit dazu gibt.« Sie versuchte zu lächeln, aber es gelang ihr nicht, zu viel Last hatte sie selbst zu tragen. »Es ist schwer für Kinder, ihre Eltern zu verlieren. Aber es ist auch für eine Mutter schwer, ihr Kind zu verlieren.«

Marcus Jacobsen trat zu ihr und legte ihr eine Hand auf den Arm. »Wir sind nach wie vor dran an dem Fall, Frau Larsen. Die Polizei hat sehr viel Mühe darauf verwendet, die Informationen auszuwerten, die Sie uns geben konnten. Auf lange Sicht werden sie uns auf die richtige Spur führen, davon sind wir überzeugt. In diesem Land kann man ein Kind nicht bis an sein Lebensende verstecken.«

Bei diesen Worten ließ sie den Kopf sinken und Carl dachte, das hätte man doch wohl auch etwas anders formulieren können.

Da ergriff der junge Mann das Wort. »Sie sollen einfach wissen, dass wir dankbar sind«, sagte er und sah Carl und Assad an. »Dass die Ungewissheit Mia langsam, aber sicher mürbe macht, steht auf einem anderen Blatt.«

Die Ärmsten. Warum war man nicht einfach ehrlich zu ihnen? Vier Monate waren inzwischen vergangen und der Junge war immer noch nicht gefunden. Dafür hatte man in den beteiligten Behörden einfach nicht genügend Ressourcen mobilisiert. Und nun war es höchstwahrscheinlich zu spät.

»Wir haben einfach nicht sehr viele Anhaltspunkte«, schaltete sich Carl ein. »Die Schwester Ihres Exmannes heißt Eva, das wissen wir. Aber wie ist der Nachname? Ja, und wie steht es mit dem Nachnamen Ihres Exmannes? Der kann doch wieder ganz anders lauten. Wir kennen ja nicht mal seinen richtigen Vornamen. Auch über seine Vergangenheit ist uns so gut wie nichts bekannt. Lediglich, dass sein Vater Pfarrer war. Erschwerend kommt hinzu, dass Eva kein so ungewöhnlicher Name für eine Pfarrerstochter ist. Ja, ja, wir wissen, die Frau muss um die vierzig sein, aber das ist auch schon alles. Benjamins Foto hängt in allen Polizeiwachen. Und meine Kollegen haben sämtliche Sozialbehörden im Land darüber informiert, dass sie auf den Fall achten sollen. Das ist das, was wir derzeit tun können.«

Sie nickte. Ganz offensichtlich war sie bemüht, sich von

dieser Botschaft nicht die Hoffnung nehmen zu lassen. Verständlich.

Da griff der junge Mann nach einem Strauß Rosen und sagte, Mia würde Tag für Tag an allen möglichen und unmöglichen Stellen nach Kirchenblättern oder christlichen Zeitschriften Ausschau halten, in denen womöglich der Vater ihres Exmannes erwähnt werde. Das sei zu einer Vollzeitbeschäftigung geworden. Falls sie etwas fände, würden sie als Erste davon erfahren.

Dann streckte er Carl die Blumen entgegen und bedankte sich.

Als sie gegangen waren, blieb Carl mit schlechtem Geschmack im Mund und dem Rosenstrauß in der Hand zurück. Mindestens vierzig blutrote Rosen. Er wünschte, die hätten sie nicht bekommen.

Er schüttelte den Kopf. Nein, auf seinem Tisch konnten diese Blumen nicht stehen. Aber bei Rose und Yrsa zu Hause sollten sie diesmal auch nicht landen. Auf keinen Fall, man konnte nie wissen, wozu das führte.

Als sie bei Frau Sørensen vorbeigingen, schmiss er die Rosen auf ihren Schreibtisch. »Danke, dass Sie die Stellung halten, Sørensen«, sagte er nur und ließ sie allein mit ihrer Verwirrung und ihren stummen Protesten zurück.

Assad, Rose und er sahen sich an und gingen die Treppe nach unten.

»Ich weiß, was ihr denkt«, sagte er.

Sie mussten schleunigst ein Schreiben an sämtliche Instanzen und Behörden des Landes schicken, bei denen zu erwarten war, dass sie von einem Kind Kenntnis erhalten haben könnten, auf das Benjamins Beschreibung zutraf. Alter, Aussehen. Ein Junge, der urplötzlich irgendwo aufgetaucht war, wo er nicht hingehörte. Also mehr oder weniger dieselben Informationen, wie sie die Polizei bereits in einem Rundschreiben verbreitet hatte.

Nur dass sie ihr Schreiben mit dem kleinen Zusatz versehen wollten, man bitte die Vorgesetzten in den Verwaltungen darum, sich der Sache selbst anzunehmen.

Damit würde der Fall garantiert größere Priorität erlangen und schnellstmöglich an die Richtigen weitergeleitet werden.

Im Laufe der beiden letzten Wochen hatte Benjamin mindestens fünfzig neue Wörter gelernt, und Eva kam kaum noch nach.

Aber sie hatten auch viel miteinander gesprochen, die beiden, denn Eva liebte diesen Jungen mehr als alles auf der Welt. Jetzt waren sie eine richtige kleine Familie. Ihr Mann empfand es genauso.

»Wann kommen sie?«, fragte er an dem Tag wohl schon zum zehnten Mal. Er war seit Stunden äußerst beschäftigt. Staubsaugen, Brotbacken, all die kleinen Beschäftigungen mit Benjamin. Für dieses Treffen sollte alles perfekt sein.

Sie lächelte. Wie viel hatte dieses Kind doch in ihrem Leben verändert.

»Sie kommen, ich höre sie. Kannst du Benjamin zu mir setzen, Willy?«

Sie spürte die weiche Wange des Kindes an ihrer.

»Jetzt kommen Leute, die uns sagen werden, ob wir dich behalten können, Benjamin«, flüsterte sie dem Kind ins Ohr. »Und ich glaube, das können wir. Willst du gern bei uns bleiben, mein Schatz? Möchtest du gern bei Eva und Willy bleiben?«

Er schmiegte sich an sie. »Eva«, sagte er und lachte.

Da spürte sie, dass er zum Flur deutete, wo Stimmen zu hören waren. »Leute kommen«, sagte er.

Sie drückte ihn, dann zupfte sie ihre Kleidung zurecht. Willy hatte gesagt, sie solle die Augen geschlossen lassen, dann wirkten sie nicht so erschreckend. Sie holte tief Luft, sandte ein Gebet zum Himmel und drückte den Jungen noch einmal.

»Wird schon werden«, flüsterte sie.

Die Stimmen waren freundlich, sie kannte sie. Sie sollten zu den Formalitäten Stellung beziehen, und sie waren vor einiger Zeit schon einmal hier gewesen.

Alle beide traten zu ihr und gaben ihr die Hand. Gute, warme Hände. Sie sagten etwas zu Benjamin und nahmen dann etwas entfernt Platz.

»Ja, Eva. Nun haben wir Ihre Verhältnisse gründlich geprüft. Man kann schon sagen, dass Sie nicht gerade in die Kategorie unserer besonders typischen Antragsteller gehören. Deshalb wird es Sie vielleicht freuen zu hören, dass wir beschlossen haben, von Ihrer Sehbehinderung abzusehen. Wir haben schon früher einmal einer Adoption bei einer blinden Person zugestimmt. Und was die Grundeinstellung und Alltagsbewältigung angeht, können wir gar keinen Hinderungsgrund erkennen.«

Eva spürte, wie in ihr so etwas wie eine Quelle zu sprudeln begann. Kein Hinderungsgrund, hatten sie gesagt. Also hatten all ihre Gebete geholfen.

»Es ist beeindruckend, wie viel Sie trotz Ihres eher mäßigen Einkommens haben ansparen können. Insofern haben Sie ja schon bewiesen, dass Sie besser zurechtkommen als so manch anderer. Des Weiteren ist uns aufgefallen, dass Sie in sehr kurzer Zeit wirklich enorm viel abgenommen haben, Eva. Fünfundzwanzig Kilo in gut drei Monaten, sagt Ihr Mann. Das ist wirklich bemerkenswert. Sie sehen gut aus, Eva.«

Nun wurde ihr warm. Sogar Benjamin spürte das.

»Eva ist süß«, sagte der Junge. Sie merkte, dass er den Damen zuwinkte. Willy hatte gesagt, er sähe dann immer ganz besonders lieb aus. Gott segne dieses Kind.

»Sie haben sich hier schön eingerichtet. Das kann für einen Heranwachsenden ein richtiges Zuhause werden, ein guter Ort für ein Kind.«

»Dass Willy sich so einen guten Arbeitsplatz gesucht hat, zählt auch«, sagte die andere. Eine etwas ältere, dunklere Stimme. »Aber glauben Sie nicht, Eva, es könnte für Sie problematisch werden, wenn Ihr Mann nun nicht mehr so viel zu Hause ist?«

»Sie meinen, ob ich allein zurechtkomme mit Benjamin?« Sie lächelte. »Ich bin als junges Mädchen erblindet. Aber ich glaube, dass nicht viele Sehende so gut sehen wie ich.«

»Wie meinen Sie das?«, fragte die dunklere Stimme.

»Ist es nicht am wichtigsten, zu spüren, wie es unseren Nächsten geht? Ich spüre so etwas. Ich weiß, was Benjamin braucht, noch bevor er selbst es weiß. Ich merke an der Stimme der Menschen, wie es ihnen geht. Sie zum Beispiel sind im Moment sehr froh. Ich glaube, Sie lächeln vom Herzen her. Haben Sie gerade etwas Schönes erlebt?«

Beide lachten sie ein bisschen. »Ja, wenn Sie es schon ansprechen. Ich bin heute Morgen Großmutter geworden.«

Sie gratulierte und beantwortete dann eine Menge praktischer Fragen. Ohne Zweifel würde die Behörde das Verfahren trotz ihrer Behinderung und Willys Alter fortsetzen. Und da sie nun schon so weit gekommen waren, würde es am Ende bestimmt klappen.

»Vorläufig sprechen wir über die Zulassung als Pflegefamilie. Solange wir nicht wissen, was mit Ihrem Bruder passiert ist, kann das auch nicht anders sein. Aber in Anbetracht Ihres Alters müssen wir das als vorbereitende Maßnahme für eine Adoption ansehen.«

»Seit wann haben Sie nichts von Ihrem Bruder gehört?«, schaltete sich die Erste ein. Das war etwa das fünfte Mal im Lauf der beiden Gesprächstermine, dass man ihr diese Frage stellte.

»Seit März, als er Benjamin brachte. Wir haben die dunkle Vermutung, dass Benjamins Mutter gestorben ist. So wie wir meinen Bruder verstanden haben, war sie schwer krank.« Sie bekreuzigte sich. »Und mein Bruder hat eine düstere Persönlichkeit. Deshalb befürchte ich, dass er Benjamins Mutter nach ihrem Tod dort oben hin gefolgt sein könnte.«

»Bisher haben wir nicht herausfinden können, wer Benjamins Mutter ist. Auf der Geburtsurkunde, die Sie uns gegeben haben, ist die Personennummer völlig unleserlich. Kann es sein, dass die Urkunde nass geworden ist?«

Sie zuckte die Achseln.

»Ja, möglich. So sah sie jedenfalls schon aus, als wir sie bekommen haben«, ergänzte ihr Mann, der in der Ecke saß.

»Anscheinend haben Benjamins Eltern nur zusammengelebt. Aus der Personennummer ihres Bruders ist jedenfalls nicht zu ersehen, dass er jemals verheiratet gewesen ist. Aus dem Tun und Lassen Ihres Bruders wird man insgesamt nicht recht schlau. Wir wissen einzig und allein, dass er sich vor Jahren um Aufnahme ins Jägerkorps bemüht hat. Aber seither scheinen sich alle Informationen, die ihn betreffen, in Nichts aufzulösen.«

»Ja.« Sie nickte. »Wie schon gesagt, er hat eine düstere Persönlichkeit. Selbst uns hat er über sein Leben nie etwas anvertraut.«

»Aber er hat Ihnen doch Benjamin anvertraut.«

»Ja.«

»Benjamin und Eva«, sagte der Junge und rutschte auf den Fußboden.

Sie hörte, wie er auf dem Teppich voranstolperte.

»Mein Auto«, sagte er. »Großes Auto. Auto schön.«

»Ja, wir können sehen, wie wohl er sich fühlt«, sagte die dunkle Stimme. »Für sein Alter ist er wirklich weit.«

»Ja, er gleicht seinem Großvater. Unser Vater war ein sehr kluger Mann.«

»O ja, Eva, über Ihren Hintergrund wissen wir gut Bescheid. Ich weiß, dass Ihr Vater nicht weit von hier Pfarrer war. Soweit ich sehen kann, war er sehr beliebt.«

»Evas Vater war ein phantastischer Mann.« Das war wieder Willy im Hintergrund. Eva lächelte. Er sagte das immer, obwohl er ihm nie begegnet war.

»Mein Teddy«, sagte Benjamin. »Teddy auch schön. Teddy hat blaue Schleife.«

Alle lachten.

»Unser Vater hat uns christlich erzogen«, fuhr Eva fort. »Willy und ich haben uns vorgenommen, Benjamin in seinem Geist zu erziehen, falls die Behörden uns die Möglichkeit geben, ihn bei uns zu behalten. Wir wollen uns daran orientieren, wie unser Vater das Leben sah.«

Sie spürte, dass den beiden Damen das sehr recht war. Die Stille wirkte fast herzlich.

»Sie müssen an einem Vorbereitungskurs für adoptionswillige Eltern teilnehmen, der findet an zwei Wochenenden statt. Erst danach beraten wir endgültig, ob wir Ihrem Antrag stattgeben. Man weiß ja nie, wie es dort läuft. Aber man kann wohl sagen, dass Sie beide bei den ganz großen Fragen, um die es im Leben geht, doch mehr als die meisten …«

Sie spürte, wie sie innehielten. Als wiche plötzlich alle Wärme, alle Herzlichkeit aus dem Raum. Selbst Benjamin unterbrach sein Spiel.

»Da«, sagte er. »Blaues Licht. Blaues Licht blinkt.«

»Ich glaube, die Polizei hält draußen auf dem Hof«, sagte Willy. »Ob es einen Unfall gegeben hat?«

Eva dachte, das könnte etwas mit ihrem Bruder zu tun haben. Dachte so, bis sie die Stimmen draußen auf dem Flur hörte und den Protest ihres Mannes, der zunehmend wütend wirkte.

Dann hörte Eva Schritte im Zimmer und wie die beiden Damen aufstanden und zurücktraten.

»Mia Larsen, ist er das?«, fragte eine ihr unbekannte Männerstimme.

Es wurde geflüstert. Worum es ging, konnte sie nicht verstehen. Es klang, als erklärte ein Mann den beiden Damen, mit denen sie gerade gesprochen hatte, irgendetwas.

Draußen auf dem Flur begann Willy lauter zu schimpfen. Warum kam er nicht herein?

Dann hörte sie jemanden weinen, eine jüngere Frau. Erst von weitem, dann aus der Nähe.

»Im Namen Gottes, was geht hier vor?«, fragte sie in den Raum hinein.

Sie spürte, wie Benjamin zu ihr kam. Wie er ihre Hand ergriff und ein Knie auf ihr Bein legte. Da zog sie ihn auf den Schoß.

»Eva Bremer, wir sind von der Polizei in Odense, und wir kommen mit Benjamins Mutter, die den Jungen gern mit sich nach Hause nehmen will.«

Sie hielt die Luft an. Betete zu Gott, sie mögen allesamt verschwinden. Betete, er möge sie aus diesem Albtraum aufwachen lassen.

Sie kamen näher, und nun hörte sie, wie die Frau mit Benjamin sprach.

»Hallo, Benjamin«, hörte sie. Die Stimme zitterte. Eine Stimme, die nicht hier sein sollte. Weg damit, sie sollte weggehen.

»Kennst du Mama nicht mehr?«

»Mama«, sagte Benjamin. Er schien sich zu fürchten und schmiegte sich an Eva.

»Mama«, wiederholte er, und sie spürte an ihrem Hals, wie er erschauderte. »Benjamin Angst.«

Es wurde ganz still. Einen Moment lang hörte Eva nur die Atemzüge des Jungen. Die Atemzüge dieses Kindes, das sie mehr liebte als ihr Leben.

Da vernahm sie andere Atemzüge. Ebenso tief und angsterfüllt. Sie lauschte und spürte, wie ihre Hände hinter dem Rücken des Jungen zu zittern begannen.

Sie hörte dieses Atmen, und dann hörte sie schließlich sich selbst.

Drei Menschen, die tief Luft holten. Geschockt und voller Angst vor den kommenden Sekunden.

Sie presste das Kind an sich. Hielt die Luft an, um nicht zu weinen. Drückte ihn so dicht an sich, dass sie fast eins waren.

Dann lockerte sie ihren Griff. Ergriff seine kleine Hand und hielt sie fest. Einen Augenblick lang saß sie ganz still, kämpfte mit den Tränen. Aber dann streckte sie ihre Hand mit der kleinen des Jungen darin aus. Wie von fern hörte sie ihre eigenen Worte.

»Heißt du nicht Mia?«

Sie vernahm ein vorsichtiges: »Ja?«

»Komm, Mia. Komm zu uns herüber, damit wir dich spüren können.«

Dank

Ein herzliches Dankeschön an Hanne Adler-Olsen für tagtägliche Inspiration und Ermunterung und für ihre klugen Anmerkungen. Außerdem möchte ich Elsebeth Wæhrens, Freddy Milton, Eddie Kiran, Hanne Petersen, Micha Schmalstieg und Karlo Andersen für ihre wertvollen Kommentare danken sowie Anne C. Andersen für ihren messerscharfen Blick und ihre unerschöpfliche Energie. Mein Dank geht auch an Henrik Gregersen, ›Lokalavisen/Frederikssund‹, und an Bo Thisted Simonsen, den stellvertretenden Leiter des Rechtsmedizinischen Instituts, Abteilung Forensische Genetik, der Universität Kopenhagen. Bei Gitte & Peter Q. Rannes und dem Dänischen Schriftsteller- und Übersetzerzentrum Hald bedanke ich mich für die Gastfreundschaft, bei Polizeikommissar Leif Christensen dafür, dass er mich großzügig an seiner Erfahrung teilhaben ließ und konsequent alle polizeirelevanten Details geprüft und korrigiert hat. Dank an Jan Anders, Abteilung Polizeitechnik, und René Kongsgart, Vizepolizeikommissar, für instruktive Stunden im Polizeipräsidium und nicht zuletzt an Polizeiassistent Knud V. Nielsen von der Sterbekasse der Kopenhagener Polizei für den freundlichen Empfang.

Und zum Schluss ein großer Dank an alle meine phantastischen Leser, die meine Homepage www.jussiadlerolsen.com besucht und mich unter jussi@dbmail.dk ermuntert haben, weiterzumachen.